Distributed by:

INTERNATIONAL SCHOLARLY BOOK SERVICE, INC.
P. O. BOX 4347
Portland, Oregon   97208
U. S. A.

NORTH CAROLINA STUDIES IN THE
ROMANCE LANGUAGES AND LITERATURES
Texts, Textual Studies and Translations
Number 1

LAS MEMORIAS DE
GONZALO FERNÁNDEZ DE OVIEDO

VOLUMEN I

LAS MEMORIAS DE
GONZALO FERNÁNDEZ
DE OVIEDO

POR

JUAN BAUTISTA AVALLE-ARCE

Member of The Hispanic Society of America

VOLUMEN I

CHAPEL HILL

NORTH CAROLINA STUDIES IN THE ROMANCE
LANGUAGES AND LITERATURES

U.N.C. DEPARTMENT OF ROMANCE LANGUAGES

1974

E125
O 94
A37
vol. 1

Library of Congress Cataloging in Publication Data

Oviedo y Valdés, Gonzalo Fernández de, 1478-1557.
Las memorias de Gonzalo Fernández de Oviedo.

(North Carolina studies in the Romance languages and literatures. Texts, textual studies, and translations, nos. 1-2) (Publications of the Department of Romance Languages, University of North Carolina)
An abridgment of the author's Quinquagenas de la nobleza de España.
Includes bibliographical references.
1. Oviedo y Valdés, Gonzalo Fernández de, 1478-1557. I. Avalle-Arce, Juan Bautista, ed. II. Title. III. Series: North Carolina Studies in the Romance Languages and Literatures. Texts, Textual Studies, and Translations, nos. 1-2.

Library of Congress Cataloging in Publication Data

E125.094A37   972.9'007'2024 [B]   74-1123
ISBN 0-88438-402-0 (v. 2)

I.S.B.N. 0-88438-401-2

IMPRESO EN ESPAÑA

PRINTED IN SPAIN

DEPÓSITO LEGAL: V. 2.853 - 1974

ARTES GRÁFICAS SOLER, S. A. - JÁVEA, 28 - VALENCIA (8) - 1974

A mi hermana,
quien hace muchos años
puso la siguiente inscripción en un libro:
"A mi querido hermano
le regalo este libro en el día de su décimo sexto aniversario
como un testimonio
de la gran fe que tengo en su claro entendimiento
y del gran cariño que le profeso".
Nere arreba maiteari

INTRODUCCIÓN

No es éste el momento ni el lugar para estudiar a fondo la obra de Gonzalo Fernández de Oviedo, como en una época pensé. El tamaño de la presente obra, voluminoso ya, se convertiría, con el aditamento del pensado estudio, en algo elefantino, y su precio en algo astronómico. Queda ese estudio, pues, en el alfar, a la espera de un nuevo asueto que me permita sacarlo de allí para darle forma definitiva.

Pero la presentación de una obra como ésta, en especial con el título que le he dado (que es mío y no de Oviedo, como bien puede suponer el lector), me obliga a ciertas aclaraciones indispensables. En primer lugar, ¿qué obra es ésta que hoy publico, y que las bibliografías no registran? Pues la verdad es que los especialistas la conocen bastante bien, al menos en la parte publicada que es sólo una tercera parte del total. Se trata de las *Quinquagenas de la nobleza de España,* para citar en forma abreviada lo más pertinente del título, que se conservan en tres hermosos infolios autógrafos en la sección de Manuscritos de la Biblioteca Nacional de Madrid, signaturas 2217, 2218 y 2219.

El primer tomo de estas *Quinquagenas* (o sea, el manuscrito 2217), lo publicó en Madrid y en 1880 Vicente de La Fuente para la Real Academia de la Historia. Y no se ha publicado más nada, con la excepción de los contados textos que mencionaré más adelante. Ahora bien, el tomo único que publicó La Fuente es en sí de un tamaño impresionante, aparte de estar plagado de errores de lectura y de transcripción, que hablan muy mal de la ciencia paleográfica del copista que supongo habrá empleado La Fuente, para no tener que injuriar más su memoria. Y de las poquísimas notas que añadió La Fuente al texto mejor es no hablar. [1]

Por toda esta suerte de motivos, hace mucho tiempo me propuse una edición paleográfica solvente de los tres tomos de las *Quinquagenas*, debidamente anotados. Pero pronto ciertas graves consideraciones me hicieron modificar la naturaleza del proyecto. En primer lugar, un rápido vistazo al tomo publicado por La Fuente bastará para convencer al más incrédulo lector de que las *Quinquagenas*, en su volumen total, son de lectura absolutamente indigesta. Es que la composición de las *Quinquagenas* me trae a la memoria, en forma irresistible, el recuerdo de Orbaneja, aquel pintor de Úbeda que interrogado acerca de lo que pintaba contestaba: "Lo que saliere" (*Quijote*, II, iii). De la misma manera compuso Oviedo las *Quinquagenas*, a lo que saliese. El plan anunciado en el título de la obra no pasa de la primera página, para ser entonces sustituido por los caprichos y divagaciones de un anciano.

En consecuencia, todo lo que sea caprichosa divagación se puede omitir, sin desmedro de lo que en sentido literal se puede entender por *Quinquagenas de la nobleza de España*, vale decir, los elogios de los nobles españoles que conoció Oviedo. Yo creo que una acertada definición de las *Quinquagenas* sería llamarlas las memorias de un gárrulo y memorioso anciano. Dada esta definición, entendí yo que mi primera obligación editorial era efectuar una poda a fondo, que eliminase todas (o casi todas) las muestras de gárrula ancianidad, pero que mantuviese intactos los múltiples ejemplos de la tenaz memoria de un hombre extraordinario, por lo que había visto, por lo que había viajado, y por lo que había vivido. Resultado inmediato: el inmenso volumen de las *Quinquagenas* originales se redujo a la mitad, a los dos tomos que el lector tiene entre manos, que, de todas maneras, ya está bien en cuanto a tamaño.

Mi criterio podador ha sido, e insisto en ello para aclarar, mantener íntegras las memorias vitales de Oviedo, quiero decir, todos aquellos aspectos de las *Quinquagenas* que podemos considerar respaldados por las vivencias del autor. Por ello me sentí obligado

---

[1] Ya cuando apareció la edición de La Fuente mereció, y recibió, una muy acre reseña de Alfred Morel-Fatio, *Revue Historique*, XXI (1883), 179-90.

a cambiar el título de la obra, y llamarla *Las memorias de Gonzalo Fernández de Oviedo*. Por la borda han ido las incontables muestras del ñoño moralismo en que con abrumadora frecuencia caía la espiritualidad de Oviedo. Pero debo agregar que mi ideal no fue el de hacer una antología de las *Quinquagenas:* siempre que encontré un pasaje que tuviese un mínimo de interés, he copiado el pasaje íntegro por largo que fuese dicho pasaje y por reducido que fuese el interés. De esta manera el lector puede apreciar en todo momento el proceso mental de asociación de ideas (tortuoso por demás, a menudo) que llevó al autor a ensartar juntos los temas más dispares. La verdad es que Oviedo tenía un especial talento para las digresiones, y por los resquicios que éstas abrían de inmediato entraba la moralina. Pero no dudo que el lector excusará todo esto por el verdadero interés (apasionante, a veces) que despiertan la actualidad y variedad de estas memorias.

El resto de mi labor ha sido el siguiente: cada pasaje copiado, por cualquier motivo de interés, sigue el orden del original, y yo le he dado un número ordinal en cifras arábigas; y el título que sigue a este número arábigo también es mío. Al final de cada texto hay una breve identificación topográfica: un número romano que indica si se trata de la *Quinquagena* primera, segunda o tercera, números que corresponden a los tres tomos ya mencionados del original. A esto sigue la abreviatura *est.* y un número arábigo. Estancia era el nombre que daba Oviedo a las cincuenta grandes divisiones (como capítulos, casi) de cada quinquagena, y el número de dichas divisiones o capítulos impuso su nombre a la obra toda: *Quinquagenas*. Y por último, si se trata de la *Quinquagena I*, la única publicada, al número de la estancia sigue el número de página en la edición de La Fuente, para comodidad del lector. [2] Cuando los textos corresponden a las dos últimas *quinquagenas*, hasta hoy inéditas, me refiero al folio del manuscrito autógrafo.

Lo que no copio normalmente son las notas marginales, de carácter bibliográfico por lo general, que Oviedo prodigó, pues

---

[2] Esto no quiere decir, en absoluto, que los textos de la *Quinquagena I* están copiados de la edición de La Fuente. Ya he dicho que la transcripción de éste apenas merece tal nombre; en mi edición de la primera a la última página la transcripción es mía, para bien o para mal.

no hacen más que repetir información ya dada en el texto. En los contados casos en que estas notas marginales añaden nueva información sí las copié en nota, con la indicación de que son de Oviedo y no mías. Además, resuelvo las abreviaturas, con alguna excepción, y añado toda la puntuación. Por lo demás respeto fielmente la ortografía de Oviedo, ya que al fin y al cabo se trata de un autógrafo. No salvo ninguno de los evidentes errores de la pluma de Oviedo; por ello, y para que el lector no se llame a engaño, si existe tal posibilidad, a menudo en el texto y en corchetes inserto el *sic* tradicional.

Oviedo separaba sus textos con algunos versos, muy variables en cantidad, de lo que él llamaba *segunda rima,* o sea pareados octosílabos. Mis textos, normalmente, mantienen esa separación, pero en algunas ocasiones, muy pocas, agrupo en uno textos que Oviedo separaba con la *segunda rima,* como, por ejemplo, cuando a finales de la *Quinquagena II* el madrileñísimo Oviedo entona los loores de su villa natal, reúno bajo un número varios textos de semejante tema. Pero ni quito ni agrego nada al original: sólo agrupo, bajo un mismo número, textos que en los demás casos mantengo separados y con distintos números.

Para mis notas al texto de Oviedo he partido de ciertos supuestos implícitos, que más vale hacer públicos aquí. Para no aumentar demasiado el volumen de mis notas he supuesto en el lector un conocimiento mínimo del estado lingüístico del castellano a mediados del siglo XVI, y así me he ahorrado de anotar casos como el de *puesto que,* equivalente a nuestro moderno *aunque.* Y lo mismo se puede decir acerca de la historia política del siglo XVI: he supuesto al lector familiarizado con sus esquemas generales, en particular los españoles. Así, y a pesar del número, he reducido en lo posible las notas, en cuanto a su cantidad, y en cuanto a la bibliografía aducida en las notas, la he reducido al mínimo imprescindible, para no aumentar en forma peligrosa el volumen de estas *Memorias.* En las notas, asimismo he tratado de acumular los demás textos pertinentes en estas mismas *quinquagenas,* pero no siempre he sido rígidamente metódico. Por ello, en cualquier caso de duda o curiosidad por parte del lector, sugiero la consulta del Índice General al final de la obra donde estarán registrados todos los pasajes pertinentes del caso.

Creo que puede ser útil al lector saber qué se ha publicado de las *Quinquagenas*, y dónde se publicó. Queda mencionado el hecho de que Vicente de la Fuente publicó toda la *Quinquagena I* el siglo pasado, en edición tan lujosa en lo formal como execrable en lo filológico. Después sólo ha habido dos tentativas de publicar algún aspecto muy parcial y limitado. La primera y de mayor aliento fue la de Julián Paz quien en 1947 publicó los loores de Madrid y sus hijos con que cierra Oviedo la *Quinquagena II*. [3] La segunda y única otra tentativa que yo conozco ha sido la reciente publicación por el Padre Vicente Beltrán de Heredia de lo que él llama "Elogio del Cardenal Tavera por G. Fernández de Oviedo: 1555", que es parte de mi texto 251. [4]

Queda un punto más que dilucidar, y que lo haré aquí en la Introducción porque me hubiese resultado engorroso hacerlo en las notas. Se trata de que Oviedo cita, en la *Quinquagena I* con más frecuencia que en las otras, dichos y anécdotas de filósofos clásicos, y hasta llega a mencionar a Diógenes Laercio y su *De vita et moribus philosophorum* (título inexacto, por lo demás). Con esto se ha dado como verdad inconcusa el hecho de que Diógenes Laercio es fuente principalísima de Oviedo, al punto que un bibliógrafo norteamericano, especialista en Oviedo, ha llegado a estampar: "Lo que representa Plinio para la primera parte de la *Historia general* ... lo representa Diógenes Laertes [*sic*] para la primera *Quinquagena*". [5] No hay tal. Oviedo no saludó ni desde lejos a Diógenes Laercio, por el evidente hecho de que nuestro cronista sólo conocía el latín de las más tradicionales oraciones de la Iglesia Católica, y Diógenes Laercio escribió en griego, de allí se tradujo al latín y al español sólo a fines del siglo XVIII por José Ortiz y Sanz (Madrid, 1792). Entonces ¿de dónde saca Oviedo ese extraño conocimiento de anécdotas de la

[3] Julián Paz, "Noticias de Madrid y de las familias madrileñas de su tiempo, por Gonzalo Fernández de Oviedo", *Revista de la Biblioteca, Archivo y Museo* (Ayuntamiento de Madrid), XVI (1947), 273-332.

[4] P. Vicente Beltrán de Heredia, *Cartulario de la Universidad de Salamanca, La Universidad en el Siglo de Oro*, II (Salamanca, 1970), 640.

[5] E. Daymond Turner, "Los libros del alcaide: la biblioteca de Gonzalo Fernández de Oviedo y Valdés", *Revista de Indias*, 125-126 (1971), 158-59.

filosofía antigua? Creo que la respuesta es sencilla, pero hay que hacer un poquitín de historia. En el siglo xiv vivió el inglés Walter Burley o Burleigh (Burlaeus en latín; murió en 1343), quien dejó una obra muy famosa en Europa hasta bien entrado el Renacimiento, intitulada, precisamente, *De vita et moribus philosophorum*. El Marqués de Santillana tuvo un códice de esta obra, que se conserva, y es su fuente continua, aun cuando el Marqués dice estar citando a Diógenes Laercio. [6] O sea que el Marqués de Santillana anticipa en un siglo la misma técnica que usará Oviedo, ya que el cronista nos quiere hacer creer que conoce y usa a Diógenes Laercio, cuando en realidad lo que utiliza, a mansalva casi, es *La vida y excelentes dichos de los más sabios filósofos que hubo en este mundo* (Sevilla, 1520) de Hernando Díaz. [7] Se trata de una suerte de *rifacimento* o recopilación de Walter Burley, con lo que Hernando Díaz emparienta, bien de lejos, por cierto, con Diógenes Laercio. Pero entiéndase que no es el Walter Burley latino, sino el Walter Burley ya castellanizado en el siglo xv. La trayectoria fue, como demostraré de inmediato, del Walter Burley latino al Walter Burley castellano, a Hernando Díaz, y de *La vida y excelentes dichos de los más sabios filósofos* de éste a las *Quinquagenas* de Oviedo. La demostración es tan contundente como sencilla: el capítulo V de Walter Burley, *De vita et moribus philosophorum*, trata de la vida y dichos del filósofo Bías (así en los códices latinos), pero en las traducciones castellanas del siglo xv se lee *Biante*, [8] forma totalmente exótica que se hallará en Hernando Díaz y en las *Quinquagenas* de Oviedo, quien por cierto habla mucho de este filósofo griego de tan insólito nombre. La identidad de dicho nombre revela, indiscreta pero claramente, que la fuente de Oviedo fue Hernando Díaz y no Diógenes Laercio. Y no hay para qué alargar más esta demostración.

---

[6] Mario Schiff, *La bibliothèque du Marquis de Santillane* (París, 1905), pág. xc. V. además, Hermann Knust, *Gualteri Burlaei Liber de Vita et Moribus Philosophorum mit einer altspanischen Übersetzung der Eskurialbibliothek* (Tübingen, 1886).

[7] Fue obra de mucho éxito en la época, si bien rara hoy día: hay otras ediciones de Toledo, 1527, Sevilla, 1538, Sevilla, 1541, v. Salvá, *Biblioteca*, I, 197-98, M. Menéndez Pelayo, *Orígenes de la novela*, NBAE, VII, lxx-lxxii.

[8] En latín la forma es Bias, Biantis.

Y ahora sólo me queda el muy grato deber de agradecer a quienes de cerca o de lejos me han ayudado con el largo texto. Primero a mi mujer, y no sólo por motivos diplomáticos, pues fue con ella con quien, por primera vez, transcribí el texto íntegro de Oviedo. Y después a Paul Jagasich, Joseph Danos, Jon Blake y Harry Rosser, todos estudiantes de la University of North Carolina, que en algún momento u otro fueron mis asistentes. Y por último, al National Endowment for the Humanities de los Estados Unidos, que a poco de comenzar yo este trabajo me concedió una muy generosa beca para dedicarme de lleno a esta obra. [9]

---

[9] Quien desee más información bio-bibliográfica sobre Oviedo puede consultar Pérez de Tudela, *Vida*.

LAS QVINQVAGENAS [1]

De los generosos e illustres e no menos famosos reyes, prínçipes, duques, marqueses y condes e caualleros e personas notables de España, que escriuió el Capitán Gonçalo Fernández de Ouiedo y Valdés, Alcayde de sus magestades de la fortaleza de la cibdad e puerto de Sancto Domingo de la ysla Española, coronista de las Indias, yslas e Tierra Firme del mar Oçéano, vezino e rregidor desta çibdad, e natural de la muy noble e leal villa de Madrid.

AVISO DEL INTENTO

Con que este tractado se prinçipió, que fue corregir los viçios e loar las virtudes exortando al próximo e a todo christiano para que enmiende su vida e se ocupe en seruir a Dios, castigando e rreprouando lo que es dañoso con allegarsse a la doctrina de los sanctos, e seguros exemplos que los philosos [sic] para nuestro aviso nos dexaron e prinçipalmente lo que la sagrada escriptura e nuestra Sancta Madre Yglesia nos declara para nuestra saluaçión.

---

[1] *Quinquagena:* en latín quiere decir *cincuenta,* y como explica más abajo Oviedo, su obra está dividida "en tres partes o quinquagenas, que cada una dellas consiste en cincuenta estanças, e cada estança en cincuenta versos". Para el siglo xvi español el título tenía hermosa prosapia, pues ya lo había usado San Agustín, lo renovó Nebrija en sus *Tertia quinquagena* (Alcalá de Henares, 1516) de notas críticas a la Sagrada Escritura, que tuvieron inmenso éxito, y la popularidad del nombre llegó a tal punto que Don Francesillo de Zúñiga, el famoso bufón de Carlos V, supuso en su *Crónica burlesca* que el archirrevoltoso comunero Don Pedro Girón escribía unas *Quinquagenas* de las Comunidades, *Crónica, Bib. Aut. Esp.,* XXXVI, 13b.

LO SEGUNDO

Que al auctor le mouió a escreuir fue memorar los famosos varones de nuestra España, e juntadas estas dos causas e auidas aquí por prinçipales, se hizo todo el volumen en versso común castellano, e por nueuo estilo llamarle emos segunda rima [2] porque de dos en dos verssos, proçede e se forman tres quinquagenas en que se contienen siete mill e quinientos verssos, en tres partes o quinquagenas, que cada una dellas consiste en çinquenta estanças, e cada estança, en çincuenta versos.

FVE ESTA OBRA

comentada por el mismo auctor della, e con la carta messiua (o epístola) desde las Indias embiada e presentada al Sereníssimo Prínçipe Don Phelipe nuestro señor, que dize desta manera.

---

[2] *Segunda rima:* el nombre de estos pareados octosílabos es un calco del italiano *terza rima* (v. *infra,* texto 9 al final), y a esto se reduce la originalidad de Oviedo, porque como escribe Tomás Navarro: "Es frecuente el pareado octosílabo en estribillos de canciones, en máximas o proverbios intercalados en algunos decires y en motes y decires", *Métrica española* (Nueva York, 1966), pág. 100.

PROHEMIO.

Sereníssimo Príncipe e Señor:

Todo lo que yo he escripto de la general e natural hystoria de la Indias, yslas e Tierra Firme del mar Occéano lo he dedicado a la çessárea Magestat del Emperador Rey nuestro señor, cuyas son. Digo las tres partes en que ay çincuenta libros, [3] que se están imprimiendo en tanto que la quarta escriuo, porque es hystoria corriente más larga que mi vida, e esperando los suçessos della para su continuación, vino a mis manos vna recopilaçión de Johan Sedeño, [4] vezino de la villa de Aréualo, que él llama *Suma de varones illustres,* que comprende CCXXIIII.° emperadores, reyes y capitanes e varones famosos de diuerssas nasciones, desde Adam hasta nuestros tiempos. Como ombre cursado en

---

[3] *Cincuenta libros:* en vida de Oviedo sólo se publicaron los veinte primeros libros de su *Historia general y natural de las Indias* (Sevilla, 1535, diecinueve libros; Valladolid, 1557, libro veinte), pero sí nos han llegado los originales de Oviedo, que se custodian en la Real Academia de la Historia, y gracias a ello se publicaron por primera vez los cincuenta libros juntos en cuatro volúmenes por José Amador de los Ríos (Madrid, 1851-1855). No han llegado noticias de esa cuarta parte que Oviedo dice que escribía al final de su vida. Por último, recordemos que la *Historia general* (Sevilla, 1535) tiene doble dedicatoria, la primera al Cardenal García Jofré de Loaysa, que era entonces el Presidente del Consejo de Indias, y la segunda al Emperador; v. *infra,* notas 429, 504.

[4] *Johan Sedeño: Summa de varones illustres, en la qual se contienen muchos dichos sentencias y grandes hazañas y cosas memorables de dozientos y veynte y quatro famosos. Ansí emperadores como reyes y capitanes que ha auido de todas las naciones* (Medina del Campo, 1551). Sedeño dejó abundante obra, en parte todavía en litigio, aunque toda casi sin estudiar, v. M. Menéndez Pelayo, *Orígenes de la novela,* NBAE, XIV, clxix-lxx; v. *infra,* notas 427-28, 503, 660.

semejante leçión (e dinamente dirigida a vuestra Alteza) con-
tentéme tanto della que me puso en cuydado de hazer semejante
seruicio a mi Prínçipe. Si hallare yo desde el diluuio de Noé
a esta parte, tanto número de caualleros notables de vuestra España naturales, y poniéndolo por obra numero muchos más de
la misma nasçión nuestra naturales, y a bueltas de la misma ocupaçión algunas mugeres, que la consçiençia, por sus virtudes y
grandes fechos, no me consintió olvidarlas, ni dexar de poner
en tan glorioso catálogo, que tanbién se puede dezir martilogio [5]
[sic], pues que muchos del número desta illustre copia fueron
mártires e murieron defendiendo la fe y la verdad. Estranjeros
avrá pocos, aunque no se podrán dezir de todo punto estraños
los que se emplearon siruiendo a su rey e señor natural, puesto
que por su nasçimiento no sean españoles, pero serán naturales
criados e vasallos eredados y rremunerados por los príncipes y
rreyes vuestros predeçessores. Verdad es questa obra destas tres
Quinquagenas ya yo thenía escripta mucha parte della, quando
vi la obra de Johan Sedeño, y no penssaua en lo que me amonestó
mi desseo, que fue particularizar las perssonas de los que aquí
serán acomulados: y así yrá este volumen mezclado en su traça
discurriendo en correçión de los vicios, acordando cathólicos
exemplos. Con este propósito proçedí en lo començado y mezclé
y enxerí los famosos señores y varones antiguos y modernos, e
compuse en todo VIIMD verssos en estilo común e nueuo, destintos en tres *Quinquagenas*, que son primera e segunda e terçera partes, e cada parte o *Quinquagena* de çinquenta estanças:
e cada estança de çinquenta verssos. Sancto Augustín, Doctor
glorioso de la Yglesia de Dios, escriuió sobre el Psalmista e puso
por título a su obra *Quinquagena*, porque se diuiden en tres
çinquentenas, que es el número de los psalmos 150. El docto
maestro Antonio de Lebrixa escriuió çiertas *quinquagenas* e lin-
dezas e dificultades de latinidad. El illustre Don Fadrique Enrríquez [6] (segundo de tal nombre) Almirante de Castilla, compuso

---

[5] *Martilogio:* fue la forma común por *martirologio* hasta comienzos del
siglo XVII, Corominas, *DCELC*, III, 280.

[6] *Don Fadrique Enríquez:* famosísimo Almirante de Castilla, Gobernador
del Reino durante las Comunidades, uno de los más lúcidos cerebros del

otras quinquagenas en versso castellano, e assí yo aprouechándome deste titulo de *Quinquagenas* (aunque en lo demás voy por otro modo de escreuir e soy el menor de los que escriuen) compuse las presentes enderesçadas prinçipalmente a vuestra real perssona, e para que los fieles que se quisieren aprouechar de semejantes avisos para su saluaçión e humana conuersaçión lo pueden hazer. Resçiba pues vuestra grandeza del menor de vuestros criados, e antiguo en su real casa de Castilla, esta mínima ofrenda, que obra es que contiene en sí cathólico exerçiçio e doctrina de philosofía moral e christiana, e no desplazible al sentido de los fieles, porques segura para el ánima, e honesta e digna destimar todo ánimo intento a virtud. De todo el prouecho que al lettor rresultare sea loado Jhesu Christo, el qual dé a vuestra Alteza tan larga vida como vuestro real coraçón se dessea, e con tantos rreynos e señoríos, y en la otra, ques sin fin, la gloria eterna. Mándela vuestra Alteza ver y corregir para que se imprima, e gozen sus súbditos deste tractado, con que sería posible enmendarsse algunos por el aviso desta leçión, de tal manera que aborresçiesen las otras apócriphas leturas.

Fecha en la muy noble e muy leal çibdad metropolitana de Sancto Domingo, de la ysla Española del mar Occéano, 18 grados de la línea equinoçial, *alias* tórrida zona, a la parte de nuestro polo Ártico; e acabada de escreuir día de Sanct Pablo primero hermitaño, a diez días del mes de Enero de 1555 años de la natiuidad de Christo nuestro Redemptor, de mi propria e cassada [*sic*] mano, e seyendo complidos 77 años de mi edad, e los LXIII, seyendo de catorze, ha que siruo a vuestra casa rreal, y los quarenta e dos en estas Indias, y los veinte y dos ha que rresido

---

reinado de Carlos V, había muerto en 1538; ultimo un largo estudio sobre su vida y obra. Fue corresponsal de Oviedo, con quien cambió largas epístolas sobre *los males de Spaña y de la causa dellos*, BNM, ms. 7075. No conozco *Quinquagenas* poéticas del Almirante, aunque sí una obra anónima (su autor fue el franciscano Fr. Luis de Escobar), con versos del Almirante, y cuyo título explica la noticia del texto: *Las quatrocientas respuestas a otras tantas preguntas, que el illustrýsimo señor don Fadrique Enrríquez, Almirante de Castilla, y otras personas en diuersas vezes embiaron a preguntar al autor...con quinientos prouerbios de consejos y auisos* (Valladolid, 1545); v. *infra*, nota 364 y textos 220-21.

en esta fortaleza como alcayde della, y coronista destas partes por la çesárea e cathólicas magestades y de vuestra Alteza.

Muy alto e muy poderoso Sereníssimo Prínçipe e Señor.

Los Reales pies y manos de vuestra Alteza besa =

Gonçalo Fernández de Oviedo.

1. La verdadera nobleza.

> Es muy gran desauentura
> La del ombre ques mal quisto
> Es notoriamente visto
> Ser vano qualquier jatante
> Del que no fuere constante
> No procures compañía.

La razon quiere que tengamos por gran desauentura la del ombre ques mal quisto, e por caso de menos valer ser el christiano aborresçido. Dize Séneca que preguntó vno a vn filósopho, que qué manera ternía para que le quisiesen bien los ombres: respondió: Si hizieres muy buenas cosas e hablares muy poco. Dize el testo: Es notoriamente visto ser vano qualquier jatante. Muchos ombres se jatan de la nobleza, lo qual es gran vanidad, porque no es sino suerte o acaesçimiento ser hijo déste e no del otro. Loca opinión del vulgo que tiene aquél por más noble que es hijo de más rico padre, como si esta nobleza no se adquiriese con robos. La verdadera nobleza y entera de la virtud nasçe. Locura es que siendo tú malo te glories de aver tenido buenos padres, afeando con tu mal biuir la hermosura de tu linaje. Parésçeme a mí, para que ninguno crea ques más noble quel otro (sino fuere más virtuoso), sepa que todos estamos compuestos de vnos mesmos elementos, e que vn Dios es padre de todos. Tener en poco a alguno porque naçió de padres baxos, es calladamente reprehender a Dios, que quiso que nasçiese de aquéllos. Dezía Ovidio riyéndose de los que se estiman en mucho porque sus padres avían seydo buenos, que el linaje y los bisabuelos y lo que no hazemos no se deuía llamar nuestro sino de los que primero lo ganaron, aunque el ser de noble casta ayuda e combida a ser siempre mejor.

Dize el testo: Del que no fuere constante, no procures compañía. Ello está muy bien dicho, porque el ombre mudable poca confiança se ha de tener dél, y el que no es firme en sus fechos no se le deue dar fe ni crédito en cosa que diga o prometa, ni se le deue confiar magistrado ni officio en la república. Quiero dezir que con tiento e con tiempo se han de escoger los amigos, e aquellos con quien te deues acompañar e conuersar, para que tengas entendida su honestidad e virtuosas costumbres, e que no sean mouibles ni de malos respettos (I, est. I, 9-10).

2. *Sobre la alquimia y la limpieza de sangre.*

> Ninguno haga su guía
> A ombre de corta vista,
> Ni escuches alquimista
> Pues no sabe lo que muestra:
> El çiego muy mal adiestra
> Por las ásperas montañas:
> Reçélate de las mañas
> Del questá mal infamado.

Osar se puede dezir, pues el çiego tiene nesçessidad de ser guiado, que es mucho error tomar guía de corta vista, pues dize Sant Matheo que si el çiego fuere guía al çiego que ambos a dos caerán en el fosso. Ni escuches alquimista que no sabe lo que enseña. Esto es otra manera de çeguedad en que algunos con mala intençión se introduzen, e házense maestros de alquimia, que es vna sçiençia muy pregonada, e no entendida ni bastante para más de defraudar a ynorantes cobdiçiosos, que dan crédito a tales artífices, porque les prometen de conjelar el mercurio que assí llaman éssos al azogue e es del mismo peso quel oro (pero diferentes en calidad). Pero quajándole, e quitándole el temblor, e conuirtiéndole en la color del oro, oro sería; pero ésta es vna proybida e falsa sçiençia e arte, que a muchos ha lleuado al hospital, e los tales tienen oy poco o ningún crédito en el mundo, ni es razón que le tengan ni sean escuchados, pues enseñan lo que no saben.

Dize el testo quel çiego muy mal adiestra por las ásperas montañas. Quanto a esta guía del çiego respondido está de suso por el Euangelio, e por montaña ni en los llanos no será el çiego buen adalid para guiar al que ojos touiere, ni a otro çiego.

Reçélate de las mañas del que está mal infamado dize el testo, y conseja bien; porque al infame las leyes le excluyen y entredizen los onores, como a ombre que ha perdido el crédito e la vergüença, e es justa causa la que ay para desuiarse los que están limpios, e biuen bien, de los que están maculados, e desestimados por sus pecados e delitos; por lo qual las leyes los miden en diferente manera por sus méritos e crédito de cada vno. La compañía del bueno, que dessea de se saluar, ha de ser e estar siempre acompañado de buenos desseos, conforme a los mandamientos de Dios e de nuestra Sancta Madre Yglesia, contemplando en Jhesu Christo cruçificado por el género humano, apiadándote de los pobres, porque la limosna es grata a Dios en en todo tiempo, y es la puerta de la gracia para conseguir la salud perdurable (I, est. I, 10-11).

3. *La Casa de Gandía:* *el Duque Santo.*

> Muy peor es la dolençia
> Del enfermo impaçïente:
> Quien con tiempo se arrepiente
> Meresçe ser perdonado:
> El soberuio mal crïado
> Piérdesse a la contina:
> La honesta disçiplina
> Prospera más el varón.

Impaçiente enfermo es forçado que agraue su dolençia, el qual daño proçede de ser mal acondiçionado naturalmente el doliente, e con su poca prudençia haze mayor su mal con su rixa [7] e desabrimiento, e si se arrepiente con tiempo, e abraçándose con la humildad, obedesçiendo al médico e açeptando los remedios e purgas o sangrías e todo lo que es bien que comporte para se curar e conualesçer, dará esperança de su vida a los que le siruen e atienden a ello, lo qual no puede interuenir con los ásperos e desobidientes. Así por consiguiente Dios nuestro Señor, como es-

---

[7] *Rixa:* Covarrubias, *Tesoro,* 910: "*Rija seu rixa,* vale contienda y quistión".

piritual rremediador, e soberano médico del ánima, socorre al
arrepentido de sus culpas e le perdona e libra de la muerte eterna. Por lo qual el Real Psalmista dize: *Cor contritum et humilia-
tum Deus non despicies*. No despreçiará Dios el coraçón contrito
e humiliado.

El soberuio mal criado piérdese a la contina. Porque vista
cosa es quel soberuio e que se desconosçe, como mal criado e
pertinax, que se ha de perder, porque nunca la Yglesia al im-
penitente absuelue ni al remisso, que ni quiere esse remedio de
las llaues de Sant Pedro, ni tiene pensamiento que bastan para
su remedio, ni le plaze ayudarse dellas, y esos tales continuamente
se pierden, e la justiçia diuina ha de hazer su offiçio en su tiempo
deuido, e no disimula como los juezes temporales, porque Dios
quiere coraçones, e así se avrá con el Rey e el Papa como con
el que no tiene capa, y los juezes del suelo no quieren coraçones
ni arrepentimiento sino dineros o otros intereses, defraudando la
justiçia e haziendo barbechos, [8] o dando ocasión para que aya
más pecadores quél pueda pelar e lleuarse sus pecados en la
bolsa a casa, porque se da a entender ques vsar de piedad aquéllo,
e que es de más mérito que complir las leyes sin mejorar su capa e
hazienda.

Dizen los dos versos vltimos desta primera estança, la honesta disçiplina prospera más el varón. Disçiplina se toma aquí
por doctrina. *Disçiplina diçitur qui tam bonas quam malas artes*,
e por esto dize el testo distinguiendo la honesta disçiplina por
bien acostumbrado varón. Para la buena costumbre muchos po-
dríamos traer a consequençia pero por no dar pesadumbre al
que lee diré solamente de vno, y éste sea Pytágoras philósofo, el
cual deseoso de aprender fue a Egipto, e de allí a Babilonia,
donde fue enseñado de astrología, e pasó en Creta (que agora
llamamos Candía) e fue a Laçedemonia a ver las leyes de Licurgo.
Al fin viniendo a Italia hizo su asiento en la gran Greçia (que
es Calabria), en vn lugar llamado Crotón. A los vezinos de allí,
que eran acostumbrados a viçios, los hizo virtuosos con su doctrina, e los acostumbró a vsar la virtud, porque enseñó a las
matronas a ser castas y a los mançebos a tener vergüença y ser

---

[8] *Barbechos:* en el sentido de "estafas, engaños" del texto no hallo la
voz en los diccionarios a mano.

modestos por la auctoridad e abstinençia suya, dexando las mu-
geres los presçiosos vestidos de gala, e los consagraron a la Dea
Juno, confesando que los verdaderos atauíos de las mugeres son
la honestidad e no los vestidos. Esto e otras cosas que escriue
Justino hallarés en la abreuiación de Trogo Pompeyo. Pero este
Pytágoras e los de aquel tiempo suyo fueron gentiles e sin fe.

E, pues se a ofresçido, quiero dezir aquí lo que ha fecho vn
Illustríssimo Señor Duque de Gandía, [9] que oy biue, e se exercita
en lo que agora oyrés. El qual por vía masculina es visnieto del
Papa Alexandre 6., e nieto del Duque de Gandía, que fue echado
en el Tíber, metido en vn costal, muerto a puñaladas, e hijo del
Duque de Gandía de la saetada, e llámanle de la saetada porque
en el tiempo de las Comunidades, siruiendo al Emperador nuestro señor, le dieron vna saetada en la cabeça e tuvo el quadrillo
o fiero [sic] de aquel passador en la cabeça algunos años, en que
passó grande trabajo hasta verse sano. Por la vía materna es este
señor de la Casa Real de Castilla y de Aragón, porque el dicho
Duque su padre fue hijo de la muy illustre señora duquesa doña
María Enrríquez, hija del señor don Enrrique Enrríquez, [10] tío
del Cathólico rey don Fernando, 5. de tal nombre, que ganó a
a Granada e Nápoles &c. Así que la Duquesa y el Rey fueron
primos hijos de hermanos, e el Rey Cathólico fue hijo del rey
don Johan de Aragón que fue nieto del rey don Johan primero
de tal nombre en Castilla. Pero dexemos su illustríssima estirpe
e vengamos a lo que más importa.

---

9 *Duque de Gandía:* el I Duque de Gandía (título creado por Fernando
el Católico en 1483) fue Pedro Luis de Borja (Pier Luigi Borgia), primogénito del Papa Alejandro VI, asesinado por su hermano César en 1488,
v. *infra*, nota 293. El título pasó entonces a otro hermano, Juan, II Duque,
casado con Doña María Enríquez. A la muerte del II Duque en 1497 el
título pasó a su primogénito, Don Juan, segundo de tal nombre y III Duque
de Gandía (1494-1543); éste es el que Oviedo llama el Duque de la Saetada.
En su breve genealogía Oviedo ha olvidado a Juan, primero de tal nombre
y II Duque. Heredero del III Duque fue su hijo Francisco (San Francisco
de Borja, 1510-1572), v. Clemente Fusero, *The Borgias* (Nueva York, 1972),
árbol genealógico en págs. 338-39.

10 *Don Enrique Enríquez:* I Conde de Alba de Liste, fue mayordomo
mayor y tío del Rey Católico, y tío también de D. Fadrique Enríquez, Almirante de Castilla (v. *supra*, nota 6). Don Enrique Enríquez murió en mayo
de 1504, v. Esteban de Garibay y Zamalloa, *Los XL libros del compendio
historial* (Amberes, 1571), libro XIX, cap. xvi; v. *infra*, texto 220 y nota 541.

Este Señor Duque, de quien aquí tracto, fue casado con doña Lenor [sic] de Castro, dama generosa (e más açepta e querida señora que tuuo la emperatriz doña Ysabel[11] de gloriosa memoria) en la qual este señor ouo hijos de bendiçión durante su matrimonio, e después la lleuó Dios desta vida; cuya separaçión él sintió como buen marido, e cómo escarmentado en las cabeças de sus progenitores, quiso dexar o huyr con tiempo los lazos deste mundo e seruir a Dios, e renunçió sus vasallos e estado en su hijo mayor el Duque de Gandía, que agora posee su casa,[12] e dióse a las letras diuinas, e tomó el hábito clerical debaxo de la regla de Sanct Augustín en compañía de tres o quatro canónigos reglares e doctos en la sagrada Escriptura, e como hermanos cathólicos e pobres biuiendo de limosnas se fueron a la prouincia de Cantabria e condado de Vizcaya, e el año de 1551 cantó misa este Duque, o mejor diziendo vmill saçerdote de Dios, en la villa de Vergara. Y en esta çibdad de Santo Domingo está al presente vn orrado [sic] hidalgo, ombre virtuoso e de crédito, natural de Vizcaya, que le ha visto dezir missa al dicho Duque e predicar, tan soçiable e humanamente que es para alabar a Dios verle y oyrle. Al qual, e a la Duquesa que fue su muger, e a sus padres y abuelos e visabuelos deste señor, a todos ellos los vi e conosçí, e a este mismo señor biuiendo su padre, e residiendo este señor con su muger, siruiendo a su Magestad en el tiempo que Çésar fue a su sagrada encoronaçión, e biuiendo el Duque su padre llamauan a este señor su hijo Marqués de Lombayna, e con tal título le vi muy fauoresçido de la Emperatriz en Ávila, y en Medina del Campo, mançebo e sin barbas, avnque ya era casado, e estaua muy en graçia de Çésar e de toda España, por quien él es y por el gran valor de su perssona; e como era bien disçiplinado o acostumbrado, quiso e quiere acabar la vida siruiendo a quien se la da, e le conserua en el sancto offiçio

---

[11] *Emperatriz doña Ysabel:* la mujer de Carlos V, fallecida en Madrid, 1539. Es bien conocido el episodio de cómo D. Francisco de Borja, entonces marqués de Lombay (y no Lombayna, como más abajo escribe Oviedo), fue encargado de llevar el cadáver a enterrar a la Capilla Real de Granada, e impresionadísimo por los estragos de la muerte, decidió entonces renunciar a las vanidades del mundo.

[12] *El Duque de Gandía, que agora posee su casa:* D. Carlos de Borja (1530-1592), V Duque.

que trae de apóstol, como lo he dicho, para que por su exemplo
e su disciplina otros se esfuerçen a seruir a Dios: Y no creays,
letor, ques sólo este señor el que en España ha dexado el hábito
de la cauallería del mundo, e renunciado asimismo los vasallos
e rentas. Por tanto estad atento en estas *Quinquagenas* e sus
comentos, e passemos con nuestro intento adelante que en verdad
ay mucho que hazer para salir con lo començado, a causa de mis
enfermedades, y edad y pocas fuerças (I, est. 1, 16-20).

4. *Castigo de los ladrones en Indias.*

> Quien huye de correçión
> Careçe de buen juÿzio:
> No biuas en perjuÿzio
> De ninguno, si pudieres;
> Lo que para ti quisieres
> Querrás para tus ermanos.

No ynora ombre de razón que quien huye de correçión le
falta buen juyzio, y está tan lexos e desuiado de la verdad quanto
ello mismo es notorio, por la ventaja que el ombre haze e tiene a
todos los otros animales faltos de razón, pues sin ella sería como
los otros yrraçionales y brutos, y dexaría de ser ombre y tornarse
hía bestial que es vna separaçión muy lexos del entendimiento
e libre arbitrio, de que los ombres son capazes y exçelentes
criaturas, por graçia y espeçial don de Dios sobre todos los
otros animales; e así ombre le quiso hazer a su ymagen e se-
mejança.

El segundo punto del testo dize que "no biuas en perjuyzio
de ninguno, si pudieres". Buen consejo me paresçe avnque se da
condiçionalmente, diziendo "si pudieres" pues no podiendo no
tiene culpa el error que por la imposibilidad se comete. Porque,
como dize Sanct Gregorio, porque en tanto más largamente el
ánima çesa de las cosas neçessarias, quánto más enteramente
piensa en las que no lo son.

Dize el testo, Lo que para ti quisieres querrás para tus ermanos, e conforme a essa verdad el Euangelista Sanct Lucas en el
sagrado Euangelio dize, según querríades que lo hagan los ombres con vosotros, semejantemente vosotros lo hareys con ellos.

Mira que tengas las manos
Sin género de rapina [*sic*].

Es un hurto comúnmente el más aborresçido pecado entre los
ombres: porque las otras culpas que cometen, al agressor ofenden
e dañan prinçipalmente, mas el que hurta al mismo delinquente
y al que rroba e a otros haze mal, e les quita sus bienes e los
desalimenta. Aun acá en las Indias, en la Tierra Firme entre
gentes saluajes, el indio que es tomado con el hurto en eredad
ajena, puesto que no sea lo que hurtó más de vna espiga o ma-
çorca de mahíz (ques el trigo de que se haze el pan que comen),
el dueño de la eredad le corta al ladrón ambas manos por las
muñecas, e se las echa al cuello por su propia auctoridad, sin
que se le dé pena ni reproche por el prínçipe o caçique en cuya
jurisdiçión e señorío lo tal acaesçe, e es este castigo general e
vsado en muchas partes: aunque son diferentes en lenguas e en
otras costumbres, ésta es pena e castigo general al que hurta
en el campo. Mandamiento es de Dios y el séptimo que se deue
guardar, pues que nos dize: "No hurtarás." Hurto es tomar lo
ajeno contra voluntad e sin liçençia de su señor, e apropiarlo
para sí; y en este pecado entra la vsura, robo, fraude, engaño e
generalmente toda la ganançia que no es líçita ni honesta, e toda
cosa ajena tomada indeuidamente e sin buen título es deste jaez
e crimen, como más largamente os lo sabrá dezir vuestro confes-
sor, si es e le buscays qual deue ser. Dize el Apóstol, el que hur-
taua hasta aquí ya no hurte más, trabaje con sus manos, porque
del fructo de su trabajo pueda socorrer al que padesce nescessi-
dad, e avn el mismo Apóstol, quando vino á la çibdad de Corin-
thio, de sus manos trabajaua e hazía algunas lauores, morando
con Aquila e Praçila (I, est. II, 21-22).

5. *Contra el lujo:* [13] *Santo Domingo.*

Ni te vistas de tal guisa
Que te noten por liuiano
Ni presumas que tu mano
Hará mas de lo que puede.

---

[13] *Lujo:* las campañas contra el lujo, de moralistas y del Estado, arrecian
a medida que se pasa del siglo xvi al xvii en España, v. el anticuado pero

Lo vno y lo otro ser bien considerado porquel vestir y nueuos trajes e costosos son al presente tan exorbitantes y tan exçesiuos, que es cosa vana e incomportable, e dina de enmienda, y avn en algunas perssonas desonesta cosa, e para rreprehender e castigarsse: e puesto quel Emperador nuestro señor en Castilla lo ha mandado limitar con sus pragmáticas rreales, por el bien común de sus súbditos, no lo han querido corregir en esta nuestra çibdad, por culpa de algunos juezes, por su voluntad e proprio interese, e por complazer a algunos particulares, avnque fuera más justo aprouechar a la república que a los sastres e mercaderes, que tan caro e malo es lo que venden. Pero no es de marauillar que aquí passe eso, pues que tan lejos estamos del Prínçipe, pues que en España amanesçe quatro e cinco oras antes que aquí sea de día, y el mayor que tenemos es de catorze oras, e la menor noche de diez horas, e así por el contrario quando la noche es mayor es de 14 oras, quando el día es de diez: e esta çibdad de Santo Domingo e la boca del rrío deste puerto está en 18 grados de la equinoçial a la parte de nuestro Polo Ártico, como más largamente lo tengo dicho en otra parte. [14]

Dizen más los versos del testo. Ni presumas que tu mano hará más de lo que puede. Muy vsado está ese jatançioso viçio o panphorrería [15] de loarsse el couarde de esforçado, e contar cosas de valiente, que ni passaron por él, ni se halló en tales peligros e trançes con las armas ni sin ellas, e rrelata casos en que piensen los quescuchan quel que los dize es ombre de más estimaçión e valor e para más que sus vezinos, e así cuenta cosas de sí que no las emprendiera de hacer Ércoles el fuerte, ni Sansón no se le yguala en la fuerça, ni Salomón en sabiduría, ni Absalón en hermosura; y así discurriendo por su vano charlatar, [16] presumiendo de lo que no cabe en su perssona ni pueden bastar a lo

---

muy interesante trabajo de J. Sempere y Guarinos, *Historia del luxo y de las leyes suntuarias de España,* 2 vols. (Madrid, 1788).

[14] *En otra parte:* por ejemplo, *Historia general,* libro II, cap. ix.

[15] *Panphorrería:* hoy diríamos *fanfarronería,* v. Corominas, *DCELC,* II, 486-87.

[16] *Charlatar:* de la misma familia que *charlar,* probablemente del italiano *ciarlare,* Corominas, *DCELC,* II, 32-33.

hazer sus manos. Deste tal error dize el testo que no presuma alguno, e prosigue diziendo (I, est. II, 24-25).

6. *La vida honesta.*

> No te pese madrugar
> Al oyr missa temprano
> Ni te comas en verano
> El manjar ques del inuierno.

El cathólico christiano se deue habituar a madrugar a oyr missa temprano e dar graçias a Dios lo primero que haga, e después que deuotamente la aya oýdo vaya a entender en su ofiçio hordinario e administraçión de su casa e familia, e conserue su hazienda lo mejor que pudiere sin ofensa ni daño de sus vezinos, e no se desordene en gastos superfluos, que aqueso es comerse en el verano el manjar ques del inuierno. Quiero dezir que modere e compase e rregle su casa de manera que le baste lo que touiere, e no despienda sus bienes indiscretamente malgastándolos; porque como dixo Solón, no es más bienauenturado aquel que tiene muchas rriquezas que aquel que solamente biue a la jornada, si ellas no le conçeden vsar bien en su vida; porque puesto que muchos ombres son ricos no son por eso bienauenturados. A Sócrates le fue preguntado de vn ombre que qué deuía hazer el que tenía poco e auía nesçessidad de muchas cosas. Sócrates le respondió: Si tus cosas no te bastan haz que tú, moderadamente, bastes a ellas (I, est. II, 30).

7. *Vasallos desleales: Gonzalo Pizarro. Privados: D. Álvaro de Luna.*

> Los vassallos desleales
> Mal siruen a su señor.
> A las vezes el fauor
> Haze mal a quien le tiene:
> Aquel ombre se sostiene
> A quien quiere Dios guardar.

Raras vezes acaesçe ser los vasallos desleales a su señor, e quando el error e deslealtad suçede Dios y el rey los castigan. Esto las más vezes que en el mundo se ha visto han dado causa a ello los señores de los vasallos afligiendo e despechando los súbditos; y también por la maliçia de algún tirano y por otras ocasiones. Pero de qualquier forma que lo tal interuenga es por pecados de los ombres. Pero nunca queda tal delicto sin penitençia de la mano de Dios e de su justiçia, porque es vn crimen muy aborrescido en este mundo y en el otro. En mi tiempo he visto algunos leuantamientos en Italia suçedidos en el reyno de Nápoles [17] y en el ducado de Milán, y he oýdo los de Daçia (alias Dinamarca) contra su rrey Cristierno, y los de las Comunidades de España, y he oýdo ésta más reziente trayçión y tiranía inglesa del duque Guarich, contra la sereníssima rreyna doña María: y en cada vna desas partes que he dicho no han faltado otros varones y vasallos leales en defensa de la verdad para flagelo e castigo de los traydores por la diuina bondad e misericordia, que siempre al mejor tiempo fauoresçe la justiçia e la da a cúya es. E avn acá en estas nuestras Indias no faltó otro tirano llamado Gonçalo Piçarro [18] con vna escuela de traydores y tales que hasta quitar este cánçer e hazer justiçia dél y de los principales de su desleal opinión fue menester vna batalla campal, en que murieron muchos de los desleales y algunos de los de la parte de Çésar, en que se mostró e preualeçió la justiçia de Dios y la prudencia de los mílites del Emperador y su esfuerço, y prinçipalmente por la prouidençia del general, el liçençiado Gasca, [19] a quien su Ma-

---

17 *Nápoles:* las alusiones que siguen, y muy sucintamente, son a la caída de D. Fadrique, Rey de Nápoles (1501); a la de Ludovico el Moro, Duque de Milán (1500), ambos acontecimientos que presenció Oviedo en sus años italianos; a la caída y huida de Cristián II, rey de Dinamarca (1523), cuñado de Carlos V; a las Comunidades españolas contra Carlos V (1520-1521), y al ajusticiamiento de John Dudley, XX Conde de Warwick por la reina María de Inglaterra, la hija de Enrique VIII y Catalina de Aragón, cuando en 1554 Warwick quiso defender la causa de su cuñada Jane Grey.

18 *Gonzalo Pizarro:* es el hermano menor de Francisco, decapitado después de su derrota en Jaquijaguana (c. 1511-1548), v. *infra*, texto 92 y 148.

19 *Licenciado Gasca:* Pedro de la Gasca (1485-1567), fue, efectivamente, el vencedor de Jaquijaguana, recompensado a su vuelta a España en 1551 con el Obispado de Palencia, y en 1561 con el de Sigüenza; v. *infra*, texto 92 y 148-150.

gestad dio el obispado de Palençia para prinçipio de su gratifica-
çión y de tan señalado seruicio.

Dize más el testo, a las vezes el fauor haze mal a quien le
tiene. Así suele acontesçer a los ingratos que se desacuerdan de
sus prinçipios e pobreza, con que entraron en la priuança e graçia
de vn rrey o prínçipe, que los fauoresçió de tal forma que se
ensoberuesçieron viéndosse prósperos y eredados, e que por falta
de prudençia se perdieron e dieron con la carga en el suelo, como
hizo el Maestre de Sanctiago Condestable de Castilla don Áluaro
de Luna, [20] en tiempo del rey don Johan, 2.º de tal nombre en
Castilla, que seyendo vn pobre cauallero e bastardo, quando
començó a seruir muchacho al rrey que he dicho, vino a subir a
los títulos que he dicho, e demás de essos le hizo Conde de
Santisteuan de Gormaz, e Duque de Trugillo, e tuuo patrimoniales sesenta villas e fortalezas suyas, demás de las de la Orden de
Sanctiago, e biuían con él çinco condes, e pagaua tres mill lanças
en Castilla, e fue rico de grandes thesoros, e preferido e ante-
puesto a todos los illustres e grandes señores naturales que en su
tiempo ouo en Castilla, mandando absolutamente los reynos e la
casa del mismo Rey. El qual en fin le hizo cortar la cabeça en
la plaça pública de Valladolid, con pregón público de tirano,
como más largamente la historia del rrey don Johan 2.º lo cuenta.
Por manera que a este cauallero el fauor demasiado le hizo mal.
Pero junto con lo que es dicho fue de su persona valiente cauallero, e ombre de mucho esfuerço e de biuo ingenio, e muy diestro
en las armas; en el qual mostró claramente la Fortuna qué cosa
son estos bienes temporales, e quán presto passan, e qué engañados biuen los que en ellos ponen su esperança.

Dize más el testo. Aquel ombre se sostiene a quien quiere Dios
guardar. Porque *omnia per ipsum facta sunt, et sine ipso factum
est nihil.* Ningún estado ni vida de ombre ni cosa alguna se sostiene ni puede permanesçer sino aquél y aquello a quien quiere Dios
guardar, e que sea conseruado. Mirad que dize Sanct Ambrosio,

---

[20] *Don Áluaro de Luna:* fue hijo bastardo de otro Álvaro de Luna, señor
de Cañete y copero mayor de Enrique III, y llegó a ser todopoderoso va-
lido de Juan II, quien le hizo ajusticiar (h. 1390-1453); v. *infra*, texto 160.

toda ánima se allegue con verdadera seguridad a Jhesu Christo, porque solo Él es todas las cosas para nosotros. Si deseas caresçer de llagas médico es. Si te abrasas de fiebres, fuente es. Si padesçes grauedad con tus maldades, justiçia y perdón es. Si has menester socorro, virtud es. Si has temor de la muerte, vida es. Si deseas subir al çielo, la carrera es. Si quieres desterrar las tinieblas, luz es, e si buscas manjar para comer, alimento y pan biuo es (I, est. III, 40-42).

8. *Buenos y malos frailes en Indias.*

De frayle nunca te fía
Si le vieres andar solo.

Xenócrates filósopho, disçípulo de Platón, tanta fe tenían los de Athenas en sus palabras, que nunca de cosa alguna quél dixese le fue pedido juramento. Digo esto a propósito de la ventaja que vnos ombres hazen a otros en crédito: del qual alcançan poca parte algunos rreligiosos de los que a estas nuestras Indias han passado sin compañeros, e que andan solos, contra la rregla que Jhesu Christo dio a sus disçípulos o apóstoles, que les mandó yr de dos en dos, como van todos los frayles de todas las órdenes.

En esta nuestra çibdad de Sancto Domingo ay tres monesterios conuentuales, vno de Sancto Domingo de la orden de los Predicadores, e otro de obseruantes de la orden de Sant Françisco, e otro que llaman de la Madre [de] Dios, de la orden de la Merçed e rredemçión de los captiuos, de sumptuosos edifiçios, e en cada vno dellos habitan rreligiosos aprouados, de grande exemplo e sancta vida, e entre ellos ay singulares varones en letras, de quien se siruen Dios nuestro Señor e su gloriosa Madre, de los quales conuentos no avés de entender, lettor, que aquí se tracta en más de loarlos por virtuosos, e questa república e toda la isla rresçiben mucho benefiçio con su predicación e buen exemplo e doctrina.

Pero andan cruzando e atrauiésanse otros sueltos, que andan solos e sin compañeros, e désos digo que ha auido e an andado e andan por estas Indias desparzidos e como esentos, e más de los que son menester.

Uno dellos fue a la ysla de Sanctiago, *alias* Jamayca, e tuuo manera que, por avsençia del Abbad de Jamayca, fue elegido por vicario o sostituto del Abbad, e administraua la yglesia e jurisdiçión eclesiástica. Este frayle tenía allí vn hermano, que estaua en lo temporal por gouernador e capitán, e tenía cargo de la jurisdiçión seglar por el Almirante don Luys Colom, cúya es aquella ysla. Acaesçió que fallesçió vn hidalgo, que era vno de los regidores de la villa prinçipal, llamada Seuilla, y era rrico, e estaua biudo, e no tenía muger ni hijos, cuya heredera era vna dueña prinçipal casada en esta cibdad con vn onbre prinçipal, el qual, como supo la muerte del defunto su cuñado, hermano de su muger, embiaron su poder para cobrar los bienes del muerto, en los quales se auía el frayle entrado con título de albaçea, por virtud de vn poder quel defunto le dio para testar por él, declarando que dexaua por eredera a la dicha su hermana. E como el frayle ordenó el testamento, e no ouo quién le fuese a la mano, hizo e ordenó todo lo que quiso, e metido en la hazienda como testamentario lo que se siguió fue que, avnque el defunto estaua en posesión de rrico, no paresçió oro ni plata ni moneda alguna, e para complir las obsequias e mandas quel frayle hizo, vendió la hazienda e bienes del defunto, muebles e rraýzes (los que no se pudieron esconder), e el hermano, que era gouernador de la isla (e otros por él) sacaron los bienes, e el frayle los hazía rematar en él en presçios muy baxos e a su plazer, como entre hermanos, o mejor diziendo a su voluntad. Desde a algún tiempo el frayle vino a esta çibdad, e fuese a vn conuento de los que es dicho, porque él era del hábito de vno dellos, e la eredera e su marido acudieron a le pedir razón de aquella hazienda, e por las escripturas, e testamento, e almoneda, escripto todo a fabor e como el frayle quiso, fue alcançado el frayle en más de trezientos castellanos líquidos, allende de algunas partidas que quedaron en pendençia, e sin se rrematar ni fenesçer la cuenta. Pedíasele este alcançe, e el perlado o prouinçial mandó al frayle que no saliese desta çibdad sin pagar al eredero. En esta çibdad estaua y está vn ombre prinçipal vezino nuestro, grande amigo de su marido de la eredera, el qual hazía por el frayle, e a su ruego e importunaçión acabó que al frayle le esperasen dos años por los trezientos pesos de oro, e aqueste interçessor quedó por fiador e llano pagador si el frayle no cumpliese al tiempo ques dicho, e con este conçierto el frayle se tornó a Jamayca, e el tiempo se cumplió de dos años, e el fiador pagó por el frayle los trezientos pesos sin aver embiado ese deuoto religioso vn marauedí hasta agora, avnque son passados ocho años e más que aquél se entró en aquella hazienda, que por lo menos se cree que valía mas de dos mill castellanos de oro. Éste no es el primero salto o rrobo questos tales frayles, que acá andan, han fecho, ni será el postrero que harán, so color que vienen a predicar e conuertir y no vienen sino a estas cosas e otras semejantes. Biuos son y oy están en esta çibdad la eredera y su marido y el fiador que pagó los trezientos pesos que no deuía, e la cuenta nunca se hizo. Otros pecados e cosas feas e de peor calidad de diuersos género de delitos podría dezir déste e otros frayles de los que yo llamo sueltos, que por acá andan, que no los quiero dezir ni declarar de qué orden son. Baste que podés creer, lector, que en esta çibdad ay muchos, y en Jamayca, que podrían testificar lo que he dicho, y yo podría mostrar las escripturas originales que se han alegado de suso, e si honesto fuese yo os podría dezir otras cosas deste jaez que os espantasen.

Bien sabeys que dize el Euangelio, que mandó Dios a sus doze apóstoles yr de dos en dos, e dioles la podestad sobre los spíritus inmundos, e mandóles que no tomasen alguna cosa por el camino, sino solamente vn bordón, e que no lleuassen alforja, ni pan ni dineros en la çinta, sino calçados de sandalias, e que no se vistiesen de dos túnicas *et cétera*. Dexemos esta materia que, avnque no soy solo el que se quexa desos rrobadores, contra mi voluntad lo he dicho, por satisfazer al testo desta segunda rrima; y avn porque sería posible que aquesto leyese quien podría ser parte del remedio, para que semejantes religiosos acá no viniessen en sus hábitos, ni aquéllos dexando e tomando el de clérigos, como lo hazen muchos, y avn como legos soldados, e otros por marineros e grumetes, e con otras cautelas (I, est. IV, 49-52).

9. *Un invento poético de Oviedo.*

> Cada qual con tiempo mida
> Hasta do basta su lança:
> Al que vergüença no alcança

Déuenle de despedir:
El que quiere bien biuir
Procure ser verdadero.

¡O qué buena pregunta le fue fecha al filósopho Tales milesio
quando le preguntaron que quál estimaua ser la más difíçil cosa
del mundo! El qual rrespondió e dixo: Saber conosçer el ombre
a sí mismo. Lo qual aquí es al propósito de los dos versos primeros, porque, conosçiéndose el ombre, çierto es que sabrá medir y
entender hasta dónde basta su lança y fuerças.

Dizen los dos segundos verssos, quel que vergüença no alcança déuenle de despedir. Eso será muy bien fecho, e asegurar
vuestra casa, porque dize Solón filósopho estas palabras: Mira a
cada vno cautamente, que por aventura, quando con el gesto
aplazible e sereno te habla, puede tener el odio escondido en el
coraçón. E como dize este mismo philósofo, de todas las cosas es
nesçessario rreguardar el fin. Porque como dize Pitaco philósofo,
e vno del número de los siete filósofos de Greçia, natural de Miti-
lena, asaz es fortísima cosa hallarse vn ombre bueno. E aqueste
mismo philósofo dezía, ninguna cosa muestra más aýna quién es
el ombre quel offiçio. Así que por estas causas ya dichas se conosçerá el que tiene vergüença, e el que está sin ella, para despedirle
o conseruarle en tu amistad e conuerssaçión. Bianthe, philósopho
asiano de la çibdad de Priene, dezía que aquellos amigos se deuen
elegir de los quales se ouiere fecho luenga espiriençia. Quanto
más que dize la verdad euangélica, ninguno es bueno sino sólo
Dios. E hablando Christo nuestro Rredemptor con sus disçípulos
les dixo: Mirad que alguno no os engañe, porque muchos vernán
en mi nombre diziendo ¡yo soy! y engañarán muchos.

Dicen los últimos versos de suso, el que quiere bien biuir
procure ser verdadero. Clara cosa es que ninguno puede biuir ni
ser bueno mintiendo. Dize el sabio Salomón, la boca que miente
mata el ánima. Así que, lettor prudente, mirad quánto nos va en
hablar verdad e seguirla en todo. Pues el mismo sabio, antes de
lo que es dicho y en el mismo capítulo dize: La intençión de la ley
es hazer buenos los cibdadanos; la qual verdad se haze por las
virtudes, y esto baste quanto a los seys versos de suso desta mi
segunda rrima, que éste es su proprio nombre.

Nota: Segunda rrima. Asi como llaman terçia rima al estilo en que el Danthe escriuió su *Comedia* e Françisco Petrarca sus *Triumphos,* de tres en tres versos, puesto que aquéllos son de arte mayor de XI e doze sílabas, e aquéstos míos son de arte común e baxo, de siete e de ocho sílabas. Pero el nombre se aplica aquí a la rrespondençia, segunda rrima, como tengo dicho, e los versos de los poetas alegados, e los de aquellos que aquel su estilo siguen, los llaman terçia rrima, como es notorio entre la nasçión italiana, e en espeçial en la toscana lengua, que es de las vulgares ytalianas la mejor (I, est. IV, 53-54).

10. *Las mujeres arrebozadas.*

Aunque mucho se arreboçe
Se conoçe la liuiana.

Ninguna muger en Castilla osara en el tiempo que reinaua la Cathólica reyna doña Isabel arreboçarse en las çibdades e villas, ni en pueblo de todos sus reynos e señoríos, porque dezía que la que tal haze no es buena, e que quiere hazer, o que ya hace, trayción, e ofende a su marido, e a la república; porque puesta vna toualla en la cara, atapándose el rostro, e dexando los ojos descubiertos e vn sombrerico en la cabeça (así como agora lo hazen muchas), ¿que quiere sinificar esto sino atronar vn poco antes que cayga el rrayo o venga el agua tempestuosa? O que, avnque la tope su marido, ni su padre, ni otro pariente la conozca, y pueda yrse de aquella manera a casa de quien la ayude a pecar, e a poner en obra su maldad. En fin, los más son de opinión, que la que va sola y arreboçada que quiere ser retozada.

Verdad es, como dice el testo, que avnque mucho se arreboçe, se conosçe la liuiana: no se conosçe destintamente para que digan ¡ésta es fulana! pero çonosçida va la que eso haze por mala e liuiana adúltera. E pues las mugeres están conosçidas por de poco seso comúnmente, no se les ha de dar la culpa a ellas, sino a aquellos que lo comportan e no las castigan, sobre cuya onrra e vergüença aqueso redunda, e así verás que con esas arreboçadas cada qual por vil ombre que sea se atreue a las palabrear, e pellizcar, e dezir lo que él quiere, que es lo mismo que ella busca, lo que no haría si fuese descubierta. Pero como va dispuesta, si es

buena, para paresçer mala, y si es mala para que el simple piense
que es buena, en poner su persona en tales dubdas ella misma da
liçençia para que la tengan por la que quisieren juzgarla, y avnque
eso se esté juzgado e claro luego ella da otras señales de sí, con
que dize la verdad, e en menear la cabeça, e mostrar la mano, so
color de corregir el sombrero o el tocado, para que sepa el milano
si la tiene blanca, e vea sus sortijas e manillas e otras señales, le
da a entender que no es rrústica, ni de las que venden mal cozinado, [21] sino de aquellas engañabouos, que andan a pescar mo-
çaluillos e babiones, [22] que son aparejados para caer en el garlito,
como dizen, porque, por simple que sea el ombre que en tal
hábito disimulado ve vna muger, es justo que crea que aquélla
no es casta ni lo quiere ser. Dezía Sócrates que los ojos y orejas
del vulgo no de otra manera se deuen temer que mal testimonio;
pues ved qué tal testimonio va dando de sí la arreboçada. Este
mismo filósopho dezía que ninguna muger es tan perfeta que no
aya en ella alguna cosa que poder rreprehender, y esto no lo dezía
él por las arreboçadas sino por todas. Asimismo dezía que como
ninguna cosa es mayor beatitud que tener buena muger, así lo
contrario es la mayor desauentura; e por aquesto dezía que la
muger o es seguro puerto e descanso, o perpetua pena e tormento.
Así que de lo que está dicho se colige como se deuen estimar las
mugeres de poco valor, como lo hizo Demóstenes, prínçipe de
los oradores de Greçia, el qual fue a vna muger pública, e aquélla
por el deshonesto premio pidiéndole vna gran suma, le dixo: El
arrepentimiento yo no le suelo comprar por tanto i caro. Séneca
dizía: Así trayga la dueña los ojos baxos e puestos en tierra, e al
que la habla a menudo blandamente, respóndale dura e no vergonçosa e cortésmente, ca no la rrogará alguno otra vez si la primera habla negare fuertemente. E como dize el mesmo Séneca en
el lugar alegado, adúltera es la muger, avnque no cometa adulterio
de hecho, si dessea cometerlo. E más adelante dize, no pienses

---

[21] *Mal cozinado:* Covarrubias, *Tesoro*, 368: "El lugar donde se venden
las morcillas y menudos de carnero cozidos". Me parece sinónimo de
mondonguera.

[22] *Babiones:* en italiano *babbione* y en portugués *babão* son de la misma
familia que *babión=babieca,* Corominas, *DCELC,* I, 357,

que ay lugar ninguno sin testigo. Concluyamos con el sabio Salomón que dize: El que halla la buena muger halla el bien, e rrescibirá alegría del Señor. Aquel que de sí desecha la buena muger desecha el bien, mas aquel que tiene la adúltera es loco e insipiente. E más adelante dize: Mejor es habitar en la tierra desierta que con la muger contenciosa e ayrada (I, est. IV, 56-58).

11. *Oficios de la Casa Real.*

Harto viene de mañana
El que va bien negociado.

Juntados todos los continuos cortesanos e negociantes, que en la corte rreal rresiden, e los que a tiempos diputados asisten en la Casa Rreal e seruiçio del príncipe, todos ellos se emplean en sus offiçios a diuerssos tiempos limitados. Porque el camarero viene por la mañana, e dale de vestir al rrey con sus moços de cámara, e los rreposteros de cama toman la puerta más próxima o cercana de donde está la perssona rreal, e los porteros la de la sala. E después quel rey es vestido viene el capellán mayor, e el sacristán mayor, e los capellanes, e dizen la missa. E después los del consejo entran en su casa e cónclaue, e tractan de la gouernación del rreyno e execuçión de la justicia, e consultan al rrey las ocurrencias e cosas de que conuiene aduertirle. E desque es ora de comer vienen los rreposteros de plata e de mesa, e el mayordomo mayor, o su theniente, o el maestresala e pajes, e todo lo que más conuiene para el seruicio ordinario de la mesa e boca del rrey. Después de lo qual, como el rrey ha rrepossado vna ora o dos, vienen los secretarios, e otros neçessarios e ocurrientes negoçios, e para ésos e todos los demás ay tiempos rrepartidos e diputados: e para los açessorios dáseles asimismo su lugar conforme al tiempo e sazón. Pero, además de los offiçios, anda vna gran moltitud de pleyteantes, e procuradores, e enbaxadas, e Consejo de Contadores o de Órdenes e de la Hacienda rreal, en que concurren muchos negoçios, e ay Consejo Secreto del Estado e de la Guerra, e en cada cosa désas, que tengo dicho, sus ofiçiales destintos, e vnos envegesçidos, o de largo tiempo ocupados en lo que les conpete, e en los negocios pendientes veteranos, o frescos

letigios, de qualquier género que sean.[23] Así como negoçian e
han el suçeso así se dize que harto viene de mañana el que va
bien negociado. E por el opósito (avnque sea de mañana) viene
tarde si mal negocia, y eso es lo quel testo quiere que entendamos.
La sagrada leçión nos dize *Omnia tempus habent*. Quiere dezir,
todas las cosas han su tiempo, e aqueso es venir de mañana. I
venir quando conuiene sin perder tiempo, anticipando con la sobrada diligencia, ni dexándole passar, quando se deue vsar dél; y
esto. es lo que ha de entender el buen negociante (I, est. IV,
58-59).

12. *Juan de Mena. La fama y la gloria.*

> El nombre pierden los ríos
> Si se meten en la mar;
> Nadie deue dessear
> Que se pierda su memoria
> Ni la busque sin la gloria
> Que no es perescedera.

Vista cosa es que entrados los ríos en la mar pierden el nombre, e se consumen en ella. Así como Arlança, Pisuerga e Carrión,
que son tres ríos pequeños, e después que entran en el río Duero
pierden sus nombres, e llaman a todas aquellas aguas Duero, como
lo dize el exçelente poeta Johan de Mena en la copla 162 de sus
Trezientas desta manera "Arlança, Pisuerga, y aun Carrión | gozan
de nombres de rríos, empero | después de [24] juntados llamámoslos
Duero | hacemos de muchos vna rrelaçión." Así, pues, désos y
todos los demás metidos en la mar pierden sus nombres. A este

---

[23] *Género que sean:* mejor descripción contemporánea acerca del número, composición y funcionamiento de los consejos trae Pedro de Medina,
Libro de grandezas y cosas memorables de España (1548), ed. A. González
Palencia (Madrid, 1944), pág. 42. Además, es muy interesante la lectura de
una instrucción que dio Felipe II a los miembros del Consejo de Italia,
fecha 3.XII.1559, en que fija los días de reuniones, el tipo de negocios a
considerar, cómo hacerlo, las minutas que deben ir al rey, etc., *Codoin*,
XXI, 569-73; además v. *infra*, texto 80.

[24] *De:* así, por ejemplo en la ed. de Fernán Núñez, *Copilación de todas
las obras del famosíssimo poeta Juan de Mena* (Sevilla, 1528), folio lxiv
vuelto; pero *que* en ediciones modernas, por ejemplo, Joʒé Manuel Blecua,
Juan de Mena. El laberinto de Fortuna (Madrid, 1951), pág. 88.

propósito dize pues el testo que ninguno deue dessear que se pierda su memoria, pero que no la busque nadie sin la gloria que no es peresçedera. Pues, como es lo çierto, todo lo demás se oluida y es transitorio, quiso el testo acordarnos que todos los que escriuen vanidades las dexen e se empleen escriuiendo cosas de prouecho y verdades: ítem, que todas las obras y exerçiçios de los ombres se enderesçen a se saluar e seruir a Dios, e se aparten de todo lo ál. Ved lo que dixo Biante philósofo, sin ser christiano, e habló como si fuera fiel cathólico, e dixo: De tal manera deuemos despender el tiempo e medirle como si poco espaçio de años o poco ouiésemos de biuir. Así que el tiempo hase de gastar en virtudes, las quales sean senpiternas, e deuemos penssar de nuestra vida (caso que luenga fuese) que es muy corta, pues se acaba, e auemos de passar a otra ques permanesçiente, e que nunca se ha de acabar ni tener fin. También dixo este philósofo que todo humano bien se deuía rreferir a Dios. Seyendo preguntado que quál era la mejor cosa entre las humanas, dixo: La mente del ombre munda e limpia de toda contagión de pecado. Pitágoras, philósofo, dezía así: Cada vno deseche del cuerpo la pereza, e del ánimo la ynorançia, e de la memoria toda superfluydad, e de la çibdad la disenssión, e de su casa la discordia, e de todas las cosas la destemplança. Dezía que después de Dios, ante que todas las otras cosas se deue obseruar la verdad, la qual sola haze al ombre auezindar con Dios. Atendamos a lo que dize el Apóstol por estas palabras: ¡Oh! ¿No sabeys que vuestro cuerpo es templo del Spíritu Sancto, habitante en vosotros, el qual aueys de Dios? E vosotros mismos no soys vuestros, porque soys comprados con presçio; glorificad ya a Dios con vuestro cuerpo e con vuestro spíritu, las quales cosas son de Dios. Mirad pues lo que dice Jhesu Christo Redemptor nuestro por su Euangelio: Pedid e seros ha dado, buscad e hallarlo eys, llamad e abriros han. Porque cada vno que pide resçibe, e el que busca halla, e quel que llama habrirle han (I, est. IV, 61-62).

13. *Oviedo, juez de religiosos.*

Aquél es mejor lugar
Questá mejor gouernado:

El sufiçiente perlado
No desdeña sus ouejas.

Bien dicho está quanto a la gouernaçión, pero en quanto a la edificaçión podría ser que la çibdad fuese bien edificada e mal gouernada. E a la verdad, muy mayor daño es el vno quel otro sin comparaçión porque en la vna manera se padesçe vn daño y en la otra muchos. Platón, philósofo atheniense, por juyzio de muchos fue prínçipe de todos los philósophos, al qual seyéndole preguntado que en qué lugar o çibdad no deuían habitar los ombres, respondió: Déuese huyr toda çibdad o lugar donde el gasto sobrepuja la ganançia, e los malos sobrepujan a los buenos, e donde los señores son falsos e mentirosos e mendigos. Con lo qual me paresçe que está el testo bien satisfecho quanto a los dos versos primeros de suso.

Quanto a los segundos, el sufiçiente perlado no desdeña sus ovejas, ésta es vna materia que no es para mí, sino para theólogos e canonistas, e los perlados no han de ser rreprehendidos sino del Papa Summo Pontífiçe, e de aquellos que en su nombre, por su espeçial comissión, conforme a derecho lo pueden hazer, e los demás deuemos los rreuerençiar por el grado e lugar que tienen en la Yglesia de Dios. Non obstante, que, como los legos tenemos ojos, e los perlados tienen el primero lugar, no tenemos neçesidad de más de rrogar a Dios por ellos, e que les dexe rregir a Su sancto seruiçio sus yglesias. Pero a bueltas desto, como próximo, quiero rrogar al clero que lean (lo que nos han leýdo) de Sanct Jerónimo, en aquellas sus epístolas, donde tracta en lo que deuen hazer e guardar los perlados e juezes eclesiásticos, y sabría dezir lo que he leýdo, y tanbién lo que he visto. Mas ¿quál es el ombre que osa juzgar de otro? Por çierto es vna gran locura e temeridad, viendo quánto es inçierto y peligroso el juyzio nuestro que tengamos atreuimiento a juzgar de ninguno; porque la espiriençia nos muestra cada día que aquel mismo que teníamos por muy peruersso y perdido, súbitamente se conuierte, e se haze vn sancto. Otro por el contrario que le juzgamos por sancto, se muda y se haze peruerso. De manera, que en este caso ni sabemos qué temamos ni qué no sabemos. Hemos venido en esto que apenas sabe el ombre qué se es él mesmo, quanto más que juzgue de otro. Con todo, no quiero dexar de dezir lo queste glorioso doctor de la Yglesia dize por estas palabras: Si vieres algún clérigo negoçiador, y que de pobre que era se ha hecho rrico, y de humilde se ha hecho altiuo e glorioso, huye dél, así como de verdadera pestilençia. Y poco más adelante conseja estas palabras: Sobre todo prouee que muy pocas vezes o nunca huellen pies de mugeres la casa donde tú biuieres. ¿Sabeys, padres, qué dize este sancto doctor? No sé si lo diga, pero sé que no es bien callarlo. Dize, pues, sobre el rrepartir o dispenssar de la limosna: ¿Sabes quál es el propio despenssero de Jhesu Christo? El que no guarda nada para sí. En fin, eres obligado de dar cuenta a Dios de la bondad interior de tu vida, y a los ombres de la exterior de buen exemplo, y más te digo, que por buena que sea la tierra, y por clara que sea el agua, juntándose las dos hazen lodo, y por tanto, mirad con quién conuerssays los que buena fama quereys (I, est. IV, 63-64).

14. *Las modas. La verdadera nobleza.*

> Ten de ti mayor cuydado
> Que quando pobre te viste:
> Aquel hombre mejor viste
> Que anda según razón.
> En el discreto varón
> Más luze la cortesía:
> Es la propria villanía
> Aborresçer la nobleza.

Ningún prudente se confía de lijero por apariençias ni lisonjas de ninguno, sino de sólo aquel que nunca faltó su verdad. Solón, philósofo, dezía que ninguno se deuía estimar por bienaventurado ante de la muerte. Porque hasta el término de la vida humana, la fortuna se puede mudar, y el indiçio de la felicidad es el vltimo día. Así que porque vno se vea muy eredado y rico destos bienes que con el tiempo se ganan, el tiempo los quita. Y no se descuyde ninguno, antes tenga vigilançia e duerma en vela e oraçión, e trabaje de estar en la graçia de Dios, que ésa es la que ha de conseruarnos para que los bienes turen e sean açeptos ante la Diuina Magestad, para quel ombre con buen título posea aquí lo que touiere, e los verdaderos thesoros de la vida eterna no nos falten, y esas eredades e alhajas temporales halas de tener para

lo que son, porque como dezia el philósofo Chilón lacedemonio:
La fortuna no es otra cosa que vn malo e ynorante médico que
a muchos çiega. Biante, philósofo, dezía, que la más dura cosa
de comportar e más fuerte era la mudança de la fortuna en peor
suçeso.

Dizen los segundos versos de suso: Aquel ombre mejor viste,
que anda según rrazón. Esto me paresçe que es al rreués de lo que
al presente se vsa; porque no llaman mejor vestido agora sino al
que más costoso e más bordado e desvanitado [25] anda, inuentan-
do trajes nueuos, e haziendo ricos a los mercaderes y los sastres, y
enpobresçiéndose a sí mismos. Y en tal caso devríase rrefrenar la
voluntad, como lo dize Cleóbolo que se haga en todas las cosas e
se sigua la rrazón. Dezía Pitágoras que no devíamos yr por vía
pública, que quiere sinificar, que no siguamos los errores del
vulgo. Este philósofo dixo a vn ombre bien vestido e que hablaua
deshonestamente, e le rrequirió que hablasse como vestía o vis-
tiese como hablaua. Sanct Pablo glorioso dize: La figura de este
mundo traspassa, e querría que vosotros fuésedes sin soliçitud.
E más adelante el mismo Apóstol dize: Aquel que se piensa que
está en pie guárdese de caer. E más adelante dize el mismo: Alle-
guémonos, pues, con fuzia al trono de la graçia, a tal que nos
consigamos misericordia, e hallemos graçia e oportuna ayuda. El
sagrado Euangelio dize que aquellas cosas que son imposibles a
los hombres son posibles a Dios.

El testo dize: En el discreto varón más luze la cortesía. Çierta
cosa es quel grosero y el inhábil poco ha de luzir en ellos la
cortesía, pues que la ynoran e no saben vsar della. *Optaui et datus
est mihi sensus, inuocaui* &c. Deseé e dado me fue sentido, e pedí,
e vino en mí el spíritu de la sabiduría. El que a Dios se encomienda nunca Él le falta, pero los que se duermen como ador-
midores han de ser tractados.

Dicen los últimos versos de suso: Es la propria villanía aborresçer la nobleza. Justa causa tiene el noble e hijodalgo de se
contentar de ser de buena sangre procreado, pues que Dios quiso
que lo fuese, e obligado está a conseruar su estado e trabajar en

---

[25] *Desvanitado:* derivado de *vano, vanidad,* que no hallo en los diccionarios a mano; v. *infra,* notas 218, 591.

su hábito de virtuoso e ymitar a sus predeçessores, e tanto mejor
quanto fuere mayor por su genealogía. En tanto más denuesto
e infamia incurre el tal haziendo lo que no deue, y esso es la
propria villanía, como dize el testo, y el aborresçer la nobleza e
dexarla de seguir. E no piense nadie que está la hidalguía en la
vanagloria o presunçión de ser de buena casta, que eso ha de ser
sin menospresçio del tercero, ni del plebeo, o artesano, o villano
notorio. Porque el que los despreçia va contra el mandamiento
de Dios, pues como próximos quiere que los amemos como a
nosotros mesmos. Hase de presçiar el noble de hazer su offiçio
de noble, e no ensoberuesçersse de ser más preuilegiado ni tractado ni estimado en más que la gente menuda o baxa. Abrí los ojos
los que biuís en este mundo, y los que mandays y soys poderosos
en la tierra. El Euangelio sagrado dize que cada vno que se ensal-
çare será humiliado, y el que se humiliare será ensalçado. Oyd lo
que dize Sanct Pablo a los gálatas, en su epístola: Si alguno se
estima que es alguna cosa, siendo nada, engáñase a sí mesmo en la
mente. Cada vno aprueue su obra y entonces sólo en sí mesmo avrá
de qué gloriarse e no en otro, porque cada vno lleuará su propria
carga. E por mejor avisarnos, el Apóstol dize: Dexad andar las
locas quistiones e las genealogías e disparates e contençiones de
las leyes, porque son inútiles e vanas (I, est. V, 69-71).

15. *Motes maliciosos. Anécdota de conversos.*

No tengas por gentileza
El mote si es maliçioso.

Es la maliçia de los ombres, el día de oy, tan multiplicada e
tan vsada e suelta, que, so color de gentileza, se vsan vnos motes
e dichos emponçoñados, y el que los dize tiénese por bien pagado
con que los que escuchan no le den dineros ni otro premio, sino
rreýrse de su maliçia a tiempo bien encaxada, e que se la loen, o
muestren que fue biua e graciosamente dicho lo que dixo, e aprué-
uanlo por bueno, lo cual es imposible serlo siendo malo, porque
se diga verdad en su mote la maliçia que consigo lleua va mez-
clada con perjuyzio e infamia de terçero. Anda vn cantar viejo de
enamorados, que ha más de sesenta años que yo le oí en Castilla

a las moças con los panderos, y dize: Deste mal murió mi madre, deste mal moriré yo. [26]

Muchos años después, en vna corte de vn prínçipe, fuera de España, vn gentil ombre mostraua ser afiçionado a vna dama, e en la verdad era graçiosa, e virtuosa, e muy festejada de aquél · e de otros caualleros. E saliendo aquella dama e otras muy apuestas en sus mulas tras vna sereníssima reyna, cuyas damas ellas eran, yuan acompañadas de señores e caualleros cortesanos, como se suele hacer en la Corte, e aquel que se rrequebraua con aquella, quél llamaua su señora, púsose a su lado, continuando sus requiebros. Ella, o no le aceptando, porque no le paresçía bien el galán, o porque él no thenía mucho (puesto que tenía ofiçio prinçipal en la misma Casa Real) o porque ella en la verdad era muger de mucha presunción, díxole dos ó tres vezes enojada, que era vn frío, e que callase. E él rreplicaua, e sufría, e decía: Señora, cuanto más frío yo fuere seré más a propósito destas calores deste tiempo y verano en que estamos. E ella boluía la cabeça a la otra parte, e daua más audençia a otro cauallero que al otro lado della yua, e finalmente tornó a llamarle frío, e que era vn desgraçiado e más frío quel çierço. A lo cual él rreplicó rriyéndose (pero enojado della) e cantando en vn tono baxo le dixo: A lo menos, señora, no podrés vos dezir con verdad, dese mal murió mi madre. Y lo que cantó él fue: Dese mal murió miadre [sic] . . . La qual, en oyendo aquella música, començó a llorar táçitamente de hilo en hilo las lágrimas, poniéndose vn pañizuelo delante los ojos, en que rrecogía su planto, e pasóse adelante con otra de aquellas señoras, e dexó los caualleros que yuan a sus lados, como colérica. Porque entendays, lettor, esta maliçia y el cantar ques dicho, aués de entender, que aquella dama era hija de vna madre que fue quemada por ereje en Çaragoça de Aragón (si verdad a mí me dixeron), y que su padre fue vno de los que fueron en hazer matar aquel inquisidor e mártir llamado Maestro Epila [27] que le mataron en la yglesia mayor e

---

[26] *Deste mal:* no tengo registrado este cantar, bien viejo, por cierto, de mediados del siglo xv, a más tardar.

[27] *Maestro Epila:* la Inquisición se estableció en la Corona de Aragón en 1484, y uno de los primeros inquisidores fue Juan de Arbués, o Juan Martínez de Arbués, llamado el Maestro Epila por el lugar de su nacimiento

Asseo [28] de Çaragoça, el qual ha hecho miraglos muchos. Yo conosçí esta dama, e a su padre, e al maliçioso enamorado, e los hablé muchas veces, y como ha días que nasçí, me acuerdo ver clauadas sobre la puerta de la Diputaçión de Çaragoça de Aragón las manos de aquellos que mataron quel [sic] sancto ombre, e de poco tiempo acá me dizen que ha fecho muchos miraglos. Así que, avnquel gentil ombre dixese verdad, él le dixo mal y ella no lo hizo bien, porque con sus lágrimas súbitas dio causa que algunos que no sabían esta historia supiesen de qué mal murió su madre de aquélla, que no fue de frío.

Tornando el propósito digo que ni es gentileza ni gentil primor el mote maliçioso, sino pecado y escándalo, de que se pueden seguir otros grandes inconuenientes (I, est. V, 71-73).

16. *Corrupción general.*

No puede thener rreposo
El que lo que tiene deue.

Visto he que en mi tiempo han quebrado algunos bancos e cambios, e alçádose con la hazienda de muchos, y los tales ladrones mucha pena meresçen e las leyes por rrobadores los declaran, e si la justiçia rreal los puede aver a las manos los castiga con la horca, pero no habla el testo ni lo dize por solos ésos, porque por vno de los cambios así quebrados ay millares de rrobadores que se están enteros y perseuerando en apañar quanto pueden, y por tantas vías y maneras que es corto el tiempo que yo tengo para dezirlo. Y como el testo dize que no tiene rreposo el que deue lo que tiene, aun esos tales no son del todo malos, si su desasosiego es de conpungido de su conçiençia e vergüença dessea pagar, e biue sin rreposo porque no puede satisfazer. Pero mirad qué de juezes avrá en el mundo que piquen en esa salsa: quántos rregidores, quántos arrendadores, quántos mayordomos, quántos tuto-

---

en la provincia de Zaragoza; este fue asesinado por unos conspiradores conversos en la noche del 15 de septiembre, 1485, v. M. P. Hornik, "Death of an Inquisitor", *Collected Studies in Honour of Américo Castro's 80th Year* (Oxford, 1965), págs. 233-57.

[28] *Asseo:* forma popular de La Seo, del catalán *seu,* que a su vez viene del latín *sedes,* en el sentido de "sede episcopal", o sea *catedral.*

res, quán incontables mercaderes, y todos o los más de los sastres, quántos e innumerables escriuanos, quántos y quán porfiados letrados, quántos señores y prínçipes y reyes avrá en el mundo que avmentando sus rrentas despojen a sus vasallos, e avn se vsurpen los ajenos. Esto es vn *mare magno* [sic], y lo que peor es quel testo no lo dize ni habla con solos los que he nombrado, pues ésos no son los que pierden el sueño por pagar lo que deuen, pero dízelo por los escrupulosos que tienen voluntad de dar lo suyo a su dueño, e la consçiençia se lo acuerda, y el diablo con sus cautelas lo estorua e dilata de vn día para otro, e de otro para el que nunca allega, de manera que la rrestituçión nunca se haga, ni el debdor salga de pecado, ni el rrobado cobre lo que se le deue (I, est. V, 73-74).

17. *Petrarca. Contra el amor.*

Los que son de amor heridos
Pierden la vista y el seso;
Y el barón que tiene peso
En lo que habla no yerra.

Visto avrés, letor, lo que dize Francisco Petrarca en la segunda parte del *Triumpho de amor* que comiença, "Estanco de mirar, non saçio ancora | hor quinçis hor quindi mi volgea guardando | cosa que á ricordarle e breue lora | giua il cor de pensier en pensier, quando, &." [29] Quiere dezir: Cansado de mirar e no harto, avn aquí e acullá me boluía, mirando cosas que para rrecordarme dellas las oras son breues, yua el coraçón de pensamiento en pensamiento, quando, & Qué quiere aquí este poeta sinificar (o a lo menos deuemos entender), sino que herido de amor, baçilando sin vista e sin seso anda su juizio tempestando quando, &. El amor es vn rrezio desatino e muy peligroso. Bien dize

---

[29] *Estanco de mirar:* El original italiano de estos versos dice: "Stanco già di mirar, non sazio ancora, / or quinci or quindi mi volgea guardando / cose ch' a ricontarle è breve l'ora. / Giva 'l cor di pensiero in pensier, quando / ...": son los primeros versos del segundo poema del *Trionfo d'amore*, Petrarca, *Opere*, pág. 271. Unas líneas más abajo Oviedo cita otros versos de Petrarca (*Trionfo d'amore*, III, vv. 166-68), cuyo original italiano lee: "So mille volte il dí ingannar me stesso, / so, seguendo 'l mio foco ovunque è fugge, / arder da lunge ed agghiacciar da presso", pág. 279.

Séneca: El que muere por amor de dinero, o por desseos carnales, bien muestra que nunca biuió. Este amor libidinoso e carnal ¿es sino morir en vida, e perder la vista del entendimiento e apartarse el ombre de la rrazón e querer perder el seso, dexándose vencer de la sensualidad e vano deseo? Pues bien avría leýdo Petrarca a Séneca, el qual dize: Nunca peca alguno contra su voluntad. Y esto mismo confiesa el Petrarca en aquel terceto que dize: "So mille volte inganar me steso: | So seguendol mio fuoco ovun que fugge, | Arder da lunge e agghiaçar da presso." Quieren dezir esos tres versos: Sé mill vezes al día engañarme a mí mesmo: sé, siguiendo mi fuego do quiera que huye, arder desde lexos y elarme de çerca, o a par. En nuestro rromance no suenan esos versos como en la lengua toscana, en la qual son muy exçelentes, pero la sentençia es la que tengo dicho, por la qual se verifica ser verdad lo que Séneca dize. Y notoria cosa es, y por tanto dizen bien los vltimos versos de suso, y el varón que tiene peso, en lo que habla no yerra. Y así es verdad, quel varón no liuiano, sino graue e de buen juyzio, no cura de palabras vanas, e así no yerra en las que habla, por lo qual dezía Solón, filósopho: Piensa continuamente cosas preclaras e honestas. Así que procuremos yr adelante, con limpia intençión christianamente exerçitándonos, pues sabemos que aquellos que corren al pallio todos corren, mas vno se le lleva (I, est. V, 76-77).

18.   *El maestro Alonso de Zamora.*

Los plazeres de la tierra
Pásanse como rroçío.

No dexa de penssar ningún ombre de razón que todo lo desta vida se ha de passar presto, e que es pereçedero e poco turable, como el roçío e frescor de la mañana. Bianthe, filósopho, dezía que la despenssa del camino, que se deue hazer desde la adolesçençia a la vejez, deuía ser la sapiençia e prudençia, porque aquélla es çierta e verdadera posesión. Porque no es subjetta a la fortuna, e así me paresçe a mí que tal matalotaje es el verdadero mantenimiento que el cuerpo e el ánima han menester, e non el rroçío o apariençias de poco momento, que presto passan e se nos van de entre las manos. Auisados están los cathólicos por el Apóstol, que dixo: No os dexés engañar, que las malas palabras corrompen las buenas costumbres. Y el mismo Apóstol Sanct Pablo dize: No tenemos aquí çibdad durable, mas busquemos la fuctura. Por manera que pues nos avisa que aquí no ay cosa que ture, e que busquemos e adquiramos la que ha de turar, no podemos pretender ynorançia, e justamente serán condenados los pecadores que aquesto oluidaron. Un librico anda por este mundo impreso, de sentençias y doctrinas de la sagrada Escritura, breue y que cuesta pocos dineros, y de mucho prouecho y vtilidad cathólica, el qual está en versos castellanos y le compuso el docto maestro Alonso de Çamora, [30] rrigente en la Uniuerssidad de Alcalá de Henares, y entre otras cosas que toca del tiempo haze 8 versos que dizen: "Es tan rrezio de alçanzar | quel día antepassado | como el mucho alongado | ques lijero de oluidar. | El que piensa aprouecharse | de aquel tiempo oluidado | se halla siempre burlado | si mucho no trabajase." Antes de los quales versos están otros ocho del tiempo, que también los quiero dezir, e los avía de aver dicho primero, que son sobre aquel psalmo que dize: *Quia transiuimus çito et aduolauimus:* "Como águila caudalosa | buela el tiempo de corrida | y con él va nuestra vida | sobre ser muy trabajosa: | lo passado no tenemos | lo presente nos fatiga | de fucturo no ay quién diga | ni osamos ni sabemos." Tengo que agradesçer a este buen varón el socorro de sus versos, pues paresçe que son al propósito de la breuedad del tiempo e roçío, de que tractan los dos versos del testo (I, est. V, 77-79).

19. *Credulidad de Oviedo, inducida por Plinio.*

> No deuemos desmayar:
> Enmendemos las costumbres.
> Al que no come legumbres
> Dale Dios otro manjar.

---

[30] *Maestro Alonso de Zamora:* alude a su *Tratado de loor de virtudes en metro castellano* (Alcalá de Henares, 1524). La popularidad fue grande, como atestiguan el hecho de que al año siguiente fue reeditado en el mismo lugar, y en 1526 en Valencia. Sobre la personalidad de su autor, insigne hebraísta y uno de los principales colaboradores de la *Políglota Complutense,* v. M. Pelayo, *Antología,* VI, ccxxxv, y ahora F. Pérez Castro, "El *Libro de la sabiduría de Dios* de Alfonso de Zamora", *Sefarad,* V (1945), 147-84.

A todos los que se quieren saluar, e que son pecadores, conuiene mudar la costumbre de los viçios, e confessando sus culpas pedir penitençia e misericordia a Dios nuestro Señor. El que no come legumbres Dios le prouee e le da otro manjar. Pues leemos, y es notorio, que diferentes criaturas diferente pasto o manjar han menester, e así proueyó Dios a natura humana que según las calidades de los animales, e aves, e pescados, que cada qual touiese lo que le conuiene para su sustentaçión e términos de biuir, e no todos los ombres se sustentan con vna manera de alimentos, pues sabemos que en la mayor parte del mundo no ay trigo ni çenteno ni ay vino; pero ay mahíz, e legumbres, e otros manjares, e agua, e otros brevajes. Antes del diluuio no comían los ombres carne, pero no les faltauan fructas, ni en todas partes son de vna estatura o grandeza, ni de vn color, ni biuen ygualmente, ni son todos los del género humano de vna forma, ni de vna ley ni de pocas, sino de muchas diferençias de setas e rritos e ydolatrías. Ombres ay que matan con la vista, otros que andan sobrel fuego sin se quemar. Algunos han espeçial graçia en alguna parte de la perssona. Del rey Pirro escriuen que a quien tocaua con el dedo más grueso del pie derecho le sanaua del mal del baço. Ay ombres que passan de çinco cobdos de altura e que no escupen. Otros ombres que desde que sale el sol hasta que se pone están puestos los ojos en él. Otros ombres ay que tienen los pies bueltos para atrás, e con ocho dedos en cada pie. Otros tienen la cabeça de la echura que la tiene el perro, e no hablan, e ladran. En la India çierta gente ay que las mugeres no paren más de vna vez en toda la vida, e lo que pare súbito se encanesçe. Otros tienen sola una pierna e son muy veloçes en el saltar, e quando haze gran sol se cubren con el pie toda la persona. Otros no tienen pescueço, e tienen los ojos en las espaldas. Ay sátiros. Ay otros que no hablan pero hazen mucho estruendo o rruydo; los cuerpos son cubiertos de çerdas, e los dientes como canes. Otros que no tienen boca e biuen de olor, el qual tiran a sí con las narizes. Otros tan chicos que pelean con las grúas.[31] Otros que biuen 130 años sin envejesçer. Otros que biuen 200, y en la jouentud son canos, e quando envejesçen se les tornan prietos los cabellos. Otros que no biuen

---

31 *Grúas:* "grullas".

más de quarenta años, ni las mugeres paren más de vna vez, y ésa en el sétimo año de su edad. En la isla de la Trapobana biuen los ombres longuísimamente, e se mezclan algunos con las fieras, e nasçen ombres mistos e mostruos. Otras gentes ay que las mugeres paren en el quinto año e son viejas al octauo. Otros ombres ay que nasçen con cola pelosa, e son veloçíssimos. Otros ombres cubren todo el cuerpo con las orejas. Otros ombres ay que no comen otro manjar sino pescado. Otros que corren más que cauallos, éstos se llaman tragloditas. Éstas y otras muchas cosas dize y escriue Plinio en su *Natural historia* en que no me quiero detener: el curioso vaya a lo ver, pues le he dicho el auctor, que a más me pudiera estender, e por euitar prolixidad lo dexo de escriuir. Pero para mi comento basta lo ques dicho, e sobra para entender que en toda parte da Dios de comer a todos los que de comer se sostienen conforme a su ser, e calidades, e manera de biuir (I, est. VI, 86-87).

20. *Acróstico y cronología.*

> Vnos serán los benditos
> Y otros los condenados;
> Y en aquestos dos estados
> Cabrán todos los nasçidos,
> Los saluos y los perdidos,
> Sin que más puedan nasçer.

Teneos por dicho, letor, que se ha de concluyr y acabar toda la culpa y todos los méritos en el día final del vniuersal juyzio, y se han de çerrar las finanças y cargos y descargos de las obras de los ombres nasçidos en los dos estados de saluos y condenados, e sin que puedan más nasçer ni meresçer de aý adelante, e que yrán para residir perpetuamente vnos en el infierno e otros en la gloria. Y esto es lo que canta y predica la Yglesia appostólica, y lo que todos los fieles creen, e lo que todos los nascidos, desde Adam hasta aquel día postrero lo veremos, porque la verdad euangélica no puede faltar. La qual dize, en perssona del Rredemptor, estas palabras: No querays penssar que Yo aya venido a rromper la ley o los profettas. Yo no vine en verdad a rromper sino a henchir. Y dígos, en fin, quel çielo e la tierra trasspassarán antes que vna jotta o vn mínimo punto falte de la ley,

hasta tanto que todo sea complido. E con lo mismo que dize Sanct
Matheo concuerda Sanct Lucas en su Euangelio, que dize ques más
fácil traspassar el çielo e la tierra que caer un punto de la ley.

Pues el comento ha satisfecho a la sexta estançia, seguir se ha
la séptima con las demás hasta en fin del número XIII. Y en esas
siete siguientes ha de aduertir el letor a las cardinales letras [32] de
la segunda rrima. Porque en ellas muda el estilo en alguna manera, e significa algo de lo que después se siguió en la guerra de
Alemania. Porque fueron escriptas estas estanças, e todo lo que
hasta en fin de la estança treze se contiene, antes quel año de
1546 [33] entrase, ni que fuesse preso el Duque de Saxonia, e desbaratados él y el Langrauio, por la prudençia y ánimo del inuicto
Emperador rrey don Carlos Quinto, nuestro señor, mediante el
fauor y graçia de Jhesu Christo nuestro Rredemptor, que le quiso
ayudar, como a defenssor de su rreppública christiana contra los
luteranos y enemigos de la fe cathólica e de la Yglesia de Dios
(I, est. VI, 95-96).

21. *Las cosas de Alemania.*

¡Guay de ti, o Luçifer,
Obstinado sin ver medio!
Ni puede tener remedio,

---

[32] *Cardinales letras:* o sea, las iniciales. Clara referencia a un acróstico,
que el antiguo editor, Vicente de La Fuente, no se preocupó en descifrar.
Según dice Oviedo, el acróstico va de la estancia VII a la XIII, ambas
inclusive, y como no todos los versos van en mi edición (por la absoluta
falta de interés de los textos correspondientes), transcribo el acróstico. Entre
paréntesis pongo el número de estancia, y la división de las palabras corres-
ponde a los números de versos que hacen cada segunda rima del original:
(VII) GONÇALOF ERNÁNDEZDE OVYEDO HI ZOESTA SQVYNQ VA
GENA SSYETE (VIII) ESELEM PE RADO RLAC ABEC AY SVPR EM
OSENNO RENLOS CRYS TY ANOS (IX) ENLO TEMP ORAL YALEMANI
AESTÁL LENADEER EJES TENG OPENSA MI (X) ENTOQVEA
QVELAE LECY ÓNYELE CT ORESHA ND ESERRE MOVH [=I]
DOSYPA (XI) SARSEA CASTYL LA PORQ VE QVEDAR LOTH [=A]
LENTREGENT ESOSPE CHOS (XII) AALA FENO SECOMPAD ESCE
NYLACA THÓLYC ACYGLESY AL ODEV ECON (XIII) SENTYR
YNOSERÝA RAZÓNQVE ESTRAGVE NMÁS DELM UNDO ALEMAN
ES". Ver, además, *infra* texto 115.

[33] *1546:* alude Oviedo a la batalla de Mühlberg, 1547, en la que el
Emperador Carlos V derrotó al elector Juan Federico de Sajonia y al
Landgrave de Hesse.

Çierto tu inmensso daño:
Al que se presçia de engaño
La verdad es enemiga:
Ora ninguno maldiga
Fenestra que diere luz.

Bien me paresçe que según las cosas de Alemania van encaminadas en rompimiento, e de mal en peor, e no sólo en se desacatar a su Emperador e señor natural, mas en desobedesçer al Papa e a la Yglesia Cathólica, e seguir los errores y eréticas opiniones de Lutero e otros erejes, que con rrazón de tan grandes delictos y errores cometidos por los alemanes que con razón exclama el testo, dando nombre a Luçifer de toda Alemania, y en espeçial de los luteranos, diziendo: ¡Guay de ti, o Luçifer, obstinado sin ver medio!, porque al que se presçia de engaño la verdad es su enemiga; e por tanto ora ni momento no se deue maldezir ni contradezir ventana o finiestra que diere luz. Fenestra se toma aquí por todos los cathólicos, así eclesiásticos como seglares, mílites de Jhesu Christo, que con las armas, o con las perssonas, o con las letras han contradicho, e rresistido todo quanto han podido a esa moltitud de erejes luteranos, enemigos de la fe e Yglesia Cathólica. Yo no contaré desde las Indias, donde estó, esas guerras e suçesos de Alemania suçesiuamente, ni tan continuada la historia como otros historiales lo harán, que en Europa e algunos presentes se han hallado en todo, e lo han visto o podido mejor entender que los que tan apartados e en Indias estamos, e que de tarde en tarde auemos vna letra a que se deua dar crédito. Pero diré en fin algo de lo que de los suçesos difinidos e notorios el tiempo nos ha notificado, e son públicos e acreditados por letras que meresçen ser creýdas (I, est. VII, 97-98).

22. Disciplinantes y mercaderes.

Oyrés a ginoueses
Venida la quarentena,
Y verés que tanto suena
El dolor de sus açotes,
Deuotos con capirotes
Osados a su prouecho.

No es poco sonada la deuoçión que espeçialmente los genoueses continúan disçiplinándose los viernes de la Quaresma, y como
son gente que siguen el arte mercadantesca, [34] bien tienen por qué
açotarse, si sus acreedores lo toman en cuenta o parte de sus
debdas. Pero no pienso yo que con sus açotes satisfazen a los que
deuen dineros, y como éstos tractan por muchas partes de christianos, y en espeçial en nuestra España han introduzido esa su
deuoçión, aquel Jueues de la Çena se açotan así los ginoueses
como otros de nuestros españoles, lo qual sin dubda paresçe cosa
muy deuota, e tienen su confadría, e orden para ello, e sus sacos
e capirotes de Ange [35] fechos para ese efetto. Ello paresçe bien
y es buen exemplo; pero todavía me paresçe que sería para más
satisfaçión de sus culpas boluer lo suyo a su dueño, y los açotes
quédense con quien los resçibe, que bien avrá otros pecados
proprios en que se descuenten y aprouechen, y se descuenten en
parte de su penitençia (I, est. VII, 100).

23. *Luteranos, turcos y fuentes históricas.*

> Zorros son los protestados
> O erejes manifiestos:
> Están ya muy desonestos
> Sin querer absolución.
> Todos ellos sin perdón
> Auían de chamuscallos.

Dize el testo que son zorros (o raposos) manifiestos, o erejes,
los protestados, que son los que al presente se llaman protestantes
en Alemania, e que han seguido e siguen la eregía e opinión de
frey Martín Lutero, e sus secazes. Los quales están ya tan
desonestos e claramente desobedientes al Papa e a la Yglesia
appostólica de Rroma, que no quieren absoluçión; antes desuergonçadamente con grandes exérçitos, e gente de pie y de cauallo,
públicamente tomaron las armas contra la Yglesia y el Emperador don Carlos, en que no se han hecho pocos daños en la

---

[34] *Mercadantesca:* gracioso neologismo, que no hallo registrado, y que,
en forma consciente o subconsciente, fue provocado por *"arte* merca*dantesca"*;
v. *infra,* nota 284.
[35] *Ange:* mejor, *Anjeo.*

christiandad, como es notorio oy en el mundo; y aun en eso perseueran. Bien será posible, y es así, que en algunos suçesos de
los errores desos alemanes, y tanbién en los suçesos de cosas de los
turcos (a éstos mis comentos tocarán) me falte notiçia e relaçión
para dezirlos continuadamente, e que no vayan tan bien ordenados
como otros los avrán escripto. Pero yo estando como estoy tan
apartado de Europa en este imperio oçidental destas Indias, no
puedo hablar sino por avisos, que acá llegan tarde, e acaso, e
así será forçado, que, como sin tiempo llegaron a mi notiçia, así
los ponga yo quando los topare para mi propósito. Y pues será esta
estança en parte de los errores de Jermania, digo quescriue Johan
Carion, [36] docto historiador, que el año de 1525 Johan Colampa-
dio de Basilea, e Hubdarico Zuuinllo, primeramente que todos
rrenouaron con sus escriptos el condenado error de Berengario,
que no se da en la çena del Señor el verdadero cuerpo e sangre
de Christo, puesto que el año antes Andrea Carlos Stadio ombre
loco, avía propuesto ese mismo e odioso argumento. El cual auctor
dize asimismo, que el año de 1529 el gran turco octomano Soli-
mano, con çiento e çinquenta mill turcos, vino a çercar a Viena,
cabeça del ducado de Austria en Alemania, la qual le fue bien
rresistida por los christianos, e por la parte del Emperador; de
donde esos infieles se partieron con mucho daño, así por el frío e
falta de bastimento, como por la virtud e esfuerço de los mílites
cathólicos, que les mataron en las escaramuças e rrecuentros
mucha parte de los infieles, e en lo vno e en lo otro perdieron

---

[36] *Johan Carion:* dudo mucho que Oviedo haya usado su *Chronicon* en
la traducción latina de Hermann Bonn, y desde luego que no en el original
alemán. Con seguridad usó la siguiente adaptación española: *Suma y compendio de todas las chrónicas del mundo, desde su principio hasta el año
presente, traduzida por el Bachiller Francisco Thámara Cathedrático en
Cádiz. Es la Chrónica de Iuan Carion con diligencia del Traductor quitado
todo lo superfluo, y añadidas muchas cosas notables de España* (Amberes,
1553), otra edición del mismo año en Medina del Campo, y reeditada en
Amberes, 1555; v. sobre el erasmista rezagado Thámara y su obra, entre
ellas la *Suma y compendio*, Bataillon, *Erasmo y España*, págs. 638-41. Es
curioso que en 1558, o sea, después de la muerte de Oviedo, la Inquisición
mandó quemar en Valladolid el *Chronicon* de Carion, tanto en latín como
en romance, Bataillon, *op. cit.*, pág. 718. Y en el *Cathalogus librorum que
prohibentur mandato illustrissimi... D. Ferdinandi de Valdés* (Valladolid,
1559), pág. 17, se prohíbe "Chronicon Ioannis Carionis quacunque [*sic*]
lingua."

ochenta mill ombres o más, a lo qual dio causa la liga e ermandad que avía entre el dicho Gran Turco y el rey Françisco de Françia, con cuya confiança, e de los luteranos alemanes, fue tentado el atreuimiento de los enemigos de la fe. Así que con mucha causa e razón dize el testo que devrían ser chamuscados los luteranos (I, est. VII, 101-102).

24. *El Emperador y el Providencialismo.*

> Sí harán que biue Carlos
> Que es de Dios elegido,
> Victorioso e vngido,
> Y para lo tal naçió:
> Nunca tal ombre se vio
> Que pueda ser ygual.

Ya avrés entendido, lettor, parte de las buenas venturas de nuestro Çésar, y conforme a eso dize el testo, que su çesárea Magestat biue, e que no les ha de faltar el castigo, que dize de suso, a esos luteranos; porquel Emperador es elegido e vngido por la mano de Dios, e para esso nasçió, e si no quieren los ombres ser çiegos, bien pueden aver visto en los suçesos pasados que es vnico, e que no tiene semejante, ni se ha visto tal ombre que pueda ser su ygual: y es gran conjetura e cierto indiçio que, para darle Dios el lugar que tiene en la tierra, lleuó desta vida al sereníssimo prínçipe don Johan, hijo eredero de los rreynos de Castilla y de León, e malparió su muger la prinçesa madama Margarita, que quedó preñada del dicho prínçipe don Johan su marido, quando él murió. Después murió de parto la suçesora en los rreynos, la princesa doña Isabel, reyna de Portugal, ermana mayor del dicho prínçipe don Johan, quando nasçió el prínçipe don Miguel. Después murió el prínçipe don Miguel, seyendo niño de dos años, o poco más tiempo. Después lleuó Dios al sereníssimo rey don Phelipe, que suçedió e rreynó en Castilla por la serenísima rreyna doña Johana, segunda hermana y eredera del dicho prínçipe don Joan, e murió el mismo año que començó a rreynar el dicho rey don Phelipe. Después de lo qual murió la Cathólica reyna doña Ysabel. Suçedió en los rreynos de Castilla la serenísima rreyna doña Johana, e por sus enfermedades e indispusiçión, ella y los rreynos embiaron a llamar a su padre el Cathólico rrey don Fernando, rrey de Aragón, que estaua en su rreyno de Nápoles, e boluió a Castilla, e gouernó los rreynos hasta el año de 1516. Murió el rrey Cathólico, e quedó la dicha serenísima rreyna doña Juhana su hija por vniuersal señora y eredera de los rreynos, madre del Emperador don Carlos, nuestro señor, la qual oy biue, e por sus enfermedades, ni quiso ni pudo gouernar sus rreynos. De manera que, tras ocho perssonas, entró el noueno, ques Çésar biuiendo su madre, en cuya ventura cabe bien dezir el testo que es sin ygual, e lo ha mostrado Dios en sus fechos e suçesos hasta el tiempo presente, y así cabe con mucha verdad que diga como dize el testo.

Vuestro çeptro imperial
A todos haze ventaja.

Con mucha verdad dizen estos dos versos quel çeptro imperial haze ventaja a todos, así porque en la dignidad preçede a todos los prínçipes de los christianos e infieles, como por los muchos e grandes señoríos e rreynos que su Magestad tiene e posee; al qual paresçe que ha hecho Dios general e prinçipal defenssor de su Yglesia e de la cristiana rreppública, e por espejo cathólico de la fe; non obstante la fea, e descomulgada, e vergonçosa liga del rrey de Francia, Enrrique, que siguiendo la mala opinión del rrey Françisco su padre se ha juntado con el Gran Turco Mustafá contra el Emperador, nuestro señor, e los christianos, como sy al que castigó a su padre fuesse menos bastante para castigar al hijo. Pues atended el tiempo, quél mostrará la verdad, y si avés leýdo, y si biuiéredes, hallarés quel mismo que castigó a Darío con Alexandre Magno, y a Alexandre con su misma soberuia, e a Olofernes con Judich [sic], hebrea, sobre Betulia, e a Saúl por su desobidiençia en el monte Gelboc, con sus hijos Jonatás, Aminadab e Melchi, y el que destruyó los romanos, e antes los troyanos e griegos: ese mismo Dios de estonçes es el de agora en todo poderoso, e no es menester historias antiguas. El que en Pauía prendió al rey Françisco de Françia con toda la flor e mayor parte de su cauallería, e se le embió preso a Madrid, e le puso en las manos del Emperador nuestro señor, vn mismo Dios es; y como pudo domar los passados asi domará los presentes e por venir. Por tanto no crea nadie ques poderoso ninguno contra las fuerças de aquel Cruçificado, cuya boz e Yglesia defiende su Emperador don Carlos, e por cuya causa él thomó las armas quando conuino, e conuiniere vsar dellas, e así lo ha mostrado Dios a nuestros ojos (I, est. VII, 102-104).

25. El peligro turco.

> Greçia siente ya que quaja,
> El esperança rebiue,
> No avrá setta que priue
> A tan justa confiança.

Ierusalem, como bemos y es notorio, está en poder de turcos en gran ofenssa y vergüença de los christianos, e la casa y estado del Gran Turco en nuestros tiempos ha cresçido tanto, que demás del imperio de Constantinopla y el de Trapesunda e nueue rreynos que quitó Mahoma e sus suçessores a christianos, ha tomado todo el gran señorío del Soldán de Babilonia, y es quasy señor de todo el Oriente, como más largamente consta de la relaçión del Obispo Paulo Jouio. [37] E después que aquel perlado la escriuió se ha fecho señor el Gran Turco del rreyno de Vngría e en la batalla murió el rey Luys de Vngría, que era casado con la sereníssima rreyna María, hermana del Emperador, nuestro señor, e después tomó a Rrodas, e por fuerça de armas echó de allí la sagrada Orden e cauallería que en aquella ysla residía defendiendo la fe. E para enfrenar e rresistir tan gran aduerssario tiene Dios al Çésar, el qual braço ha seydo quien ha estoruado que no se aya hecho Mahoma señor de toda Europa. E agora Greçia, que hasta aquí ha estado subjetada de la tiranía de turcos, va abriendo los ojos; e le paresçe e conosçe que quaja e rrebiue su esperança, e que ha de ser rrestaurada e libre de su catiuerio, e que la setta deprauada de tan grande aduerssario no será parte que priue o

---

[37] *Paulo Jouio:* su original italiano data de 1529; la primera trad. española es *Comentario de las cosas de los turcos. Traducido del italiano* (Barcelona, 1543).

desuíe de los ánimos de los fieles tan justa confiança, para quel nombre christiano permanezca e vença con la cruz de Jhesu Christo toda la infidelidad (I, est. VII, 104-105).

26. Riqueza providencial de España.

Sanctiago con su lança
Seguirá dando lugar,
Y la tierra con la mar
En vuestra buena ventura:
Todo lo quel sol mesura
España lo mandará.

Muy grande es el número de los fauores quel glorioso Apóstol Sanctiago (patrón de España) ha dado contra los moros infieles a los reyes de Castilla e de León, y por eso dizen estos versos que Sanctiago con su lanza seguirá lo que tiene acostumbrado, dando lugar e fauor en la tierra e en la mar a la vandera rreal de Castilla y de León, en la buena ventura del Emperador, para que todo lo quel sol mesura, o mide e alumbra e anda e descubre, lo mande e señoree la Corona real de España, e lo ponga dentro del número de los cathólicos christianos y en la obidiençia de la Yglesia Appostólica de Roma; que éste es el prinçipal desseo en que la Çesárea Magestad se emplea, e para lo que Dios le da tantos millones de pesos de oro, e tantos millares de quintales de plata, e tantos e tan colmados thesoros, como destas nuestras Indias le han lleuado a España, como es público e notorio, e nuestros ojos en parte han visto y en parte oýdo, de cartas de perssonas fidedignas, que por sus manos lo han meneado y embiado a Castilla, tanto que oso dezir que en este presente año de 1553, e en el de 1552, antes dél, en oro e plata solamente se han lleuado diez millones de ducados de oro, o su valor, en solos dos metales que tengo dicho, demás e allende de los millares de marcos de perlas, e seda en madexas, criada en la Nueua España, e la gran copia de grana carmesí, o mejor diziendo púrpura, para dar color a las sedas e paños rricos, para que con mas façilidad, e aparejo, e con gente bien pagada pueda el Emperador ganar la casa sancta de Jerusalén, e sobjuzgar los infieles, e traerlos a la fe e católico ovil o rrebaño christiano, y con tanto creo que he satisfecho a la séptima estança (I, est. VII, 105-106).

27. *Malos jueces en Indias. Los juros en España.*

> A los buenos te acuesta
> Biuirás muy más seguro:
> El que ha de comprar juro
> Cate buenas condiçiones.

Dos puntos tocan estos quátro versos que son de acojer e vsar dellos en sus tiempos. El primero es que para biuir muy más seguro nos alleguemos e acostemos a los buenos, y esto en alguna manera se puede ver ques al contrario, por la indispusiçión o maliçia del tiempo.

Porque vemos que los gouernadores e justiçias, avnque conosçen que así se devría hazer, lo hazen ellos al contrario e que si otra cosa hiziesen no medrarían porque los buenos no les consejarán que cohechen ni rresçiban dádiuas de nadie, ni pidan dineros prestados a nunca pagar, ni que hagan cosa contra justicia, ni tuerçan la vara más a vna parte que a otra. Pero lo que ellos hazen es dar orejas a malsines, e disimular con los malos, e no castigan los pecados públicos, y esos malhechores les dizen los pecadores que ay en la tierra, e qué depósitos están oluidados, e cómo casarán sus hijos, e parientes e criados, e cómo se podrán hazer presto rricos. E dízenles que mire que no vino de España a las Indias sino a medrar, e que no cure de palabras sino de dineros, porque si sin ellos a España torna, todos burlarán dél y en su tierra le ternán en menos, y por ombre de mal rrecabdo e para poco. E así a este tenor le lagotean [38] e sacan pecados debaxo de tierra, e encubre los suyos. E avnque sean manifiestos, no ay quien se atreua a dezir al juez cosa que le descontente, ni que a su amigo le sea molesta ni les conuiene. Yo digo que el beuir seguro no lo entiendo yo dessa manera, sino estando bien con Dios, pues quel que confía del ombre es maldito; y acostándome a los buenos Dios me socorrerá, e dará su graçia para

---

[38] *Lagotean:* en un texto que he omitido escribe Oviedo: "El lisonjero o lagotero no quiere dezir sino mentiroso", *Quinquagenas,* I, 23.

defenderme del diablo, e de todos los demás. Sígase la verdad, e venga lo que viniere, que a la verdad del Euangelio me arrimo, la qual dize que más gozo ay en el çielo e más se estima vn spíritu conuertido, que nouenta e nueue justos que no tienen nesçesidad de rreuerse. E el mesmo Euangelista vn poco adelante dize: Ningún sieruo puede seruir a dos señores.

Dize más el testo: El que ha de comprar juro cate buenas condiçiones, y es desta manera. Tres formas o maneras de juro ay en Castilla: vno es juro de eredad perpetuo (que llaman juro viejo) y este passa por bienes rraýzes, y eredase como los otros bienes. Ay otro que llaman juro de por vida, que espira e se acaba con la muerte de aquel que le tiene, e se buelue al rrey, e no gozan más dél los erederos del defunto. E el testo no dize por ninguno destos dos juros, sino por otro que llaman al quitar, que en Castilla se ha vsado, e es más barato e es empeñado, e dalo el rrey al quitar para que, cada e quando su Alteza boluiere los dineros, sea rredemido el juro, e el rrey cobre su juro. Y esto del quitar se da con más o menos condiçiones a vnos que a otros, e según que cada qual sabe capitular. E por tanto dize el testo, quel que ha de comprar juro cate (o saque) buenas condiçiones. Porque acaesçe, e auemos visto, que después que están çiertos marauedís de juro en cabeça de vno al quitar, viene otro cobdiçioso, e por hazer mal a su vezino, e aprouecharse, asý como estaua en cabeça de aquél a quinze mill el millar, da él a XVIIIº, e el rey, por consejo de sus thesoreros, quita el juro al primero e dale sus quinze mill, e ganase los tres mill; e quédase burlado e sin juro el primero, a quien bueluen sus dineros, e no le ganan más. Para escusar este fraude o puja, es buena condiçión que se saque por espresa cláusula en las condiciones del priuilegio ques al quitar, quel rrey no lo pueda redemir ni quitar, avnque más presçio le den por el dicho juro, sin que quite, rredima e desempeñe todos e qualesquier marauedís de juro que están al quitar que se dieron o empeñaron antes que aquéste a quien esta condiçión espeçial se le conçede. Y desta manera, como son muchos los dineros que son menester para quitar los juros que entraron primero, teniendo rrexpetto a esta condiçión, goza más tiempo aquél a quien se le conçede esta cláusula. Bien creo yo que, según los muchos millones de oro e plata que se an lleuado a

España destas nuestras Indias al Emperador, que todos los juros al quitar pueden averse redemido o desempeñado, si estas guerras de françeses e de turcos (que paresçe que son vna misma cosa) no lo ouiessen estoruado; que es otro cargo en que le somos al Christianísimo, [39] e a ese su amigo el Gran Turco, su confederado, para pagárselo en la misma moneda, como sus obras meresçen. Pero eso es vna cuenta corriente que tiene Dios con los prínçipes, para castigarlos en su tiempo, quándo e cómo conuiene, e es seruido, que todo lo vee, e todo lo sabe, e todo lo puede atajar y enmendar.

Boluamos adonde partimos, e no queramos de Dios juro de por vida ni al quitar, sino perpetuo, e por tanto, mortales, amad a Dios perfetamente. E guardaos que por caso no sean grauados vuestros coraçones por la crápula, o por la embriaguez e penssamientos desta vida, e de súbito os sobressea aquel día, porque, como vn lazo sobreverná a todos los que están sobre la haz de la vniuersa tierra. Velad pues en todo tiempo (I, est. VIII, 112-114).

28. *Saltimbanquis alemanes en España.*

> A los ombres que son gordos
> No les conuiene trotar:
> Osos he visto baylar
> si se les dauan dineros.

Es a los ombres gordos mucha fatiga sacarlos de su passo, pero con la cobdiçia de ganar, avnque ayan menester vn carretón para los menear, con vna vara de justiçia que se les dé, yrán a cabo del mundo tan ligeramente como vn milano. Y esa vara de justiçia adelgázanla tanto como es gruesa esta pénnola con que esto escriuo. E házela tan flexible que en ninguna manera puede estar derecha, sino pendiente a vn cabo, o declinando al otro, como penden e se acuestan sus juyzios voluntarios a la parte que quieren aplicarlos.

---

[39] *Chri:tianísimo:* el Rey Cristianísimo lo era el de Francia, y de 1547 a 1559 lo fue Enrique II; v. *infra,* texto 157.

¿Querés mejor entender qué tan delgada anda la vara? Yo os digo que apenas se puede hazer aquella cruz † que suelen tener en la cabeça en que juran los que vienen a juyzio. No digo yo que ay sobornos, porque yo no lo he visto; pero veo muchos quexosos, y de muchas manera quexándose de sus sentençias e mandamientos. Veo questos juezes vienen pobres y en breue tiempo son rricos e con grandes aparadores de plata, e sus mugeres muy vestidas e triumphantes, e muy acompañadas de pajes y escuderos sin pagarlos. Dexemos esto que no es para aquí más de apuntarlo e no acabarlo, pues en cada parte ay estos trabajos, avnque no tan grandes ni tan peligrosos ni tan turables, por la mar grande que está en medio.

Vengamos a los dos versos vltimos que dizen: Osos he visto baylar si se les dauan dineros. Así baylan el día de oy ésos y otros animales (aunque sean rraçionales) por los intereses con que les hazen el son. Pero, en efetto, me acuerdo ver en España dos o tres osos, que trahían vnos alemanes, e con çierta çinfonía [40] que les tañían los hazían baylar, teniendo en el hoçico vna armella de hierro, e atado a ella vna correa, o látigo luengo de dos braças, e vn bastón de diez palmos quel aleman trahía en la mano; en la cabeça o punta del qual estaua fixada otra sortija de hierro por la qual entraua la correa o látigo ya dicho. E el ombre que guiaua la dança en la vna mano trahía el bastón enhiesto, e con la otra aquel látigo, o rienda, e alçando el palo alto tocaua el músico aquel ynstrumento e el oso se leuantaua en dos pies e siguía al del bastón, e desta manera andaua en dos pies aquella bestia de vn cabo a otro, según el baston e la guía se mouían a manera de contrapás. Esto turaua tanto quanto querían, a lo qual se allegauan gentes comunes y muchachos, quantos se açercauan. E los miradores sacauan sus quartos e blancas que echauan en vn chapeo, en que otro alemán rrecogía aquella limosna, que pedían como peregrinos que yvan en romería a Sanctiago de

---

[40] *Cinfonía:* "Instrumento músico ... Algunos pobres franceses suelen traer un instrumento, a modo de violoncillo, y en el vientre dél cierta orden de cuerdas, que con unas teclas que salen por defuera las arrima a una rueda, que trayéndola a la redonda con la mano derecha, tocando las teclas con la mano izquierda, la haze sonar suavemente", Covarrubias, *Tesoro,* pág. 421.

Galizia, a la çibdad de Compostela e yglesia catredal e cabeça metropolitana de aquel arçobispado, donde está el cuerpo del glorioso Apóstol Sanctiago. E no pocos dineros sacaron de España esos osos, porque eran como he dicho dos o tres los que baylauan a días, e cada vno por sí. Así que este dinero haze baylar los osos e los ombres con más façilidad. Pues andaos tras estos dineros, que los amadores del siglo tanto más labran y adornan las cosas esteriores quanto más incultas e sin lauor desamparan las interiores. Así lo dize el glorioso Dottor de la Yglesia Sanct Gregorio (I, est. VIII, 120-122).

29. Cismáticos, herejes y guerras.

¡O qué temblores de tierra
Pondrán fin a luteranos!
Esos colampadianos
No sabrán do se meter;
Saberlos ha deshazer
Aquella mano diuina.

Agora va el testo particularizando, e dize que la yra de Dios (que aquí se toma por los temblores de la tierra) pondrá fin a luteranos, de la qual setta y erética intento fue mouedor vn theólogo llamado fray Martín Luthero. Pero porque esto mejor se entienda, y el que lee no se pare a penssar cómo seyendo yo historiador en las cosas de las Indias, por mandado del Emperador nuestro señor, e rresidiendo en ellas, me atreuo a hablar en las cosas que passan, o han passado en la Europa, e espeçialmente en la Italia, e Alemania, e Françia, e España: sabed, lettor, que esta mi ocupaçión destas *Quinquagenas* lo rrequiere. Pero quiero avisaros que en lo que toca a Alemania, en este passo yo sigo al historiador Johan Carion en aquel su tractado e crónicas suyas, e así mismo a Andrea Fuluio *De antiquitatibus vrbis*, [41] con que andan otras cosas modernas de nuestros tiempos, que quadran e dan notiçia de la çisma que en tiempo del Papa Jullio 2.º ovo;

---

[41] *De antiquitatibus vrbis:* supongo que será la ed. de Roma, 1545, ya que la obra no se tradujo al italiano hasta después de la muerte de Oviedo: *L'antichità di Roma ... con le aggiuntioni e annotationi di Girolamo Ferrucci* (Venecia, 1588).

e de la desuergüença e mal propósito que despertó a çiertos alemanes eréticos, viendo los tiempos turbados, a se atreuer a escreuir e publicar eregías, desacatando al Papa, Summo Pontífice, e a Dios, e su Yglesia, e la Magestat Çesárea, e poniendo confusión e escándalo en la rrepública de Christo.

E porque esto venía enhilado, o pendiente de la çisma, que causó la batalla de Rrauena (que tan sangrienta fue para ambas partes) contra el Papa Jullio 2.º e España, que era en su fauor contra françeses, dizen esos auctores que alegué de suso (y sabemos ques así), quel año de 1519 murió el Emperador Maximiliano, e que en Francofordia [42] los electores del Imperio eligieron a Carlo, Duque de Austria e de Borgoña, prínçipe e Rrey de España, a los 28 de Junio, e traen esos auctores a su propósito historial que, muerto el Papa Alexandro 6.º, sucedió Pio 3.º, Pontífice, que biuió pocos días.

E muerto Pío 3.º fue creado Jullio 2.º Pontífice, en cuyo tiempo Bernardino de Caruajal, Cardenal de Sancta Cruz, [43] despertó la çisma, e se juntó con Françia contra el Papa Jullio, al qual Jullio e la Yglesia fauoresçió el Católico rrey de España don Fernando quinto contra Luys 12, rrey de Françia.

Despúes de Jullio 2.º suçedió en la silla de Sanct Pedro León 10, hijo de Lorenço de Mediçis, florentino, y en tiempo deste Papa León, el año de 1517, començó Martín Luthero a escreuir contra las indulgençias del Papa, de que nasçieron muchas disputas; por lo qual la yglesia de Jermania engendró e ovo en ella no pequeños mouimientos e nouedades. El año siguiente de 1520, el Emperador fue a Jermania, e los electores le dieron la corona imperial en Aquisgrana.

Y el año de 1525 fue preso en Pauía el rrey Françisco de Françia por el exérçito de Çésar, e fue lleuado e puesto en prisión en el Alcáçar de la villa de Madrid, de donde el Emperador, vsando de su clemençia, le dexó yr en su rreyno, e le dio por esposa a su hermana madama Leonor, muger segunda que avía seydo del rey don Manuel de Portugal.

---

[42] *Francofordia:* Frankfurt.
[43] *Bernardino de Carvajal:* fue Obispo de Plasencia y Cardenal de Santa Cruz, había muerto en 1523.

El prinçipal capitán en la batalla de Pauía[44] e prisión del
dicho rrey Françisco de Françia fue Marco Sittich, Duque de
Borbón, e coadjutores, capitanes prinçipales, Mingo Val, príncipe
de Salmona, Virrey de Nápoles, don Françisco de Áualos, Marqués de Pescara, don Alonso de Áualos, Marqués del Guasto,
el Señor Alarcón, e otros expertos capitanes; los quales supieron
bien bengar la jornada de la batalla de Rauena, puesto que en
aquélla, avnquel campo quedó por los françeses, tantos e más
murieron dellos que de los españoles, e murió asimismo el general francés Mossior de Fox.

Ese mismo año de la prisión del Rey de Françia ovo en Alemania orribles e nunca oýdos ni vistos semejantes mouimientos
de los villanos rústicos de Alsaçia, Sueuia, en Françia, en Turin-
gia, e en las tierras vezinas a la rribera del Rheno. Pero esos
mouimientos fueron castigados de los príncipes con las armas,
en tal guisa, que, dentro de tres meses, cient mill villanos, como
pécoras, fueron muertos. Uno llamado Scaflero[45] escriuió de la
christiana libertad doze artículos, entre los quales el prinçipal

---

44 *Pavía:* no olvidar que Oviedo fue autor de la *Relación de lo subcedido
en la prisión del Rey Francisco de Francia, desde que fue traído a España,
y por todo el tiempo que estuvo en ella hasta que el Emperador le dio
libertad y volvió a Francia, casado con Madama Leonor, hermana del Emperador, Codoin,* XXXVIII. Todos los personajes históricos que menciona,
que ahora identifico muy brevemente, vuelven a aparecer en las *Quinquagenas.* En primer lugar hay que aclarar que la redacción descuidada de este
pasaje puede hacer pensar al lector que Oviedo creía que Marco Sittich era
el nombre del Duque de Borbón. En realidad, *Marco Sittich* era el nombre
del capitán de las fuerzas alemanas enviadas por don Fernando, hermano del
Emperador, y a su vez, por renuncia de su hermano, Emperador él mismo.
Como dice Paolo Giovio, *La vita del Signor Don Fernando Davalo Marchese
de Pescara,* trad. Lodovico Domenichi (Venecia, 1557), fol. 94r: "Le genti
di Ferdinando furono condotte de Marco Sithio, Capitano di chiaro nome e
molto prattico nelle guerre d' Italia". El *Duque de Borbon* lo era el Con-
destable Carlos; *Mingo Val, príncipe de Salmona,* era Carlos de Lannoy,
Señor de Mingoval, Virrey de Nápoles, creado Príncipe de Sulmona a raíz
de la victoria de Pavía, donde capturó personalmente a Francisco I; el
Marqués de Pescara se llamaba en realidad, según se puede ver más arriba,
Fernando de Ávalos (v. *infra,* nota 485), y era tío del *Marqués del Vasto*
(Guasto decían Oviedo y muchos de sus contemporáneos); por último, el
Señor Alarcón se llamaba de primer nombre Hernando: de él trata en el tex-
to 223. Acerca de la batalla de Pavía, v. *infra,* textos 138 y 211.

45 *Scaflero:* Schappeler, amigo de Zwingli, redactó o inspiró los Doce
Artículos, v. Lindsay, *Reformation,* I, 333.

era que no se pagase a los magistrados el tributo; por lo qual gran parte de los contadinos (o labradóres villanos), mouidos de tal doctrina, tomaron esperança de adquerir su libertad, e tomaron las armas contra sus ligítimos magistrados. Estauan en Mulhausem, tierra de Turingi, Thomaso predicador, docto monetario. [46] Éste mostró públicamente, o se jactaua, quél rrestauraría la Yglesia del caýdo estado; gloriándose que Dios le alumbraua, e que destruiría la injusta tiranía, e que le era dado el cuchillo de Gedeón. E sacó en campo las esquadras del vulgo, e hizo saquear las casas de los nobles, e los bienes de los monasterios, e continuando su rrobo esos plebeos sin orden, fueron desbaratados por el Duque de Sassonia e el Langrauio de Hessi, [47] e fue preso el monetario con muchos de los de su compañía, e castigados cortadas las cabeças por sus malos escriptos, dándoles el pago que meresçían. Fue aqueste monetario de aquel error diabólico de los anabatistas el primero auctor, del qual en muchos lugares de Alemania hasta oy tura su setta. Iten, el año de 1525 Johan Ecolampadio de Basilea e Hudalrico Zuimllo [48] primero que todos con sus escriptos fauoresçieron el dañado error de Berengario, [49] que no se diese en la çena del Señor el verdadero cuerpo e sangre de Christo. Puesto quel año antes Andrea Carlo Stadio, [50] ombre loco, ese odioso argumento propuso.

El año de 1527, el Duque de Borbón lleuó el exérçito de Çésar a Roma, e fue saqueada, e él murió (al tiempo que fue escalado el muro), de vn arcabuzazo, y el Papa, asediado en el Castillo de Sant Ángel, se dio a prisión a los cesarianos. E el Emperador,

---

[46] *Docto monetario:* escribe de Thomas Münzer, efectivo cabecilla de la sangrienta sublevación de los campesinos alemanes. *Münzer,* en alemán, quiere decir *monetario, relativo al dinero,* de ahí la frase, al parecer incomprensible, de Oviedo. Sobre Thomas Münzer, v. K. Kautsky, *Communism in Central Europe at the Time of the Reformation* (Londres, 1897).

[47] *Hessi:* o sea, el Duque de Sajonia y el Landgrave de Hesse, que derrotaron a Münzer y partidarios en Frankenhausen, 15 mayo 1525.

[48] *Zuimllo:* es decir, Johanes Oecolampadius (=Johann Hussgen o Heussgen, cambiado a Hausschein, y luego a su equivalente griego), y Huldreich Zwingli. Sobre estos personajes históricos, v. *supra,* pág. 57.

[49] *Berengario:* hereje francés que murió reconciliado en 1088, aunque siglos más tarde todavía se condenaba o aprobaba su "dañado error".

[50] *Andrea Carlo Stadio:* Karl Stadt, quien en los Países Bajos predicó, efectivamente, la doctrina aborrecida por Oviedo, v. Lindsay, *Reformation,* II, 53.

como lo supo, embió luego a mandar que fuese libre e rrestituydo
en su primera dignidad, por causa de la vniuersal paz de la
christianidad. El año de 1529 el Emperador pasó en Italia, e fue
de los prínçipes e de las çibdades acogido. E aquel año, en el
mes de octubre, Solimán, Gran Turco, entró en Jermania con
cxl mill turcos, o más, de guerra, e puso su exército sobre Viena,
ques la cabeça del Archiducado de Austria. Pero en virtud del
fauor diuino e de los christianos defensores, fue defendida la
çibdad, e con vituperio e daño del exérçito infiel fue constreñido
a se yr e boluer atrás, e por rrelaçión çierta se supo que así en
las escaramuças e fechos de armas como en la fuga, e por falta
de bitualla e por el gran frío, boluieron ochenta mill turcos menos, o quedaron en Jermania muertos, de la canalla hizmaelita.
El año siguiente de 1530, fue el Emperador coronado en la çibdad
de Boloña por el Papa Clemente 7.º, de tal nombre, a los 24 de
hebrero, día de Sancto Mathía, con gran solepnidad e triunpho,
en que no me detengo. E su Cesárea Magestat boluió en Alemania por sosegar los alterados en la fe, o transgresores della, e la
vigilia del día de Corpus Christi fue en Agusta [51] donde fue su
Magestat ressçebido sumptuosamente de los mayores prínçipes del
Imperio. Y avnque su Magestat tentó de paçificar las controuer-
sias de la rreligión, fue tanta la variedad e sentençias que no se
pudo determinar cosa alguna de çierto, pero con público pregón
se mandó que los antiguos rritos e çirimonias e la solita [52] doctrina de la rromana yglesia se conseruassen. Este mismo año de
1530 fue elegido Rrey de Romanos en la çibdad de Colonia el
serenísimo señor infante de Castilla don Fernando, hermano del
Emperador, e el siguiente año de 1531 fue coronado de Rrey de
Romanos en Aquisgrana. Para la maldad de los eréticos de Alemania basta en parte lo que está dicho, e así como los últimos versos
del testo dizen que los sabrá deshazer la diuina mano, no tengo
duda, porque sabe e puede quando conuiene castigar los semejantes pecadores. Los mismos avtores Johan Carion e Andrea Fuluio escriuen que muerto el duque Jorge de Sajonia, sustentador
de la dotrina luterana, le suçedió Johan Federico, su hermano,
Duque de Saxonia, que fue tanto o más peor en esa eregía, al

---

[51] *Agusta:* Augsburg.
[52] *Solita:* latinismo por "acostumbrada, usual".

qual castigó Dios por la mano del Emperador, como adelante se dirá en su lugar. E conclúyese esta estança con dos versos, que dizen desta manera:

Morirá esa malina
Intençión anabatista.

Muy notorio es que los anabatistas, ombres eréticos, con oculta secta de eréticas costumbres, leuantaron vn tumulto en el mes de enero de 1534, e ocuparon la çibdad de Monesterio, [53] fortíssima, de Vestfalia cabeça, e echando fuera los çibdadanos, rrobaron todo quanto hallaron, e derribaron los templos e yglesias, profanando todas las cosas sagradas. E fecho esto, suçedió quel Obispo de Monesterio, ayudado de muchos prínçipes, çercó e combatió aquella çibdad, rresistiéndole los anabatistas obstinadamente. Una grande armada de anabatistas de Frisia e Holandia, e de las vezinas rregiones, de innumersa [sic] moltitud de ombres e muchachos rrecogida, queriendo escondidamente entrar en la çibdad de Monesterio, fue del Prínçipe de Holandia tomada, e muchos de ésos, que en la eregía estouieren pertinaçes, con fuego e fierro e agua fueron muertos, perdonando a aquellos que del error se apartaron. Crearon los anabatistas rey a vno llamado Johan Satto, [54] de Leyda, tierra de Holanda natural, e llamáuanle rrey de Ysrrael e de Sión, e a Monesterio nueua çibdad Jherusalem. Este embió sus profettas, los quales al çiego pueblo la condenada eregía escondidamente enseñasen. Pero el día de Sanct Johan Baptista, por diuina prouidençia, fue tomada la çibdad donde estauan los anabatistas, los quales todos fueron muertos, e echadas las mugeres e los muchachos. El rey ya dicho, con çiertos de sus secazes, fueron metidos en prisión, por comissión del Obispo; con Bernardo Cuypperdelingo [55] fueron cruelmente muertos, e ouieron el justo castigo que sus obras meresçieron. Cornelio Grapheo, [56] Senator, e Antonio Secretario han en verso

---

[53] *Monesterio:* Münster.
[54] *Johan Satto:* Jan Bockelson, llamado Juan de Leyden, de profesión sastre (en latín *sartor*): cf. Lindsay, *Reformation*, II, 467.
[55] *Cuypperdelingo:* Knipperdolling.
[56] *Grafeo:* Graphaeus había sido secretario del ayuntamiento de Amberes, de ahí llamarle *Senator*, v. Lindsay, *Reformation*, II, 230. Se llamaba, en

heroyco llenamente pintado esta setta monstruosa. Gran número de anabatistas han fecho de nueuo vna setta, con que ocupan en Frisia vn amplio munistero, [57] o territorio con agua fortificado. E el prefetto de Frisia se les puso en contrario, a tiempo que mató todos aquellos que repunauan, sin perdonar a las vírgines, que eran obstinatíssimas e firmes en esa eregía. Amstelrredamo, çibdad marítima, de Holandia mercado, después que fue tomado Monesterio, e libre de los malos la Frisia, fue de los anabatistas con engaño tomada de noche, ocupado por fuerça el Senado, e muertas algunas de las guardas e magistrados. Finalmente superados, e rresistidos con pseudo obispo, como sediçiosos ladrones, con varios tormentos fueron públicamente muertos, como lo mereçían sus culpas. [58]

Y esto baste quanto al mal fin de los anabatistas, e fin desta nona estança (I, est. IX, 132-138).

30. *La guerra santa en Alemania.*

> El Emperador conquista
> No terná jamás tan sancta:
> Toda la Yglesia canta
> Oraçiones muy deuotas,
> Que a Dios le son ya notas,
> Verdaderas y continas:
> E con ellas disçiplinas,
> Alabando a Dios eterno.

Una conquista tan sancta como ésta quel Emperador ha tenido, hasta castigar los desobedientes alemanes, no se ha visto,

---

realidad, Schryver, y se latinizaba Grapheus, y a veces Scribonius, v. Bataillon, *Erasmo y España,* pág. 101. Con el nombre de Cornelius Scribonius Grapheus escribió *Monstrum Anabaptisticum rei Christianae pernicies* (Antuerpiae, Ion Grapheus, 1535). El *Antonio Secretario* es error de Oviedo, basado en el *Scribonius,* o error de una de sus fuentes.

[57] *Munistero:* La Fuente, pág. 138, lo considera tomado del verbo latín *munio*="fortificar"; también me parece probable que revolotease por la mente de Oviedo en este momento la voz *monasterium,* étimo de Münster, ciudad foco de todas estas páginas.

[58] *Sus culpas:* acerca de los acontecimientos históricos en Frisia (Friesland) y Amsterdam, que tuvieron lugar en 1534-1535, v. Lindsay, *Reformation,* II, 238-39.

porque demás de ser sus súbditos e vasallos, han tanbién rrebeládose a la obidiençia que deuen a Dios e a su Yglesia, como eréticos. E dando entendimientos falsos a los decretos e cánones, e inventado errores y eregías, para engañar e atraer ombres simples e indotos a sus settas. E demás deso juntándose con el Rrey de Françia, enemigo de Çésar, e confederado e aliado con el Gran Turco, prinçipal e público enemigo de Jhesu Christo, e toda la religión christiana. Pues ved si puede ser guerra más sancta que la que defiende Çésar, ques la fe e su patrimonio, e tan desacatada a estado e su [sic, por esa] luterana setta e sus secazes, que no se curando de aver incurrido en ser traydores y erejes, han tomado las armas contra Çésar. E a fuego, e a sangre, mouieron la guerra dentro en el inperio, e vsurparon e truxeron a su opinión muchas çibdades e pueblos, e han dado causa e materia como de los mismos delinquentes se ayan perdido e muerto muchos. E de los leales asaz han perdido las vidas en la defensa de la justizia e seruiçio de César, no faltando muchos inçendios, e rrobos, e fuerças, e violençias de donzellas e mugeres honestas, e profanando e con sacrilegios ocupando e rruynando muchos templos e monesterios de rreligiosos e rreligiosas, con diuersas fuerças e maldades sin número. E son tantas sus culpas que en mucho tiempo no se acabarían de dezir, acresçentando el número de los infernales. E la Yglesia vniuersal e cathólica con lágrimas canta oraçiones muy deuotas, que a Dios nuestro Señor ya le son notorias, no lo dubdés, porque no ay christiano perfecto que dexe de suplicar a Jhesu Christo por la vida e vittoria de Çésar contra sus adversarios, que son los enemigos de la Yglesia cathólica, cuyo defensor e padre es el Emperador, como siempre lo ha mostrado, y es en el mundo notorio. E muchas desçiplinas e deuotas lágrimas alaban a Dios eterno, e le piden con mucha rrazón que guarde e prospere tan christianismo [sic] e vtil Emperador como tenemos, para cuchillo de los infieles e castigo de los soberuios e de los eréticos; que todas estas mezcladas gentes andan en vna voluntad, colmados de delitos e crímines, que son para escuresçer el ayre e no se poder explicar sin los rromper e alterar. Y plega a Dios, por su clemençia, que se contente con los trabajos que hasta aquí la Yglesia ha padesçido. Y por questa materia no se puede traer a la memoria sin traer dolor a los fieles, viendo que avn no está destruýda essa setta luterana, no se dexe de la mano, ni paremos en tanto que ella no çesa. Aunque en parte no les ha faltado el castigo de Dios, sino el conosçimiento de sus errores a los que no han escarmentado en cabeças ajenas, como se an trocado e desuiado de los ombres con que nasçieron (I, est. X, 139-140).

31. *Más herejes: Inglaterra.*

> Otro tiempo desseado
> Notoriamente dará
> (Y nos le conseruará)
> Estando ya excluýdos,
> Los eréticos punidos,
> España muy sublimada.

Gran coronista y mostrador de verdades es el tiempo, con el qual muchas dubdas se acaban e las verdades se averiguan e las mentiras se atajan, o a lo menos se entienden, e los ombres se conosçen, e en fin las cosas alcançan el valor que deuen tener, según Dios quiere que lo hayan. Quando esos versos se hizieron tempestaua Alemania, y la Yglesia de Dios padesçía e temporizaua, atendiendo el fin de la soberuia luterana con la esperança que en Dios se deue tener. E dixe qu'al tiempo desseado le daría Dios y le conseruaría, como lo ha hecho, excluyendo aquel fuego e rigor de los luteranos eréticos con la victoria que dio nuestro Señor al rey d'España, Emperador, como lo ha visto el mundo todo, y es manifiesto.

> Céssar fecha la jornada
> Tornará contra Mahoma.

Realmente la voluntad de su Magestat Çessárea siempre ha seydo de emplear su persona y tiempo en la conquista de África, sino que esta ynimiçiçia françesa no le ha dexado ni dado lugar de poder efectuar su sancto zelo con las cosas de Italia, en quel françés se ha querido introduzir, e se ha aliado con el turco, e con las oportunidades que al mismo tiempo ha atrauesado, impidiendo la sancta intención de César. Así, en la rreuolución de

los Dacos (o de Daçia), [59] donde le conuenía a su Magestat fauo-
resçer a la reyna Isabel, su hermana, muger de Cristierno, rey
de Dinamarcha, e por otra parte las cosas de Inglaterra, e injustos
matrimonios del rrey Enrrique 8.°, que, oluidando el temor de
Dios, e vençido de su libídine, rrepudió a la serenísima rreyna
doña Catalina, su muger ligítima, tía del Emperador, e se casó
con Ana de Boloña [sic], su criada; de la qual después públicamente hizo justiçia della, e le cortaron la cabeça por adúltera, e a
Thomaso Moro, británico, cançiller del mismo rey. E al Obispo
Rrofense, [60] theólogo e predicador egregio, después de su luenga
prisión, porque al nueuo matrimonio de aquella Ana contradezía,
fue con çiertos principales religiosos ynoçentes descabeçado, y
como mártires, por la verdad degollados. En el mismo tiempo dos
obispos anabatistas, con algunos ombres de su seta, en Antuerpia [61] fueron quemados. Toda esta armonía trahía el diablo quasi
en vna sazón e tiempo, estoruando los sanctos deseos de Çésar,
impidiendo con esas cosas e con las de Italia (donde nunca faltan
nouedades) que Çésar, proueyendo a tales y tantos y tan diuersos
y enconados suçessos, e a las cautelas françesas, los fieles touiesen
espaçio y rreposo y lugar de no ser rrequestados, y que las armas
se suspendiessen contra ellos a cuenta de la vnión e confedera-
çión de françeses y turcos. Ay en esto tantas y tan grandes cosas
que se podrían dezir que sería dar admiración, no tanto de la
condiçión y enemistad gálica, quanto de ver cómo la Yglesia
a tal rrey sufre, e que le ture el título Christianísimo, [62] aviéndose
confederado con el infidelíssimo [63] tan públicamente. Así que esto
ha seydo la causa que al Emperador no ha dado lugar de tender
sus vanderas en África, e así paresçe quel testo habla en lo porve-
nir en lo que dize (I, est. X, 142-143).

---

[59] *Daçia:* Dinamarca, v. *supra,* nota 17.

[60] *Obispo Rrofense:* John Fisher, Obispo de Rochester, decapitado en
1535; v. *infra,* nota 515.

[61] *Antuerpia:* Amberes.

[62] *Christianísimo:* v. *supra,* nota 39, *infra,* texto 157 y 194.

[63] *Infidelíssimo:* el Gran Turco, aunque éste no era título oficial, como
Cristianísimo, sino sangrienta ironía de Oviedo; v. *infra,* textos 157 y 194.

32.   El Ducado de Milán.

No terná tirano modo
De tornar a Lombardía.

Todo lo que en declaraçión destos dos verssos se puede dezir
está dicho de suso e declarado, porque teniendo a Milán tiene la
entrada y puerta de Italia contra Françia y los demás émulos que
contra Çésar e su estado puedan ser. Y seyendo, como es, señor
de Lombardía y de los reynos de Nápoles e Seçilia, todo el resto de Italia tienen nesçesidad de seruir e contentar a Çésar. Días
ha que en estas Indias touimos nueuas y cartas de amigos e
perssonas de crédito, que se tractaua entre el Emperador y el
rey Françisco de Françia quel estado de Milán se le diese a su
hijo el Duque de Orlians, lo qual yo no crehí, e dixe públicamente
tener por çierto que esso nunca lo veremos. Y si el Emperador
diere el Ducado de Milán, creed que da tanbién con ello a Nápoles e todo lo demás. Porque yo sé muy bien a Italia, y la he
visto, e sé qué deuo creer en eso, y sé que su Magestat sabe, y
demás deso tiene quién le conseje y acuerde que no le conuiene
dar esa entrada a su enemigo ni a otro en Italia.

El Duque de Milán Galeaço [64] trahía por deuisa dos cubos de
agua colgados de dos bastones o troncos de leños ardiendo, y bien
creo que no faltarán algunos ojos que ayan visto ducados de oro
de la moneda que aquel Duque hizo con esta deuisa, en la qual
quiso sinificar que, seyendo Duque de Milán, estaua en su mano
meter el fuego en Italia, e matarle quando quisiese. Y así es,
porque como he dicho, Milán es la puerta de Italia, e nunca ella
tuuo tan buen portero como lo es el señor que tiene. Aunque por
otras vías no han faltado rrodeos para que por la tierra e por la
mar ayan entrado françeses a hazer lo que suelen. E con tener
el Emperador a Milán, ya que han entrado, no les ha costado
menos de las vidas, y quanto truxeron e pudieron perder con
ellas (I, est. X, 144-145).

---

[64] *El Duque de Milán Galeaço:* Galeazzo Maria Sforza (1466-1476).

33. Antonio de Leiva.

Estaua tan bien Pauía
Sermonando los baybenes,
El parque con sus andenes
Restaurados sin themor,
Regados al rrededor,
El Thesin sin tal çoçobra.

Ya avrés, letor, entendido antes de agora aquella jornada e çerco que sobre la çibdad de Pauía [65] tuuo el rrey Françisco de Françia, con toda la flor de la cauallería de su rreyno, con poderoso exérçito, la qual Pauía guardaua e estaua dentro en su defefensión [sic] el famoso e inuicto capitán el señor Antonio de Leyua, [66] prínçipe de Áscoli.

Al qual las armas e arte militar fueron tan sociables e a su propósito que en su tiempo y nuestro ningún cauallero fue su ygual en las cosas que a la guerra pertenesçían, ni que así lo proueyese e executasse, puesto que otros menearon mejor quél las manos, pues que dellas y de los pies tollido de la gota no se podía mandar. Mas alcançaua tanto su entendimiento y era tan copiosa y exçelente su prudençia que, trayéndole en vna silla sentado, desde aquélla prouehía y gouernaua de tal manera sus mílites que siempre quedaua vençedor. Cosa fue aquésta de tanto estremo e valor que no se ha visto ni oýdo ni escripto de alguno su semejante en el mundo. En fin, estando así çercado en aquella defenssa, e rresistiendo al Rrey y exérçito françés en nonbre de Çésar, y llegada la nesçesydad quasi al estremo, fue socorrido del exérçito

---

[65] *Pauía:* v. *supra,* nota 44.
[66] *Antonio de Leyua:* primer Príncipe de Áscoli, murió en 1536 y fue enterrado en Milán, v. Pedro Valles, *Historia del fortíssimo y prudentíssimo capitán Don Hernando de Aualos Marqués de Pescara, con los hechos memorables de otros siete excelentíssimos Capitanes del Emperador Don Carlos V Rey de España, que fueron en su tiempo, es a saber, el Próspero Coluna, el Duque de Borbón, Don Carlos Lanoy, Don Hugo de Moncada, Philiberto Príncipe de Orange, Antonio de Leyua, y el Marqués del Guasto* (Amberes, 1558); hay edición adicionada por Diego de Fuentes (Amberes, 1570). Oviedo trae más noticias sobre él y su familia, v. *infra,* textos 138 y 209.

del Emperador e los nuestros. E el Rrey de Françia e sus gentes estauan en su rreal, fortificados dentro del parque, que es vn gran çircuyto murado de tapias bastantes, e tales quel françés se pensaua estar muy seguro. El exérçito nuestro, que yua al socorro, para venir a las manos con los enemigos ordenó çiertos baybenes de vigas, ymitando a aquellos arietes antiguos, en que leuantados en el ayre herían de punta en aquel muro, e le rrompieron, e entró el exérçito imperial, e se dio la batalla de tal manera que la victoria quedó en fauor de Çésar. E el rrey Françisco fue preso, e con él los más de sus caualleros prinçipales, e de los demás françeses muertos la mayor parte, así de pie como de a cauallo. E Pauía fue desçercada por el general Duque de Borbón e los çesarianos, e quedó aquel rrío de Pauía, llamado Thesin, muy ensangrentado, e gran parte de los enemigos en él ahogados. Todo esto desta victoria passó el día de Santo Matía, xxv de hebrero del año de 1525, porque avnqueste sancto apóstol cae a 24, fue aquel año de visiesto, e cayó su fiesta a 25. Es tan fresco e sabido todo esto que no hay nesçesidad de detenernos en ello, en más de loar a nuestro Señor, que por Su clemencia otorgó esta victoria al Emperador e a España, en ventura de su Magestad e mediante la diligençia y esfuerço de nuestros capitanes e españoles que con Borbón se hallaron (I, est. X, 145-146).

34. *El Duque de Borbón.*

Marauilla fue tal obra,
¡O Borbón, Dios te perdone!
Visto es, sin que te abone
Historia ni poesía.

A mucha ventura de Çésar e notorio fauor de Dios se nota la victoria del Emperador en este caso, y en el tienpo que esa batalla suçedió porque en esa misma sazón estaua su Magestad Çesárea en la villa de Madrid muy falto de salud, quartanario, e muy falto de dineros, y con mucha flaqueza por su enfermedad, y tal, que mostró Dios al mundo vesiblemente sus marauillas, y vn notorio castigo a la soberuia de Françia y su Rrey.

"¡O Borbón! &c." Con rrazón, exclamando, pido a Dios nuestro
Señor que perdone al Duque de Borbón, [67] que después le mataron en Rroma, como ya lo tengo dicho sumariamente; y no sin
dolor de la pérdida de tan illustrísimo e notable señor e capitán
famoso. En loor del qual mi pluma no basta para dezir ni expresar
la inmortal historia que se le deue, ni es menester que yo, ni otro
historial o poeta discante ni rresçite sus hechos militares, pues se
pueden començar y no tan bastantemente dezir cómo sus grandes
méritos y valor fueron. Solamente digo que fue vno de los que
mejor se han bengado en el mundo de su enemigo con la lança
en la mano, seyendo tan grande e tan poderoso su aduerssario,
que era el mismo rrey Françisco de Françia, cuyo vasallo el
Duque de Borbón era. E estando desabenidos sobre sus diferençias, el Borbón, como buen cauallero, se desnaturó e apartó de su
seruiçio e obidiençia, haziendo primero las diligençias e auctos
como en tales casos se rrequiere. E fechos, se confederó e passó
al seruiçio del Emperador, como contra su enemigo. De manera
que sin incurrir en mal caso ni nota alguna, le hizo la guerra, e
le prendió en aquella batalla ya dicha de Pauía. E proçediendo el
testo en favor de Borbón, dize: (I, est. X, 146-147)

35. *La victoria de Pavía.*

> De ti se tomó la vía,
> O norte, del vençimiento,
> Seyendo ya Dios contento,
> Y Françisco aprisionado,
> Para quedar tú vengado,
> Adquiriendo tal euento.

Son juzgados por factores del hecho los que prinçipalmente
asisten en la obra y efecto, y son tanta parte que en vna batalla,
estando para la efectuar, la podrían escusar. Desta manera, pues,

---

[67] *Duque de Borbón:* Carlos, Condestable y Duque de Borbón, v. *supra,*
notas 44 y 66. Es sabido que en su *Vita,* I, xxxiv, Benvenuto Cellini gusta
atribuirse la muerte del Condestable de Borbón en el saco de Roma (1527).
Se ha de recordar, además, que el elogio que hace Oviedo del desnatura-
miento del Duque de Borbón está en directa oposición a la condena que
poetizó, siglos más tarde, el Duque de Rivas en su conocido romance *Un
castellano leal;* v. *infra,* texto 211.

en la jornada de Pauía, [68] avnque concurrían e se hallaron presentes en el exérçito de Çésar [69] el Duque de Borbón, el Prínçipe de Sulmona, Visorrey de Nápoles, e los Marqueses de Pescara e del Guasto, e el señor Alarcón, que cada vno destos çinco capitanes eran muy bastantes e complidos de esfuerço e espiriençia militar; non obstante eso, Borbón era el prinçipal, por su alta e rreal genealogía e casa e estado, e a quien se avía de atribuyr más gloria o vituperio del suçesso de la batalla, y en el exérçito era la prinçipal cabeça, e así el testo le llama norte e guía del vençimiento.

Dize pues el testo quéste se siguió, seyendo ya Dios nuestro Señor contento, y el rrey Françisco de Françia aprisionado, y atada su perssona e soberuia, dando entera bengança a Borbón de tan grande aduerssario, e poniéndole en las manos e determinaçión del Emperador don Carlos, nuestro señor, con tan glorioso juyzio de Dios e fin de la batalla, e lleuándole a España, e poniéndole en el alcáçar de Madrid, con sufiçiente guarda, debaxo de la proteçión del señor Alarcón, como en otra parte más largamente se cuenta, [70] e más copiosamente otros historiales lo han escripto. E yo le vi e hablé al mismo Rrey en aquella su detenençia o prisión de Madrid, el año de 1526. Donde estuuo preso hasta quel Emperador fue mouido por su clemençia e por causa de los interçessores, el Summo Pontífiçe, veneçianos, florentines, e otros potentados, que interçedían e suplicaron al Emperador. E el Papa rrogaua, por la común paz de la christiandad, que su Magestad açeptase la amistad del mismo Rey preso, e que con alguna buena capitulaçión, e rreformaçión, se soldasen los rrencores e diferençias passadas, porque la christiandad se paçificase, e estuuiese vnida e entera e de vna voluntad, lo qual consistía en la amistad del Emperador y de su prisionero el Rrey de Françia. Y para que con más seguridad eso ouiese efecto, no solamente el Emperador vino en ello, mas avn diole su hermana por muger, e Madama Leonor rreyna biuda, muger que avía seydo

---

[68] *Pauía:* v. *supra,* nota 44.

[69] *Exérçito de César:* quedan notas sobre todos estos personajes históricos (*supra,* notas 44 y 66), y Oviedo todavía hablará más a lo largo de algunos de ellos.

[70] *Se cuenta:* v. *supra,* nota 44.

del rrey don Manuel de Portugal. E después que conforme a
çierta capitulaçión se desposó en Illescas con ella *in façie Eclesie*,
e fue ydo en Françia, dexando en rrehenes dos hijos, que eran
el Dalfín [*sic*], primogénito, e el Duque de Orliens, segundo génito, no quiso efetuar el casamiento ni lo demás capitulado. E así
conuino rrecapitular con nueuas condiçiones. De aquí adelante
rresultaron otros nueuos mouimientos y estoruos de la paz, e todo
se mudó, e fue por otros términos sangrientos e desasosiegos, que
paresçe quel tiempo ha ydo produziendo, como se ha visto.

E dando fin a esta estança déçima, preçede la vndéçima, todavía prosiguiendo la materia, expressando loores del Duque de
Borbón, e dize: (I, est. X, 147-149)

36. *Panegírico del Duque de Borbón.*

> Sancto del cielo conuento
> Angélico soberano,
> Resçebid con pía mano,
> Silla le dad de reposo;
> El Dios todopoderoso
> Açepte tal cortesano.

Acresçentando en los loores e méritos del Duque de Borbón,
llama el continuado fin e méritos deste rreal señor al çelestial
conuento angélico soberano, para que rresçiba con piadosa mano,
e le dé silla de rreposo, e açepte, en virtud de Dios todopoderoso,
tal cortesano como Borbón, en el qual tales e tan grandes partes
de señor cupieron. Y desde aquí podés, lector, sospechar e aver
por inçierta qualquiera historia françesa que en este señor hablare, porque le tractarán como enemigo. Y no tiene rrazón, porque
los señores semejantes, e todos los demás, son más obligados a
sus perssonas e honores, e a sus prínçipes e rreyes. E como algunos
apassionados no miran más de su propria passión, juzgan lo que
les paresçe, e dizen lo ques justiçia confuso, e quítanla a cúya
es, e aplican las cosas a su benepláçito, e no como la verdad se
deue explicar e sentir.

> Caso que murió temprano
> Acabar nunca se puede
> Su memoria, pues exçede

Tanto a qualquiera pluma
Y estilo, que la suma
Liuio [71] dezir no supiera.

Gran pérdida fue la de tan bastante e illustre capitán. Y porque el testo dize que murió temprano, a mi paresçer, al tiempo quél vino a Toledo donde se le hizo gran resçebimiento, [72] e el Emperador salió a él acompañado del reuerendíssimo Cardenal Johan Salviatis, [73] legado del Papa, e el Sereníssimo Duque de Calabria, [74] hijo mayor del rey don Federique de Nápoles, y el Condestable de Castilla don Ýñigo de Velasco, [75] e muchos grandes e señores españoles, hasta la puente de Alcántara, no podía aver el Duque de Borbón, según en su aspecto mostraua, quarenta años, poco más o menos, e antes creo que avía menos de lo que digo, si yo lo supe arbitrar e conjeturar de su perssona e gentil dispusiçión e graçioso semblante, que mostraua bien quién él era. Y en las particulares habilidades de su perssona muchas cosas supe de perssonas de crédito, demás de ser muy sabio e entendido en la militar disçiplina, en que era famoso e experimentado. Su desastrada muerte fue el siguiente año de 1526 años, [76] de vn golpe de arcabuz, que le fue dado estando ya sobre el muro de la çibdad de Rroma, antes que fuese de día, e seyendo vno de los primeros que subieron del exérçito çesarino. E salió desta vida

---

[71] *Liuio:* Tito Livio.

[72] *Gran resçebimiento:* con mucho mayor detalle narra esto Oviedo en la *Relación*, págs. 421-28.

[73] *Cardenal Johan Salviatis:* Giovanni Salviati, como recuerda Oviedo, *Relación*, pág. 421, no sólo era legado, sino también sobrino de Clemente VII. Don Francesillo de Zúñiga, *Crónica burlesca, Bib. Aut. Esp.*, XXXVI, 37-38, también dedica regocijada memoria a esa misión de 1525.

[74] *Duque de Calabria:* Don Fernando de Aragón, hijo y heredero del último rey de Nápoles don Fadrique (o Federique, como le llama Oviedo). Fue preso a España, donde medró de prisionero a Virrey de Valencia, y donde murió en 1550. Oviedo, que había servido a don Fadrique en Nápoles, siempre le guardó ley, y cuando el Duque de Calabria todavía estaba preso en Játiva, le dedicó su novela caballeresca *Don Claribalte* (Valencia, 1519); además, v. *infra*, texto 276.

[75] *Don Ýñigo de Velasco:* Don Íñigo Fernández de Velasco, Duque de Frías y Condestable del Reino, había sido Gobernador de Castilla durante las Comunidades, junto con el Almirante D. Fadrique Enríquez y el Cardenal Adriano de Utrecht; v. *infra*, Acrecentados.

[76] *1526 años:* fue el 6 de mayo de 1527.

trabajosa tan presto, que no se sabe si murió ençima del muro o
en baxando, ni se tuuo notiçia hasta ser de día claro que era
muerto, con el ímpetto de los soldados e armas, que entre los
ofensores y defensores e artillería de ambas partes, peleando
los vnos e los otros con grande estrépito, haziendo, proçediendo
en la batalla y asalto, en que estaua tempestando la sancta
çibdad. E por acortar palabras, dize el testo que Tito Liuio, historiador romano famoso e de grande auctoridad, no supiera satisfazer, ni tan bastante ser, como a la persona e valor de Borbón
conuenía para su historia ser discantada (I, est. XI, 150-151).

37. *El escritor y la ética.*

> Qué dirá quien no aplaze
> Visto tal inconueniente:
> En callar seré prudente;
> Dará mi pluma vagar
> A dexarme descansar
> Retraýdo, como viejo...

Siguiendo el thenor de la materia, ques conosçer mis faltas,
digo, que ¿qué puedo yo dezir no aplaziendo mi estilo a toda
manera de gente? E siendo tal el inconveniente que callando seré
prudente e dará mi pluma vagar o espaçio para que en alguna
manera pueda descansar, rretraýdo como viejo, e que ha días que
trabajo. E avn por la dispusiçión e maliçia del tiempo, el qual
conosçiendo, será mejor el silençio que dar ocasión a los que
quisieren morder o murmurar de lo que dixere. Pues sea agora
perdonado no lo que digo sino lo que callare, pues mi fin no es
de pedir que se me agradezca reprehensión, que pueda causar
escándalo, sino dezir lo que podría ser que hiziese fructo en el
que leyere, si quisiere conformarse con lo que deue. Pues lo demás no se deue tan abiertamente blasonar como lo sentimos, en
espeçial en tiempos enconados y entre tantas orejas sospechosas
y sordas para su castigo y enmienda (I, est. XI, 153).

38. *Gloria y menoscabo de Alemania.*

> Como es falsso el enbés
> Hortigas son las respuestas,

Osando hazer apuestas,
Sacrilegios a montones.

Ya aquí se concluye esta plática y estança e a mi paresçer no
mal aplicada. E como es falso el envés, las respuestas no son
aplazibles a todas orejas, ni fuera de la plática en vnión quel
testo e el comento traen a su propósito. A lo menos en contra
de las apuestas e porfías que los aduerssarios de la verdad de
muchas maneras cada ora intentan, con montones de sacrilegios
e maldades contra la Yglesia appostólica de Rroma, con tanta
ofenssa de la christiandad e prinçipalmente de su misma Alemania, ques vn mostruoso vituperio. Y ved que tanto se ha estendido
el poder del demonio entre aquesa jermánica nasçión que yo vi
la reputaçión e loor de los alemanes tan encumbrado e glorioso,
que entre la rrepública christiana era Alemania el mayor número
e fuerça de la christiandad. Demás desso eran muy estimados por
illustres en limpieza de linaje, e que mejor y más claras y entendidas tenian sus prosapias e desçençias, con sus armas e blasones
militares, y en diestros de tal materia hazíen ventaja a todas las
nasçiones de christianos en general. Agora ya está todo eso al
reués, en tal manera que como eran la más gente, o número de
christianos, hanse introduzido e inuentado por ellos tantas e tales
sectas de luteranos, e anabatistas e otros errores, que en ninguna
parte del mundo se ha visto ni ay tanto número de erejes ayuntado. E quanto a la limpieza del linaje, ya va tan mezclado, e
tales e tan grandes príncipes han tropeçado en los mismos errores
contra la fe cathólica de nuestra rrepública christiana, que han
cançelado e puesto vn nublado de infamia perpetuo a esa general
nobleza que tenían, que hasta la fin del mundo turará. E avn en
el juyzio final se tractará, o mejor diziendo, fenesçerá con perpetuo castigo, si sus protestanças no las castiga Dios antes de
aquel postrero día e difiniçión que esperamos. Toda la mayor
parte destos trabajos de Alemania penden de dos cosas, la vna e
prinçipal de los eréticos motiuos en que aquestos germánicos se
han convenido e penden.

La otra, o segunda, es el error que hizo el Emperador
Carlos 4.º de tal nombre, en empeñar las rrentas del Imperio por
hazer elegir a Wençeslao, su hijo, por Emperador, en sus días, lo

qual cuenta largamente Eneas Siluio Picolomineo,[77] natural de
Sena, Cardenal de Sancta Sabina, en la historia de Bohemia, quél
escriuió. E así permitirá nuestro Señor quel Emperador Carlos
quinto lo rremedie, por dispensaçión de Dios, por el bien vniuersal e paz e concordia de los christianos (I, est. XI, 156-157).

39. Judíos alemanes.

¡O alárabes paganos,
Deuesos de conortar
En aueros de ygualar
Vosotros con los jermanos!

Asaz mala ventura e infeliçidad es que se pueda pensar (quanto
más con verdad dezir) que los enemigos de la fe puedan equiparar,
o ser yguales con los jermanos. Parte desa culpa, o toda, la tienen
los míseros alemanes, pues que ellos se han querido enemistar
con su Emperador (e con su Dios, que es más), y desacordarse de
sí mesmos. Pero no me marauillo pues tantos tiempos ha que
desimulan e açeptan entre sí en sus tierras e jermanía[78] judíos
jermánicos. Y si quieres saber cómo lo sé, digo que ha más de
çinquenta e seys años, en éste de 1555 años en que estamos, que
vi en Génoua compañías de infantes alemanes a pie e por Italia
ganar el sueldo como ombres de guerra en siruiçio del señor
Ludouico,[79] Duque de Milán (y de otros señores), y en algunas
capitanías désas mezclados soldados dellos judíos, de la misma
lengua e patria alemana, ganando el sueldo. Y en espeçial, en la
misma Génoua, seyendo allí capitán general[80] por el dicho Duque, miçer Johan Adorno, en vna compañía de alemanes, en que

---

[77] *Eneas Siluio Picolomineo:* Eneas Silvio Piccolomini fue Papa Pío II
de 1458 a 1464. Oviedo alude a una de sus múltiples obras, la *Historia
Bohemica* (Roma, 1475) trad. castellana (Sevilla, 1509), del Comendador
Griego, v. *infra,* nota 611. De todas maneras, el Emperador Carlos IV (1318-
1376) no pudo obtener el acceso al trono imperial de su hijo Wenceslao
(1361-1419).

[78] *Jermanía:* germanía, en el sentido levantino de "hermandad".

[79] *Señor Ludouico:* Lodovico Sforza, Il Moro, fue Duque de Milán hasta
su prisión en Francia (1500); v. *infra,* texto 316.

[80] *Capitán general:* hasta la época de Andrea Doria, en 1528, Génova
estuvo dominada por Milán y Francia; v. *infra,* textos 257-58.

avía hasta çient soldados, eran diez o doze dellos judíos. Digo esto porque no se marauille el letor si de tal mezcla rresultan e se forman eregías luteranas e anabatistas, y otras setas y maldades contra nuestra sancta fe cathólica (I, est. XII, 163-164).

40. *Las cambiantes modas.*

> El que fuere despossado
> No dilate de velarsse:
> El que huye de peynarsse
> Estará bien tresquilado.

A mucho peligro andan los desposados que dilatan la boda, o efetto de la cópula, en espeçial mançebos, porque la moçedad y las ocasiones y la poca constançia hazen muchas vezes mudar los propósitos. Por lo qual vno preguntó al philósofo Sócrates si era mejor tomar muger o no, e le rrespondió: Qualquier cosa dello que hagas te arrepentirás. Pero al propósito del testo vemos algunos desposados meterse frayles, o sus esposas monjas; otros se van a la guerra, e otros de su voluntad se destierran, e se van donde nunca más tornan, e después de avsentados se casan con otras mugeres, e toman otra forma de biuir. Cleóbolo, filósopho, e vno de los siete de Greçia, dezía que deuemos maridar nuestras hijas vírgines de edad, mas que sean viejas en la prudençia e sentido, seyendo muy bien acostumbradas de nos, antes que vayan a sus maridos. E tened, lector, por çierto (porque de suso dixe que era peligrosa la dilaçión de los desposados que tardan de se velar), que si ellas tuuiesen posibilidad para huyr, como los ombres, que está por averiguar quál se yría primero despues quel descontentamiento llegase.

Dize más el testo que estará bien tresquilado el que huye de peynarse, y es verdad, lo menos esos que se solían llamar enemigos del peyne, que son los villanos y pastores. E ales venido muy a cuenta andar la mayor parte de los ombres el dýa de oy tresquilados. El qual vso ha traýdo el arte militar y guerras, después que rreynó el Emperador rrey nuestro señor e suçedieron las alteraçiones de Alemania, que como conuino que la persona de su Magestat pusiese la mano en ello, e se tresquiló por la continuaçión de las armas, todos los generosos, e hidalgos, e ombres

de guerra, e todas calidades hizieron lo mismo. Un tiempo, hasta
que murió el Cathólico rey don Fernando de gloriosa memoria,
todos los españoles trahían el cabello largo e la barba rapada. E
por el contrario, agora traen todos la barba cresçida y tresquilados, como es dicho. Así que los tiempos hazen su curso, e los
vsos de los ombres también se mudan e diferençian, e toman
dechado o fundamento en el rrey e prínçipes que rreynan, e así
se mejoran o enpeoran. E quales son más vtiles e prouechosos a
los súbditos ellos lo digan, que yo no quiero voto ni paresçer en
eso, puesto que desde que ove treze años hasta estar en éste, que
corren 1555 años, podría testificar de muchas mudanças e trajes,
pues he 77 años que ha que biuo. Y avnque algún tiempo anduue
por otros rreynos fuera de España, entre ninguna nasçión vi tantas
ni tan espesas vezes mudar los trajes como entre nuestra nasçión,
y nunca en todo el tiempo que he dicho los vi ni oý dezir que
ouiesen seydo tan costosos ni tan exorbitantes como al presente
se vsan, y en espeçial en estas nuestras Indias, porque la vara de
seda cuesta acá quatro e çinco vezes más que en España, y el
paño lo mismo. Esto se quede aquí, que en otra parte se trará
[sic] más esta materia, si ouiere lugar o nesçesidad de voluer a
ella (I, est. XIV, 174-176).

41. *Los rehenes.*

> El que queda por rehenes
> A otro da su perssona;
> El fiel que no perdona
> De la fe muy poco siente.

Muchas vezes acontesçe que vn cauallero queda por rehenes,
como en empeño, su perssona, e obligado a pagar çierta suma de
marauedís o ducados, o coronas de oro, a çierto tiempo limitado.
E cogido e allegado e pagado el rrescate salen las rrehenes con
mucho gozo, desechando el catiuerio, e poniéndose en libertad las
personas dethenidas que estouieron por prenda e rrehenes. Este
vocablo rrehenes es aráuigo, e así se dezía en el tiempo e guerra
con los moros del rreyno de Graná [sic], e en Italia se dize en
lugar de rrehenes *stagia,* e entre françeses *talla;* e todo quiere

dezir prenda, o aprisionado, e sin libertad hasta pagar la cantidad que prometió el tal detenido, o quien se obligó.

Asimismo es obra caritatiua e de ánimo noble e justa cosa, perdonar al enemigo e próximo en todo tiempo e sazón, como fiel christiano; porque el que haze lo contrario no açierta, ni siente como deue, e tanto quanto se tardare en no perdonar peca, e deue hazer conçiençia, e acusarse dello como cathólico christiano, porque Dios le perdona a él, e sea reduzido en graçia e verdadera penitençia (I, est. XIV, 178).

42. *Mala fama de las panaderas.*

> La polida panadera
> No la quieras por vezina:
> Al novillo con madrina
> Le hazen ser carretero.

Muy aparejado es el offiçio de la panadera a las pendençias de Cupido, e a qualquier ora de noche se ofresçen demandantes. Y siempre oý dezir en Castilla que la vezina que de noche ha de abrir la puerta ha de ser partera o panadera, que por razón de sus ofiçios han de tener el aldaua muy presta, e no perezosa. De manera quel ofiçio es el alcahuete, como es al novillo que quieren que entienda el arte de la carreta, que le dan vna madrina, que dizen, y ésta es otro buey que es diestro. Asidos con vna cadena del cuerno del viejo al que ha de enseñar, e este novillo vnido con el yugo con otro, e del otro cuerno asido al terçero con otra cadena, de manera que el que ha de ser enseñado va en medio. E la madrina va suelta, que no lleua trabajo más de yr, como es dicho, asida con la cadena del cuerno déssa con el cuerno del ahijado. Y así en pocos días le domestican e hazen carretero. Como también la panadera en pocas madrugadas puede aprender a heñir, e amassar, e tractar e vender su pan, e sus tortas e rroscas, con los tiempos que ella se sabe escojer e eligir para su tracto e panadería. Y por lo que está dicho se puede conjecturar y entender todo lo que incumbe e es anexo a este offiçio, ques de poca industria e de mucho aparejo para ser la panadera tal qual ella quisiere ser. Passemos adelante (I, est. XV, 183).

43. *Tesoros de Indias.*

A los ombres con dinero
Les mudan la condiçión.

Rezia cosa es este dinero el día de oy, e no sin causa suelen
dezir quel prinçipal neruio de la guerra son dineros. Por lo qual,
avnque las guerras están ençendidas con esos françeses y turcos,
turbando la christiandad (y esos alemanes baçilando), en prinçipio
deste año de 1545 [*sic*] tenemos nueua çierta quel general Bartholomé Carreño, [81] con el armada del Emperador nuestro señor, está
ya nauegando y en España, con çinco millones e medio de pesos
de oro, en oro y en plata. Y podés creer los enemigos y rebeldes
que le quedan acá en sus Indias çiertos alholíes, [82] donde tiene
otros incontables millones de oro e plata, para que se conquiste
el rresto del mundo e lo ponga Dios todo y toda la infidelidad
debaxo de la vandera de Jhesu Christo, y obidiençia y seruiçio
de tan christianíssimo monarca. Por tanto, infieles, turcos, moros,
gentiles y los demás, dad aquellas cosas que son de Çésar a Çésar,
e las que son de Dios a Dios. Mirad, pecadores, los que estays
fuera de la Yglesia de Dios, que se açerca el tiempo para que os
salués, y acordaros que dixo Christo nuestro Rredemptor, como lo
escriue el glorioso S. Jo. Euangelista: Yo tengo otras ovejas que
no son desta manada, las quales conuiene que las guíe, y que oygan mi boz, e haráse vna grege [83] e vn pastor. Y pues éstos soys
vosotros, conosçed vuestras culpas e çeguedad, y entrad ya en el
rrebaño cathólico e saluaos, e conosçed al Dios, ques tiempo,
porque ya Çésar os ha atendido, y os resçibirá en la compañía
de los fieles. Pues claramente avés visto quanto fauor le ha fecho
y haze cada día Aquel en cuyo nombre él rreyna e os llama.
Mirad con quántas contradiçiones ha imperado e impera. Mirad
quántas dificultades se han allanado. Bien avés visto la soberuia
e poder de los aduerssarios, e cómo los ha sobjuzgado e abaxado.

---

[81] *Bartolomé Carreño:* más noticias de este piloto y capitán en *Historia general, Bib. Aut. Esp.,* CXVII, 286, y CXXI, 407.

[82] *Alholíes:* graneros.

[83] *Grege:* grey.

Bien veys desde quán lexos e tantos millares de leguas por mar y por tierra le embía Dios los dineros sobrados a su cámara para pagar sus exérçitos, y esto baste para la mudança que los dos versos de suso dizen que hazen los dineros, que mejor dixera que la haze Dios, que se los embía a Çésar, con que le sirua e se avmente la rreligión christiana, prosperando la Yglesia de Dios y su Emperador (I, est. XV, 183-184).

44. Del bien hablar.

No es hábil pregonero
Ninguno que sea mudo:
Aquél tienen por sesudo
Que se presçia de callar;
El que sabe bien hablar
Pocos tiene semejantes.

El pregonero no ha de ser mudo siṇo de clara e sonable e alta boz.

"Aquél tienen por sesudo que se presçia de callar." Estando Solón, philósopho, en un çierto lugar fue reprehendido de Periandro, porque Solón callaua donde todos los otros hablauan, y preguntáronle si callaua por defecto de palabras o por locura e imprudençia. Dixo: Nunca loco e imprudente supo callar.

Dize el testo "quel que sabe bien hablar pocos tiene semejantes," e es la causa porque muy pocos lo saben hazer. Todos hablan, e poquísimos saben hablar; porquel que lo sabe ha de mirar y entender quánto habla, e ante quién, e qué y quánto, e en qué materia, e que no sea demasiado lo que dixere ni menos de lo que deue dezir. E con buena graçia e perfecta lengua del lenguaje que hablare, sin mezclar otras lenguas. E sin estas particularidades todas, faltando alguna dellas, no será bien hablado tal orador. El pregonero mudo no vale nada para tal ofiçio que es para sinificar al pueblo en alta boz la execuçión de la justiçia, e las otras cosas que la rrepública deue entender e saber, e no ynorarlas. Cleóbolo, philósofo, vno de los siete sabios de Greçia, dezía que el que tenía la lengua dispuesta para dezir bien de todos que lo tal es propio ofiçio de la virtud (I, est. XV, 186).

45. *De bonetes.*

No te combides tú antes
Que te hayan combidado;
El bonete acuchillado
Dize que cabeça cubre;
El que la maldad encubre
A sí mismo la comete.

La desemboltura sobrada no es buena, antes se suele llamar desuergüença; y en ese error caen los que se entremeten en las mesas que no los llaman, lo qual suelen hazer ombres atreuidos e de poco saber.

El bonete acuchillado agora ya no se vsan [*sic*], mas en lugar de acuchillado le traen abotonado y con cadenicas y estampas de oro, y luego conosçerés por estas señas qué tal es la cabeça y el seso que cubre. Súfrese en algunos mançebos liuianos que su edad los desculpa désos e otros errores, y en tiempo de máscaras, y a los muchachos y sacristanes en la fiesta de Sanct Nicolás. [84]

El que la maldad encubre a sí mismo lo comete. Así lo juzgan algunos buenos juezes, y digo buenos porque a la verdad son mejores que los que disimulan con los que cometen la culpa e con los encubridores (I, est. XV, 187).

46. *Concepto de la guerra justa.*

Mucho ha de consultarse
La guerra para ser justa. [85]

Todos los derechos y açiones que los reyes e prínçipes (cathólicos e que temen a Dios) pretenden e touieren en su fauor, se

---

[84] *Sanct Nicolás:* la fiesta de San Nicolás de Bari cae el 6 de diciembre, y hasta hace poco había fiesta infantil, en que se atribuían a San Nicolás los regalos hechos a escondidas.

[85] *La guerra ... justa:* este concepto, que nace en el seno de la Escolástica medieval y se trasplanta primero a la conquista de Canarias y después a la de América enardece a los pensadores españoles del siglo XVI; como botón de muestra baste mencionar la sonada *Apologia ... pro libro de justis belli causis* (Roma, 1550), de Juan Ginés de Sepúlveda; v. *infra,* nota 415.

deuen mucho mirar y examinar, e disputar e averiguar por personas doctas e sin pasión e de buena consçiençia, antes que la guerra se publique e pregone. E mirar mucho en que sea justificada, así en escusarla todo lo posible, buscando los medios que buenamente se pudieren tentar, porque no aya muertes de ombres, e inçendios, e rrobos, e las otras calamidades e trabajos que de la guerra suelen rresultar. E dando notiçia al Summo Pontífiçe e Yglesia de Dios, para que sea medianera, e se tracte la paz, si posible fuere, antes que se comiençe a efettuar e exerçitar la militar disçiplina, ni que las partes más se enemisten, ni preçedan los ardides, ni los pecados se avmenten, ni las prendas ni corredores, en el campo, en la tierra, ni en la mar se metan las flotas de naos e galeas e otros nauíos, &c. (I, est. XVI, 190).

47. *Contra la literatura caballeresca.*

> El que buenas letras gusta
> Nunca le falta deleyte:
> Al ánima es afeyte
> Toda christiana leçión.

Indocto e simple es mayor daño en el ombre que otra pobreza alguna, ni ser mendigante, según la opinión del philósofo Aristipo. E por tanto dize muy bien el testo, "quel que buenas letras gusta nunca le falta deleyte." E así como ay deleytes malos e malas ocupaçiones, es por el contrario la buena leçión e letras cathólicas, afeytar e adornar el ánima de sanctos avisos, e avezindarla con Dios, e no perder el tiempo, como le gastan e pierden los que leen vanidades, e cosas fictas e inuentadas, desuiadas de verdad, e para enbeuesçer la gente de poco saber, así como *Amadís*, e *Orlando*, e *Guarino mezquino*, [86] e otros semejantes tractados, con

---

[86] *Amadís ... Guarino mezquino:* es bien conocida la actitud hostil de Oviedo hacia la literatura caballeresca que despliega en sus últimos años, a pesar de ser su primera obra impresa una novela de tal tipo, el *Don Claribalte*, v. mi trabajo "El novelista Gonzalo Fernández de Oviedo y Valdés, alias de Sobrepeña", *Anuario de Letras Hispanoamericana*, I (Madrid, 1973); además, v. *infra*, textos 106-09, 137. *Amadís de Gaula* (1508) con copiosa familia; *Orlando*, puede ser el *Innamorato* de Boiardo (h. 1495), o el *Furioso* de Ariosto (1516, primera ed. definitiva 1532), o ambos a la vez; *Guarino*

que pierden las ánimas sus auctores, e los que los escuchan, &c.
(I, est. XVI, 190-191).

48. *Devociones y amoríos.*

> El prudente cauallero
> No se acompaña con rruynes;
> A las vezes los maytines
> Se diríen mejor en casa.
> Mucho más quema la brasa
> Oculta que manifiesta.

¿Vistes jamás algún prudente cauallero acompañarse con rruynes? No, por çierto, sino huyr dellos. No desdeñarlos; hablarlos y tratarlos bien, eso sí, pero no estrecha conuerssaçión con los tales, porque no se diga: Dime con quién estauas, diréte lo que hazías.

Dize más el testo, que "a las vezes los maytines se diríen mejor en casa." Esto eso quiere dezir, no que los maytines se dexen de dezir en la yglesia por aquellos que los deuen de dezir, pero que las mugeres no los vayan a oýr, sino que los rezen en casa, porque so color de los maytines no vayan adonde no les conuiene. E para ésas e otras deuoçiones nunca se les ha de dar tan suelta liçençia quel patrón de casa dexe de mirar essas deuoçiones con atençión e aviso grande. Porque como dize el testo: "Mucho más quema la brasa oculta que manifiesta." Y es claro, porque la donzella, y avn la dueña, que ha gana de tropeçar, y avn los ombres que no bien biuen, no han menester luz, sino andar a escuras, e buscando ocasiones para encubrir sus delictos; lo qual no pueden hazer en los tiempos claros, e quando con façilidad pueden ser vistos y entendidos de sus vezinos (I, est. XVI, 192-193).

49. *Del echar suertes.*

> Los que dessean los grados
> De honor han de estudiar;
> Y la naue nauegar

---

meschino (1473). De las tres obras italianas hubo tempranas traducciones españolas, todas accesibles a Oviedo. Además, v. *infra*, texto 273.

Para conseguir el flete.
El que más en suertes mete
Sale más vezes en blanco.

Es muy justo y nesçessario que los que han de ser graduados
en los officios e honores, que estudien aquellas sciençias e artes en
que han de professar para que las merescan, e los admitan los que
los ouieren de admitir a los offiçios con buena conçiençia. E la
nauegación hala de hazer la nao para conseguir el flete, porque
no haziendo el viaje no le darán el flete ni le meresçe.

Es vna manera de rrobo onesto e solapado esto del echar suertes, e avn cosa dina de ser impedida e no le consentir, por [sic]
aquellas joyas que se echan son mal tassadas e demasiadamente
vendidas, e inxieren e ponen officios e salarios, que todo sale de
las bolsas de los cobdiçiosos que pagan las suertes. De manera
que lo que vale diez lo cargan en veynte, e más los engaños de
los apresçios e de las cosas de oro que las nombran de vna ley e
quilates a beneplácito e propósito del que vende la joya, e contra
los que lo pagan; porque como no tiene dueño, ni saben a quién
le cabrá, no se les da más que se apresçie en çiento valiendo
çinquenta, que en más o menos presçio del valor que tiene. De
allí se sacan los veedores, e thesorero, e escriuanos, e quantos
interuenidores están ocupados en esta burla. E nunca ninguno se
llama a engaño, porque los que pagaron las suertes vinieron a
pagar de contado con su mal seso, pero muy de grado; e los
que las vendieron rresçibieron la paga a su voluntad. E aquellos
a quien cupieron (que fueron los menos) gózanse por averles
cabido la suerte. Porque les paresçe que su paga no la meresçía
sino que salieron en blanco, como los otros burlados. En fin esto
es vna cosa que la gozan pocos, e la escotan e pagan muchos
(I, est. XVI, 197).

50. *Dichos populares.*

Al negro suelen dezirle
Johan Blanco, sin que lo sea.

Oydo avrés alguna vez llamar al negro Johan Blanco, y esto
házese en algunas cosas que se deuen entender al rreués, o por

el contrario de como suenan. Así como aquésta, que siendo prieto le dizen blanco. E como dizen a vn moço perezoso: Ve a tal parte y estáte allá vn año. Que quiere dezir que venga o buelua presto: estilos son de hablar (I, est. XVII, 199).

51. *Píramo y Tisbe. Un loco sevillano.*

> Ninguno de amores muere
> De buena capaçidad.
> Es notoria liuiandad
> Regar la huerta llouiendo.
> Nadie piense que durmiendo
> Acresçienta su hazienda.

Puédese entender que muere de amores aquel que el amor es causa de su muerte, como en muchos se ha visto, e se escriue de Píramo e Tisbe, e de Leandro y de Ero su amiga, y de otros muchos se podrían dezir sus tristes fines. Y por no hazer prolixo el comento diré solamente destos quatro con breuedad. Píramo e Tisbe fueron de Babilonia, e tractando sus amores conçertaron de salirse de la çibdad vna noche e yrse a cierua [*sic*] selua donde avía vna gentil fuente, sobre la qual estaua vn blanco e hermoso moral. E Tisbe llegó allí primero que Píramo, e estando ella esperándole vio venir vna leona que avía comido vna fiera e venía a beuer. E como Tisbe la vio huyó corriendo, e cayósele el velo (o la toca), e después que la leona ovo beuido vínose do estaua el velo, e como estaua sangrienta, tomando el velo en la boca le ensangrentó e lo dexó. Desde a poco llego Píramo, e como vido el velo sangriento, ymaginó que Tisbe era comida de alguna bestia fiera. El qual, con tanto dolor, propuso de no biuir ni querer vida sin Tisbe. E sacó su espada e echóse de pechos sobre la punta della. E avn no auiendo espirado, llegó Tisbe, e viéndole de aquella manera determinó de le seguir e tener compañía. E echóse sobre la punta de la mesma espada, en lo que tenía de fuera del cuerpo traspasado de Píramo. E así se mató. Y en memoria e testimonio del caso, dizen los poetas quel moral, que antes lleuaua la fructa blanca, la lleuó de allí adelante sangrienta.

Leandro fue de Abido, que está en la ribera de Asia, adonde el Elesponto se diuide con breue espaçio. Y Ero, hermosa donzella, era de Sexto, çibdad puesta en frente de Abido, pero en

Europa, como lo escriuen Museo e Ouidio en sus epístolas. E como se amauan, no avía otra forma de gozar de sus amores sino nadando Leandro aquel braço de mar. Lo qual él hazía de noche muchas vezes, e Ero estaua a la ventana con la lumbre esperando a su querido Leandro. Interuino vna noche tal tempestad que, nadando, Leandro se anegó, e las ondas le truxeron al pie de la ventana, donde Ero le conosçió, e viéndole muerto, aborresçió su propria vida, y se echó de la ventana abaxo, e se mató por hazerle compañía, como fiel enamorada. Así que por la fin quéstos hizieron podemos juzgarlos por enamorados, pero por locos desesperados e de mala capacidad, e así se podría dezir de otros muchos que mal acabaron con sus amores e desuaríos.

Dize el testo "ques notoria liuiandad regar la huerta llouiendo." Cosa es que no lo puede hazer eso sino seyendo loco el ortolano, y así vi yo vno désos en Seuilla, [87] hartos años ha, que en la casa donde seruía le vi, llouiendo, sacar cubos de agua a gran priesa, e rregar los naranjos e çidros que en vn jardín desa casa estauan, çerca de la yglesia de Sant Bartholomé. E preguntáuanle que para qué regaua e trabajaua en balde, pues quel çielo se tenía ese cuydado. E él rrespondía que porque el agua llouediza aprouechase a los árboles e al jardín era menester mezclarla con el agua del pozo, porque sin ella la que cahía no valíe nada. Ni era posible que su amo le quitase de su propósito, antes él e otros se rrehían dello mucho. E como era verano, sufríase, pero en inuierno ývanle a la mano, e atauánle como loco en llouiendo. E assí lo era el que esto hazía, e por tal era tractado, e se dezía Apariçio. E de locos eso e más se deue esperar, e ellos suelen hazer tales cosas.

Dize más el testo: "Nadie piense que durmiendo acresçienta su hazienda." Bien podría ser, como es el sueño moderado a la vida, pero el demasiado ni a la vida ni a la hazienda puede aprouechar, antes es viçio e gran falta en los ombres, e tanto menos

---

[87] *Loco ... en Sevilla:* no puedo por menos que dedicar regocijado recuerdo a los cuentos de locos sevillanos con que se inicia el *Quijote* de 1615, en particular el del cap. I, en el que también la lluvia es elemento esencial del chiste. Me parece que nos hallamos ante una nueva tradición de cuentos populares, como las que ha estudiado reciente y agudamente Maxime Chevalier, *Cuentecillos tradicionales en la España del Siglo de Oro* (Burdeos, 1971).

biuen quanto más sueño e tiempo durmieron. Pero no gastemos tiempo en cosa tan manifiesta e clara, pues no el sueño sino la diligençia suelen dezir que acresçienta los bienes e haziendas temporales, e ninguna cosa presçiosa e de estimaçión se suele alcançar sin mucho trabajo, ni la ternían en tanto sino fuese dificultosamente e con vigilias adquerida. E quantos más sudores costare, tanto mas valor tiene en su género e calidades (I, est. XVII, 201-203).

52. *Las Crueldades de Ludovico el Moro y de César de Borja.*

> Los que crueldad seguistes
> Justamente penarés;
> La medida hallarés
> Los que soys más despedidos.

Está muchas vezes visto que los que son crueles cruelmente acaban, y avnque los ojos de los ombres no lo vean, a Dios todo le es manifiesto. Todas las comparaçiones son odiosas en semejantes casos, y desta causa avnque son prouables no las quieren dezir en lo que escriuen. Non obstante lo qual quiero yo dezir algunas pocas que no se pueden contradezir, y la primera es del rrey don Pedro, en nuestra Castilla. Esto yo no lo vi, pero aý anda su historia [88] muy cruel e sangrienta, a quien rremito al lettor. Y en ella hallareys excesiuas crueldades, e como el Conde de Trasthámara, su hermano bastardo, le mató a puñaladas, e se hizo rrey, e se quedó con ello, e hasta oy sus suçesores. Ved si justamente pagó e fue medido por la justiçia de Dios. El señor Ludouico Esforça, llamado el Moro, tutor de su sobrino el duque de Milán Johan Galeaço Esforça, [89] seyendo casado e teniendo vn hijo e dos hijas, quisieron algunos dezir que hizo entosicar al sobrino. Y esto creyóse pues se tomó el estado, e de tutor se conuertió en Duque de Milán séptimo, [90] e con sus cautelas ovo

---

[88] *Su historia:* la *Crónica del rey Don Pedro* del Canciller Pero López de Ayala andaba impresa desde 1495.

[89] *Johan Galeaço Esforça:* Gian Galeazzo Sforza (1469-1494), hijo de Galeazzo Maria (*supra*, nota 64).

[90] *Duque de Milán séptimo:* desde que el Emperador Wenceslao creó a Gian Galeazzo Visconti primer Duque de Milán hubo, hasta Ludovico el

la investidura del ducado. Y después Luys 12, rrey de Françia, le quitó el estado el año de 1499, e el dicho duque tirano Ludouico se fue en Alemania, e boluió el año siguiente de 1500 con gente de alemanes e suyços por cobrar el estado que antes avía vsurpado al sobrino. E trahía X mill o más çuyços e alemanes a su sueldo, los quales le vendieron al dicho rey Luis por çiertos millares de ducados de oro, e se lo pusieron en su poder, e él le hizo lleuar en Françia, e meter en vna jaola e prisión, donde acabó sus días. Esto en nuestro tiempo fue, así que ved si pagó la crueldad que vsó con su sobrino el duque Juan Galeaço. Don César de Borja, [91] duque de Valentinoes, hijo terçero del Papa Alexandre 6, hizo matar a su hermano el Duque de Gandía [92] a puñaladas, e metido en vn costal fue echado en el rrío Tíber, en Rroma. E después hizo matar a trayçión a don Alonso de Aragón, [93] duque de Viseli, su cuñado, casado con su hermana doña Lucreçia de Borja, hija del Papa. E después en Nauarra [94] el dicho Duque de Valentinoes fue muerto por los españoles que seguían la parte del Conde de Lerín, Condestable de aquel rreyno, contra el rrey don Johan de Nauarra, cuñado del dicho Duque de Valentinoes. E pagó muchas crueldades que avía fecho e cometido en Italia. Al qual Duque yo le conosçí, e murió año de 1507. También conosçí al Duque de Milán dicho el Moro e al rrey Luys de Françia, ya dichos. E de otros señores e condes, que de sesenta e çinco o setenta años a esta parte conosçí, podría dezir, pero para nuestro propósito e satisfaçión de los quatro versos del testo susodicho, basta lo que se ha tocado con breuedad. Y para acordar al lector que la justiçia de Dios, avnque tarda, no se oluida, ni dexa de

---

Moro, siete Duques, ya que Oviedo no cuenta a Gian Galeazzo Sforza, cuyo trono le fue usurpado a los diez años de edad por su tío Ludovico, según narra Oviedo en el texto.

[91] *Don César de Borja:* Duque de Valentinois (1475-1507), de quien trae más y muy interesantes noticias Oviedo, v. *infra,* textos 141, 144, 244, 316.

[92] *Duque de Gandía:* v. *supra,* nota 9.

[93] *Don Alonso de Aragón:* Duque de Bisceglie, asesinado en 1501, v. *infra,* nota 294, textos 316-17.

[94] *Navarra:* César estaba casado con Charlotte d'Albret, hermana de Juan d'Albret, Rey de Navarra. En armas contra el Rey de Navarra estaba Luis de Beaumont, Conde de Lerín. En el sitio de Viana, fortaleza del Conde, murió César.

esecutarse en el tiempo que Dios quiere satisfazer su rretitud
(I, est. XVII, 204-206).

53. *Un gran bebedor de la ciudad de Santo Domingo.*

Los manjares questán crudos
No onrran al cozinero.

Manjares que se guisan e por culpa del cozinero están crudos
e mal sazonados, ni pueden onrrar al cozinero, ni dar apetito a
los combidados. Antes el día de oy, o tiempo presente, como
la gula está fauoresçida, se haze mucho caso del cozinero e le
pagan bien, e cada señor se presçia de tener muy buen cozinero.
Y en espeçial las mugeres prinçipales tienen mucho aviso en eso
que toca a la cozina e despensa. Y mucha parte de los ombres,
en espeçial los comunes y artesanos y plebeos, hazen mucho caso
de henchir el vientre, y les es la más ordinaria costa, y no poco
peligrosa al cuerpo e al ánima, e se les va en comer e beuer la
mayor parte de su hazienda. Y porque ay oy en esta çibdad de
Sancto Domingo muchos testigos que conoscimos vn carçelero
que tenía cargo de la cárçel real desta çibdad, diré dos cosas
notables de su beuer, el qual se llamaua Christóual Pérez.
La vna e prinçipal era que nunca ombre le vido fuera de
sentido por mucho que beuiese, antes paresçía quel vino le daua
fuerça e aliento para más beuer. Y era rregozijado e alegre, e de
buena conversaçión e buena plática, fundado en darse buen
tiempo. E con todo esto hazía bien su ofiçio e daua buena cuenta
de sí. La otra cosa notable deste ombre es que en çierto combite
eran onze o doze los que estauan sentados a la mesa, e él tomó
cargo d'escançiar, o dar a beuer a todos, e tomó vna copa de
vidrio, la qual cabía vn quartillo de vino o más. E daua a beuer
a vno su copa llena, e como aquel la avía beuido, henchía luego
la misma copa e beuíasela él. E luego daua a beuer al segundo
con la dicha copa, e beuido aquél echaua otra copa de vino para
sí, e se la beuía. E después daua de beuer al terçero, e luego al
quarto, e hasta el postrero, e con cada vno se beuía él aquella
copa llena. E al fin beuíase él otra copa, e dezía que aquélla era
su vez. E en tres oras que turó aquella fiesta beuieron cada çinco
vezes o seys cada vno de los que a la mesa estauan, e él beuió

tantas vezes como vno de los que beuían, e vna más. E los esgamochos [95] que dexauan algunos, que no acabauan de beuer toda la copa, dezía Christóual Pérez que aquellos esgamochos eran sus derechos, e que no se avían de verter ni echar en tierra ni boluerse al jarro, que no era buena criança ni limpieza. Por manera, que, a buena cuenta, según se averiguó, beuió Christóual Pérez dos arrobas de vino en aquella comida, vna copa o dos más o menos. Y esto es público en esta çibdad (I, est. XVII, 207-208).

54. *Quejas del autor.*

> Conosçed al lagotero [96]
> Sino querés que os engañe
> El cañuto que no tañe
> Del órgano se despida.
> El oro que tuuo Mida
> Ningún descanso le dio.

Imposible es estar el mundo sin lagoteros, y conuiene mucho que ésos sean conosçidos, para que los ombres se sepan guardar dellos, e de sus cautelas e astuçias, que son muchas, para que los despida el ombre de sí como pestilente venino, o como se desecha el cañuto del órgano que no tañe e chifla. La fábula del rrey Mida es, según poetas, que todo lo que tocaua Mida, rrey bárbaro, se le tornaua oro, la qual graçia le auía otorgado Baco. E como queriendo después comer, el pan y el vino e quanto tocaua se hazía e conuertía en oro, a su suplicaçión Baco le quitó aquella graçia, e no se tornaua oro lo que tocaua, después que le mandó que se lauase en vn rrío llamado Patolo en Çerdeña [*sic*]. Esta fábula escriue Ouidio en su *Methamorphoseos;* mas la alegoría e sentido desto es queste rrey Mida fue bárbaro e muy avaro, e allegador de muchos thesoros. E tanto pensaua en su cobdiçia que no podía comer ni beuer, como les acontesçe a todos los cobdiçiosos, que todos sus cuydados y deseo es adquerir hazienda e dineros en todas las maneras e formas que ellos los pueden aver, tanto, que después se les torna el oro en lloro e trabajos e desauen

---

[95] *Esgamochos:* escamochos, sobras de la comida o bebida.
[96] *Lagotero:* v. *supra,* nota 38.

turas, como hizo a este Mida, que ningún descanso le dio su oro. Dize el apóstol Sanctiago: "Hora ¡sus! hora, rricos, llorad, vrlando [97] en las miserias vuestras, las quales os acaesçen. Las riquezas vuestras son podresçidas, e las vestiduras vuestras son comidas de polilla. El oro e la plata vuestro es gastado de orín, y el moho dello os será testimonio, &c." Qué vtilidad avrá el ombre, si avnque gane todo el mundo, ouiere rruynado a sí mismo o danificado. Palabras son del sagrado Euangelio de Sanct Lucas. E más adelante dize en el capítulo 12: "A quien mucho le fuere dado asaz se le pedirá de aquello, e a quien se cometiere asaz más le pedirán de aquello." Así que ninguno fíe de lo que tan poco ha de turar, como son estas cosas temporales, ni oluide las obras que le han de lleuar al çielo.

Pasemos adelante, que por çierto, mucho tiempo es menester para concluyr e dar fin a estas *Quinquagenas.* En lo qual nuestro Señor me dé espaçio e más quietud que al presente yo tengo, velando esta fortaleza, a causa destos françeses cosarios que por estas costas andan. Y esta mi ocupaçión no avría menester estoruos ni otros impedimientos en tal tiempo, pues harto lo son mis canas e años, & (I, est. XVII, 209-210).

55. *La peste de los letrados.*

Los procuradores viejos
Dilatan más los libelos.

Los procuradores viejos, y aun los moços o menos cursados, es otra manera de morbo en el pueblo sin el qual empacho no pueden las rrepúblicas estar (aunque se podrían escusar), porque su sagaçidad y formas los inxieren y multiplican. El Cathólico rey don Fernando, 5 de tal nombre, al tiempo que embió por su capitán general e gouernador de Castilla del Oro, en la Tierra Firme, a Pedrarias de Auila, [98] mandó e proueyó que allá no ouiese letrados ni procuradores, sino quel alcalde mayor, llamadas y oýdas

---

[97] *Vrlando: Epistola catholica B. Iacobi,* V, 1: "Plorate ululantes". El latín *ululare=aullar,* está traducido aquí por *urlar,* que supongo del italiano *urlare,* más bien que del francés *hurler.*

[98] *Pedrarias de Auila:* en esta famosa expedición, de 1514, viajó por primera vez Oviedo a Indias.

las partes, determinase las causas *simpliçiter* y *de plano* la verdad sabida, a aluedrío de buen varón, e quel juez supliese por ambas partes, no consintiendo libelos prolixos e inmortales.

Este juez salió del estudio de Salamanca, e no avía tenido ofiçio de justiçia alguno, ni espiriençia de negoçios, e hízolo de manera que, como le cometieron tan larga liçençia, abogaua por ambas partes. E hazía vn proçeso poniendo la demanda por el autor, e él mismo respondía por el rreo, e rreplicaua por las partes, e quando estaua concluso, sentençiaua por la parte que se le anto-jaua, o por quien él avia querido alegar mejor. Yo digo lo que vi, e así fue de poco en poco estendiendo su poder como le paresçía. Pero como Dios tiene cuydado de los quél rredimió, esto turó poco tiempo, e los suçesos de la governaçión de aquellas prouin-çias se mudaron e trocaron de tal manera que se boluieron a la costumbre primera, e otras peores, por causa dese alcalde mayor e de los gouernadores e capitanes e tractaron tan mal justiçia y el exerçiçio della que se destruyó la tierra e los naturales della. Y los que yuan a la poblar la despoblaron, e ouieron mal fin los vnos e los otros hasta llegar al estado en que está agora aquella tierra. Yo depongo e hablo en esto como testigo de vista de mu-cha parte dello, e con quarenta e dos años de espiriençia que ha que biuo en Indias. Así que podés creer, lector, que si yo lo he sabido entender, la mayor parte destos trabajos letrados han seydo y escriuanos e procuradores la causa prinçipal (I, est. XVIII, 214-215).

56. *Embajadores famosos: Antonio de Fonseca.*

> Muchos errores atapa
> La vergüença del errado.
> El embaxador osado
> Dino es de galardón.
> Quien xabona sin xabón
> Es la lengua lastimera.

Juntas puso aquí el testo tres materias diferentes, e por tanto yrá el comento particularizando a cada vna por sí.

La primera dize que atapa errores la vergüença del errado. Y es muy gran verdad, porque la vergüença es la puerta por donde entra el arrepentimento, e mayor injuria no se puede hazer a ninguno que llamarle ombre sin vergüença, que es dezirle que ningún bien cabe en él, o que es capaz para todos los viçios y pecados. E así, quando el pecador viene a penitençia, si no lleua vergüença tanpoco lleua contriçión, e así no consigue la graçia que Dios conçede a los vergonçosos penitentes. Porque de la vergüença proçede la contriçión, e las lágrimas e la intençión de no pecar más, y el efetto de emendarse en el seruiçio de Dios, e de restituyr e hazer penitençia, lo qual mueve a Dios a dar el rremedio de Su misericordia, infundiendo Su diuina graçia, mediante la qual se mejoran nuestras obras, y entramos en el verdadero camino para nuestra saluaçión, e se atapan e cançelan nuestros errores. Pelea es la vida del ombre sobre la tierra: así lo dixo Job. Sobre lo qual dize el glorioso Sanct Gregorio: Porque con la culpa suçedió desde el origen juntamente la pena. Nasçemos con el viçio de nuestra flaqueza enxerido en nosotros, e quasi traemos en nuestra compañía nuestro enemigo, al qual con trabajo vençemos. De manera que con la vida del ombre es la misma tentaçión, pues que della nasçe su mismo destruymiento.

El segundo punto dize "quel embaxador osado es digno de galardón." General costumbre es entre los prínçipes que los embaxadores e los mensajeros y harautes sean libres, e no maltractados del señor o prínçipe enemigo a quien son embiados, so pena de notable culpa e fea trauesura, o mal caso. Pero a las vezes las competençias e diferençias son con personas poderosas, enemigos e contrarios en ley, y en mucha manera diferentes. Suelen pedir liçençia e seguro para entrar y explicar su enbaxada, e non obstante que se les conçede, no dexan de yr a peligro, por ser el enemigo infiel e bárbaro, o inconstante tirano, o porque contra su mesmo seguro quiere enojar a su enemigo, e matarle el embaxador, o mensajero, como quien dize: Sobre más que eso lo avemos. E por falta de consejo, o açeleraçión e yra que de la embaxada resçibe, como impaçiente prínçipe, e contra la común vsança e palabra rreal, vsa de su voluntad e no de rrazón ni justiçia, e haze matar o prender al embaxador, que osadamente vsó, como buen cauallero, de su offiçio e embaxada. E porque se ofresçe el caso, traeré a memoria algunos embaxadores famosos de quien se haze espeçial memoria en las historias antiguas, e después diré de otro embaxador de los Cathólicos Rreyes de España, no menos digno de rrecordaçión e fama que los passados. Al propósito de lo qual Francisco Petrarca en vn terçeto de su terçia rrima, dize asý: [99]

> Era vi quél chel' Re di Siria çinse
> D'un magnanimo çerchio, e con la fronte,
> E con la lingua, a suo voler lo strinse.

Quiere dezir: Estaua allí aquel que el rey de Siria çiñó dun grande çerco, e con la frente, o aspecto, e con la lengua, a su voluntad le constriñó. Y esto fue así, según lo cuenta Justino *De belis* [*sic*] *externis,* sobre la abreuiación de Trogo Pompeyo, el qual dize que Marco Pompilio, seyendo embiado de parte de los romanos a Anthíoco, rey de Siria, para que se abstuuiese de la guerra que avía mouido a Tholomeo, rrey de Egipto, confederado de los rromanos, el rrey, por dar dilaçión al negoçio dixo que quería consejarse con los amigos. Estonçes Pompilio hizo un gran çerco o raya en tierra, alrrededor del rrey, e dixo que allí dentro se consejase con sus amigos, e que ante que de allí saliese se declarase por amigo o enemigo de los romanos. A las quales palabras atónito el rrey rrespondió que quería ser amigo de los rromanos e obedesçer en todo. Otro embaxador de los Partos fue embiado a Marco Craso, capitán general de los rromanos, para le dezir que touiese rrespetto a su edad, e no quisiese mouer guerra contra ellos. A los quales él rrespondió con mucha soberuia, e dixo al embaxador que en la ciudad de Seleuçia daría la respuesta. Estonçes vno de los embaxadores, alçando la mano e mostrando la palma, dixo: Antes nasçerán aquí pelos en esta palma, que tú tengas poder de ver la çibdad de Seleuçia. Notable rrespuesta. E así lo proueyeron, que ni Craso pudo allá llegar, ni le dieron ese lugar. Quiero agora dezir otro acto, que no es inferior a los que están dichos desuso, el qual hizo el señor Antonio de Fonseca, [100] mastresala de la sereníssima e Cathólica rreyna doña

---

99 *Dize asý:* El original italiano de estos versos dice así: "Eravi quei che 'l re di Siria cinse / d'un magnanimo cerchio, e co la fronte / e co la lingua a sua voglia lo strinse" *Trionfo della Fama,* I, vv. 76-77.

100 *Antonio de Fonseca:* equilibrada versión histórica de esta famosa embajada en L. Suárez Fernández, "La gran política: Africa o Italia", *His-*

Ysabel, e vno de los capitanes veteranos de ginetes de las guardas
ordinarias; y fue desta manera. El rrey Carlos 8 de tal nombre
en Françia, determinó de passar en Italia, e porque los reyes
Cathólicos de España, don Fernando e doña Ysabel, no le diesen
estoruo, restituyó a Perpiñán e el condado de Roysellón, que tenía
enpeñado desde el tiempo del rrey don Johan de Aragón, padre
del dicho rey don Fernando 5, e el año de 1492 años se hizieron
las amistades entre los Rreyes Cathólicos y el dicho rrey Charles,
por çiento e vn años, publicándose por amigos y enemigos de
enemigos. E fechas e asentadas e juradas sus capitulaçiones, se
pregonó la dicha paz con mucha solepnidad. E yo oý el pregón
en Barçelona, en la plaça de Sancta Ana, delante de las puertas
del palaçio don [sic] los dichos Rrey e Rreyna posauan, en frente del monesterio de Monte Sión. Después de lo qual, estando en
Castilla el Rrey e la Rreyna, año de 1494 años, supieron quel Rrey
de Françia, no obstante lo capitulado, pasaua a Italia. E le embiaron sus embaxadores, acordándole la ermandad e paz que con
él tenían asentada, para que se abstuuiese de hazer guerra al Rrey
e rreyno de Nápoles, porque era su sobrino e amigo, e deuía
gozar de la concordia. Pero el rrey Carlos, no se curando d'eso,
pasó a Italia poderosamente, el año siguiente de 1495 años, e
entró en Rroma, seyendo Summo Pontífiçe el Papa Alexandro 6.
E a los 19 de Enero del dicho año dio la obidiençia al Papa, estando conçertados por sus capítulos. E los prinçipales artículos de
su capitulaçión eran tres: el vno, quel Papa le diese por legado
para la guerra de Nápoles al Cardenal de Valençia, don Çésar de
Borja, y éste era hijo del Papa; y éste mismo fue el que después
fue Duque de Valentinoes. Y fue otorgado. El segundo capítulo fue
que le entregase el Papa el castillo de Sant Ángel. Y esto no le
fue conçedido. El terçero capítulo fue que le entregase a Zizimo,
hermano del gran turco Baxazeto 2. E fuele otorgado y entregado.
Otros capítulos ovo, e no hago memoria dellos, porquéstos fueron
los prinçipales. E el Papa conçedió quel dicho Rrey de Françia
pasase contra Nápoles. E así partió de Rroma, a los 28 de enero

toria de España, dirigida por R. Menéndez Pidal, XVII, 2 (Madrid, 1969),
365-74, quien, desgraciadamente, no usa la información de primera mano
de Oviedo. Vuelve a tratar de él Oviedo más adelante, v. infra, notas 105,
168, 302, 671.

del año ya dicho, poderosamente, contra el rrey Alfonso 2. de
Nápoles, dicho el Guercho. El día quel Rrey de Françia partió
de Rroma, o el siguiente, llegaron a Rroma dos embaxadores del
Rrey e Rreyna de España. El vno era el señor Antonio de Fonseca,
capitán de los dichos Rreyes, e el otro era mossén Johan de Albión,
alcayde de Perpiñán. Los quales passaron por Françia, e llegados
en Alexandría [101] de la Palla, fueron por la Toscana a Rroma. E
como supieron quel Rrey de Françia era ydo adelante, fueron en
su seguimiento, hasta que le alcançaron e dieron las letras de
creençia, protestándole e amonestándole que no pasase más adelante contra el dicho rrey Alfonso de Nápoles, e que si no se
tornaua atrás le rromperían la guerra por mar e por tierra. El
auctor questo escriue es Marco Guazo, [102] e dize quel Rrey de
Françia les dixo a los embaxadores que se fuesen a Marmon, e
los rrespondería e oyría, e tiró de largo e fuese a Velitre. [103] Mas
déxase de dezir ese auctor lo que haze al caso, y es que como el
embaxador Antonio de Fonseca dixo que si no se boluía atrás le
rromperían la guerra, e mostrándole los capítulos dixo e protestó
quel Rrey e Rreyna Cathólicos no eran obligados a los guardar, ni
los guardarían. E el Rrey de Françia dixo estonçes: Ellos se guar-
darán bien de los romper. El embaxador, como valeroso cauallero,
le dixo: Pues mirad en que los tienen vuestros capítulos, e pues
vos contra ellos vays, catadlos aquí rrasgados. E diziendo e haziendo los rrasgó en su presençia. E dixo: El Rrey e Rreyna, mis
señores, os harán la guerra e defenderán su justiçia e la de sus
amigos. El Rrey se alteró de oyr tan osado e determinado embaxador, e algunos prinçipales caualleros françeses, que presentes
estauan, murmurauan de la osadía del embaxador, e quisieran quel
Rrey lo tomara con más rrigor. Pero el Rrey no dio lugar a la mala
intençión de los suyos; mandó al capitán de su guarda que hiziese
acompañar a los embaxadores hasta los poner en parte segura, e
dixo: Este embaxador ha hecho su ofiçio, e lo que su Rrey le ha

---

[101] *Alexandria:* Alessandria, en el Piamonte.

[102] *Marco Guazo:* Marco Guazzo, o di Guazzo, *Historie que si contengono
la venuta e partita d'Italia di Carlo VIII, re di Francia* ... (Venecia, 1547);
v. *infra*, nota 516.

[103] *Velitre:* Velletri, más cerca de Nápoles que *Marmon*, que supongo
será *Marino,* mucho más cerca de Roma; pero v. *infra*, texto 210.

mandado, e yo haré el mío. A esto se hallaron presentes el Cardenal de Valençia, hijo del Papa, e su delegado, e el Cardenal de Monrrail, [104] sobrino del Papa, e otras perssonas prinçipales. E los embaxadores se fueron, non obstante quel auctor Guazo dize que los embaxadores Despaña fueron oýdos del rrey Carlos en Velitre, e él dio su rrespuesta determinada en quel reyno de Nápoles era suyo, e que los embaxadores fueron con él hasta Valmontona, de donde se despidieron del Rrey aviéndole dicho su paresçer. E otras cosas dize ese auctor, como informado de quien no lo sabía, pero lo que yo tengo dicho lo supe de quien presente se halló. Y avn después me quise informar del mismo señor Antonio de Fonseca, año de 1531, e dixo que yo estaua bien informado del caso como passó, saluo que me dexaua yo de poner los testigos que presentes se hallaron, e me los dixo. Lo que se siguió después en las cosas de Nápoles no es menester dezirlo aquí, sino solamente satisfazer al testo que dize "ques dino de galardón el embaxador osado." Esta satisfaçión se le hizo en muchas merçedes que los Rreyes Cathólicos le hizieron a este cauallero, e que en él cupieron muy bien, por sus seruiçios, que fueron muchos e muy señalados como más largamente yo lo escriuo en las casas illustres de Castilla e en la perssona e casa deste señor como vno dellos. Porque después de lo que es dicho los dichos Rreyes Cathólicos le hizieron Contador Mayor de Castilla, e suçedió en la casa de su hermano Alonso de Fonseca, señor de las villas e fortalezas de Coca e Alahejos. E después el Emperador rrey nuestro señor le hizo Comendador mayor de Castilla, de la Orden e Cauallería del Apóstol Sanctiago. E quando murió, era su casa de diez e ocho o veinte mill ducados de renta, en la qual suçedió su hijo don Juan de Fonseca. Así quél fue gratificado, e murió muy onrrado e acatado, como vno de los prinçipales señores e capitanes de España, con gran crédito e auctoridad. [105]

.

---

[104] *Cardenal de Monrrail:* Juan de Borja Lanzol (Giovanni Borgia), Cardenal y Arzobispo de Monreale, muerto en 1503, era, efectivamente, sobrino de Alejandro VI, como hijo de su hermana Juana, que casó con Pedro Guillén Lanzol de Romaní, Barón de Villalonga (v. *supra*, nota 9; Fusero, págs. 334-35).

[105] *Crédito e auctoridad:* Alonso de Fonseca murió en 1505 (Garibay, *Compendio historial,* libro XX, cap. vii), y le sucedió su hermano Antonio; ambos eran sobrinos del famoso D. Alonso de Fonseca el Viejo, Arzobispo

Es el terçero punto de los versos de suso que dize: "Quien xabona sin xabón es la lengua lastimera." Para que esta verdad entendays, lettor, escuchad a Erasmo en aquel su tractado intitulado *La lengua*, [106] el qual dize: Ningún género de soldados ay que menos aprouechen en la guerra que los parleros, porque o con motes o cantares e vituperios dichos antes de tiempo, prouocan a mayor yra al enemigo, o descubriendo los secretos le dan aviso cómo se guarde, y queriéndole ofender le ayudan. Donde viene que estos ynorantes, o estoruan la victoria, o causan que sea más cruel. Agatocles, seyendo hijo de vn cantarero, fue rrey de Seçilia, y él no negaua quién era, antes en los combites, entre las taças de oro ponía taças de barro, diziendo a sus hijos: Mirad, yo, que primero hazía éstas de barro, agora hago estotras de oro. Dando a entender quánto se alcança por la virtud. Pues éste, como touiese çercada la çibdad de Çaragoça de Seçilia [107] algunos días, los de la çibdad motejáuanle desde el adarue, diziendo: Cantarero, ¿quándo pagarás el sueldo a tus soldados? E él, sonrriéndose, dezía: Quanto [*sic*] tomare esa vuestra çibdad. ¿Qué otra cosa hazían aquellas palabras sino ençender el ánimo del enemigo para que les hiziese más mal? Puesto que Agatocles sufrió aquella injuria con paçiençia, contentándose con rresponderles otro mote. Después que tomó la çibdad, vendiendo aquellos que le avían motejado, les dixo: Si de aquí adelante me dezís injurias quexarme he de vosotros a vuestros amos. Ay vna manera de murmurar quando echamos nuestra culpa a otro. Esto avía aprendido Adán del diablo, quando dixo: Señor, la muger que me diste me engañó. E la muger dixo: La serpiente me engañó. Y

---

de Sevilla y Santiago, y hermanos de Juan Rodríguez de Fonseca, Obispo de Burgos, y por mucho tiempo Presidente del Consejo de Indias. Antonio de Fonseca (*supra*, nota 100; *infra*, notas 168 y 303) tuvo destacada actuación durante las Comunidades, cuando Carlos V le nombró Capitán General, y en desempeño de tal cargo, entre otras actividades, quemó Medina del Campo (1520); murió el 23 de agosto de 1532, v. Pedro Girón, *Crónica del Emperador Carlos V*, ed. J. Sánchez Montes (Madrid, 1964), pág. 174. No hallo el diálogo de Antonio de Fonseca entre los diversos manuscritos conservados de *Batallas y quinquagenas*, que es la obra que en el texto Oviedo denomina "casas illustres de Castilla"; para su descripción, v. *infra*, nota 596.

[106] *La lengua*: el maestro Bernardo Pérez la tradujo, y la primera ed. conservada es de Valencia, 1531, reimpresa s.l. 1535 y 1542, y varias veces más, v. Bataillon, *Erasmo y España*, págs. 311-13.

[107] *Çaragoça de Seçilia*: Siracusa.

desta manera murmuramos de Dios, que siendo, como es, causa de toda bondad, nosotros le echamos todas las culpas de nuestros males. Dióte la muger, pero para que tú, Adam, le fueses guía de bondad y religión, no para que siguieses tú a ella en su locura. Hizo la serpiente, no para que la creyeses más que a Dios, pero para que en todo linage de animales alabases y conosçieses la sabiduría del Criador, &c. Mucho me he detenido en el comento destos seys versos, y si en este punto vltimo de *La lengua* quisiéredes mucho más saber, ved a Erasmo en el tractado alegado de suso (I, est. XIX, 224-230).

57. *Más censuras a la literatura caballeresca.*

> Escúsate de contar
> Historias que son dubdosas;
> No relates tales cosas
> Que inçiten a pecado.

Justa petiçión y sancto consejo da aquí el testo a todos los que hablan y escriuen para que no cuenten historias dubdosas y vanas, pues que en su mano está callar, o hablar verdades. E por esas cosas fabulosas dixo Françisco Petrarca [108] en el capítulo terçero del *Triumpho de amor.*

> Ecco quei che le charte empion di sogni
> Lanciloto, Tristano egli altri erranti,
> Onde conuien che'l uulgo errante agogni:
> Vedi Gineura, Ysota, e l'altre amanti &c.

Quieren dezir estos versos toscanos: He aquí aquellos que las cartas hinchen de sueño: Lançarote, Tristán e los otros errantes, por lo qual conuiene quel vulgo errante deuanee; vee allí a Ginebra e Yseo e los otros amantes, &c. Pero para quel letor entienda esos dos vocablos, *errati* [sic] quiere dezir aventureros, e *agogni*, quiere dezir fantástico, o questá fantasticando. [109] Así que para

---

[108] *Petrarca:* "Ecco quei che le carte empion de sogni, / Lancilotto, Tristano e gli altri errante, / ove conven che 'l vulgo errante agogni. / Vedi Ginevra, Isolda, e l' altre amanti", *Trionfo d'Amore,* III, vv. 79-82. Vuelve al tema, y al mismo texto petrarquesco, *infra,* nota 691.

[109] *Fantasticando:* no hallo registrado este verbo, sinónimo de *fantasear.*

inteligençia desas historias vanas, dize su comentador, que en los libros de los antiguos romançadores se lee que Lançarote e Tristán fueron dos entre los otros famosos caualleros aventureros quel rrey Artús de Bretaña tuuo en su corte, e ésos hizieron señalados fechos en armas. Mas los rromançadores (que son los que en Italia llaman charlatanes), o que cuentan al vulgo, cantando, nouelas, juntaron con esas historias muchas fábulas, por dar pasto o entretenimiento vano al vulgo. E por tanto dize que hinchen las cartas, o hojas, de sueño, de que se sigue quel vulgo, errando *agoren* y devanee fastasticando. Lançarote fue enamorado de la rreyna Ginebra, muger del rrey Artús, e Tristán fue enamorado de Iseo, muger del rrey Mares de Çernouia, [110] por amor de las quales en torneos e justas se ouieron valerosamente, e consiguieron premios onrrosos. Así que, tornando al testo, estas tales son historias dudosas e vanas.

E luego, tras eso, dize el testo: "No rrelates cosas que inçiten a pecado." E tales son ésas de los caualleros de la Tabla Rredonda, y otras que andan por este mundo, de Amadís [111] e otros tractados vanos e fabulosos, llenos de mentiras, e fundados en amores, e luxuria, e fanforrerías, [112] en que vno mata e vençe a muchos. E se cuentan tantos e tan grandes disparates como le vienen al vano çelebro del que los compone, en que haze desbanar [113] e cogitar a los neçios que en leellos se detienen, e mueuen a ésos, e a las mugeres flacas de sienes a caer en errores lividinosos, e incurrir en pecados que no cometieran si esas liçiones no oyeran. Graue pecado es, en la verdad, y de repecadores, no se contentar ellos mismos con sus delitos, sin dar causa e materias con sus pestilentes y escondidas fiçiones a que tropieçen e caygan otros en semejantes culpas e pecados (I, est. XIX, 232-233).

58.　*Afeites femeninos.*

La muger con afeytarse
No enmienda las façiones,

---

110 *Çernouia:* Cornualles = Cornwall.
111 *Amadís:* v. *supra*, nota 86.
112 *Fanforrerías:* v. *supra*, nota 15.
113 *Desbanar:* "desvanear, disparatar".

Pero pesca babiones [114]
Despues que se da carena.

¿Vióse o ay en el mundo ygual locura que pensar vna muger
que con afeytarse se han de emendar las façiones de que está for-
mada naturalmente su buena o mala figura? No aprouecha el
pinzel o pintura donde es menester el escoplo e el maço, o
el alçuela [115] para allanar la nariz corcobada, o hazerla menor,
o añadirla, si es camusa, [116] ni si es visoja, e los ojos torçidos o
desencasados para hazerlos mejores con vnçiones, ni para achicar
los dientes ni hazerlos menudos si son gruesos e apartados, e de
la color de los piñones rrançios, ni pelarse las çejas la que no las
tiene, e se las pinta con humo muy enarcadas. Pescar bien acaesçe, que con esas diligençias caen algunos babiones en el garlito, [117]
después que se da carena e se despalma, al modo que las galeas
e naos lo hazen, que sacadas del agua, puestas a monte en tierra
para darles carena, o dando lado sobre coxines o pipos, como
dizen, ráspanlas primero, e límpianlas muy bien, quitándoles los
perçebes e costras e suziedad, e después calafetándolas, quémanlas
e bréanlas, e danles el sebo al plano desde la quilla arriba en lo
que anda debaxo del agua, para que corran e naueguen más lije-
ras. Así pues, vna muger se da carena deshollinándose, e rraspán-
dose, e pelándose, e vntándose las caras, e aquellos mexillones, e
narigones, e mal proporçionadas façiones, e ygualando algunos
hoyos, que las antiguas viruelas le dexaron hecha barrancos la
cara, e trocando aquella amarillez de la natural tiricia [118] con su
solimán preparado e con aluayalde, hasta que queda tan blanca
como vna paloma, e sobre eso asientan en los carrillos la color de
las salseretas [119] de Granada, e en los labrios o hocicones, a la

[114] *Babiones:* v. *supra,* nota 22.
[115] *Alçuela:* "Aquella estaquilla de madera, o pedazo de suela, que los
zapateros ponen sobre la horma quando el zapato ha de ser algo más ancho
de lo que corresponde al tamaño de ella", *Dicc. Aut.,* s. v. *Alza.*
[116] *Camusa:* La Fuente lo explica como derivado del francés *camus,*
"romo, chato", pero me parece más probable del italiano antiguo *camuso,*
"chato", Corominas, *DCELC,* I, 622.
[117] *Garlito:* la acepción originaria era "red de pescar", *Dicc. Aut.,* s.v.,
Corominas, *DCELC,* s.v.
[118] *Tiricia:* ictericia.
[119] *Salsereta:* "salserillas de color, con que se arrebolan las mugeres",
Covarrubias, *Tesoro,* s.v. *salsa.*

valenciana. E páranse tales que siendo tiñosas o tresquiladas (y podría ser que canas), después de puestos aquellos aladares [120] e cabelleras como oro no las conosçerá la madre que las parió, ni el marido a cuya costa eso se haze. E avn le hazen buscar los hueuos para darse con las claras vna tez que resplandezen como una vedriera, o muy açecalada espada. Y con este artifiçio y con los pinetes [121] y sahumerios, y pastas, y poluillos de Alexandría, si se descuyda de los sobacos, no hay quien pueda estar cerca de vna muger, así compuesta, tan de grado como aquel que la desea por su mal, e no la conosçe, desbanado, a quien ella se esfuerça de agradar e bien parecer, por cuya bolsa ella sospira, e contra quien esta armazón se haze (I, est. XIX, 235-236).

59. *Los pinos de Balsain y las cucarachas de Indias.*

Poca sombra dan los pinos
Y la fructa es muy dura,
Pero hecha confitura
Çierto no es desplaziente;
A los lomos es caliente
Y a las mugeres graçiosa.

Tienen los pinos poca sombra por la forma de su hoja, y es la fructa dura, pero entiéndese la cáscara, pero mondada e fecha confiçión es buena e aplazible e grata a las mugeres, e es caliente a los lomos. Han de ser los piñones nueuos, porque si son de días, son malos e házense rrançiosos e de mal gusto e odiosos. Con todo eso es buena fructa, como he dicho, siendo frescos e confitados.

La madera del pino es ótil para la lauor de las casas en Castilla, e tan turable, que oy, que estamos en el año de 1554 años, biuen e están en pie las casas que fueron del Çid Rruy Díaz en Burgos, donde están çiertos postes gruesos de pino. E sabemos quel Çid fue en tiempo del rrey don Fernando primero de tal nombre, que començó a rreynar en Castilla año del Señor de mill e diez e seis o diez e siete años. De manera que, a esta cuenta,

---

120 *Aladares:* "los cabellos que están sobre las sienes", Covarrubias, *Tesoro*, s.v.
121 *Pinetes:* no hallo registrado este afeite en los diccionarios a mano.

avrá que están allí aquellos postes de pino DXXXVII años. Pero porque no se sabe en qué tiempo se fundó aquella casa del Çid, y esta cuenta hela tomado desde el prinçipio del rreynado del rrey don Fernando, no ha de ser así, porque en su casa deste Rrey se crio el Çid, seyendo muchacho de diez años. E por tanto, avnque quitemos los 37 de la quenta ya dicha, podrés dar los primeros ya dichos quinientos años poco más o menos tiempo. En fin, el pino es madera que tura mucho, e muy útil e nesçesaria en España, así para las lauores de los nauíos e cosas que siruen a los nauegantes e ombres de la mar, como de los rríos. E tienen vna propriedad, que avnque aquí haze poco al caso es notable e bien que se diga, en espeçial de los pinos de Valsabín de la Sierra de Segouia, y es ésta: en estas nuestras Indias oçidentales ay vnas cucaraças, muchas e suzias, e de color leonado, e de mal olor, e importunas, e dañosas, que rroen la ropa e los libros, e se entran en las caxas o arcas, e se anidan e multiplican tanto que es menester mucha diligençia con ellas. E en las cosas de comer se inxieren, e máxime en la despensa, en tanta manera ques sin dubda gran trabajo el que con ellas se tiene.

Siguióse quel año de 1535, estando yo en la Corte, por procurador embiado al Emperador nuestro señor por esta nuestra çibdad de Santo Domingo de la isla Española, tuue nesçesidad de mandar hazer vna caxa para traer en ella çiertos libros. E vn carpintero que la hizo en Madrid, donde a la sazón la Çesárea Magestad estaua, hízome vna arca del pino que he dicho, de Valsabín, en que truxe aquellos libros hasta Seuilla. E desde Seuilla los embarqué e vinieron en ella hasta esta fortaleza de Santo Domingo. E aquí sacados los libros e puestas otras cosas en esa caxa, se ha bien experimentado que avnque se dexe abierta no entra cucaraça en ella ni por pessamiento. Así en XIX años que ha que está en esta casa se ha visto y entendido bien la propriedad de aquel pino de Valsabín con las cucaraças. E tiénela en tanto mi muger por esta propriedad, que avnque tenemos otras gentiles e mayores de açiprés e de cedro, e de otras gentiles maderas, no tienen esa virtud o defensa contra las cucaraças, y créese que el olor de la madera lo deue causar. Y por honrrar el pino, digo que escriue Plinio en su *Natural historia,* que de corona de pino se encoronauan los vençedores en Isthmo. Plinio en el lib. 4, *super hoc isthmo escribit fuisse Cardiam ciuitatem.* E según el mismo autor, digo que isthmo es estrecho de tierra entre dos mares, e en la mitad dese isthmo, o estrecho de tierra, está Corintho, &c. (I, est. XX, 240-242).

60. *De laúdes, potajes y caldereros franceses.*

> Y el laúd sin tapadero,
> Y vihuela sin las cuerdas,
> Y el potaje de las çerdas,
> Y el broquel hecho pedaços,
> Y sin telas los cedaços,
> Y sin suelo la caldera.

Siguiendo el testo la materia de las cosas inύtiles, después que dixo las seys preçedentes pone otras seys. La primera es del laúd sin tapadero, y esto puede interuenir o no seyendo acabado de hazer el laúd, o después de aver seydo fecho siruiendo averse quebrado la tapa. E de qualquiera manera déstas no vale nada ni puede seruir.

Y si tales fueran los laúdes de Miçer Jacobo Mirtheo no fuera él tan deseado de oyr en tal ynstrumento, porque era vn tiempo la prima de los tañedores de Ytalia. Al qual yo vi e oý muchas vezes en Nápoles, en tiempo del sereníssimo rrey don Federique, y después en Palermo de Seçilia y en España, e sin dubda fue gran varón en su música e arte. La vihuela sin las cuerdas ya podés entender qué són puede hazer.

El potaje de las çerdas yo no sé qué tal es, saluo que oý dezir algunos años ha, más de çinquenta, que vn señor en España, para hazer aborresçer la golosina del comer a vna señora, su muger, e avn para que perdiese la gana del beuer (porque lo vno e lo otro ella hazía de buena voluntad), le hizo hazer vn çierto potaje e en él enbueltas çerdas blancas, no más luengas que la coyuntura o cabeça del dedo índex, e mezclado o guisado con vino tinto muy exçelente, de que la señora era muy deuota. E en tal punto començó a comer su potaje que con el olor o afiçión del vino tragó algunos bocados, e porfiando de yr adelante e las çerdas començándose a atrauesar en la garganta la ouieran de ahogar. E socorrióla Dios de manera con tal vómito quel potaje ni otra cosa le quedó en el cuerpo. E aborresçió el vino de forma que ni tinto ni blanco nunca más lo quiso beuer. Algunos quisieron dezir que en aquel potaje anduuo la doctrina de Androçide contra la enbriaguez. Deste rremedio hallareys noticia en Plinio, [122] de la *Natural historia,* lo qual yo no dixe aquí porque por mi aviso ni se le quite ni se le dé vino a nadie, pues no entiendo el cómo se ha de hazer, y prouar cosas semejantes es burlar con vidas ajenas.

El broquel hecho pedaços es el quarto punto, y el quinto los çedaços sin telas, y la caldera sin suelo es el sexto e vltimo punto. E todos tres estos vltimos son tan invtiles quel tal broquel e esos çedaços, o aros dellos, no pueden seruir sino de acompañar el fuego. Y lo demás que de la caldera sin suelo quedare podría ser vtil a lañas de otras calderas, como se acostumbra hazer en espeçial esos françeses que vienen de Urllac á España, a rremendar calderas y estragar çerraduras e hazer llaues baladís, que todo quanto hazen no vale nada, e bueluen con hartos dineros mal ganados a sus tierras (I, est. XX, 243-244).

61.   D. García de Toledo. Aguacates o paltas.

> Y burlar de la miliçia
> El que nunca vio vanderas:
> Y buscar con cuesco peras,
> Aunque ya yo las he visto:
> Ni dezir questá bienquisto
> El que coje sin sembrar.

Junta el testo en estos seys verssos tres puntos que es bien discantarlos, o particularizar su moralidad. E cómo se han de entender para quel comento y el lector se satisfagan, y es desta manera: muy vsado prouerbio es en España quel fanfarrón le sona bien del arnés, sin se curar de vestillo. E así hazen algunos que burlan de la miliçia sin aver visto vanderas ni entender lo que hablan en cosas de guerra. Y avn se estienden a particularizar cosas

---

[122] *Plinio:* Androcides observó que las vides no toleraban la cercanía de rábanos y en consecuencia, comer rábanos fue su remedio contra la embriaguez, Plinio, *Historia Natural,* XVII, 37.

que no vieron, o que las oyeron, o que nunca fueron, e tales ay que rrelatan la rrota de los Gerbes [123] donde murió el illustre don Garçía de Toledo, e otros caualleros, el año de 1510. El qual fue padre deste muy illustre duque de Alua don Fernán Dáluarez de Toledo, la qual jornada fue muy llorada en España e muy infeliçe por se aver perdido tan valeroso señor en ella, e muchos caualleros e hidalgos. Otros dizen que se hallaron en la batalla de Rrauena, que fue el año de 1512; e avn algunos de los que en esto testifican e dizen que lo vieron, por su aspe [sic, por *aspecto*] se conosçe que eran tan niños entonçe que se ve claramente que mienten e que hablan de graçia en quanto dizen e que no podía ser entonçe sino de la edad de la infançia, o no era nasçido.

Quanto a buscar con cuesco peras, digo que sería posible, e las he visto e comido muchas vezes, e la primera el año de 1521, en la sierra de Capira que está ocho leguas de la çibdad e puerto del Nombre de Dios (yendo á la çibdad de Panamá), y después muchas vezes en la Tierra Firme. E son tan luengas como vn xeme, o más, e del talle de peras grandes, que cada vna pesa vna libra, e más, e el cuesco, o pepita, que tiene es durísimo, e no de cáscara, sino a forma de pepita, e de aquella manera que es vna castaña de Castilla de las que llaman insertas. Pero amargan mucho aquella pepita, o cuesco, e no es de comer sino çierta carnosidad espesa que tiene ençima de su pepita, ya dicha, hasta la corteza, que será aquel manjar que se come tan grueso como esta péñola de ánsar con que aquesto escriuo, y es muy buen manjar e sano.

Quanto a lo que dize, que no está bienquisto el que coje sin sembrar; visto es aquel que tal haze es ladrón o tirano, que toma capas ajenas e coje lo que no sembró.

Ved si son cosas inýtiles las que se han contado, e que se contarán adelante en los versos siguientes (I, est. XX, 245-247).

---

[123] *Gerbes:* Los Gelves era nombre que se daba a la isla de Djerba, en el golfo de la Pequeña Sirte, frente a Gades. El Rey Católico decidió conquistarla, y allí murió D. García, el primogénito del II Duque de Alba, con lo que el título pasó, más adelante, al primogénito de D. García, que fue el III y Gran Duque de Alba, Don Fernando Álvarez de Toledo; v. *infra,* textos 74 y 94.

62. *Petrarca: italiano, catalán, castellano.*

> Ni que canten anadones
> Según cantan ruyseñores;
> Ni escusarse los amores
> En la gente del palaçio;
> Ni que tenga vn topaçio
> Mas valor quel dïamante.

Vnas cosas que son naturalmente inclinadas e formadas para diferentes efetos ni se pueden apartar de sus costumbres, ni basta el ingenio ni el arte humano de los hombres a hazerlas rrebelar ni contradezir la natura. E querer hazer otra cosa sería açotar el viento, como se suele dezir a los que intentan cosas imposibles.

Vengamos al primero punto en quel testo haze mención de quán vana e invtil cosa sería pretender que los anadones canten como los rruyseñores, o escusar los amores en la gente del palaçio, pues que los oçiosos tienen más ocasión para semejante ocupaçión, junto con ser natural el pecado de la luxuria.

Ni tanpoco es conueniente ni lo comportará el vso, ni el paresçer de los ombres, ni la propriedad y exçelençia quel diamante tiene más quel topaçio que le exçeda e haga ventaja. Porque todas las cosas del mundo tienen su valor e mérito en diferente manera e regla, que la mesma natura, o mejor diziendo Dios, el Maestro superior, lo proueyó, e ovo por bien de hazerlo. Pero cada cosa en su ser es buena, e por tanto en el comento de la preçedente estança hize memoria del verso del Petrarca, que dize: *Forse ch'ogni huom che legge non s'intende,* [124] e me ofresçí tractar adelante de lo mismo. E quiero que sea aquí por no quedar obligado después, así porque la paga dulçe e presta tiene más graçia e mejor gusto, como porque aquí quadra con la presente materia destas cosas invtiles, que esta estança e la passada han memorado, y avn con todas las que desta calidad fueren, como es dezir vnas cosas que tienen demás de lo que suenan otros sentidos, como lo dize Ysidoro: [125] *Ethimologia est origo vocabulorum,*

---

[124] *S'intende:* "Forse ch' ogni uom che legge non s' intende", *Rime,* CV, v. 46.

[125] *Ysidoro:* la ed. príncipe de sus *Etimologías* fue Estrasburgo, 1470, y numerosas la sucedieron.

cum vis verbi vel nominis interpretationem colligitur. Así pues, tornando al Petrarca, digo, que Miçer Françisco Petrarca, poeta toscano, en la quarta estança de aquella su cançión que comiença: *Mai non uo piú cantar com'io soleva: ch'altri non m'intendeva,* *etc.* dize de aquesta manera:

> Forse [126] che ogni huom che legge non s'intende,
> Et le rete tal tende che non piglia;
> Et chi tropo asotiglia si scavezza, &c.

Qvieren dezir estos versos en nuestro rromance o lengua castellana desta manera:

> Quiçá que cada vn ombre que lee no se entiende,
> E tal tiende la red que no toma,
> E quien mucho adelgaza la descabeça.

En este vltimo verso suelen dezir en lengua catalana *qui molt asotilla la guasta.* E el toscano dize, *la descabeça.* Y el castellano dize: Quien mucho la adelgaza la despunta. E en todas tres lenguas es vna misma sentençia. El duque segundo de Alburquerque, don Françisco de la Cueua, trahía por deuisa vna estaca aguzándole la punta, e la letra dezía ese verso del Petrarca: Quien mucho la adelgaza la rrompe o la despunta. Así que tornando a nuestro propósito e al Petrarca e al testo desta nuestra estança 21, dize Petrarca: *Forse,* o quiçá, o podría ser, que cada vno, o qualquier ombre que lea no entienda lo que lee, porque avnque entienda la lengua no alcança el sentido de aquello que lee, o el intento del auctor que lo escriuió.

El segundo verso dize: Tal ay, o tal tiende la rred, que no toma ni prende lo que querría caçar, o pescar con ella. E el terçero verso dize: Quien mucho la adelgaza la rrompe o despunta. Así que, como se dixo de suso del Ysidoro, éstas son cosas que en vna palabra ay dos o más entendimientos, y así son estos versos del testo, que debaxo de vna palabra ay diuersos sentidos de lo que suena.

---

126 *Forse:* salvo muy leve corrección, los dos versos iniciales de esta canción que acaba de citar Oviedo son los mismos en las *Rime.* Los vv. 46-48 leen: "Forse ch' ogni uom che legge non s' intende, / e la rete tal tende che non piglia; / e chi troppo assotiglia si scavezza" v. *supra* nota 124.

Cantar las ánades según los rruyseñores: avés de entender que no habla vn grosero como vn discreto palançiano, ni vn mal criado no es como vn discreto e comedido &c.

Ni escusarse los amores en la gente del palaçio: avés de entender que quiere dezir otra cosa, e que los que han de seruir las damas no han de ser greñudos e groseros. Los quales, avnquel amor los tiente a los vnos e los otros, los exerçiçios son muy diferentes e aparados [*sic*]. E avnquel amor los haga hablar cada qual su lenguaje, el palançiano dirá mill gentilezas e primores, e el villano tosco dirá, como suele, torpedades.

Porquel diamante vale más quel topaçio: quiere dezir que si touiere el letor atençión y es ombre entendido, entenderá del verso destas *Quinquagenas* otras cosas más hondas e primores más de lo que la letra suena. Y por esto hallarés por la mayor parte que todos los poetas se fundan en breuedad e metáforas. E que conuiene para que sean entendidos e se alcançen sus sentençias e se entienda la traça de sus motiuos que vengan los comentadores declarando sus versos en más palabras. E a vezes es nesçesario que para entender sólo vn nombre e lo que sinifica sea nesçesario contar vna historia muy prolixa, e declarar los términos quel poeta, como he dicho, ocultó o quiso que le entendiesen con muy pequeña relaçión, o en verso breue e sentençioso (I, est. XXI, 250-252).

63. *Negras lujuriosas en Santo Domingo.*

> El viçioso de beuer
> No quiere que la sed muera:
> Ni pensés que cada nuera
> Es amiga de la suegra:
> Ni sospeches que la negra
> No quiere tener marido.

Todos los beodos e viciosos de beuer mucho vino no querrían que la sed muriese ni se les acabase ni quel jarro les faltase, porque están tan prendados e tan vinosos que les paresçe que no ay plazer ni bien alguno que se yguale con el beuer. De Albino [127]

---

[127] *Albino:* Julio Capitolino refiere esto de Clodio Albino en la vida de éste en la *Historia Augusta.*

escriuen que en vna çena, señoreando el rreyno de Françia, comió çient pescados o pesçes, e diez palominos, e quinientos higos, e trezientas hostias. [128] De Maximino [129] emperador se escriue que vn día se comió quarenta libras de carne e beuió vna ánfora de vino. E el ámphora [130] es medida de xlviii ostayas. Yo no sé que medida es ésta: escripto lo hallé en lengua toscana e algunos me dizen que vna ostaia es vna açumbre, e otros dizen más. Pero puédese creer o sospechar que en tanta comida no sería menos la beuida. Buen consejo es el de Séneca, que dize: No deues beuer quanto quisieres, quanto más cabes.

Dize el testo: "No [sic] pensés que cada nuera es amiga de la suegra". Y es la causa que como las suegras son más viejas, quieren ser acatadas, e no todas las viejas açiertan a tener seso, ni las moças paçiençia. E los çelos que no tiene el marido tiénelos la suegra; e avnque sea sin causa, deste desuarío e otros guisa el diablo con sus maneras las contençiones e rrenzillas. Y por tanto es menester que la vna e la otra se encomienden a Dios, e se armen de paçiençia, e que en poniendo el pie en tierra se santigüen e encomienden a Dios, e deuotamente le supliquen las enderesçe en su seruiçio e las defienda del diablo e dése su seso, e se les dé tal que se saluen, e que no crean a chismes ni malos terçeros.

Dize más el testo, que no se deue sospechar que la negra no quiere tener marido. El que tal sospechase no las conosçe: véngase a nuestra çibdad de Sancto Domingo donde ay más negras esclauas de las que serían menester. E tienen más gayones e adúlteros que los amos de las tales pueden mantener, porque de blancos e prietos ellas son amançevadas, e ladronas de dentro de casa. Y es vna plaga tan hidionda e peligrosa e inrremediable, e tal, que es menester más rremedio del que yo veo, porque no hay manera, ni se siente, para defendernos destas negras. Pues que de dos viçios tan suzios e torpes, como luxuriosas e ladronas, no dexan de pender otros, que son ser borrachas e suzias e floxas, golosas e de ninguna conçiençia, avnque christianas se

---

[128] *Hostias:* ostias, ostras.

[129] *Maximino:* anécdota que también narra Julio Capitolino en su vida de Maximino I, o el Viejo, en la *Historia Augusta.*

[130] *Ámphora:* unos veinticinco litros, como medida de capacidad.

llaman. Y todo lo más proçede del descuydo de sus amos, e de
no castigarlas con tiempo, pues las más han nasçido en sus casas,
puesto que no deue de faltar la propria calidad de la tierra, que
las haze fecundas e sufiçientes para todo lo que es dicho (I, est.
XXI, 254-256).

64. *El juego de la chueca en Medina del Campo.*

¡O qué tiempo tan perdido
Es el juego de la chueca,
Para quien vsa la rueca
E corre con el cayado!

Acuérdome de aver visto jugar este juego de la chueca a las
moças y avn a algunas mugeres casadas en tierra de Medina del
Campo e aquella tierra. E tan sueltas e buenas corredoras las
mugeres que en el juego andauan, como los ombres e mançebos
que con ellas jugauan por los exidos en el campo. Y en la
verdad es cosa más de ver que no de loar en tal sexo. Y con ser
costumbre de la tierra se pasa como otras cosas. Verdad es que
todas las mugeres que en eso se ocupan son de gente plebea e
común, e no las que son de generosos e hijosdalgo hijas o mugeres, ni las que están en sus casas e seruiçios de los tales, sino como
dicho tengo, mugeres labradoras e de baxa suerte (I, est. XXI, 256).

65. *El oficio de malsín.*

El que presçia su ganado
No le tiene sin mastines:
Los alcaldes sin malsines
Ynoran muchos delitos.
El día de oy poquitos
Biven sin culpa tener.

Los ganados que han de tener buena guarda no han de estar
sin mastines denodados e sufiçientes pastores e personas que a
pie y a cauallo velen y miren por el hato, según fuere la calidad
e cantidad del ganado; así por guardarle de los lobos como por
los ladrones e offenssores. Y si fueren mugeres las que se han de
guardar, así como en los conuentos de las religiosas o en las casas

reales de los prínçipes e señores, en los monesterios alçad las paredes y escusad las pláticas de las rredes, e oyd a Sant Jerónimo en sus epístolas, donde trata del estado virginal y avn del estado conyugal, que allí hallareys si ha menester guarda tal ganado. Y en las casas de los rreyes, non obstante que aya espeçial guarda, e guardas, sobre las mugeres e damas que esperan maridos e que son festejadas, e que no faltaría castigo al que desonestidad tentase en perjuzio del honor de alguna e de la Casa Rreal, en cuya proteçión están hasta yr a sus maridos, ved si avés visto o oydo algunas flaquezas; que nunca después se oluidan. "Acuérdate que Eua, primera muger del primero Adam, después de ser el ombre criado, con el primero pecado quebrantó el primero ayuno que en el mundo fue mandado. Eua misma, por aver trespassado el mandamiento de Dios, cayó en desobediençia; pecado desde allí tan natural a las mugeres que hasta la fin del mundo no las dexará, y ellas siempre biuen escusándose con dezir que de su primera madre lo eredaron. Quiero, pues, amigo, que sepas como la muger desobidiente no es sino injuria y vergüença para su marido. Guarda también e mira que la verdad, que no puede ser engañada, hablando del bienaventurado Dauid, dixo: Hallado he vn varón conforme a mi voluntad. Este, pues, aprouado por boca del Señor, cayó malamente en el adulterio, y de aý en el omeçidio; porque jamás viene vn mal a solas. No ay maldad que no sea rrica de muchas compañeras, que con ella vienen, y por esto en qualquier casa que entra trabaja ensuziarla con los que lleua consigo. Amigo, bien sabes que Bersabé calló e no procuró reboluer mal ninguno entre su marido e Dauid, enpero, al fin, ella fue el fuego que ençendió a Dauid para que muriese Vrías su marido, siendo varón perfecto. Ella fue el cuchillo con que peresçió el justo ¿y cómo ternás tú por ynoçente la muger que se tornare contigo a disputar en saber bien hablar, como hizo Dalila con Sansón, y la que disputare con hermosura, como hizo Bersabé con Dauid, viendo en especial como vees que sóla la hermosura désta triumphó de Dauid, aun sin quererlo ella, que fue más?" Todo lo dicho es de Sant Jerónimo [131] en el

---

[131] *Sant Jerónimo:* en nota marginal, que he anunciado que no copio en esta edición, Oviedo escribe: "S. Jerónimo, lib. 6, epístola 4, estança 1, del estado conyual [sic]".

lugar alegado. Así que boluiendo al testo, menester son los mastines e guardas para todo ganado.

Ygnoran los alcaldes sin malsines muchos delitos, y es mucha verdad. Pero ya que se saque deso castigarse los pecados e que la justiçia alimpie la república, sea el zelo del bien público y no de rrobar. E por qualquier vía que ello sea no dexa de ser el ofiçio del malsín vellaco, e dedicado a vellacos tal exerçicio, e serles hía más seguro acusar y rreuelar sus proprios pecados al confesor e pedir perdón a Dios, que acusar al próximo e ser ministro para lleuar el próximo a la horca, o rrobarle a la menoreta, [132] como dizen.

Pero vna manera ay de malsines que es la más pestilençial de todas, y ésta exercitan algunos que son ombres sin nesçesidad, rricos de hazienda e pobres de conçiençia, que se dan a la conuersaçión de los juezes e los siruen con presentes e con formas que buscan para contentallos e tener crédito con ellos, y después que le tienen sacan de su artifiçio tres prouechos. El vno es que con el crédito que ya éste tiene de la amistad del juez ni nadie le osa enojar, ni alcança justiçia contra él. Lo segundo es que abona e defiende a sus amigos e debdos e parçiales. E lo tercero es que es parte para malsinar e hazer daño a los que no son sus amigos. Y esta manera de malsines es la quel buen juez ha de apartar de sí e saber conosçer tales ombres.

El testo dize en los dos versos últimos quel día de oy biuen pocos sin tener culpa. Y no es menester que se dubde pues ques muy gran verdad, y el Euangelista dize: Ninguno es bueno sino sólo Dios (I, est. XXI, 256-258).

66. *Voces de marinería.*

> El que biue con vsura
> Despídase de la gloria;
> Esta es la çanahoria
> Que a las bestias las engorda:
> El que en ella se çaborda
> Desde aquí va condenado.

---

[132] *A la menoreta:* al por menor.

Posible sería quel vsurero se apartase de pecar, pero el que
en tal offiçio muere con mucha rrazón le despide el testo de la
gloria, pues que la granjería de la vsura es notorio pecado mortal
determinadamente.

Y en lo que dize que tal viçio es la çanahoria que engorda las
bestias, a las quales, en el tiempo que ay çanahoria, los que son
buenos penssadores [133] las dan a sus cauallos e mulas, y el logre-
ro, que no es menos bestia, toma por çanahoria çabordar e meterse de su grado en el peligro de la vsura, en la qual se condena.
Çabordar se entiende y es de dos maneras. Vocablo es que en
Madrid, donde yo nasçí, los menos le entenderán, porque es vocablo marinesco o de ombres de la mar. La vna manera es quando
la nao da al traués en la costa o en la mar e se pierde e haze
pedaços inremediablemente por la tormenta, o sin ella, por los
pecados de los ombres. La otra manera de çabordar es quando
vna nao, o carauela, o otro nauío, es tan viejo e defectuoso que
no está para nauegar, e quieren aprouecharse de las velas e xar-
çias e saluar lo que de los aparejos estouiere para seruir, e dan
con él al traués en la costa para le desarmar e despojar e sacar
todo lo que pudieren salvar dél para ponerlo en otro nauío, &c.
(I, est. XXII, 262).

67.   *Qué cosa es marrano y qué cosa es luterano.*

¿Ques de aquel tan christianismo
Renombre de la nobleza
Jermánica? La proeza
Jubilada que touistes,
A un ereje la distes,
Ministro de Sathanás.

Aquí pregunta el testo a los alemanes por el christianismo,
rrenombre de su nobleza jermana, tan illustre e clara, que touieron jubilada, e reprehende, afeando aquella nasçión, e dize que
la dieron a vn ereje ministro de Sathanás, que fue aquel Martín

---

[133] *Penssadores:* "En los cortijos de Andalucía, mozo encargado de dar
los piensos al ganado de labor", *Dicc. Ac.*, s.v. Pero el testimonio de Oviedo
parece indicar que para el siglo xvi la voz era algo más que un andalucismo.

Luthero cuya notable infamia les turará todo lo que aqueste mundo turare. Mirad e atended con atençión lo que dize Sanct Gregorio: La vida de los malos tanto más es dexada sin castigo quanto menos es guardada para ningunos galardones. ¡O infeliçe nasçión que la gloria e buena fama que en muchos siglos avían adquerido de illustres e valerosos, en poco espaçio de tiempo la han derribado e puesto en los baxos vmbrales e menos estimaçión que oy tiene generaçión alguna en toda la rrepública de la christiandad! Mucha lástima es de aver.

A los españoles, así en Françia como en Alemania e Italia, los llaman marranos por vituperio, commúnmente a todos, sin que sean marranos, y sin entender los que se lo dizen qué cosa es marrano, solamente queriéndolos motejar de judíos. Como agora ya comúnmente en todas partes al alemán le llaman lutherano, que no es más ni menos que dezirle erege, o que es otro dolor e infamia, e la mayor injuria que se puede dezir ni pensar. Y quiero yo agora dezir a los estrangeros la verdad, e qué cosa son los vnos e los otros, para que se entiendan mejor estos dos apellidos de marrano e lutherano. Marrano propiamente quiere dezir falto, porque marrar quiere dezir faltar en lengua castellana antigua. E faltar e ser falto el ombre de lo que promete es cosa de mucha vergüença. Pero tomemos esto más de prinçipio, porque los verdaderos marranos, o faltos de fe, de françeses proçedieron y fue desta manera:

Año de seysçientos y nueue fueron en España baptizados los judíos, en el qual tiempo rreynaua Sisebuto, rey de los godos, por cuyo mandado esta conuerssión se hizo. Así lo escriue Sancto Antonio, Arçobispo de Florençia, en su historia. E la general historia de España concuerda con esto, la qual dize quel primero año de su rreynado de Sisebuto, rrey de España godo, fue en la era de seyscientos e çinquenta y quatro, quando andaua el año de la Encarnaçión del Señor en DCXVI años, e queste rey Sisebuto era muy buen christiano. E luego que començó a rreynar amonestó a los judíos que en su rreyno estauan que se conuertiesen a la fe de Jhesu Christo, e los judíos fiziéronlo estonçes más de fuerça que de grado, como más largamente lo cuenta esa copilaçión general de la historia de España del rrey Don Alfonso XI, [134] llamado el Sabio, &c.

El mismo Sancto Antonio, Arçobispo de Florençia, escriue que en Françia, vn jueues de la Çena, en cueuas soterráneas auían los judíos cruçificado vn niño en ofensa de la rreligión christiana. E el rey Phelipe hizo prender todos los judíos de su rreyno e tomarles todos sus bienes, e mandó que todos los que no se quisiesen baptizar e tomar la fe saliesen de su rreyno, e a los que se conuertieron hízoles tornar sus haziendas, e los demás echó de la tierra.

Destos judíos françeses, echados de Françia por el dicho rey Phelipe, muchos se vinieron a los rreynos de España. Después Sant Viçente Ferrer, natural de Valençia del Çid, de la orden de los Predicadores, zeloso de la fe, con su predicaçión conuertió muchos desos judíos, e se baptizaron. E aqueste sancto varón fue en tiempo del rrey don Fernando de Aragón, que seyendo Infante de Castilla ganó la villa de Antequera a los moros. E como de esa judería conuertida no todos salieron buenos e faltaron a la fe, començáronlos a llamar marranos, e de aquí ovo principio ese nombre, o título. E lo que más le ha manifestado ha seydo el ofiçio de la sancta Inquisiçión que los Rreyes Cathólicos de España que ganaron a Granada, don Fernando e doña Isabel, introduxeron en sus reynos para el castigo de los erejes, e las sanctas e loables constituçiones de las órdenes militares de Santiago, Calatraua e Alcántara, en que no se admite cauallero al hábito que sea de estirpe de judíos. E asimismo en ningún colegio rresçiben ni admiten colegial de tal casta sospechoso a la fe. E con aver quemado muchos dellos, e aver los mismos Rreyes Cathólicos echado de sus rreynos el año de 1492 años los judíos, e continuándose aquel Sancto Offiçio contra los erejes, hase limpiado España e apurado la cosa de tal manera que Dios ha seydo muy seruido, e su sancta fe ensalçada. E si algunos ay, a todos los que quedan desa generaçión son ya cathólicos e conosçidos por quien son, aunque tengan algunos alguna parte dese linaje françés o marrano, o falto de ley e quilates, como tengo dicho.

---

[134] *Alfonso XI:* en todo este apartado Oviedo escribe *San Antonio* por *San Antonino,* confusión normal en su época, v. Salvá, *Biblioteca,* II, 760. En cuanto a escribir *Alfonso XI* por *Alfonso X,* v. *infra,* nota 296.

Y esto no era, ni es, causa sufiçiente para llamar los estranjeros comúnmente marranos a todos los españoles. Pues que es çierto que entre todas las nasçiones de los christianos no ay alguna tan distinta la diferençia de los de la patria, ni donde mijor se conozçan los nobles e de buena e limpia casta, ni quáles son los sospechosos a la fe, lo qual en otras nasçiones es oculto. Y esto baste quanto a lo prosupuesto de mi intento e verdad,

Quanto al origen de los lutheranos, público es que fray Martín Luthero, con otros erejes como él, inuentaron esas nueuas erejías que sembraron en Jermania, e que se acabarán quando Dios quisiere. E así en todo el mundo está diuulgado ese título, e como es alemán vno, le llaman lutherano. En lo que difieren el marrano e el lutherano es, o lo que esos dos títulos pueden alegar es, quel marrano ovo prinçipio en aver dexado la ley judayca e conuertídose a la fe de Jesu Christo. E el lutherano en aver dexado la fe de Jhesu Christo, e no querer seguir a nuestra sancta madre Yglesia, e ser traydores a Dios e a su rrey e señor natural, por ser erejes lutheranos. E contra los artículos sagrados de la fe christiana han esas sus sectas e falsas opiniones para su condenaçión (I, est. XXIII, 279-281).

68. *De marineros.*

> El que virtudes pregona,
> Vsándolas, es creýdo.
> El que nunca la mar vido
> No hable de nauegar.
> Ni dé señas de lugar
> En ysla, ni quál derrota
> Ha de hazer vna flota
> Para yr a los Malucos.

Fuerte cosa paresçe, y de mucho atreuimiento y de poca vergüença, pregonarsse vno assí [*sic*] mesmo por virtuoso sin lo ser, e aunque lo fuese. El tal más se deue llamar fraudulento e malo que buen próximo, y no faltan en el mundo los tales. Y por tanto dize bien el testo, quel que vsa las virtudes es creýdo. Y tened, lettor, por çierto que si no soys ligero en el creer que en poco tiempo conosçerés la verdad, porque todo lo fengido tura poco, e no basta el artifiçio humano del hypócrita, ni del que miente, a perpetuarse, porque, como suelen dezir (y es çierto), la verdad, si adelgaza, nunca quiebra ni falta.

El segundo punto, que apunta el testo de suso, en que dize quel que nunca la mar vido no hable de nauegar, no quiere dezir sino quel que no es experto e diestro en la çiençia o en la materia de que quiere tractar, no lo haga, si muy bien no lo entiende. Lo qual el día de oy se haze muy al rrevés. Ni creays que todos esos marineros que vemos cada día (que son muchos), que saben el arte de la mar. No, por çierto: ¿quién está más cerca de la agricoltura quel açadón y el arado y el buey? Preguntadles en qué tiempo se ha de exerçitar o seruir, e dezidle que se dé rrazón de su ofiçio; no rresponderá, porque no siente. El marinero es al contrario porque puede hablar y rresponderos ha mill vanidades, e hazerse os ha piloto, sin saber lo que se dize. Sabrá deziros los nombres de las cuerdas, así como quál es el escota, e quál la triça, e el martillo, *etçétera,* e así de los otros aparejos en que le ocupan. E mucho mejor que todo lo que sabe es ser beuedor, e hurtar al pasajero lo que tuuiere. E deziros ha algunas señas de cosas que ha visto en los puertos e partes quél ha estado, y no se las avés de creer todas, ni entender las de vno solo dellos, porque son de poco crédito e mienten muy de grado. Preguntadle por la derrota, e podrá ser que açierte a dezir por qué viento e derrota se ha de hazer el camino, porque lo ha visto e oýdo dezir a otros, e dirá verdad o mentira, mas no sabrá él guiar la nao o carauela, ni se le deue fiar pues que ninguna barca ni nauío ni flota ha gouernado. Ni sabrá lleuaros a los Malucos, [135] que son yslas en la Espeçiería de donde viene el clauo, e la canela, e nuez moscada, e otras espeçias. Deziros ha mill desatinos, avnque aya estado en las yslas de Tidore, e Terrenate, e por aquellas partes. ¿Avés sabido hasta oy que alguno, por yr a Salamanca e Alcalá de Henares, o a París e Boloña, sea letrado sin estudiar letras? ¿O que buelua sancto por yr a Rroma e Santiago e Jherusalén, si no haze obras de christiano? Creo yo que no; pues así ninguno es piloto si no el que se ha dado a la expiriençia e arte de la mar, e sabe rregir vn quadrante o estrolabio, e teniendo buenas brúxolas o agujas, e entender bien

---

[135] *Malucos:* islas Molucas, archipiélago indonesio.

tomar el altura, e vsar de la sonda en su tiempo, e conosçer los
tiempos e los puertos, e ser muy vigilante e de mucho cuydado,
e desde muchacho cursado en su ofiçio, e aver nauegado con
pilotos, e maestres, e capitanes, e ombres de mucha expiriençia
en tal arte, e que sean temerosos e aperçebidos en los casos de
tormentas, e esforçados, e prudentes, e de bastante diligençia
quando conuenga, porque en tales tiempos más frutto haze vn
buen piloto, qúes cursado e buen marinero, que trezientos beue-
dores de los que siruen en la mar, non obstante que de todos
conuiene que aya, e se ayuden, e cada qual para lo que es, e
de vno pende el gouierno e la salud de todos. Pues yo os digo
que no ay ombre tan falto de rrazón, si ombre es el que quiere
nauegar, que dexe de preguntar e informarse qué piloto lleua,
debaxo del qual ha de poner su perssona e mercadería; e qué
tal es en su offiçio e arte, para aventurarse a hazer su viaje como
discreto (I, est. XXVII. 316-318).

69. Etiqueta cortesana.

> Quando tú al Papa vieres
> No le pedirás la mano;
> Como súbdito christiano
> El pie le has de besar,
> Y él te ha de santiguar
> Dándote su bendiçión.

Lo que quiere esto dezir es que cada qual deue saber lo que
ha de hazer si se hallare con el rrey e con el Papa. ¿Quién no
penssaría que cayéndosele al rrey, o al prínçipe, vn guante de
la mano, qües razón de comedirse ombre a lo alçar, e dársele?
Así, a prima faz, paresçe que sería buen comedimiento alçar de
la tierra el guante, e besarle, e dársele tú de tu mano. Y así se
deue hazer si el rrey y tú estays solos; e no de otra manera,
porque estando acompañado, e aviendo algunos señores de título,
e generosas personas, que te puedan preçeder, si tú alçases el
guante e le dieses de tu mano al prínçipe, tan gran error come-
terías como en pedir la mano al Papa, pues que todos los rreyes
y prínçipes christianos del mundo le han de besar el pie. E el
Papa no te daría la mano, e quedarías notado por ynorante e

atreuido mal criado, dando causa de rreyrse de ti los çircustan-
tes. Pero pues se ha mouido la plática, boluiendo al guante, como
ombre que me crié donde pude ver y entender lo que agora diré:
si te hallares más a propósito e çerca, que le puedas tomar primero, ante que otro, con el acatamiento deuido déuesle alçar e
darle de tu mano, haziendo la salua besando el guante. E darle
has al duque o más prinçipal señor que allí se hallare, para que
aquél, con otra salua, se le dé al rrey o al prínçipe, y no tú, que se-
rías notado de atrevido e mal criado. E si, avnque estén allí
presentes algunos grandes e señores de título, estouieren allí el
Condestable de Castilla e el Mayordomo Mayor, e otros señores,
no le as de dar el guante sino al Condestable de Castilla, ques
Camarero Mayor. Y si el Condestable aý no estouiere, as le de
dar al Mayordomo Mayor, e no a otro ninguno, eçepto sino
estouiere aý el Arçobispo de Toledo, ques Primado de España e
preçede a todos los demás, porque estos rexpectos son prehemi-
nençias de sus offiçios e títulos. Y es desta manera, quel primero
es el Primado Arçobispo de Toledo, e el segundo e primera boz e
voto, es del señor de Lara, quando le avía, e agora está incluso en
el çeptro rreal. E por tanto, después del Primado es el Duque de
Medina Sidonia, e el Condestable de Castilla es el terçero, y el
quarto es el Mayordomo Mayor. Y antes que todos los susodichos
el prínçipe, al qual, por la orden ques dicha, se ha de dar el
guante, en el caso ya dicho. Y el príncipe le ha de dar al rrey su
padre, si del rrey es el guante, e faltando todos esos señores,
hasle de dar al prinçipal varón que allí se açertare. Y no le has
de dar al rrey o prínçipe, sino hallándote solo con él, o seyendo
tú el prinçipal de los que allí estouieren. Esto es lo que se vsa
e guarda en la Casa Rreal de Castilla, donde yo me crié e lo vi
como lo he dicho (I, est. XXVII, 318-320).

70. *Defensa de Dido.*

> El rey deue de ser tal
> Qual dessea ser auido;
> Y los que culpan a Dido,
> Inorando su historia,
> Traen turbia la memoria
> En creer al Mantuano.

Gran pena meresçen los que contra la verdad escriuen e true-
can las verdaderas historias a fábulas e mentiras.

Este cargo de infamia, puesta contra la casta Elisa Dido,[136]
es la culpa de Virgilio, poeta mantuano, que como fue gentil, e
no christiano, cupo en su consciençia esse falso testimonio. Pero
tomemos de prinçipio esta expusiçión e comentos destos seys versos, que consisten en dos puntos. El primero es quel rrey deue ser
tal qual querría él ser auido; y en esto ocurramos al emperador
Trajano, nuestro español, pues fue vno de los más excelentes emperadores que tuuo Rroma. E yrnos hemos allegando al propósito,
o causa, que mouió para ocuparme en estas *Quinquagenas,* e
dezir en ellas los exçelentes e illustres varones que de España
fueron naturales. Y porque deste emperador Trajano en otra parte
yo he dicho más, e adelante, si conuiniere, repetirlo he, e diré
dél solamente lo que aquí hiziere al caso de los dos versos primeros de suso.

Este emperador fue de la familia Helia de España, e fue emperador de los rromanos 19 años y siete meses, según paresçe
por una suma e breue relaçión de pontífiçes y emperadores que
escriuió Françisco Petrarca. Fue liberal e tranquilo, e de summa
justiçia e clemençia, e muy común e afábil con cada vno. Por lo
qual vno le preguntó ¿por qué causa era tan fácil con todos, e tan
común? E rrespondió quel emperador deuía ser tal con los priuados, o inferiores, qual ellos se desseauan aver. Otro auctor dize
que acostumbraua dezir Trajano: Nesçessario es que tal sea el
emperador con los ombres priuados, qual es nesçessario que ellos
sean con el príncipe suyo. *Traianus apud Seleuçiam, vrben* [sic]
Isaurie, profluuiis ventris extintus est. Así lo dize Sancto Antonio,
arçobispo de Florençia. Quiere dezir: Trajano çerca de la cibdad
de Selençia [sic], en la prouincia de Esauria, por fluxo de vientre
murió, el año de su edad LXXIII, auiendo imperado 19 años;
sus huesos fueron puestos en vn vrna, &c. Tras esto dize: Su
estatua de Trajano fue puesta en hábito, o semejando el hábito

---

[136] *Dido:* la defensa de Dido en las letras del siglo XVI español apasiona
tanto como la lectura del propio malsín Virgilio, v. M. R. Lida, "Dido y su
defensa en la literatura española", *RFH,* IV (1942), 209-52, 313-82 y V
(1943), 45-50, quien al estudiar el texto de Oviedo lo califica de "ejemplo
característico del planteo marcadamente moral", *RFH,* IV, 393.

en que estaua puesto, quando hizo justiçia a la biuda. E cómo
el bienaventurado Sant Gregorio, mouido de conpasión deste emperador lloró tanto que se dize que su ánima fue libre del infierno
a su suplicaçión. Asi lo hallarés sobrél 4.º de sentençias *a beato
Thoma,* y en lo ques dicho de suso alega el Antonio A. Elinando. [137]

Deseando yo en lo que toca a Trajano saber su historia, vn
deuoto y letrado rreligioso me dio en pocos rrenglones lo que
agora a la letra diré: En Sancto Tomás, de la vida de Trajano,
no hallé cosa que a su vida conçerniese directamente, eçepto
queste doctor sancto, preguntado en el 4 de las sent[encias]
dis[tinción] 45, qu[estión] 2.ª y artí[culo] 2, si las sufragias [138]
aprouechan a los danados, arguye, por auctoridad de Damasçeno,
en vn sermón que haze *de mortuis,* en el qual mesmo Damasçeno dize que Sanct Gregorio rrogó a Dios por Trajano, e oyó vna
voz que le dixo: *Vocem tuam audiui, et veniam Trajano do.* Y así
paresçe que los dañados [*sic*] pueden resçebir algun rrefrigerio.
A lo qual responde Sancto Thomás y dize que prouablemente se
puede tener que Trajano, por ruego de Sanct Gregorio, fue buelto
a esta vida, en la qual consiguió graçia, mediante la qual consiguió perdón de los pecados y de la pena. Y allende désta da otras
rrepuestas en el mismo lugar y en el de las sentençias y en las
de veri. Pero todo esto para mí haze poco al caso, pues la vida de
Trajano no dize nada desto: en lo demás yo me rremito a los
theólogos. Yo pensaua tractar esta materia de Trajano adelante,
y pues está mouida, parésçeme ques mejor que aquí se diga que
fue hijo adoptivo de Nerua, emperador, el qual propriamente se
llamó Vulpio Crineto, 14 emperador de los rromanos, en el año
de la 219 olimpíade. Fue elegido después que murió Nerua, e
reynó 18 años e seys meses. Fue muy eçelente prínçipe, e sobró
o hizo ventaja a todos los otros emperadores en magnifiçençia,
gloria e justiçia. Acresçentó mucho el imperio, como lo escriue
Paulo Orosio. Sobjuzgó la Jermania de la otra parte del Rreno.

---

[137] *Antonio A. Elinando:* entiéndase, "el que alega a San Antonio es
Elinando", o algo por el estilo. Elinando fue monje y cronista cisterciense,
muerto en 1229.

[138] *Sufragias:* crudo latinismo (plural del neutro *suffragium*), lo mismo
que *danados* (de *damnatus*), lo que me hace sospechar que Oviedo no hace
más que retocar una de sus fuentes.

Resçibió los Partos, los quales se le dieron de voluntad. Dio rey a los albaneses, sojuzgó la Armenia, Asiria, Mesopotamia, Seleuçia, Thesiponte, Babilonia, e hasta los confines de la India. Embió vna poderosa armada al mar Rroxo, del qual largamente escriuió Eutropio, e Dionem, [139] tanto que en la eleçión de los emperadores se acostumbró dezir en la oraçión: ¡Quiera Dios que tú seas tan bien auenturado como Çésar Augusto, y tan bueno como Trajano! Daua los ofiçios e honores a los que lo meresçían. En las nesçesidades de las repúblicas socorríalas, e hazíalas esentas de los derechos que pagauan, e a los nesçesitados ayudáualos. Hizo muchos e muy buenos edifiçios. Jamás hizo ni pensó cosa que no fuese vtil a la comunidad: biuió 63 años. Su historia no se halla entera, mas a pedaços los auctores ya dichos, e otros, lo dizen. Su muerte dizen que fue de cámaras, e la interpretaçión de Giorge Merula [140] dize: *Apud Selinuntem Çiliçie vrbem, que deinde Traianopolis cognominata est, defertur, ibique statim extinctus est, cum imperasset annos unde viginti, mensses sex, et dies quindeçim.* Todo esto e dicho para la cuenta e número de los famosos españoles.

Boluamos al testo que dize: "Y los que culpan a Dido, ynorando su hystoria, traen turbia la memoria en creer al Mantuano". Este fue Virgilio, poeta natural de Mantua, o de vna aldea de Mantua, y el infamó esta muger, pues dize que se enamoró de Eneas, lo qual es falso, como Francisco Petrarca [141] lo dize en estos versos:

> Poi vidi fra le donne peregrine
> Quella che per lo suo dilecto e fido
> Sposo, non per Enea, vuol se ir al fine:
>   Taccia il volgo ignorante: i'dico Dido,
> Cui studio d'honestate a morte spinse,
> Non vano amor com'el publico grido.

---

[139] *Dionem:* Dion Casio, en latín Dio Cassius, pero seguramente Oviedo lo conocía en italiano: *Dione Historici Greco delle Guerre et Fatti de Romani* (Venecia, 1533).

[140] *Giorge Merula: De Antiquitate Vicecomitum* (Milán, s.a., finales del siglo xv).

[141] *Petrarca:* "Poi vidi, fra le donne pellegrine, / quelle che per lo suo diletto e fido / sposo, non per Enea, volse ire al fine: / itaccia il vulgo ignorante! io dico Dido, / cui studio d' onestate a morte spinse, / non vano amor, come è il publico grido", *Trionfo della pudicizia,* vv. 154-59.

Lo que quieren dezir essos versos toscanos en romançe castellano es a la letra esto: Después vi entre las mugeres peregrinas
aquella que por su amado e fiel esposo, no por Eneas, quiso yr
al fin: calle el vulgo ynorante; yo digo Dido, cuyo estudio de
honestidad la truxo a la muerte, no vano amor, como es la pública
boz. Así que Eneas nunca la vido, ni se pudieron ver, porque ni
fueron en vn tiempo ni se conosçieron. En fin esto fue fiçión e
mentira de Virgilio, como es pública boz e fama. Ella murió por
amor de Sicheo su esposo, no queriendo ser muger de Yarba,
rrey de los massilitanos, y por su propria honestidad no se quiso
conceder por esposa al segundo marido, e ella misma quiso más
darse la muerte. Aueys entendido, lector, como los que ynoran la
castidad de Dido traen turbada la memoria en creer al mantuano
Virgilio. El dixo de sí: *Mantua me genuit, Calabri rapuere: tenet
nunc Partenope.* Quiere dezir: En Mantua nascí (o fui engendra-
do), en Calabria me morí (porque murió en Bríndez), [142] tiéneme
agora Nápoles, que es Parténope. Dize aquel tractado del *Suplimentum cronicarum* [143] que sus huesos fueron lleuados a Nápoles
y sepultados en vna sepoltura de piedra en el camino que va
a Puçol, [144] en la qual sepoltura dize que están esculpidas palabras ya dichas. Yo estuue vn tiempo en Nápoles, e yendo desde
allí a Puçol se ha de passar aquella gruta, o cueua, que está
debaxo de aquel monte sobrel qual está vn lugar pequeño que
se dize Basilipo. [145] E pasada la gruta hase de dexar el camino
rreal que va a Rroma e hase de tomar el camino que va a la mano
ezquierda para yr a la çibdad de Puçol, questá dos leguas de
allí. E aý, donde se apartan estos dos caminos, está vn mesón,
venta, o taverna, e aý dizen que estaua el cuerpo o huesos de
Virgilio. Bien es verdad quel ostalero, o ventero, que yo allí hallé,
el año de 1500, dezía que en aquella venta estauan enterrados los
huesos de Virgilio mantuano, pero ni yo vi letras ni otro vestigio

---

[142] *Bríndez:* Brindisi; sobre Virgilio, v. *infra,* texto 177.

[143] *Suplimentum cronicarum:* Es *Supplementum cronicarum* (Venecia,
1483) de Jacobus Philippus Foresti Bergomensis, pero, como siempre, sospecho que Oviedo lo usó en traducción española: *Suma de todas las crónicas
del mundo. Llamado en latín Suplementum Cronicarum* (Valencia, 1510), en
el colofón se dice que el trad. fue Narciso Viñoles (Vinyols).

[144] *Puçol:* Pozzuoli.

[145] *Basilipo:* Posilipo.

que crédito le diese. Así que a este poeta es en poco cargo Elisa Dido, pues ella fue casta e famosa muger, como tengo dicho. E Eneas no se lo agradesçió a Virgilio, ni tanpoco Ottauiano Augusto emperador, al qual ese poeta lagoteaua.

Passemos adelante que, al fin, todo lo que fuere verdad o mentira ternán [*sic*] el presçio o despreçio que en su calidad la misma verdad les diere (I, est. XXIX, 334-339).

71. *La moneda de Castilla.*

> Moneda falsificada
> Es como quien la hiziere.
> El que al borracho hiere
> Al ausente danifica.
> El que sanctidad publica
> Ha de ser ombre modesto.

Imposible cosa es que vn prínçipe justo haga moneda falssa. Así que el que la haze tanbién es falso, e no rretto ni amigo de verdad, la qual al presente se vsa poco (ni buena moneda), porque la maliçia de los ombres está puesta en términos de fraudes, en que a muchos venga daño con que al inuentor de la maliçia se le acresçiente la hazienda.

La mejor moneda que en el mundo se sabía y corría entre los ombres fue los ducados dobles, o de a dos, que hizieron los Cathólicos reyes don Fernando e doña Ysabel, que ganaron a Granada, que pocos años ha se desaparesçieron, porque como cahía vno o más dellos en poder de algún estranjero, nunca boluía a Castilla. [146] E en Jtalia, e Alemania, e Françia e otros rreynos los deshazen e acuñan en otros quilates e lauores, con grande interese e vtilidad e estrañas figuras. E así constriñeron al Emperador nuestro señor a hazer vnas coronas de oro que andan por España. E de vn doblón, que valía dos ducados, hazen tres coronas

---

[146] *Castilla:* esboza algo aquí Oviedo de la inmensa crisis financiera que sacude a la monarquía española en el siglo XVI; visión de conjunto, pero clara y precisa en J. Vicens Vives, *Historia económica de España*, 3.ª ed. (Barcelona, 1964), cap. XXVII, "El comercio y la moneda durante el siglo XVI", con amplia bibliografía.

e gánanse muchos dineros, porquel ducado vale 375 marauedís e la corona 350, y avn desas coronas paresçen pocas agora porque todo el oro sacan estranjeros. En fin, ésta es vna materia en que yo no me quiero detener por agora, pues que muchos la sienten y entienden mejor que yo. Pero si acaso viniere adelante se dirá desta materia, que quiero que en este lugar se suspenda.

Dize el testo "quel que al borracho hiere al ausente danifica". Séneca en sus amonestamientos e doctrinas dize: Al avsente daña quien con el beodo rriñe. Y está muy bien dicho, pues quel tal, en tanto quel vino rreyna en él e le tiene sobjuzgado, avsente e fuera de sentido se puede dezir que está, pues la rrazón está lexos dél, e la ha perdido.

"El que sanctidad publica ha de ser ombre modesto." Modestia propriamente es moderaçión en dichos e hechos, Çiçerón *sic modestiam definit: quod sit in animo continens moderatio cupiditatum*. Aquí modesto quiere dezir templado, y por tanto el que sanctidad publica ha de ser templadamente, porque si es en su caso proprio, a de mirar bien lo que dize, para no pecar en jatançia ni incurrir en soberuia, y si la sanctidad es en otra perssona, ha de mirar si es biuo o muerto el que publica por sancto. Si es biuo mire qué crédito tiene quien se lo dixo, y si él lo vido, diga cosa que se le crea o la pueda bien e sufiçientemente prouar. Y si es muerto el que loa de sancto, mire qué testimonios ay de su sanctidad, e si la Yglesia lo aprueua déuelo creer. Y si por oýdas o de otra manera ha venido a su notiçia, tenga templança e no hable de manera que le quiten el crédito, ni dé causa a que se dubde cosa que diga. Porque los ombres dinos de rreputaçión han de hablar corregidamente e no vertiendo palabras dudosas, ni que tengan nesçesidad de prouança para ser creýdas, ni que se puedan rreprehender ni altercar. E por esto dezía Zenón, philósopho: La natura nos dio dos orejas para oyr muchas cosas, e vna boca para que hablemos pocas cosas y verdaderas. El prínçipe de los oradores de Greçia, llamado Demóstenes, fue preguntado que de qué manera hablarían bien los ombres. El respondió e dixo que hablasen aquello que sabían, e hablarían bien (I, est. XXIX, 341-342).

72. *El oficio de capitán.*

> El capitán ha de estar
> Más que otro aperçebido,
> Entender y ser sofrido
> Con los que deue mandar;
> Pero ha de castigar
> En el tiempo sazonado,
> Porque no sea vexado
> De motines ni rebuelta.

Rigen los capitanes su gente como cada vno mejor puede e alcança e le da Dios la habilidad, pero no todos con vna ventura ni con vna misma expiriençia, la qual haze mucho al caso. E por tanto dize el testo que ha de estar el capitán más que otro aperçebido, y entender y entenderse y ser sofrido con los que deue mandar. Pero junto con esto ha de castigar en el tiempo que conuenga, porque no sea vexado de los motines y rrebueltas que los soldados arman por falta de lealtad e consejo. E sin dubda los capitanes han ser ombres de mucho valor e sufrimiento, porque siempre anda acompañado de ombres de largas consçiençias e amigos de nouedades.

Pero ha de castigar en el tiempo sazonado; quiero dezir quel castigo se haga quando conuenga e sin escándalo, porque no sea vexado o contradicho de motines ni rrebueltas, que podrían fácilmente suçeder por vn sediçioso e desacatado, si fuese bienquisto. Porque en tales tiempos la disimulaçión e astuçia del capitán porque calle e sufra y avn dé fauor al que avía de dar pena, no es visto perdonarle lo que espera castigar adelante, sin peligro de su honor e sin aventura de su exército. E sobre todo te consejo, ¡o capitán!, que temas a Dios, e con El te abraçes, porque como dize la sagrada Escriptura: No ay çiençia, ni sabiduría, ni consejo de tanta fuerça ni constançia que contra Dios sea bastante, ni evite Su voluntad e poder. E por la paçiençia se conosçe la doctrina del ombre, e su gloria es dexar yr las cosas malas. Júntate con Dios e sosténte, porque en el postrero día tu día crezca (I, est. XXX, 348-349).

73. *El Gran Capitán.*

> El que sin vergüença osa
> Cometer algun delicto,
> Presto, y desde ha poquito,
> Los comete más doblado.

Es prouerbio muy vsado en nuestra España, e común dezir: el que haze vn çesto hará çiento. Y oluídaseles de dezir, si touiere aparejo. Y este hazer quel aparejo falte ha de ser castigar con tiempo al que haze los çestos, e no pegar fuego a las mimbreras. Y así vienen los quatro versos de suso continuando la materia, sinificando que quiere la justiçia que se castigue el delicto fresco, o desde a poco quel error se cometió, para que bien parezca e tenga luz la auctoridad del rrettor o general que gouierna la hueste, e para que otros escarmienten en cabeça ajena.

Al propósito de lo qual ocurre a mi memoria vn castigo del Gran Capitán, la primera vez que passó a Nápoles por general capitán de los Rreyes Cathólicos de España, don Fernando e doña Ysabel, contra el rey de Françia, Carlos 8. Y fue desta manera, que estando la armada de España en Seçilia, en la çibdad de Meçina, gente de la mar se amotinó por industria de vn capitán, maestre e señor de vna buena nao. E los vizcaýnos [147] le pidieron que les pagasen lo que de su sueldo se les deuía, e que el Gran Capitán no podía complir por falta de dineros. E pidiéndole la paga, rrespondióles con buenas palabras, e dándoles esperança muy presto serían pagados de todo lo que se les deuía, e avn serían socorridos para lo de adelante. E esos alterados, no muy satisfechos de su graçiosa rrespuesta, desde a pocas oras, o el siguiente día, boluieron mal indinados a la posada del Gran Capitán. E él hizo çerrar las puertas por escusarles su mal propósito, e quiso desde vna ventana hablar con aquellos alborotadores. E si presto no se metiera, e çerrando la ventana, le mataran, porque al mismo punto llegaron dos o tres saetas que le tiraron e se fixaron en las puertas de la ventana. E por medio de algunos a quien pesaua del atreui-

---

[147] *Vizcaýnos:* uno de los nombres genéricos que da el Siglo de Oro a los vascos y vazco-navarros.

miento así mouido, se rrecogieron en la flota. E el Gran Capitán tuuo forma como les hizo dar su plata, e con ésa e su industria, a su rruego mercaderes socorrieron con dineros e se pagó en parte la gente de la mar amotinada. E el Gran Capitán, halagando e prometiendo, e en parte, como es dicho, pagando, paçificó la gente por estonçes, e disimuló su afrenta, no mostrando mala cara a ninguno. Pero rreseruó en su pecho el castigo contra el mouedor del escándalo, e passados algunos meses se tomó cierta información por do parescía que en la nao de aquel movedor del escándalo dezían que avía muerto vn grumete de pestilençia. E el Gran Capitán, so color de la salud general, hizo quemar aquella nao, e el capitán, o señor della, huyó, no de la pestilençia, sino de temor del Gran Capitán. E le destruyó con le hazer perder su nao, e muchos sospecharon la calidad de aquel morbo, e avn se avisaron para adelante (I, est. XXX, 349-351).

74. *Seis famosos capitanes españoles y uno italiano.*

> El coronel avisado
> Deue de ser sospechoso,
> Esforçado, virtuoso,
> Y la oreja no sorda;
> Como era Pierna Gorda,
> Y el coronel Paredes,
> Quesclareçen como vedes
> La mañana con el alua.

Visto he en la sagrada Escritura la oraçión de Josaphat, e hablando con Dios dize: Çierto en nos ay tanta fuerça que podamos rresistir a esta moltitud, la qual con ímpetu ha venido sobre nosotros, mas ynoramos lo que deuemos hazer. Solamente nos queda que a Ti enderesçemos nuestros ojos, &c. Dize el testo, quel coronel avisado deue ser y sospechoso o aperçebido, "esforçado y virtuoso, y la oreja no sorda, como eran Pierna Gorda y el coronel Paredes, que esclareçen como vedes la mañana con el alua." Estos dos caualleros ambos fueron coroneles e valentísimos varones, de los quales con breuedad se dirá lo que a mi memoria ocurriere, porque al vno y al otro conosçí muy bien, y adelante bolueré a la oraçión que toqué de Josaphat.

Pierna Gorda, su proprio nombre fue Pedro de Luxán, [148] hijo
del comendador Pedro de Luxán el Coxo, maestresala del Rrey
Cathólico, que ganó a Granada, en la qual guerra, en çierta escaramuça, le mancaron con vn escopetazo o espingarda, que le hirió
en vna pierna. E después el Rrey le hizo alcayde de Muxácar, e
después de Gaeta, en el rreyno de Nápoles. Su muger fue doña
Leonor de Ayala, en la qual ovo a su hijo mayor el comendador
Hernán Pérez de Luxán, que después de los días del padre fue
asimismo alcayde de Gaeta. E el segundo hijo del dicho Pedro
de Luxán fue este Pierna Gorda, e llamáuanle así porque de hecho
tenía la vna pierna más gorda que la otra. Éste, seyendo paje
del Rey, sobre vn juego de pelota gruesa, en Valladolit, jugando
él e çiertos caualleros en vna calle e mirándolo muchos, ouo
palabras con vno de los que jugauan, e le arrebató de los cabellos
e dio con él en tierra. E por presto que llegaron a los despartir,
ya le avíe dado tres o quatro coçes. El injuriado, messado e
acoçeado, se fue de allí mal contento e con intento de se bengar,
si pudiesse. El qual era hijo de vn ombre muy prinçipal e muy
açepto al Rey, e que era harta parte con él. Esto que he dicho yo
lo vi, e ninguno de los dos no creo que passaua de veinte años
su edad. Sabido por el Rey ovo mucho enojo dello, e a esta causa
el Pierna Gorda se fue a Italia. E allá fue capitán e coronel de
infantería, e salió muy varón e de grande esfuerço, e muy diestro
e entendido en las cosas de la guerra. En el qual exerçiçio se halló
el año de 1510, en aquella mala jornada de los Gerues, [149] donde
los moros mataron a don Garçía de Toledo (mayoradgo de la casa
de Alua), padre que fue deste duque don Fernand Áluarez de
Toledo, que oy biue. E como el don Garçía era general e sin

---

[148] *Pedro de Luxán:* Oviedo tenía mucho del linajista profesional, y
gran parte de su obra lo prueba hasta la saciedad, pero el conocimiento
íntimo del linaje de los Lujanes (y algún otro que ya saldrá) le era casi
natural, porque los Lujanes eran madrileños, como nuestro cronista. De todas
maneras, Oviedo amplía estas noticias más abajo, *Quinquagena II*, texto 179.
Y en sus *Batallas y quinquagenas* dedicó uno o tres diálogos, según el
manuscrito que se consulte, a miembros de la misma familia: Juan de Luján
el Bueno, maestresala de la princesa de Castilla, reina de Portugal, doña
Isabel; y su hijo y sucesor, Pedro de Luján el Cojo, maestresala del Rey
Católico, alcaide de Gaeta; y su hijo y sucesor el comendador Fernán Pérez
de Luján (*Batalla I, Quinquagena IV*, diálogo 28, o bien 28, 29 y 30).

[149] *Los Gerues:* v. *supra*, nota 123.

expiriençia, adelantóse con çiertos ginetes, caualleros mançebos, que le siguieron, delante de los esquadrones que yuan en su ordenança. E los infieles, viendo que eran pocos esos delanteros, atendiéronlos de tal manera que a don Garçía e a los que le siguieron los mataron. E como los desbarataron, el esquadrón delantero, viendo aquello, huyó e vino a dar en el segundo, y ambo [sic] esquadrones en el terçero, e el terçero en el quarto, del qual era coronel Pierna Gorda. E desque vido la cosa en tal mal estado (como ombre de gran ánimo), apeóse de vn cauallo en que estaua e puso mano a la espada, e procuró de hazer detener la gente, él e el conde Pedro Nauarro. [150] E no los pudieron detener hasta llegar a la costa de la mar, donde se embarcaron los que pudieron. E quedaron mas de tres mill ombres en la costa esa noche, e el coronel Pierna Gorda con ellos. E el día siguiente él e los demás se embarcaron, e el Conde se fue con el armada desbaratada. E quedó en aquella ysla muerto don Garçía e todos los que con él salieron e se adelantaron, e otros muchos. E, en fin, fue mala jornada, e ninguno de los ombres señalados e de cuenta quedó más onrrado allí que fue Pierna Gorda. El qual después, el año de 1512, se halló coronel de infantería en la infeliçe batalla de Rauena, en la qual le mataron, e murió como valentíssimo cauallero. E estando la batalla para darse dixo lo que dixo e rrespondió a la oraçión de suso Hiaziel, [151] leuita e profeta: No querais temer, e no os atemorizeys por esta moltitud. Cierto, esta batalla no es nuestra, sino de Dios &c. E podíalo bien dezir porque los españoles eran con el Papa contra los françeses çismáticos, y avnque la victoria la atribuyen a los françeses, ellos la compraron muy cara, porque más murieron dellos, con su capitán general Mossior Defox. [152] Y esto baste quanto a Pierna Gorda, el qual era natural de la villa de Madrid, nieto de Johan de Luxán el Bueno e de doña María de Luzón. Vamos al Coronel Paredes. [153]

[150] El conde Pedro Nauarro: su biografía más abajo, en texto 94.
[151] Hiaziel: Yajaziel (Iahaziel), II Paralipomenon, xx, 13-17.
[152] Mossior Defox: Gastón de Foix, general de Luis XII, y hermano de Germana de Foix, casada en 1505 con Fernando el Católico.
[153] Coronel Paredes: con el ejemplo histórico de Diego García de Paredes, el Sansón de Extremadura, trataba el Cura de domeñar las fantasías librescas de Don Quijote, I, xxxii, y el ventero Juan Palomeque gustaba

Fue en nuestros tiempos vno de los valientes caualleros por su perssona, a pie y a cauallo, que ovo en toda Europa, entre los christianos, tanto que fue opinión de muchos que no sabía qué cosa era temor. El qual loor yo no aprueuo, ni se le doy, ni lo creo, porque le vi e hablé e conosçí muy bien. E porque dize el philósofo Aristótiles, en su filosofía moral, quel que osa y es osado en todas las cosas e no teme ninguna, ésse tal no es fuerte ni esforçado, mas loco. Así que Diego Garçía temía como ombre, pues se sabía armar por se defender del peligro de la batalla. Era de grandes fuerças e muy diestro en toda manera de armas e muy venturoso en el exerçiçio dellas. E en las guerras de Italia prouó tan bien su intençión, que era muy estimado e famoso mílite. El año de 1503, quando españoles e françeses contendían sobre el derecho de Nápoles, conçertáronse onze ombres de armas françeses contra otros tantos españoles para pelear sobre el derecho de sus prínçipes. E vinieron a batalla, la qual avía de turar hasta quel sol se pusiese aquel día. E cada parte hizo todo lo que pudo e supo por quedar con la vittoria. E de los nuestros se rrindió vn ombre de armas llamado Gonçalo de Aller, ombre que estuuo estimado por valiente ombre, hasta aquel día. E de los françeses se rrindió otro al qual hizo rendir Diego Garçía de Paredes. E porquel día se les acabó en esse estado salieron a la yguala, no por vençedores ni vençidos los vnos e los otros. Sobre lo qual, después, vn cauall[ero] capuano llamado Éctor Aferramosca [154] renouó la misma contienda. E dixo que avía seydo mal juzgado e que los españoles lo avían hecho mejor que los onze françeses, e que él e otros nueue (así que serían diez caualleros) italianos harían armas a todo trançe de batalla de matar o rrendir a otros

---

mucho de que le leyesen la *Historia del Gran Capitán Gonzalo Hernández de Córdoba, con la vida de Diego García de Paredes*, uno de los tres libros que poseía, *ibidem*. Consultar *Breve suma de la vida y hechos de Diego García de Paredes, la cual él mismo escribió y la dejó firmada de su nombre como al fin de ella aparece, NBAE*, X, 255-59.

[154] *Ector Aferramosca*: en la *Quinquagena III*, texto 294, Oviedo amplía las noticias sobre Ettore Ferramosca o Fieramosca. En la *Chrónica General del Gran Capitán* (Alcalá de Henares, 1584), libro II, cap. liii, se narra el mismo heroico combate, entre españoles y franceses, con alguna diferencia en los detalles y en II, lxix, ocurre lo mismo al narrar el duelo entre italianos y franceses, cf. *NBAE*, X, 120-23 y 144-47. Es la misma obra que tenía el ventero Juan Palomeque el Zurdo, v. *supra*, nota 153.

diez caualleros françeses, sobre que los onze españoles lo avían fecho mejor que los onze françeses. E que el Éctor e los de su parte defenderían e prouarían quel rrey de España era mejor e tenía más justiçia para tener e poseer el rreyno de Nápoles que no el rrey de Françia. E que el que muriese de los diez muriese, e quel cauallo e armas del muerto fuesen del que lo matase. E que el que se rrindiese se pudiese rescatar, e pagase por su libertad çient ducados de oro a su vençedor. E dado asiento a bastantes fianças por las partes, vinieron a batalla, e aquélla efetuando quedó el Éctor Aferramosca vençedor e los italianos, e todos los diez françeses fueron muertos o rrendidos. E así lo mostró Dios después muy más largamente en la difiniçión de aquella guerra, que quedó el rreyno por España e todos los françeses muertos e echados de Italia los que en ella avíen quedado biuos.

Después, el año siguiente de 1504, fue a España a besar las manos al rey e rreyna Cathólicos don Fernando e doña Isabel, de gloriosa memoria, el señor Próspero Colona, su Condestable del reyno de Nápoles, el qual era cabeça de los coluneses. [155] E los hallaron en la villa de Medina del Campo, pocos meses antes que la Rreyna dexase esta vida. E después quel Próspero le besó las manos a la Reyna, le dixo: Señora, dé vuestra Magestad la mano a este cauallero, que os ha muy bien seruido. E la Reyna dixo: ¿Cómo se llama? E el señor Próspero replicó, e dixo: Señora, llámase Éctor Aferramosca. E él hincó la rrodilla, e dióle la Rreyna la mano, e dixo: Yo estó bien informada deso, y es mucha verdad e no le han de llamar sino el conde don Éctor. [156] E así le dio vn buen condado, e vasallos, con buena rrenta en el rreyno de Nápoles, con que cresçió su casa e estado. El qual antes desto era cauallero prinçipal e mayoradgo, e casa antigua e noble e de las prinçipales de la çibdad de Capua, ques a quinçe millas de la çibdad de Nápoles.

---

[155] *Coluneses:* el bando romano de los partidarios de los Colonna, enemigo tradicional del bando de los Orsini, v. *infra,* nota 543.

[156] *Conde don Éctor:* la *Chrónica General del Gran Capitán* (v. *supra,* nota 154) le llama Conde de Montorio (Montoro, en otros lugares), pero ya con ocasión de la batalla de Ceriñola, en abril de 1503, *NBAE,* X, 161, y no a partir de 1504, como quiere Oviedo. Nuestro cronista insiste, sin embargo, en los mismos detalles en el lugar ya citado, *Quinquagena III,* texto 294.

Vengan Çamudio, Villalua
Rengipho comendador:
Todos tres dieron honor
A España militando.

Imposible será a mi memoria expresar enteramente las obras
e valientes fechos militares destos tres caualleros, coroneles de
infantería, tan puntualmente como se les deue a sus méritos y
esfuerço. A todos ellos los vi e conosçí e hablé muchas vezes. E
de cada vno dellos, con verdad no en todo, pero en parte, haré
rrelaçión de lo que me acordare, porque fueron tales que no seré
yo sólo el que escriua sus fechos nobles.

El coronel Çamudio [157] era vizcaýno e alcayde de Burgos,
ombre muy experimentado en las cosas de la guerra, e fue muerto
en aquella sangrienta batalla de Rrauena. E antes de aquella jornada avía muchas vezes señaládose como quien él era. Pero aquel
día, a vista de ambos exérçitos, hizieron armas él e otro prinçipal
coronel çuyço, o alemán, de la parte françesa de los enemigos, e
le mató, e quedando vençedor boluió a los nuestros, aviendo ganado las armas opimas del contrario. Después de lo qual, continuándose la batalla campal de quien de suso se ha fecho men-
çión, que murió en ella el general françés Mossior Defox, muchos
dixeron queste coronel Çamudio le avía muerto, y en fin el Çamudio murió allí en su offiçio como valentíssimo varón.

Uno de los famosos soldados de nuestro tiempo fue el coronel
Villalua, [158] cauallero de la orden de Santiago, e natural de la
cibdad de Plazençia ombre hijodalgo, pobre, compañero en su
prinçipio venturoso, e por su perssoña e esfuerço muy estimado
entre la gente militar e de su naçión, e a los de estrañas nasçiones
admirable. Saltaua e luchaua, e era gran braçero, e corredor, e

---

[157] El coronel Çamudio: la Chrónica general del Gran Capitán, pág. 207
(v. supra, nota 154) destaca a Cristóbal de Zamudio como "muy buen capitán y esforzado soldado". Fue el primer cabo de escuadra que tuvo en Italia
Diego García de Paredes, ibidem, pág. 255.
[158] El coronel Villalua: Fernando de Villalba, ya famoso por las guerras
de Italia, se destacó aun más en la guerra de Navarra, v. Luis Correa, La
conquista del reino de Navarra (Toledo, 1513), reed. de José Yanguas y
Miranda (Pamplona, 1843), págs. 143 seq. En Navarra murió, en julio de
1516, de apoplejía, y la familia parece que no pudo reivindicar sus honores,
v. Conde de Cedillo, El Cardenal Cisneros, I, 213-14 e Índice Onomástico.
Oviedo le dedicó el diálogo 45, Batalla I, Quinquagena III.

tan suelto de su persona, e tan mañoso e hábil para cada cosa déstas que hazía ventaja a muchos, e de gentil dispusiçión. Entre otras cosas que hizo en Italia diré vna que le acaesçió en Roma, que yo no he visto ni oýdo, ni leýdo otra semejante. Y fue que él hizo armas con otro español, e después con vn alemán, e el terçero con quien se combatió fue con vn corço [159] de cuerpo a cuerpo, con diferentes armas e todos tres combatimientos en vn día. Y el primero desafío del español fue con espadas e capas, e vençióle e se le rrindió mal herido. El segundo con quien combatió fue alemán, e hizieron armas con picas e le mató. El terçero era corço e pelearon con espadas e rrodelas e con cada dos partesanas, e tanbién le mató. E después que eso e otras cosas passaron por él, boluió a España acreditado de valiente soldado, e siruió muy bien al Rrey Cathólico en la guerra de Nauarra, e le dió el hábito de Sanctiago, e le hizo otras merçedes. E se casó con vna generosa e rrica dueña, e él hizo vn buen mayoradgo con vna gentil casa en la çibdad de Plazençia, de donde era natural, como tengo dicho.

El terçero destos tres coroneles fue el comendador Rengipho, [160] al qual yo conosçí desde que éramos pajes muchachos, el qual se crió en la casa del Comendador Mayor de León don Gutierre de Cárdenas. E muerto el Comendador Mayor se fue en su edad adolesçente a Italia e siguió la guerra. E por sus buenos méritos fue capitán de infantería, en el qual exerçiçio adquirió fama de valiente soldado. E siruió después en España al Rrey Cathólico de coronel de infantería en la guerra de Nauarra contra los çismatos, [161] e dióle el Rrey el hábito de Sanctiago e hízole otras merçedes. Fue natural de la çibdad de Áuila, e casó en

---

[159] *Corço:* corso.

[160] *El comendador Rengipho:* Gil Rengifo perdió los bienes ganados en Italia cuando el Rey Católico devolvió las tierras a los nobles rebeldes, v. Zurita, *Hernando el Católico,* VII, xl. Pero en España se destacó brillantemente en la campaña de Navarra, y hasta tuvo a su cargo una reforma draconiana del ejército, v. Conde de Cedillo, *El Cardenal Cisneros,* I, 77-79 e Índice Onomástico.

[161] *Cismatos:* cismáticos. Julio II excomulgó al Rey de Navarra como tal, ocasión que justificó la invasión del Reino por las tropas de Fernando V, y su anexión eventual.

Madrid con vna donzella bien eredada e rica, e fue buen cauallero e valiente de su perssona (I, est. XXX, 351-357).

75. *Autocrítica.*

Si me avés entendido
Por aquí van a la gloria.

Resumiendo la materia e dando fin a esta estança 31, dize el
testo que si le avés entendido por estos avisos que ha dicho van
los ombres a la gloria. La qual no se puede alcançar si no bien
obrando, e ante todas cosas amando a su diuina Magestad, e
queriendo por Su clemençia infundirnos Su graçia para que cathólicamente le siguamos y al próximo amemos como a nos mesmos. Pues que en estos dos mandamientos se cumplen todos los
diez y désos pende toda la ley de la rrepública christiana. Y
porque, como en otras partes he dicho, lo que aquí paresçe ques
desorden avés, lettor, de tener por orden, que saltando de vnas
materias en otras muy diferentes en sí causen rrecreación con esta
leçión, pues todo lo vno e lo otro no caresçe de honestidad ni de
artifiçio. Y avn por avisaros quiero que entendays que algunas
cosas de las que se tocan se escriuieron en tiempo que avnque
paresçen burlas no fueron sin misterio dichas. E que agora no se
sufre más declararlas en el comento por buenos rrexpectos, y
también por no dilatar más el volumen destas *Quinquagenas*.
Y avn todos los que leen no son amigos de largas leçiones ni las
toman de vna manera ni con vn intento. Pues que vnos por saber
y ocupar bien el tiempo, e otros porque dessean morder e pellizcar, y enmendar y tachar con diuerssos intentos, quieren ver e
oyr cosas nueuas. E yo, porque hallen gusto los vnos y los otros
les he querido mostrar estas pepitorias, encomendando a Dios mi
buena voluntad y mis rrenglones, acordándome que es opinión de
muchos sabios que no ay libro malo. Y yo así lo digo, que todos
los libros son buenos, sino los vanos y eréticos y los que no son
prouechosos y honestos (I, est. XXXI, 367).

76. *El capitán Pedro de Ribera.*

No confíes tu cozina
De perssonas infieles;

Ni des tanto por joyeles
Como por buenas leçiones;
Ni creas en abusiones,
Ni menos lo que soñares.

Visto avemos e sabido por espiriençia, que pone su vida e las
vidas de los de su casa en ventura quien tiene cozinero infiel, así
como moriscos e negros e indios, al qual peligro estamos los que
en estas Indias biuimos. Poco tiempo ha que en Medina del Campo vna esclaua morisca, cozinera de María de Medina, (cubijera, e
caualleriza mayor que fue de la Cathólica rreyna doña Ysabel de
gloriosa memoria) e al capitan comendador Pedro de Ribera, [162]
su marido, que fue vn esforçado e muy valiente cauallero e que
siruió mucho con la lança en la mano en la guerra del rreyno de
Granada, los mató aquella su cozinera. E así es de creer que lo
han fecho otros cozineros de poca fe con Dios e con sus señores.

Fue este cauallero comendador de Çieza, e alcayde de Carta-
jena, e capitán de çient ginetes de la gente ordinaria de las guardas
de los Rreyes Cathólicos, e dexó vn buen mayoradgo a su hijo mayor el comendador Diego de Rribera.

El segundo punto o aviso del testo es que no demos tanto por
joyeles como por buenas leçiones. Esto quiere dezir que los gastos
vanos e de poco fructo se escusen por los honestos e nesçesarios.
E puso la conparaçión en joyeles que son cosas que avnque paresçen bien son de poco prouecho. Y al opósito, las buenas
leçiones son útiles e nesçessarias, honestas e virtuosas, e hazen a
los ombres mejores.

Dizen más, que no se deue creer en abusiones ni engaños.
Manifiesto error é pecado mortal e eregía es tal crimen, e defen-
dido por la Yglesia. E no siente bien de la fe quien a sueños ni

---

[162] *Pedro de Ribera:* la encomienda de Cieza era de la Orden de Santiago, y *cobijera* (*cubijera*, dice Oviedo) no era "1. Encubridora, alcahueta.
2. Moza de camara" (únicas acepciones que registra el *Dicc. Ac.*), sino que
era el puesto en la Corte más importante después del de Camarera Mayor.
Parece que la cocinera morisca del texto envenenó primero al comendador
Ribera (1516), y éste, en su testamento, ignorante de todo, ponía en libertad
la mitad que a él le correspondía de dicha esclava cocinera. Poco más de
un año después murió Doña María de Medina, asimismo envenenada por la
morisca (1518). Sólo entonces se averiguaron las mortíferas actividades de
la cocinera, quien fue ajusticiada, v. J. M. Doussinague, *Un proceso por
envenenamiento. La muerte de Felipe el Hermoso* (Madrid, 1947), págs. 8-11.

abusiones da crédito. Mirad lo que dize Christo nuestro Rredemptor: Amarás al Señor Dios tuyo con todo tu coraçón e con toda
tu ánima e con toda tu mente. Éste es el primero e gran mandamiento. E el segundo es semejante a esto: Amarás al próximo tuyo
como a ti mismo. E en [163] quesos dos mandamientos pende toda
la ley e los profectas. Así que a todos tres puntos me paresçe quel
testo ques dicho los dexa satisfechos, y el comento suficientemente
declarados (I, est. XXXII, 370-372).

77. Precios en Indias.

> Escusa los paladares
> De bodas y de banquetes.
> No creais bachilleretes,
> Nouiçios en abogar;
> Porque hasta se cursar
> Estragan mill posesiones.

Increíbles e infinitas son las cosas que en estas nuestras Indias
pasan e han acontesçido a nuestros españoles, que si no las ouiésemos visto no avría quién las osase dezir ni escreuir, de los gastos
excesiuos e desatinados e superfluos en las bodas, e fiestas, e
banquetes, e mortuorios, que han passado y se han hecho en estas
partes. Y esto no es mucho de marauillar por ser las cosas traýdas
de Europa e por tan estendidas mares e con mucha costa e peligro. Y basta que al presente, que estamos en el año de 1555 años,
en esta nuestra cibdad de Sancto Domingo de la ysla Española
vale un quartillo de vino quarenta e ocho marauedís. Así que
cuesta el açumbre CXCII marauedís; e vna libra de pan treinta
e dos marauedís, e no bueno; e vn hueuo ocho marauedís; e vna
gallina vn ducado; e vna arrelde de puerco vn rreal, que vale
XLIIII marauedís. E así al rrexpeto las otras cosas de bastimento,
eçepto la vaca, que vale a quatro marauedís el arrelde. No quiero
hablar en las otras cosas del vestir, que son incomportables, pero
por caras que son las vnas e las otras todas se venden e compran.

Quanto a los bachilleres nouiçios en abogar, que dize el testo
que hasta ser cursados estragan mill posesiones, lo mismo podés

---

[163] *E en:* en esta desmañada redacción a vuelapluma, el antecedente
es el verbo *Mirad,* unas líneas más arriba.

entender de los liçençiados y médicos. E si los vnos, como juristas, tratan de haziendas y las estragan con sus pleytos en que abogan, estotros matan a los que curan por sus dineros, de manera que como se suele dezir: Juristas nos quitan la hazienda e médicos la vida. Los theólogos ved lo que han hecho en Alemania con las almas desos tristes germanos, que claro es que luteranos, ecolampadianos e anabatistas theólogos han puesto en trabajo el Imperio, e gran parte de la christiandad, como es manifiesto. E el comento lo apunta en la estança del número XXII, donde queda inserta vna prouisión del Emperador rrey nuestro señor con çiertos artículos de la escuela del deán e theólogos de la vniuersidad de Louayna, contra los erejes jermanos, á la qual remito al lettor [164] (I, est. XXXII, 372-373).

78. *Contra los letrados.*

> Bien conosçen abogados
> Los de Norçi, y es notorio
> Quel día de consistorio
> Los echan de la çibdad
> Con pregón, y de verdad
> Paresçe buena costumbre,
> Porque tienen çertidumbre
> De sus formas libelando.

Oýdo avía lo que después he visto escripto en vn tractado de Pedro Aretino, [165] auctor moderno, y avn creo que biue. El qual

---

[164] *Lettor:* no he copiado los capítulos católicos de la Universidad de Lovaina (fecha 14 de marzo de 1545) porque no están relacionados directamente con la vida de Oviedo. Los copia La Fuente (págs. 266-73), pero para no abandonar en un punto mi consigna editorial, copio el último párrafo, que es de Oviedo y algo revela acerca de sus móviles: "Los quales artículos sabed, lector, que me fueron traýdos impressos en lengua italiana e yo los traduzí en esta nuestra castellana. E los puse aquí para vuestra información e aviso de las maldades de los dichos protestantes. Por los quales podés sentir e conjecturar en qué eregías particulares tocan esos luteranos, colampadianos e anabatistas, *alias* 'protestantes'. E para atajar su malicia fueron dados los dichos artículos con la auctoridad e solepnidad que podés aver colegido" (La Fuente, pág. 273).

[165] *Pedro Aretino:* no murió hasta 1556, por lo que tenía razón Oviedo al suponerle vivo al escribir estas *Quinquagenas.* Ahora bien, la única obra de Aretino traducida al castellano en el siglo XVI es el *Coloquio de las damas*

dize que en la çibdad de Norçi, que es en Italia, el día de ayuntamiento, los rregidores de aquella rrepública con pregón echan
fuera del pueblo todos los letrados abogados, diziendo que dan a
entender a los vezinos que en saliendo esos abogados de entrellos
se entienden y están en paz. E se abienen en sus letigios e diferençias, lo qual nunca hizieran ni fuera posible estando entrellos
esos juristas que sustentan esos pleytos por sus proprios intereses.
Cosa es ésta que con mucho cuydado se devría rremediar, e que
el prínçipe lo devría de atajar por la quietud de sus súbditos e
naturales. Oýdo he algunas vezes tractar desta materia y acuérdome que vna vez, concurriendo perssonas graues y çientes [166]
en esta plática, e trayendo al propósito rrazones y medios para
escusar los letigios, no se podiendo rresoluer, dixo vno dellos, que
nunca avía hablado, estas palabras: Lo que yo haría, si yo lo
ouiese de mandar e proueer, sería quel letrado de la parte condenada y los procuradores de los que perdiesen la causa pagasen
por sus personas y bienes otro tanto quanto montaua la cosa, o
condenaçión, la mitad para los pobres e ospitales e la otra mitad
para la cámara e fisco del rrey. Respondió vno de los juristas de
la congregaçión que allí se hallaron, e dixo: Vos, señor, lo avés
dicho deuota e rrigurosamente, e si así se hiziese no avríe letrados.
A esto replicó el que aquello avía dicho, e dixo: No sería pequeño
bien que los letrados faltasen desa manera, porque no faltarían
árbitros que conçertasen las partes, antes antes que los letrados y
procuradores y escriuanos se las lleuasen. Y con esto dexaron su
rrazonamiento para otro tiempo (I, est. XXXII, 373-374).

79. *Alcaldes de corte.*

> Hazen tu pleyto majuelo,
> Cultiuan a su deporte;
> Boluámonos a la corte,
> Pero teniendo paçiençia
> Si no hazen residençia
> Esos alcaldes reales.

(s. l., 1548), tercera parte de los *Ragionamenti,* reproducido en *NBAE,* XXI,
250-77. No se halla allí la pulla del texto. Claro está que Oviedo podría
haber leído esto en italiano, pero tampoco lo he hallado en la copiosa obra
del Aretino en idioma original que he podido consultar.

[166] *Çientes: scientes* es latinismo por *sabedores.*

Infinitos, o inmortales e sin fin, se hazen los pleytos, en quanto es en manos de los letrados y procuradores porque los tienen por majuelo proprio e los cultiuan más a su modo que al de los litigantes, porque nunca se acaben. Pues que acabados ningún prouecho se les sigue de la quietud e rreposo de sus partes, sino entredezir o quitarles el salario e los interesses, e rrobos e dilaçiones con que letrados e procuradores se enriquesçen, e los pleyteantes se van al ospital. Y esto entended del primero punto destos seys versos.

Quanto al segundo, dize el testo que nos boluamos a la corte, pero teniendo paçiençia si los alcaldes rreales della no hazen rresidençia. En esto digo que no es mucho inconuiniente no la hazer porque tienen a par de sí el Consejo Real y la misma presençia del prínçipe para desagrauiar al querelloso contra el alcalde, y avn castigarle si fuere nesçesario. Y caso que los que miran desde fuera esas cosas les parezca que son absolutos los alcaldes de corte, no lo son, porque los miran e ven cada día doze oydores o consejeros, e vn presidente, e fiscales, e secretarios, e otras personas calificadas, e que pueden avisar al rrey de todo lo que les paresçiere e vieren que los alcaldes hazen. E así ni se osan ni pueden desmandar en cosa que sea de importançia contra ninguno, ni ellos lo harían, porque son letrados e perssonas calificadas y de expiriençia en sus offiçios. E avn así conuiene que parezcan ásperos, aunque no lo sean, e que a vezes lo sean, para la variedad de la gente común e de diuerssas calidades e condiçiones que a la corte acude, e que vienen allegados o en seruiçio de grandes, e de perlados, e señores, e caualleros prinçipales, con cuyo fauor e alas se atreuen los inferiores e se desordenan, e causan rruydos de que se forman escándalos de calidad, que es menester que se atajen e castiguen con rrigor e sin guardar los términos de los derechos, por acortar e impedir los fechos peligrosos adonde yrían a parar esas nouedades o atreuimientos escandalosos e de mayor peligro para el sosiego e quietud del rrey e de sus rreynos, e para la conseruaçión e auctoridad del çeptro rreal e de la misma justiçia. Con lo qual se concluye con esta estançia. Por tanto pasemos a la siguiente del número 33, en que se tractan cosas dignas de poner la mente en ellas, así en lo que toca a la difiniçión de los juezes e justiçias como de otros particulares exerçiçios (I, est. XXXII, 375-376).

80. *Consejos del Reino.*

> Ay padres conscriptos tales
> En aquel alto senado,
> Que no ay desordenado
> Ministro que vara tenga.

Son llamados los señores del Consejo Real [167] de la justiçia, que en la corte andan, padres conscriptos, porque son de número cierto (y son doze y vn presidente) que ordinariamente están en la corte, e a par del prínçipe. E cada día se juntan e hazen audiençia dentro del mismo palaçio, donde el Emperador rrey, nuestro señor, posa, o por su avsençia y en su lugar su primogénito, el sereníssimo prínçipe don Felipe, nuestro señor, para la gouernación de sus rreynos y estados. En el qual senado real todos los señores del número ya dicho son perssonas nobles, illustres y generosos, graduados dottores y liçençiados, de aprouada e rretta consçiençia, canonistas e legistas, y en diuersas sçiençias experimentados y de grande auctoridad. Allí ay escriuanos e secretarios ante quien passan todos los autos, e concurren quatro alcaldes de corte. Pero éssos no entran en el Consejo si no seyendo llamados o a dar rrelaçión de algún negoçio. E ésos possan siempre en la plaça de la çibdad o villa, e cada vno dellos hazen avdiençia pública a la puerta de su posada, en su estrado, con sus alguaziles reales e escriuanos de su juzgado. Así, çerca de los litigios e causas ciuiles e criminales, que penden en el Consejo Rreal como ante los alcaldes de la corte, andan letrados famosos, abogados de las partes, e fiscales rreales, e procuradores de número, que procuran e soliçitan las causas de los litigantes, e ay días diputados para las avdiençias e visitaçión de los presos de la cárçel rreal de la corte. E ordinariamente los sábados visita la cárçel vno de los señores del Consejo, juntamente con los alcaldes. Todos los que militan e andan en el exerçiçio de la justiçia son muy comedidos e como deuen ser, e no se desordena ministro ni ofiçial que vara

---

[167] *Consejo real:* v. *supra,* nota 23.

tenga, ni de otro ofiçio alguno, porque luego sería bien corregido
o castigado. Porque soy testigo de vista, e conozca el letor e los
venideros la grandeza de la justiçia e ordinarios Consejos que el
Emperador nuestro señor en su corte rreal de Castilla trae, en
Toledo, año de 1525, quise para mi memoria expecular, e de hecho
inquerir sus Consejos, e ver los presidentes e oydores dellos. E
hallé que del Consejo Rreal era presidente don Johan de Tauera,
su capellán mayor, Arçobispo de Sanctiago, que despúes lo fue
de Toledo, e Cardenal de España. Del Consejo de la sancta e
general Inquisiçión fue en aquella sazón presidente don Alonso
Manrrique, Arçobispo de Seuilla. Del Consejo Real de Aragón el
doctor miçer May. Del Consejo Rreal del Estado e de la Guerra
el presidente era la Çesárea Magestat, con su Gran Chançiller de
Borgoña Mercurio, [168] e el conde Nasao, su Gran Camarlengo, e
Diego Hurtado de Mendoça, que despúes tomó título de Marqués
de Cañete, e el señor Antonio de Fonseca, Contador Mayor, e el
gouernador de Bresa, e el Comendador Mayor de Castilla Fernando de Vega, Çésar Aferramosca, cauallerizo mayor, e el Virrey de
Nápoles Mingo Val, que estonçes avía venido e traýdo preso al
rey Françisco de França, que aquel año fue preso en la batalla
de Pauía. Auía asimismo Consejo de Merçedes en que su Magestad era la cabeça, e con él asistían el Gran Chançiller e otros así
como el secretario Cobos, [169] que no era poca parte en todo. Auía
Consejo de la Hazienda Rreal, de que era presidente el conde
Nasao, ya dicho, e Cobos, e el Obispo de Çamora e Ouiedo don
Françisco de Mendoça. Auía Consejo de las cosas de Indias, de

---

[168] *Mercurio:* Mercurino Arboreo de Gattinara. *Conde Nasao:* Enrique
de Nassau, casado con la Marquesa del Cenete, Doña Mencía de Mendoza
quien, al enviudar casó con el Duque de Calabria, *supra*, nota 74. *Antonio
de Fonseca:* v. *supra*, notas 100 y 105, *infra*, nota 302 y texto 210. *Bresa:*
Brescia. Su gobernador, y Mayordomo Mayor, lo era Jean Poupet, Señor de
La Chaulx, conocido por nuestros cronistas como el Señor de Laxao o La-
chao. *Fernando de Vega:* como en otro lugar recuerda Oviedo, Vega murió
el lunes 5 de febrero de 1526, en Toledo, v. *Relación*, pág. 441. *César Aferramosca:* hermano de Héctor Fieramosca, v. *supra*, nota 154 e *infra*, nota
559; *Mingo Val:* Carlos de Lannoy, v. *supra*, nota 44 y 66.
[169] *Secretario Cobos:* sobre este famoso personaje hay más noticias en
textos 136 y 310. Consultar, de todas maneras, Hayward Keniston, *Francisco de los Cobos, Secretary of the Emperor Charles V* (Pittsburgh, 1959).
Don Francisco de Mendoza fue Obispo de Oviedo de 1526 hasta 1528, en
que fue transferido a Zamora.

que era presidente Fray Garçía de Loaysa, [170] Obispo de Osma, e confesor de su Magestad, que después fue Arçobispo de Seuilla e Cardenal. Auía Consejo de Contadores Mayores, los quales eran el Duque de Béjar primero, don Aluaro de Estúñiga, [171] e el señor Antonio de Fonseca. Auía Consejo de Contadores Mayores de Cuentas, que eran el liçençiado Rodrigo de Qualla, [172] e Hernando de Sant Ángel. Así que todos estos consejos andauan en aquella corte, e no digo los oydores e Consejeros, sino los presidentes e prinçipales, por euitar prolixidad. También avía Consejo de las tres Ordenes militares de Sanctiago e Calatraua e Alcántara, de que eran presidentes el conde de Osorno don Garçi Fernández Manrrique, [173] e don Fernando de Córdoua, Clauero de Calatraua.

Qualquiera maldad se benga
En viniendo a su notiçia:
El offiçial que se enuiçia,
O que sale de compás,
No lo puede ya ser más,
Aunque se torne mejor.

Podeys aver por çierto, todos los que esto leyéredes, que no ay monesterio ni orden de religiosos en el mundo donde más orden se tenga ni con más prontitud e continuaçión se guarden las ordenaçiones e constituçiones, que allí están eregidas e estableçidas para la conseruaçión e buen estilo del mismo Consejo Rreal e su permanesçençia. Porque demás de ser aquellos señores en sí nobles e limpios por sus prosapias, son amiçíssimos de virtudes, comedidos e bien criados, humanos e apartados de soberuia e de viçios, e que cada vno bastaría a rregir e rregouernar vn grand

---

170 *Fray García de Loaysa:* fue Obispo de Osma de 1525 a 1532; fue creado Cardenal en 1530 y Arzobispo de Sevilla en 1539; murió en Madrid, 1546, v. *infra,* texto 268.

171 *Duque de Béjar:* título que concedieron los Reyes Católicos a Don Álvaro de Zúñiga (Estúñiga) en 1485, a cambio del título y villa de Duque de Plasencia; v. *infra,* nota 346.

172 *Rodrigo de Qualla:* o sea Coalla. Vuelve a ocuparse de él y algún otro miembro de esta familia asturiana más abajo Oviedo, texto 182. Pero no vuelve a mencionar a Hernando de Sant Ángel.

173 *Don Garci Fernández Manrique:* III Conde de Osorno, de quien nos ha dejado interesante retrato don Alonso Enríquez de Guzmán, *Libro de la vida y costumbres, Bib. Aut. Esp.,* CXXVI, 69-70. *Don Fernando de Córdoba:* era hijo del Conde de Cabra, y murió en 1550, sin sucesión.

rreyno. E cada vno, tomado por sí, es afábil e de conuerssación loable, e todos juntos son vn colegio sancto e zeloso del seruiçio de Dios e de su rrey e del bien público. E muy determinado e vnánimes en la conseruaçión de la justiçia uniuersal e paz, conforme a la buena e verdadera rreligión christiana, e todo lo que es o puede ser contra ésto es con mucha atençión e diligencia punido e castigado, sin exçessión de perssonas (I, est. XXXIII, 377-379).

81. *Desafíos famosos.*

> De los nobles el peor
> Deue ser escarnesçido:
> Y aquél es en más thenido
> Quen vertudes se guarnesçe.

El verso desta segunda rima dexa agora de hablar en los señores del Consejo e passa a tractar de los patriçios e nobles. Y dize que deue ser escarnesçido el peor de los nobles; porque a la verdad, entre los ombres generosos e de buena casta no a de aver alguno malo ni peor, pues que faltándole el ser e valor sale de la cuenta e número de los buenos e nobles. Y aquél deue ser tenido en más que en virtudes se guarnesçe. Y ése no se deue dezir mejor quel otro que es noble e virtuoso, puesto que puede ser que sea más hábil que otro. E por eso se nota por grande injuria dezir vn noble a otro que es mejor que él. E no tiene otra rrepuesta sino dezirle que miente, y a eso no deue dar causa ningún cauallero, ni hidalgo, ni ombre comedido, ni desordenarse en palabras. Porque muchas vezes ha acontesçido con la yra y enojo ençenderse de palabra en palabra, e trocar la primera pendençia y el que era primero rreptador conuertirse en rreptado, y el que en la pendençia primero avía de elegir las armas, venir a la segunda querella a las elegir el otro. Yo he visto lo que digo.

Y así acaesçió a Machín Rreues e al Chicato de Nápoles. Y tanbién al Castellán de Arche y a Ferrer de Lorca. E como el Machín Rreues thenía primero justiçia, el Chicato tomóle a las palabras e trocaron el primer intento, e escogió en las segundas palabras las armas el Chicato, e mató al Machín Rreues por su soberuia.

Lo mismo interuino en esotros, quel alcayde o castellán de Arche thenía justiçia e tanbién avíe de escojer las armas, e tomóle a las palabras el Ferrer, e escogió las armas e vençió a su contrario. E por la mayor parte, los que escojen las armas ganan el campo.

Esto vi yo que se vsaua vn tiempo en Italia, y el desafiado las escogía y no las dezía hasta el punto o sazón que avían de pelear. Y yua el rreptado diestro en las armas que por ventura el rreptador no las sabía exerçitar. Este desafío de Ferrer y el alcayde o castellano de Arche fue año de mill e quinientos, en Mariño, doze millas de Roma, donde el señor Fabriçio Colona les dio campo. E como tengo dicho, el Ferrer quedó vençedor e con mucha onrra, e dio dos cuchilladas en vn muslo a su competidor, e de la segunda le hizo hincar la rrodilla en tierra, e se rrindió, e el Ferrer no quedó herido.

He dicho esto a propósito que los caualleros e hidalgos no se han de verter en palabras, porque dellas acaesçe, como he dicho, trocarse las pendençias e la justiçia, y avn la ventura e las armas. E por tanto es más de nobles que las armas se digan e declaren luego, e que tengan tiempo para se industriar ambas partes en ellas, pero todo eso está en el saber capitular al prinçipio quando se comiençan los carteles. Este Ferrer mató después en otro desafío a Beltrán el músico, que lo era muy grande, e valentísimo ombre, e fue camarero del Cardenal don Johan de Borja, [174] Arçobispo de Valençia. E así por lo ques dicho como por otras cosas señaladas queste Ferrer hizo, era tenido por vno de los valientes ombres que en Jtalia en aquellos tiempos avía, e muy dino de entrar en esta copia de los esforçados ombres de España (I, est. XXXIII, 379-381).

82. *De jugadores y clérigos.*

El jugador no meresçe
De nadie ser alabado;

---

[174] *Johan de Borja:* sobrino de Alejandro VI, fue Arzobispo de Valencia de agosto de 1499 hasta su muerte por envenenamiento, el 22 de junio de 1500, v. *infra,* texto 144. El duelo entre Ferrer de Lorca y el castellano de Arce (Arche), apenas esbozado aquí, recibe pleno desarrollo *infra,* texto 278.

Ni abbad amançebado
Admitirle la casulla.

Con jugadores e clérigos amançebados se tracta en estos quatro versos, y son dos géneros de pecados malos. Y tanto peores
quanto las perssonas que los cometen son perssonas calificadas e
notables. Verdad es quel día de oy, non obstante que entre los
malos se debrían contar y estimar los que con tales viçios biuen,
ésos son los que preualesçen, e los enseñan a los demás, e tienen
por inhábiles a los que no son de su mala opinión e costumbre,
porque no juegan. En fin, rregla es çierta e común aborresçer los
viçiosos a los que no lo son. Pero digan éssos lo que quisieren,
que al cabo cada qual ha de quedar en su valor y la mala moneda
en el suyo. El jugador, como le faltare qué jugar, ha de hurtar,
y en el juego ha de perder o ganar. Si pierde, tanbién será blas-
femo, e ya que no ose blasfemar públicamente por temor de la
justiçia o por los que le miraren, secretamente y entre sý creed
que está blasfemando el que pierde de todo coraçón. Y ésas son
las oraciones que aprouechan o condenan, que con más atençión
se hazen. Muchos e grandes males se siguen del juego. Vender los
bienes proprios y avn los de la muger e hijos, buscar prestados
dineros, e baratando e avergonçándose por frequentar el tablero,
y si se gana, que es lo que más desea el tahur, es para tornarlo a
jugar. E mal avido e obligado a rrestituçión en todo por todo,
como se lo dirán sus confesores, sino fueren jugadores. Que tanbién he visto frayles e clérigos e perlados, tan amigos tan amigos
de los dados e naypes como del salterio e del briuiario. Mucho
podría dezir en esto y como testigo de vista, porque soy viejo y
he visto grandes perssonas constituýdos en mitras, e avn en capelos
rroxos, e tan diestros e metidos en el juego como a los legos y
más mundanos. Digo en Italia, donde todo se passa e se vsaua,
quando yo lo vi en tiempo del Papa Alexandro 6.º

En el segundo punto de los abbades y clérigos amançebados,
que dize el testo, que no se deue admitir la casulla, yo quiero
dexar ese cuydado a sus superiores, pues ellos se saben más de
sus vidas y de lo que deuen hazer que yo les podré enseñar ni
acordar. Pero séles dezir que no paresçe bien al clérigo alguna
desonestidad. Ni el pueblo, avnque calle, no querría ver saçerdote

concubinario. Pero no sólo eso es el mal que en ello ay, pero tanbién, como les nasçen hijos, procuran de eredarlos, e para eso e tener dineros tractan e son mercaderes e mézclanse en exerçiçios muy apartados de la orden del saçerdoçio. Pero esa cuenta tomen sola sus mayores, que a nosotros no toca esso. Passemos adelante (I, est. XXXIII, 381-382).

83. El clero de Indias.

> O que anda una trulla
> Que no es cosa de sofrir:
> Ni lo quiero descriuir,
> Que no es para hablado;
> Proueedlo vos, perlado,
> Quel alma tenés por prenda;
> Pues no falta quien entienda
> Y os avise cómo biuen
> Vuestras ovejas, ni priuen,
> Con vos ésos del pan tierno.

Continúa el testo la reprehensión del clero, en lo qual no es menester más comento quel mismo testo, o mejor diziendo, viéndolo se está entendido, y tan público y desuergonçado que se presçian dello los que lo avían de negar o encobrir. En lo de las Indias parésçeles que como está lexos el Papa, y que en otras partes se ha vsado casarse los clérigos, que acá, que auemos menester gente para poblar estas tierras, que todo se ha de disimular y tolerar. Y si ello fuese disimulado y oculto, menos mal sería y pasarían las hijas por sobrinas. Pero no están en esso, que a la greguesca, o quasi, anda el negoçio. Y plega a Dios quel castigo no le venga a esta tierra como les ha suçedido a los griegos, que todos son ya subjetos del Gran Turco, e innumerables han negado la fe. Pero asaz la niega el que no la guarda como deue, y en espeçial los que avían de ser exemplo de bien biuir en la república christiana.

Los del pan tierno son los mismos clérigos. Vamos adelante pues quel testo anda con el tiempo, ques a la cara, e dize continuando su amonestación al perlado (I, est. XXXIII, 382-383).

84. *El clero de Santo Domingo.*

> Fuera son del martilojo [175]
> Los que son escandalosos:
> Los honestos virtuosos
> Ningún peligro reçelan,
> Y con los demás se velan
> Los que sus almas estiman.

Vino a concluyrse esta estança en estos seys verssos. E dize que son fuera del martilojo los que son escandalosos. Quiere dezir que son malos, porque el martilojo ovo este nombre de los mártires sanctos. Así que los escandalosos saçerdotes no son sanctos ni se han de thener ni poner en el martilojo, sino estarse han fuera dél. E los que son honestos e virtuosos e que biuen bien, no rreçelan peligro alguno. De los quales ay algunos, avnque no tantos como de los otros, y por tanto se velan con los demás, estimando como deuen sus almas. En virtud de los quales y de otras perssonas rreligiosas y otros seglares cathólicos sostiene Dios esta çibdad e ysla, porque aquí ay quatro monasterios: Sancto Domingo, Sanct Françisco y la Merçed, de rreligiosos de grande exemplo, y otro de rreligiosas llamado Sancta Ana de la orden de Sancta Clara, en los quales es Dios, nuestro Señor, muy seruido (I, est. XXXIII, 384-385).

85. *Suicidio en Santo Domingo.*

> Días ha que ahorcado
> No mató tan chico hilo,
> Como al neçio de Pilo
> Cobdiçioso mercader.

Esto que agora se dirá es vn cuento e historia que sirue a la diuersidad, e tanbién a dar aviso a los ombres para que se guarden del diablo e se encomienden a Dios, para que los defienda dese común aduerssario del humano linaje. Pylo es vna ysla en Leuante sobre que ovo mucha contienda e guerra antiguamente

---

[175] *Martilojo:* supra, nota 5.

entre los athenienses e los laçedemonios, como lo escriue largamente Tucídides. Pero este mercader que aquí se ahorcó, llamado Pylo,
no era natural sino de la çibdad de Seuilla. No sé yo si por sus
predeçesores trahía origen de aquéllos de Pylo, çibdad e ysla en
Leuante. Lo que aquí passó es que en esta nuestra çibdad de
Sancto Domingo de la ysla Española, el año de 1545, vn mercader
llamado Pilo, e de Seuilla, se ahorcó desta manera: él se asentó
en vna silla a vn palmo o dos apartado de la pared de su cámara en que tenía arrimada la cabeça. Estaua hincado vn pequeño
clauo (désos que llaman de tillado) algo más alto que la cabeça, e
a él atado vn hilo de cáñamo, más delgado questa pluma. E sus
manos sueltas e juntas a par de la çintura, e trastornó vn poco la
cabeça e el hilo atado al cuello, quedó ahogado. Créese quel diablo le ayudó para desesperarse e morir de tal forma, porque con
no trastornar la cabeça no se podía ahogar; o con ayudarse de sus
manos, pues como es dicho, estauan sueltas, si el diablo no se las
impidiera. Éste era vn mançebo grande e gordo, membrudo e
rrezio. Dezíase Johan Gutiérrez Pylo, e tenía mas de mill pesos
de oro, sin los quales acordó de yrse al infierno, mediante su mal
seso, e interuiniendo en su muerte tan chico o delgado hylo. Y el
diablo que le acompañaua e acompañó hasta echar por mandado
de la justiçia rreal aquel malaventurado cadáuer en vn muladar,
fuera de los muros desta çibdad (I, est. XXXV, 393-394).

86. *Alcahuetes.*

> El que adulterios guisa
> Su parte le a de caber,
> Y mejor fuera no ser
> Ofiçial de tal offiçio;
> Pues que qualquier malefiçio
> Sin dubda se a d'escotar.

Imagino y tengo por vno de los mayores delictos, que se pueden cometer, ser auctor de adulterios el ques christiano. Porque
demás de yr contra el mandamiento sexto, en que dize: No harás
forniçio, guisar la fornicaçión o adulterio entre diuerssas perssonas es vn crimen suzio e de mal varón o muger. E demás de
caberle su parte, e mucha, de tan feo delicto es dobladamente
culpado en ser medianero, e causa que otros pequen, e pierdan

sus ánimas. E como dize el testo, mejor fuera no ser offiçial de tal offiçio de alcahuete, el qual no puede caber sino en ánimo infernal, e de ánima dedicada al abismo, e venenosa e hedionda, maestra de enlazar con sus astuçias a los simples ombres e mugeres, de todas suertes e calidades, defraudando e mintiendo y engañando los próximos, e haziendo de sus vidas e onrras e ánimas mercaduría, con hablas e cartas, e presentes e dádiuas, que al tal alcahuete o alcahueta poco le cuestan, e que a los simples que crédito les dan son tan cara contrataçión que les cuesta sus haziendas, e a vezes las vidas; rompiendo la honestidad e vergüenza, e ençerramiento e clausura de vírgines, e perssonas graues e castas, e transtornando los ayuntados por matrimonio, e votos de rreligión. Pero el testo, en los últimos versos, dize que qualquier malefiçio sin dubda se ha de escotar, de lo qual ningún cathólico puede dubdar porques infalible verdad (I, est. XXXVI, 403).

87. *Astrología.*

Son grandes inconuinientes
Los del falso boticario.
Es preçioso reliquario
El coraçón fidedino.
El que nasçe con buen sino
Es mejor complexionado.

Por muy peor se deue tener el boticario falso que los salteadores de caminos, e por más dañosos. Porquel boticario rroba la hazienda e la vida sobre seguro, e no guardándos dél. E el que saltea podés a lo menos sospechar que vays a peligro e podés tomar otro camino e dexar aquél, o tomar armas o más compañía, e asegurar vuestra vida, lo que no podés hazer con el boticario, sino darle dineros y que os mate, pensando que os da la vida e le comprays vuestra muerte. E por tanto, dize muy bien el testo, que el ombre dino de fe es preçioso rreliquario o custodia de bondad.

El que nasçe con buen sino [176] es mejor complexionado, porque aveys de saber que los sinos çelestiales son doze, e son muy diferentes en sus operaçiones.

---

[176] *Sino:* signo. Este texto nos confronta con algunas de las creencias astrológicas del siglo XVI, sobre lo que no es preciso abundar. Pero como

Calidades de los 12 sinos del sphera çelestial e sus planetas:
Aries, el primero sino, influye calor e sequedad templadamente.

Tauro es el segundo sino, e influye frialdad e sequedad templadamente.

El terçero sino es *Gemínile*, e influye calor e humidad.

El quarto sino es *Cánçer:* su influençia es fría e húmida templada.

El quinto sino es *Leo:* influye calor e sequedad.

El sexto es *Virgo:* impone frialdad e sequedad.

El séptimo sino es *Libra*, y es caliente e húmido.

El octauo sino es *Escorpio*, y es frío e húmedo.

El noueno sino es *Sagitario*, y es caliente e seco.

El déçimo sino es *Capricornio*, influye frialdad e sequedad
destemplada y destruyente.

El onzeno sino es *Aquario*, y es caliente e húmido destempla-
damente, y es ayroso e fixo.

Pisçes es el dozeno sino e último, imprime frialdad e humildad
destemplada e noçiua.

Pues que es çierto que en todos los días e meses del año nasçen los ombres, e los tiempos e influençias son tan diferentes como
se a dicho sumariamente, de nesçesidad es forçado que las criaturas sean mejor complexionadas vnas que otras, pues que como
dizen los naturales, los sinos e planetas tienen señorío sobre los
cuerpos inferiores en la tierra. E así dizen que los ombres que
son de natura de luna son inclinados a oçiosidad, descorazonados
e de poca memoria, &c. Los mercuriales dizen que son sotiles,
sabios, hábiles, &c. Si Venus fue oriental en la natiuidad, [177] haze
la persona gruesa e blanca y de hermosa estatura, con los ojos
negros; e si fue oçidental, haze la perssona de pequeña estatura
e calua. E pónenle otros atributos buenos e otros malos, en que
no me quiero detener. En el quarto çielo ponen los naturales el
sol, que es el prinçipal planeta de los siete. E los ombres solares
son carnosos, blancos e algo ruuios, de templada complexión, de

---

orientación en ese amplísimo campo quiero indicar C. S. Lewis, *The Dis-
carded Image. An Introduction to Medieval and Renaissance Literature*
(Cambridge, 1964), págs. 102-12.

[177] *Natiuidad:* aquí, el acto de concepción.

ánimo rreal e noble, graues, honestos, largos, y gloriosos, e de gran consejo, *etçétera*. El planeta Mares es colocado en el quinto çielo, e los que son martistas tienen la cara rredonda e fea, e otras malas propriedades e façiones. El planeta Júpiter ponen los naturales por planeta de verdad, rreligión, alegría, paçiençia, juez rretto, paz entre los ombres, estudio de cosas buenas e virtuosas, e danle otros muchos e buenos atributos, que deuemos creer que pertenesçen a sólo Dios verdadero. E como los gentiles lo ynorauan, llamaron a Júpiter dios sobre todos los dioses, pero como digo, Dios es el soberano Rrey sobre los rreyes, e Señor sobre todos los señores, como la misma verdad lo testifica. En el séptimo çielo ponen el planeta Saturno. Los saturninos tienen el gesto grande e feo, e los ojos medianos, inclinados a tierra, e vno mayor quel otro, las narizes grandes e gordas, los labrios gruesos, las çejas juntas, los cabellos negros e duros e ásperos, algún tanto crespos, los dientes vnos mayores que otros y mal proporçionados, pocas barbas, los pechos muy vellosos: son neruiosos y enxutos de carne, las piernas luengas y tuertas, e lo mismo las manos; andan grasientos y hidiondos. E sin las malas façiones, le dan e atribuyen muchas e malas propriedades en que no me detengo. Pero digo que no obstante que naturalmente las influençias çelestiales sean tan bastantes que naturalmente pueden a los ombres hazer bien o mal inclinados, virtudes vençen e Dios es sobre natura. E así naturalmente nos podemos saluar por su graçia e misericordia, e con la Pasión de Christo, nuestro Rredemptor, fuymos rredemidos. E así dize el Apóstol: Benditos aquéllos de los quales son rremitidas sus iniquidades, e bendito el ombre al qual el Señor no imputó pecado (I, est. XXXVI, 405-407).

88. *Perdición de la nobleza de Castilla.*

> Castilla quiere que hable
> De nobles exerçitados,
> Pero véolos trocados
> En vsos de granjería;
> Y algunos yo diría
> Que paresçen peligrosos.

Dize el testo que pide Castilla, o quiere, que se hable en los nobles varones della, exerçitados. Y querríalo hazer, pero véolos trocados y mudados en vsos de granjería, e algunos que paresçen peligrosos al cuerpo y al ánima. Al cuerpo en tantos e tales viçios que la vida e la hazienda e la onrra e la patria corren tormenta, porque todos siete pecados mortales andan exerçitados y en conformidad vsados, y las virtudes oluidadas y entredichas y aborresçidas. Pues ¿qué se espera desto sino la total perdiçión de todos? Las ánimas en tanto detrimento que si Dios no nos socorre, el peligro está notorio, e ¡qué descuydo tenemos con nosotros mismos, y qué floxedad de ánimo, e qué nigligençia plantada en nuestros desseos, que a ninguna bondad los aplicamos! ¡O, Señor, muda e saca de las mentes humanas tal pestilençia, e infúndase Tu graçia en nuestros coraçones, de tal manera que del todo se rremueuan e despierten y exerçiten en tales obras que Te sean aceptadas! Si Tú quieres, Tú me puedes alimpiar, quanto más que la verdad euangélica dize: Los sanos no tienen nesçesidad del médico, mas los enfermos. E seyendo por Tu misericordia curados e sanas nuestras ánimas, cierto somos que dirás: Venid, benditos del Padre mío, poseerés el rreyno que os está aparejado desde la constitución del mundo. Mira, Señor, quán caro Te costamos, por Tu misma liberalidad e misericordia rredemidos, que con justa rrazón Te suplicamos Te apiades de tal manera de nos quel común aduersario no pueda vençer nuestra flaqueza (I, est. XXXVII, 414-415).

89. *Oficios femeninos.*

> Las donzellas en cantar
> Menos ganan que hilando;
> Los agrícolas arando
> Acreçientan su hazienda:
> El mercader en su tienda
> Gana si no se passea.

Realmente las donzellas cantoras, si no son monjas y ençerradas, poco ganan cantando, sino es alguna que por la buena graçia de su música venga en tal opinión a vn gran señor que se case con ella. Y esto tanto y más se atribuyrá a la liuiandad e libídine del que toma tal muger que a otro fin o rrexpecto alguno que bueno sea. En espeçial si el que así se casa tiene hijos avidos en muger conjugalmente ayuntado e de illustre prosapia. El offiçio de la muger más proprio es la rrueca, e yo en quanto ha que biuo no he visto muger cantora sin algún rrumbo de liuiandad. Y no se marauille el letor deste vocablo rumbo, que yo os digo, que está bien puesto aquí, y si por no ser vos marinero ni entender las cosas de la nauegaçión no sabés este bocablo, sabed que rrumbo quiere dezir viento de parte señalada. E como la música tiene mucha parte de viento haze los que a ella se dan ventosos, y es tanta parte el viento en esa música quanto podés ver en los órganos e flautas e otros ynstrumentos que sin el viento no sonarían.

El otro punto del testo dize que los agrícolas arando acresçientan su hazienda. Quiere dezir que cada qual haga su offiçio, así como la donzella hilando y el labrador arando, y no haziéndose la hilandera cantora, ni el que ha de arar holgazán. Porque os hago saber que quando los villanos no sabían ni querían peynarse, andaua mejor la agricoltura y lauor del campo, y el pan valía más varato y sacar las cosas de sus términos y el buscar offiçios improprios es lo que trae las rrepúblicas tempestando.

Dize más el testo, "que el mercader en su tienda gana si no se pasea". Acuérdome oyr a mercaderes burgaleses (más ha de sesenta años) que a sus fatores en Flandes, vno de los capítulos espeçiales que se les dauan en su ynstruçión, e se la hazían jurar, era que por lo menos vna ora estouiesen cada día en la tienda sobre el libro de su cuenta, porque passéandose no oluiden lo prinçipal. Pero en aquel tiempo por ventura esos factores no tenían la habilidad que los fattores deste tiempo, que avnque se pasean no es para oluidar el libro, sino para rrehenchir sus boticas e tiendas, atrauessando mercaderías, y no para sus amos, y rreuenderlas.

Vamos adelante, que todo lo desta vida va atrauessado e mezclado en fraudes e trabajos, así en los offiçios como en los benefiçios, hasta que Dios lo prouea y su justiçia, como más sea seruido (I, est. XXXVIII, 425-426).

90. *Del oficio de escritor.*

> El que no tiene temor
> Con mayor peligro corre.
> Quien escriue sin que borre
> Ha de ser ombre diuino.
> El que pregonare vino
> No deue vender vinagre.

Aquel que no tiene themor claro está que corre con mayor peligro, porque es menester tiento e mirar por donde va para no caer ni poner la vida en aventura. E conuiene que aya aduertençia e tantee primero y entienda el curso por donde discurre, e no se determine de ligero en sus carreras e mouimientos.

El que escriue sin que borre o aya nesçesidad de borrar ha de ser ombre diuino. Sin dubda pocos ombres ay, de los que escriuen en materias altas y de calidad, que no borren e se enmienden a sí mismos, porque el que no lo hiziere así, o peca de nesçio, contento de su seso, o no se entiende, o como es dicho, tiene don espeçial de Dios que no le dexará errar. Yo no he visto ningún famoso e prudente historial e poeta que no tenga nesçesidad de corregir lo que escriue, exerçitando la pluma en qualquier facultad que sea. E no se deue contentar con leer lo que dize sola vna vez, porques muy posible e nesçesario añadir e menguar, e testar e interliniar para quel mismo avctor se entienda a sí mismo e se satisfaga de su obra antes que la muestre, o que salga de sus manos. E demás de hazer consigo las diligençias bastantes, lo deue mostrar e comunicar con algún verdadero amigo, docto e de buena vida, e seguro consejero, limpio e amigo de justiçia, e no de amistad ficta [178] ni rreziente. E llamo rreziente a aquel de quien no se tiene seguridad e conosçimiento de su integridad e buen zelo, e de espiriençia bastante para entender lo que condena o aprueua. Porque, hablando verdad, muy diferentes suelen ser los paresçeres de los ombres, e tanto más discrepan quanto las materias de que han de juzgar son apartadas de su profesión e gusto. E el tal juez ha de ser muy libre e de buena conçiençia, e que no pretienda mayor interese que dezir verdad,

---

[178] *Ficta:* fingida, latinismo; v. *infra,* nota 288.

e que no se determine con la primera liçión o sumaria informa-
çión para lo que ha de determinar o dar su paresçer (I, est.
XXXIX, 429-430).

91. *Diversas nacionalidades en Indias.*

Los más que passan a Chagre
No van por seruir al rrey,
Ni dun ser, ni de vna ley,
Aunque se llaman christianos.

Tened por çierto que los más que passan a Chagre [179] (ques
vn gran río que nasçe poco más de vna legua de la mar del Sur
o Austral, e entra en esta otra mar del Norte, a seys o siete leguas
más al poniente de la çibdá e puerto del Nombre de Dios) no es
por seruir al rrey, sino por sus proprios intereses. E passan aquel
rrío a vado e con mucho peligro, quatro leguas antes que lleguen
a la çibdad de Panamá (puerto de la otra mar) donde se embar-
can los que han de yr al Perú. Ni ésos son de vn ser e calidad
de ombres ni de vna ley, avnque todos se llaman christianos. Antes
son gentes que se mezclan de diferentes y estrañas nasçiones, que
por cobdiçia de oro e plata, que del Perú se trae en mucha cantidad, llamándose españoles los admiten, penssando que son vasallos del çeptro rreal de Castilla o por lo menos del Emperador
nuestro señor. E no lo son, e con cautelas e formas, seyendo la
verdad en contrario, passan acá. E han venido de todas nasçiones
de leuantiscos, griegos, e bárbaros, e africanos, e de diuersas lenguas e leyes o settas, mezcladas e apartadas condiçiones, de que
ningún bien sino mucho daño e estoruo han causado en la conuer-
sión de los indios e poblaçiones avstrales. Antes han inserto e
metido e obrado muchas crueldades, como se suele hazer en los
exérçitos, pendientes las guerras del Perú, que han seydo muchas,
como más largamente lo podeys ver en la *General e natural hystoria de las Indias,* que yo he escripto, por mandado del Emperador
rrey don Carlos, nuestro señor, como su cronista destas partes
(I, est. XXXIX, 430).

---

[179] *Chagre:* actual río Chagres. *Mar del Sur:* Océano Pacífico. *Mar del
Norte:* Océano Atlántico. *Nombre de Dios:* efímera población panameña,
fundada por Diego de Nicuesa.

92. *Guerras civiles del Perú.*

En virtud de los ermanos
Que dexaron tal doctrina
Y quiera Dios que la mina
De deslealtad se acabe.

Inclusiue o juntamente avés de entender que la virtud e doctrina que dexaron los ermanos en las prouinçias del Perú, [180] se entiende por el marqués Francisco Piçarro e sus hermanos, que fueron vnos hidalgos pobres, compañeros, naturales de la çibdad de Trugillo en Estremadura, hijos de vn escudero llamado Gonçalo Piçarro, que mataron françeses en la guerra de Nauarra. Al qual y a ellos yo conosçí e hablé muchas vezes. E fueron quatro hermanos. El mayor dellos se llama Françisco Piçarro, y éste era bastardo y passó a estas partes y desde esta nuestra çibdad de Sancto Domingo de la ysla Española, el año de 1508 passó a la Tierra Firme con el capitán Alonso de Hojeda, por soldado. Y éste, después, andando el tiempo e militando con el gouernador Pedrarias Dáuila, e por su mandado, juntamente con su compañero Diego de Almagro, descubrieron el Perú. De la qual empresa el Emperador nuestro señor hizo gouernador en çierta parte al dicho Françisco Piçarro e le dio el hábito de Sanctiago e después titulo de Marqués. E al dicho Diego de Almagro hizo su magestad Adelantado e Gouernador de otras provinçias. E con el marqués Françisco Piçarro vino su hermano legítimo Hernando Piçarro, e otros dos hermanos bastardos, el vno llamado Gonçalo Piçarro, e Françisco Martín que era el menor dellos. Estos capitanes Françisco Piçarro e Diego de Almagro touieron después grandes diferençias sobre los términos de sus gouernaçiones, diziendo cada vno dellos que le pertenesçía e entraua en su parte la çibdad del Cuzco. Sobre lo qual se siguieron las muertes del vno e del otro, e de otros muchos que a sus opiniones se allegaron. De lo qual rresultó que ydo a España el Hernando Piçarro fue preso por mandado del Emperador e lo está oy en día en la

---

[180] *Perú:* v. *supra,* nota 18.

fortaleza de la Mota de Medina del Campo. [181] El terçero hermano déstos, llamado Gonçalo Piçarro, alçóse con la tierra e mató al visorrey Blasco Nuñez Vela, e vsó muchas e grandes crueldades como tirano. Para castigo del qual e de los desleales que en desseruiçio del Enperador estauan tiranizando aquellas prouinçias ricas, embió su Çesárea Magestad al liçençiado Gasca, [182] del su Consejo. El qual se dio tan buen recabdo e se ovo con tanta prudençia que con los leales españoles que con él se juntaron a seruir al Emperador, vinieron a batalla e al rremedio de las armas. En la qual jornada quedó la parte imperial vencedora e fue preso el desleal e traydor Gonçalo Piçarro, del qual se hizo pública justiçia, con otros traydores que le siguieron contra la vandera de su Rrey. Y entre ellos el muy cruel traydor Françisco de Caruajal, maestro de campo del dicho Gonçalo Piçarro. E se pusieron sus cabeças de los traydores en la picota. Era esse Caruajal estremado cruel e por quien el prinçipal tirano Gonçalo Piçarro se gouernaua. Fecho esto, el lizençiado Gasca se boluió a España, dexando aquella tierra paçificada e en justiçia e pagados los gastos de la guerra e gratificados los leales e castigados los traydores. E lleuó a su Magestad más de vn millón e quinientos mill pesos de oro. Y porque fuera destas Indias no sabrán todos los que esto leyeren qué vale vn peso de oro, digo que vn peso de oro es la quarta parte más de lo que vale o pesa el ducado. En aquella sazón que aquesto passó el Emperador estaua en Flandes, adonde el liçençiado Gasca fue a besar las manos de su Magestad e darle rrelaçión de lo que en su rreal serviçio avía fecho. E teniéndose por muy seruido de tan prudente varón le hizo merçed del obispado de Palençia, [183] que en esa sazón vacó, e vale xx mill ducados de rrenta e le hizo otras merçedes

Dize más el testo: "Quiera Dios que la mina de deslealtad se acabe." E no se dize sin causa, porque después de ido el liçençiado Gasca no han faltado otros traydores ni les faltó a ésos el

---

[181] *Medina del Campo:* el título de Francisco Pizarro fue Marqués de la Conquista. Hernando Pizarro murió el mismo año que Oviedo, 1557; v. *infra,* textos 148-50.

[182] *Gasca:* v. *supra,* nota 19.

[183] *Obispado de Palencia:* vacó en 1550 por muerte de D. Luis Cabeza de Vaca, maestro de Carlos V; llevaba anejo el título de Conde de Pernia, v. *infra,* textos 148-50.

cuchillo de la justiçia de Çésar. [184] Así que la que está dicha fue la desleal doctrina que dexaron los hermanos Piçarros en el Perú (I, est. XXXIX, 430-433).

93. *Fracasos en Indias.*

> Ni todos por alexarse
> Açiertan a ser medrados.
> Nunca dañan los pescados
> Sino a quien come dellos;
> Ni los viçios sin avellos,
> Ni el lobo qu'está atado,
> Ni el toro ençerrado
> Hasta que juegan con él.

No todos los que se alexan e apartan de sus patrias açiertan a ser medrados ni bien andantes. Que muchos se ahogan en la mar e otros mueren en los viajes que emprenden e otros traga la guerra, e de muchas maneras suçeden las desauenturas de los ombres. A lo menos puedo yo çertificar, como testigo de vista, que desde el año de 1513 quel Cathólico rrey don Fernando 5. despachó al capitán general Pedrarias Dáuila por gouernador de Castilla del Oro (que así se llama la gouernaçión que en la Tierra Firme le fue señalada en estas Indias) hasta el presente tiempo en que estamos, en el año de 1555 años, de más de tres mill ombres que tuuo en la çibdad de Sancta María del Antigua, en el Darién, no ha avido diez ombres rricos de todos aquéllos, ni son biuos oy ni ay en las Indias ni fuera dellas otros diez que sean biuos. ¿Parésçeos que ha seydo bien medrar aquesto? Mejor les fuera contentarse con su pobreza en España que venir a perderse la mayor parte dellos, prouando diuersas muertes con su destierro.

"Nunca dañan los pescados sino a quien come dellos" dize el testo. Y es la verdad, ni los viçios ofenden al que no los tiene, ni el lobo muerde ni mata si está bien atado, ni el toro ençerrado hasta que juegan con él. Pero todas esas ocasiones e otras incontables buscan los ombres para su proprio daño, y en fin, por ellos ha de passar lo que de Dios está ordenado. Por tanto, *credatis*

---

[184] *Justiçia de Çésar:* las guerras civiles del Perú duraron hasta la decapitación de Francisco Hernández Girón en diciembre de 1553.

que Jesus est filius Dei, vt credentes vitam habeatis in nomine ejus. Creed que Jhesús es hijo de Dios, a tal que creyendo ayás la vida en su nombre. E acordémonos de lo que dixo el rreal Psalmista: *Cognoscetur dominus judicia faciens; in operibus manum [sic] suarum comprehensus est pecator,* &c. Quiere dezir: Será conosçido el Señor quando hará el juizio, y el pecador será juzgado según sus obras (I, est. XXXIX, 434-435).

94. *De escritores. El conde Pedro Navarro.*

> Ni quantos gastan papel
> Escriuen d'una manera;
> Ni puede medrar partera
> Entre los que biuen castos;
> Ni son lícitos los gastos
> Aprendiendo malas artes.

Es tan diferençiada la manera del escreuir en verso o en prosa como son las mismas çiençias, y caso que en alguna cosa se quieran paresçer, así como en la medida del verssa o en la prosa dialogando o sin dialogar, en alguna ymitación del proceder, las materias, la traça o inuençión del auctor, o en la agilidad o en otras muchas particularidades, si cotejáredes los tractados verés que son tan distinctos e diferentes entre sí como lo son los gestos de los ombres, que en çient mill no hallarés vno que en todo y por todo se parezca con otro, non obstante que los ojos, e façiones, e partes de los ombres sean yguales en número. Y junto con esto dales Dios a todos vn contentamiento común, de contentarse como se contentan las mugeres de sí, que después de consejadas con sus espejos no se trocaría la más corcobada con la más hermosa de sus vezinas. Porque dize que si la otra tiene lindos ojos, y a estotra le lloran, ques mejor acondiçionada, y así va rrecompenssando sus tachas y partes con quien se le antoja. Pues desta manera los escriptores unos se ocupan en historias veras, otros en fabulosas, otros en façeçias y otras leçiones para reyr, y otros epístolas e cartas mesiuas, que algunas vsan de metháphoras e vocablos obscuros e se dexan mal entender, porque no desean ser entendidos. ¡Y que aya que preguntar a los mesmos auctores para que ellos os declaren lo que sueñan para que los tengays por doctos! Así que no es menos diferençiado el escreuir, que la diferençia que ay del seso e saber entressos que menean la pluma. E así algunos hazen sus rrenglones tan liuianos como ella, e otros tan excelentes y encumbrados en valor e doctrina, ques para dar loores a Dios y recrear el ánima y mejorar la persona con tan exçelente lectura.

El segundo punto es que no puede medrar la partera entre los que biuen castos. La verdad es, pero en la manera de la gente que se multiplica ay tanta diferençia de los vnos a los otros, que así como no puede ser obispo el que nunca nasçió, tanpoco puede ser ahorcado. No es muy grande inconueniente, pues, que Eua quando parió los primeros hijos no tuuo partera ni se vsauan, ni avíe tales ofiçios. Aprenda la partera a hilar o haga otra cosa con que gane de comer más limpiamente, que de vsarse la castidad los menos tienen cuydado e así no pueden faltar parteras. Y más daño le viene a la rrepública de faltar el agua e no llouer quando es menester, que de estar parada la partera.

El vltimo punto de los versos de suso dize: "Ni son líçitos los gastos aprendiendo malas artes". Ylýçitos e mal despendidos serán los dineros y el tiempo que en semejantes ofiçios se gastan, donde de saber el mal arte pueda suçeder mal exemplo e daño al que lo aprende y al que lo enseña. En espeçial en exerçiçio que pueda rresultar en pecado e daño del próximo, así como el hurtar y el engañar, e trampear e mentir e otras culpas, que todas ésas andan con la mercaduría, en las quales los mercaderes están diestros, e se les figura que con dar vn cáliz o vna lámpara a vna yglesia van absueltos por mucho que ayan rrobado.

E acaesçerles ha a los tales lo que acaesçe a la yglesia de Guadalupe con la lámpara del conde Pedro Navarro, que dexó allí vna grande y hermosa lámpara de plata, y porque no dexó rrenta para el azeyte nunca ay lumbre en ella. E así son las limosnas sin sazón ni como deuen ser hechas. E los mercaderes harían mejor en no tiranizar, ni lleuar exorbitantes presçios a sus próximos, y en poner tasa a sus cobdiçias e ganar moderadamente, e se siruiría Dios más que con el cáliz ni la lámpara quel tal diere por Dios de lo que ha rrobado. Pero por ellos y por el conde Pedro Navarro y por todos los pecadores cathólicos arden las otras lámparas que están doctadas.

Pues ha venido a consequençia la lámpara deste Conde, y fue
español e valiente soldado e capitán famoso e hizo cosas señaladas en seruiçio del ceptro rreal de Castilla (avnque en su fin,
pensando de sí seruir le cayó a cuestas), razón es que haga aquí
memoria dél, porque este intento de los famosos fue vna de las
causas que me mouieron a esta ocupaçión. Fue este conde Pedro
Nauarro [185] por su nasçimiento nauarro, e hijo de vn hidalgo llamado Pedro de Roncal, que yo conosçí. E desde muchacho siruió
al Marqués de Cotrón, [186] cauallero del rreyno de Nápoles, el
qual fue preso por turcos e lleuado a Turquía, e en vna nao del
Marqués anduuo este Pedro Nauarro en curso [187] por el mar Mediterráneo e hizo buenas cosas. Por lo qual la Marquesa, mujer
del dicho Marqués, e don Enrrique su hijo, le dieron la nao
al Pedro Nauarro. E continuando su curso, el año de 1499 años,
topó con vna nao de portugueses, la qual él tomara sino le hirie-
ran con vn tiro de póluora que le lleuó la mayor parte de las
nalgas. E herido arribó á Civita Vieja, [188] puerto de Rroma e
fin del Tíber. E como se vido sano, se fue al Gran Capitán, don
Gonçalo Fernández de Córdoua, que con el exérçito de España,
por mandado de los Reyes Cathólicos, fauoresçía contra françeses al rrey Federique de Nápoles, en la qual conquista este capitán Pedro Nauarro hizo señaladas cosas: por su industria se tomó
el castillo de Ovo. [189] Después, en la segunda guerra de Nápoles,
militando debaxo de la prudencia del mismo Gran Capitán, siruió
de manera al Rrey Cathólico que le hizo Conde [190] e señor de
vasallos en aquel rreyno, e vino a besar las manos al Rrey Cathólico a España. Después de lo qual, el año de 1508, el conde Pedro

---

[185] *Pedro Nauarro:* v. *supra,* texto 74, e *infra, Quinquagena III,* texto
322.5. Murió prisionero en Castelnuovo (Nápoles) en 1528.

[186] *Marqués de Cotrón:* Cotrone, metátesis de Crotone, o sea Crotona,
en Calabria, merced real española. El Marqués fue preso y murió como
mártir en Constantinopla, triste acontecimiento que movió la pluma de Juan
del Encina a componer cuatro composiciones dedicadas a la Marquesa viuda.
Hernando del Castillo, *Cancionero General* (Valencia, 1511), folios CLXV
vuelto-CLXVII. Vuelve a mencionar a la Marquesa nuestro cronista en
Quinquagena II, texto 153: se llamaba Doña Leonor (o Ángela) Centellas.

[187] *En curso:* etimológicamente correcto, ahora diríamos, sin embargo,
en corso (italianismo), o sea, como corsario.

[188] *Civita Vieja:* Civitavecchia.

[189] *Ovo:* dell'Uovo, en Nápoles.

[190] *Conde:* de Oliveto, en los Abruzzi.

Nauarro ganó en Africa el Peñón, [191] e hizo la fortaleza dél. E desde allí, por mandado del Rrey Cathólico, socorrió la çibdad de Arzila porquel rrey don Manuel de Portugal, su yerno, le embió a pedir socorro que la tenían çercada e en mucha nesçesidad los moros. E el dicho Conde les hizo alçar el çerco. E el año mismo, [192] o el siguiente, pasó en África el Cardenal de España don frey Françisco de Çisneros, Arçobispo de Toledo, e ganó la çibdad de Orán, con el qual se halló el dicho conde Pedro Nauarro, e fue mucha parte de la victoria. E el mismo año ganó la gente de los christianos, que allí estauan, la çibdad de Trípol [193] de Romania a los infieles. E aqueste año pasó en Leuante don García de Toledo, [194] primogénito de la casa de Alua, por capitán general de España. E juntóse con la armada que lleuaua la del conde Pedro Nauarro, e dieron en la ysla de los Gerues donde mataron al dicho don García e muchos christianos, e el conde Pedro Nauarro con los rrestantes se pasó a Nápoles con la armada. E siguióse después, el año de 1512, la sangrienta batalla de Rráuena, donde fue muerto el general de Françia Mossir de Fox e otros capitanes e mucha gente françesa. E allí fue preso este conde Pedro Nauarro e el campo de España desbaratado, del qual era general don Rremón de Cardona, virrey de Nápoles. E quedó la victoria por Françia contra el Papa Jullio 2.º E el Conde se quedó oluidado en la prisión, e como el rrey don Johan de Nauarra, Señor de La Brit, era francés, el conde Pedro Nauarro se conçertó con él e con el rey Luys 12 de Françia, e pasó después en Italia contra España el dicho Conde. E fue preso e en prisión murió en poder de españoles. Podés, letor, tener por máxima que este Conde fue muy venturoso en las cosas de la guerra en compañía de españoles, e después que fue contra ellos muy desdichado, e así se perdió e nunca en cosa açertó en compañía de françeses. Y esto baste quanto al conde Pedro Nauarro, al qual me truxo a la memoria su lámpara sumptuosa, muerta e sin azeyte en Guadalupe (I, est. XXXIX, 435-439).

---

191 *Peñón:* de Velez de la Gomera; v. *infra,* nota 361.

192 *Año mismo:* la conquista del Peñón fue en julio de 1508; la conquista de Orán en mayo de 1509.

193 *Trípol:* Trípoli.

194 *Don Garçía de Toledo:* v. *supra,* textos 61 y 74. *Mossir de Fox:* v. *supra,* nota 152. *Don Rremón de Cardona:* fue Virrey de 1509 a 1522.

95. *Anécdota personal.*

> Los guijarros, calentados
> Con vino, quitan el puxo. [195]

No paresçe chico disparate lo que estos dos versos últimos dizen, tras lo que está dicho de suso. Y no avés, lettor, de entender que es desorden ni falta de inuençión ni de la materia. Porque, como en otra parte os tengo avisado, lo que paresçe desorden es mucho conçierto. Esse diferençiar de materias, e continuándose, es mucha rregla, e que se entienda, demás de ser aplazibles esas diuerssidades, tener ellas en sí vtilidad, e que sepays que son cosas todas de prouecho, siendo entendidas, e que cada cosa sirue en su tiempo e lugar e proporçión. ¿Puede ser cosa más desestimada que vn guijarro? No por çierto. Pues preguntad al que está enfermo de fluxo, de cámaras con puxo, que es lo que daría por no padesçer de tal manera. Y es la cosa del mundo más fáçil y prestamente rremediada, e sin duda no ay persona del mundo con tal pasión que dexasse de partir la capa con quien le librase de tal trabajo. Y pues que este mal tan bien acaesçe al grande como al chico, e al rrey e duque como a vn pobre escudero, e al Papa como al que no tiene capa, oydme como a ombre que lo ha prouado. Yo estaua muy trabajado con el puxo e acaso entró vn ombre a verme en esta fortaleza, e no de mucho crédito, antes era tenido por liuiano e loco. E como supo mi mal, dixo que dentro de vn quarto de ora e en mucho menos tiempo, él me sanaría. Con todo mi mal me rrehí, e dixe: Dezidme cómo, que los niños e los locos algunas vezes dizen las verdades. Estonçes dixo él: Yo quiero que digais que los médicos que os curan no supieron quitaros el puxo, e que yo merezco los dineros que ellos os lleuan sin meresçerlos. Traygan vn guijarro, menor quel puño cerrada la mano, e láuenlo de manera que no quede en él tierra pegada, sino muy limpio, e pónganle en el fuego e esté allí hasta que esté e parezca ques vna brasa el mismo guijarro. E entretanto quel guijarro se calienta pongan aquí vn baçín muy limpio. E así se hizo, e vino

---

[195] *Puxo:* pujo.

el guijarro que paresçía asqua, e pósole dentro del baçín, e truxeron vn poco de muy buen vino blanco de Guadalcaná, [196] con
la qual fue roçiado el guijarro. E mandóme sentar en el baçín
e que rresçibiese aquel humo que salía del guijarro e del vino. E
estuue allí rresçibiendo ese sahumerio tanto tiempo quanto se
tardaría de decir rezado el psalmo de *Miserere mey Deus,* con la
mayor pena del mundo, hasta que no lo pude sufrir mas e me
leuanté, pero sano, e se me quitó el puxo totalmente, que más
no le tuue. Y es çierto ques exçelente e presto rremedio para tal
enfermedad. Aueys oýdo cómo los guijarros son prouechosos, e
cómo el loco dixo la verdad, e cómo Dios e natura no han hecho
cosa sin ser buena e nesçesaria. Mejor fue para mí aquel loco
en tal sazón que quantos cuerdos e médicos pudieran allí juntarse a me consejar o curar de mi mal. Por tanto ni os desagrade
la mezcla destas materias que en mis *Quinquagenas* viéredes aco-
muladas, ni os parezcan disparates ni vanidades, que en tiempo
podríades leer este rremedio del guijarro que estimeys más sa-
berlo y que os sea más útil e prouechoso a vuestra salud e contentamiento que saber a la mente quanto escriuió Homero, ni
Virgilio, ni otros, avnque entren todos los filósophos que Laer-
çio [197] acomuló en su tractado *De vita et moribus philosophorum.*
¿Parésçeos que fue poco útil e prouechoso aquel guijarro que
dio a Golías en la frente para quitar el themor al pueblo de Is-
rrael? Pues tened por çierto que ninguna cosa se deue desestimar,
e que sabiendo vsar de los materiales salen los efectos perfectos e
de grande estimaçión. Más hizo Dauid con aquel guijarro que
todos los del pueblo ysraelítico con quantas armas e fuerças
touieron, pues solo Golías bastaua para haçer boluer las espaldas
a gran moltitud de ombres. Al qual Golías mató de la primera
pedrada en el valle de Terebinto, como más largamente la sagrada Escriptura en el libro de los Rreyes lo acuerda (I, est. XXXIX,
440-442).

---

[196] *Guadalcaná:* Guadalcanal, en la actual provincia de Sevilla.
[197] *Laercio:* Diógenes Laercio, aunque en la Introducción sustento mis
razones para dudar que ésta sea la fuente de Oviedo.

96. *Condenación de los baños.*

A tu hijo regalarle
Sufrese con pocos años.
El pueblo que quiere vaños
No está con pocos viçios.
Disimular malefiçios
Es quasi como hazerlos.

Todos los que quisieren rregalar sus hijos súfrese seyendo los
niños de poca edad. Porque desde que entran en días que deuen
ser disçiplinados, digo enseñados, en virtudes, quel padre discreto, poco a poco, vaya apocando el rregalo y enseñando buenas
costumbres al hijo, o hijos, que quiere que salgan virtuosos e bien
doctrinados, y desde muchachos se les encaxen e impriman las
virtudes e se muestren a tener vergüença. Porque en fuerte ora
nasçió el hijo o hija a quien ésta falta, la qual viçiosa tacha se
funda e haze prinçipio en el descuydo e nigligençia de los padres
que no han mirado con tiempo lo que conuiene a la erudiçión de
sus hijos, y el tiempo y ellos le darán el pago que meresçen si sus
erederos no fueron buenos.

"El pueblo que quiere vaños," dize el testo, que "no está con
pocos viçios," cosa insufiçiente e no de ser tolerada en ningún
pueblo bien gouernado. E los casos de vergüença e libidinosos
que de los baños suçeden, de las conçiençias de los gouernadores
penden e a su cuenta se les cargará, y posible sería que demás de
la pena que en la otra vida se les imputará que en ésta les quepa
parte del atanquia, [198] en la qual ay más mugeres diestras que
en hilar ni hazer otra cosa de las que han de saber, e conuiene
que sepan las que quisieren mirar por su casa e honor. E como
dize el testo, disimular malefiçios es quasi cometerlos. Pues con
su pan se lo coman, que yo os çertifico que los disimuladores e
los cometidores dése e otros delitos se les ha de acordar muy
acordado y escotado al tiempo que dieren cuenta de cómo y en
qué gastaron su tiempo en esta vida, que no se les dio para malos

---

[198] *Atanquia:* hay nota marginal de Oviedo que dice: "*Atanquia quid.*
Esto es çierta vnción, mista con cal, para pelar las partes pudentes en los
vaños". Oviedo está hablando de los baños públicos, a la oriental.

e torpes exerçiçios sino para alabar e seruir a Dios, de tal manera
que no se pierda en los ombres el remedio de la Passión de Christo, con que por Su clemençia los quiso rredemir, mostrándonos la
inmenssa misericordia Suya sin méritos nuestros (I, est. XL, 445-
446).

97. Copla antigua.

> El que biue descuydado
> Gran enfermedad sostiene:
> El que más hazienda tiene
> Amigos ha menester.
> El que no sabe querer
> Pocos avrá que le quieran.

Al descuydado es de averle lástima, porque las más vezes nasçen los descuydos de ser bien acondiçionados y floxos los ombres
y no tan aperçebidos en la maliçia ni diligentes como sus vezinos.
En fin, es el descuydo fundado sobre pereza y la pereza vno de
los siete pecados mortales e gran aparejo para perderse los ombres.
Enfermedad es grande, como dize el testo, la qual se cura e sana
con diligençia.

"El que más hazienda tiene, amigos ha menester," y avn han de
ser leales para que ella se sustente que no basta habilidad humana de vn ombre solo para hazer lo que muchos y bastantes han
de obrar, y sobre todo es menester que vele y ande aquél a quien
más le va en ello. Y es menester así mismo que sino sabe querer
que lo aprenda, porque, como dize el testo, pocos avrá que le
amen y quieran al desamorado y áspero. Catón egipçio, filósopho
estoyco, acostumbraua dezir: Si quieres ser amado ama. E desta
sentençia proçedió aquella copla antigua e verdadera que anda
en Castilla, y dize: Si querés amor, amad [199] — si buenas obras,
hazeldas — y si malas, atendedlas — de çierta çertinidad. En fin,
soberuia presunçión es la del que quiere que le hagan buenas
obras sin hazerlas él a los otros. Ay algunos que no saben temer

---

[199] Si querés amor, amad: bien antigua tiene que haber sido esta copla,
pues ya estaba proverbializada para la época de Gonzalo Correas, Vocabulario, pág. 284, quien cita "Si keréis amor, amad; ke amor saka amor i
amistad".

a Dios sino quando en sí han experimentado la aduersidad, o en los otros la han conosçido. Estos en las cosas prósperas se eleuan con osadía y en las aduersas se turban con mucha flaqueza. Así lo dize San Gregorio, doctor sagrado de la yglesia de Dios (I, est. XL, 449).

98. *Crianza de los niños.*

A los niños no los hieran
Por liuiana trauesura,
Ni se les loe locura,
Ni falte justo castigo.

Digo que a los niños de poca edad no los deuen herir ni açotar por liuiana trauesura, ni se les loe ni admita locura ni desuergüença, sin que aya castigo qual conuenga. Porque el que cría sus hijos rregalados y esentos, ningún prouecho haze a sí ni a ellos, antes es causa de sus malos suçesos e trabajos fucturos. Hase de aduertir el tiempo e la edad e la forma de la culpa, que vna será para rreyr y otra para no se disimular. E así también ha de ser templado el açote e correçión, para que aproueche, e mucho [más] a de obrar en tales casos la industria de los sabios padres quel rrigor ni malencomía [*sic*] (I, est. XL, 449-450).

99. *Carrera del palio en Roma.*

El que pienssa llegar ante
Acaesce que se encoxa.
Quien sin causa se congoxa
Fáltale conosçimiento.
La fábrica sin cimiento
Ase presto de caer.

Risueña cosa es ver en Roma [200] correr el palio a los viejos. El año de quinientos sobre mill años, en tiempo del Papa Alejandro 6.º, vi correr diferentes palios. Pero entre los otros, el que corren los viejos me paresçió cosa donosa e muy aparejada para

---

[200] *Roma:* romanos son los topónimos que cita: Campo de Flor, Palacio Sacro (Vaticano), Calle de los Bancos, Sant Angelo, El Burgo, San Pedro.

rrisa. Vno de ver e considerar la cobdicia de los viejos e sus pocas fuerças, como ver venidos a correr cinquenta o más viejos (de setenta años por lo menos) desde Campo de Flor hasta el Palacio Sacro. E tomaron su carrera juntos e partieron a la par en tocando una trompeta e passados de la calle de los Bancos (o cambios) entraron por la puente del castillo de Sanct Angelo, quedando ya atrás cansados más de las dos partes dellos. E los que quedauan, continuando su curso, passada la puente entraron en el Burgo, discurriendo toda aquella grande plaça questá delante la iglesia appostólica de Sanct Pedro e del Palacio Sacro. E allí ençima de las Gradas estaua vn palio de seda, de damasco morado, e se dio al viejo que antes llegó a trauar del mismo palio. Ver el denuedo con que partieron los corredores, e ver que a çient pasos que avían corrido no venían la mitad. Ver caer a vnos, tropeçar a otros sin topar en nada, otros se assentauan e algunos se echauan en tierra. Vnos corrían en camisa e los más dellos desnudos como nasçieron, con solamente los paños menores o bragas, y es çierto que quando llegaron a veynte e çinco o treinta pasos del palio, no yvan ya ya [sic] seys corredores, y ésos vnos delante otros e tan despaçio que era lástima ver su cansançio. Y en fin, al palio llegó vno sólo ocho o diez pasos antes que otro. E aquel que llegó primero yva tal que vn niño de tres años con façilidad diera con él en tierra. E allí le tomaron los amigos e le lleuaron con el palio, como vittorioso, muy acompañado e con trompetas a su casa. Sin duda es verlo cosa para rreyr, e ver boluer los competidores, coxqueando vnos, e ésos y los demás descontentos e cansados. E el vitorioso, de rrato en rrato, al son de las trompetas, ayudado de algunos tragos de vino, gozando de su vittoria.

Dize más el testo quel que sin causa se congoxa le falta conosçimiento. Y aun buen seso le faltara asímesmo, y ésos tales son los que se suelen llamar insensatos o tochos, y déstos ay algunos, e avn hartos, que avnque paresçe que sienten es diferentemente: vnos más e otros menos, e algunos tan poco que a rrexpetto de los bien entendidos son quasi bestias o saluajes, e así en Italia los suelen llamar seluáticos.

"La fábrica sin çimiento ase presto de caer," dize el testo. Y a lo menos no se conseruará como la que bien çimentada fuere. Y esto no se entiende solamente en los edifiçios de architetura, de que tractó Vitruuio, pero en todas las otras cosas que los ombres quieran obrar e hazer, han de mirar que los fundamentos de sus inuençiones sean fundados en verdad a seruiçio de Dios e sin ofenssa del próximo para que se açierten. E la lauor permita Dios que sea perfeta e a Su gloria e alabança y bastante perpetuydad y en tiempo y forma que suçeda buen nombre al edificador (I, est. XLI, 454-455).

100. Del estilo poético.

> La mar es mejor de ver
> Que plaziente nauegarla.
> Quien de la osseta parla
> No la tentará de lucha.

Estos quatro versos tocan dos puntos. El vno es dezirnos ques de mejor vista e más aplazible la mar que navegándola, porque mirándola desde fuera están los ombres desuiados de las tempestades e peligros que experimentan e padeçen los que en ella nauegan.

El segundo punto toca a los pampharrones e brauosos que hablan mucho e no hazen nada, e parlan de la osseta [201] ques tanto como alabarse de la osseta o peligro que nunca prouaron, e cuentan grandes cosas en casos de guerra e de armas. Los osos son animales de grandíssima fuerça de braços, e por tanto dize quel que habla de la osseta no la tentará de lucha, pues que viniendo con ella a luchar la osa le matará. Todo lo dicho es metáfora e sinificar vna cosa por otra, como se suele hazer en el estilo poético, en que se han de entender las cosas por el contrario, o muy diferentemente de lo que suenan. Como en el primero punto se ha de sentir que la mar no se nauegue sino a más no poder; ni vengays a esperimentar las fuerças corporales con los brutos animales, e traýdo a ello, sea por nesçesidad e no sin causa (I, est. XLI, 456-457).

---

[201] *Osseta:* no viene de *oso (ursus),* etimología popular de Oviedo, sino de *osar (*ausare).*

101.   *Experiencias en Flandes.*

> Sin dineros en la panda
> No me quiero yo hallar,
> Pues no me dan por mirar
> Cosa que bien me parezca.

Oído avrés dezir qué cosa es la panda. Este vocablo dize Calepino [202] en sus liçiones griegas e latinas: *Pandecta nomen compositum, a quod est totum,* o cosa vniuersal que lo contiene todo. E de aquí creo que flamencos dan este nombre panda a vna casa particular, que es así como aquella que los moros (y avn los seuillanos arrimándose a tal vocablo) llaman alcaçería. [203] Y como en el alcaçería hallays muchos paños e sedas e otros offiçios destintos de cosas que se venden, e plateros, *etçétera,* así en los pueblos prinçipales de Flandes ay vna casa llamada panda, [204] donde se venden muchas cosas de diuersas calidades e valores. Holgábame yo de ver algunas vezes en Flandes la panda, para notar e mirar la lindeza e primor de las cosas diuersas que en las pandas avía, e avnque quisiera comprar algunas cosas por mi plazer, por los primores de los ofiçios e por traerlas a España e comunicarlas con mis amigos e patria, faltáuanme dineros, e quisiéralos tener. E por eso dize el testo que sin ellos en la panda "no me quiero yo hallar," pues que por mirar no se me dará cosa que bien me parezca. Y esto, letor mío, avés de entender de otra manera, que la panda es aqueste mundo que veys y considerays, y que lo que la rrazón comprehende y vee en él, avnque bien le parezca, no se lo dan ni lo meresçe si no la paga. Ni es rrazón que lo aya e lleue sino quien lo comprare con sus méritos, e asý acaesçe e se vende todo lo de la panda, ques el mundo, quel loco compra mill disparates que allí le venderán, e el cuerdo compra ymágines de deuoçión para rrecreaçión de su ánima e deuota intención, o otras cosas que allí halla que son apropriados [*sic*] al ornamento desta vida e de la casa e estado de cada vno, e a su

---

[202] *Calepino:* la primera edición de su famoso *Dictionarium* es de París, 1514.
[203] *Alcacería:* alcaicería.
[204] *Panda:* no la hallo registrada en el sentido del texto.

sabor escoje e compra lo que más le agrada. Y es verdad que ay tantas e tales cosas, aderentes al gusto de los humanos, quel que no dessea comprar allí algo es por falta de conosçimiento. Y pues que por mirar las cosas que nos son nesçessarias no se nos han de dar sin meresçerlas e comprarlas con nuestros méritos, comprá, comprá, comprá, e meresçed a Dios que os dé lo que os falta. Quél no quiere por ello dineros sino lágrimas de arrepentimiento de vuestras culpas y que hagays buenas obras, y daros ha quanto ay en la panda y os fuere nesçessario para saludaros y avezindaros en el çielo y sacaros destas poquedades del suelo para que gozeys de Dios perpetuamente (I, est. XLI, 461-462).

102. Reyes y príncipes perjuros.

> El tiempo trae consigo
> Las semejantes mudanças:
> Múdanse las alianças
> Vïolándose los pactos.
> Renóuanse los contractos
> Por las nueuas ocurrençias.

Incostantíssimos son los cursos de aqueste mundo mortal, y sus efectos muy diferentes al fin de lo que mostraron al principio. Entre los reyes e prínçipes cada día verés mudarsse los capítulos e alianças que primero avian tractado e asentado, y avn jurado con mucha solepnidad, porquel tiempo muestra nueuas ocasiones que a los vnos haze que se perjuren e pierdan la vergüença, e a otros acresçienta el temor e a otros la cobdiçia para que no guarden fe ni palabra ni cosa que ayan prometido, si ven quel tiempo les promete otros partidos más a su propósito que lo que avían prometido, e las nueuas ocurrençias son causa de las desabenençias. E el tiempo rrodea el ynorar e trampear y de nueuo negoçiar por euitar o ençender las guerras, lo cual he yo en mis días visto, e muchos de los que son biuos no lo pueden negar ni contradezir. Sí: es verdad quel rrey de Francia Carlos 8. de tal nombre se apartó del casamiento que tenía jurado e asentado de continuar y efectuar con Margarita, hija del Emperador Maximiliano, e faltó a su promesa por se casar con Ana, duquesa de Bretaña, por juntar su estado della con Francia. Sí: es verdad que entre el mismo Rrey de Francia se asentó e juró e pregonó pazes por çiento e vn años con los Cathólicos Rrey e Rreyna de España, que ganaron á Granada, don Fernando 5. de tal nombre, e doña Ysabel, de gloriosa memoria. E yo hoý el pregón en Barçelona, delante del Palacio Rreal, año de 1493 años, e no se guardó dos años; porque dezía el pregón que avían de ser amigos de amigos y enemigos de enemigos. Y el año de 1495 el mismo Rrey de Francia pasó a Italia a tomar el reyno de Nápoles, que era e le posehía del rrey don Alonso 2.º de tal nombre, amigo e sobrino del dicho Rrey Cathólico, al qual suçedió su hijo el rrey Fernando 2. E les conuino a los Rreyes Cathólicos fauoresçerle quando embiaron allá su Gran Capitán, don Gonçalo Fernández de Córdoua, e al rrey Carlos le fue forçado dexar el rreyno, e boluerse en Francia más que de paso, e avn fue desbaratado en la Lombardía, [205] cerca de Alexandría de la Palla. Al qual rey Carlos 8. suçedió Luys, duque de Orliens, que fue 12 rrey de Francia de tal nombre. Sí: es verdad que este rrey Luys 12, avnque era casado, dexó su muger legítima e se casó con la dicha reyna Ana porque Bretaña no se separase de Francia, en la qual el rrey Charles 8 auía un hijo, que murió biuiendo sus padres, muchacho. E por muerte dése e del Rrey su padre suçedió el dicho duque de Orliens Luys, e fue 12 de tal nombre rrey en Francia. Y es verdad, como tengo dicho, que dexó su muger legítima e tomó por muger la dicha Ana, rreyna biuda, porque Bretaña no se diuidiese ni apartase de Françia. A este rrey Luys 12 suçedió Mossior de Angulema, llamado Françisco, rrey de Francia primero de tal nombre. Es notoria verdad quel dicho rey Luys de Françia e los dichos Rrey e Rreyna Cathólicos de España se juntaron por sus capítulos e echaron del rreyno de Nápoles al infeliçe rrey Federique e se partieron el rreyno. E después sobre la partiçión se desabinieron e ovo muchas batallas e muertes de ombres, e al cabo, los españoles e España excluyeron del rreyno los françeses con su capitán, e quedó por España e con el rreyno el Gran Capitán don Gonçalo Fernández de Córdoua, duque de Terranoua, &c. Sí: es verdad que después que murió el dicho rrey Luys 12 suçedió el rey Françisco de Françia que fue preso en Pauía con toda o la mayor e mejor parte de la cauallería de Fran-

---

[205] *Lombardía:* batalla de Fornovo, julio de 1495.

çia, e fue traýdo a España e fue puesto a rrecabdo en poder del notable capitán el señor Fernando de Alarcón, donde con sufiçiente guarda estuuo vn tiempo detenido e preso en el alcáçar de Madrid. [206] Sí: es verdad que después por la clemençia del Emperador rrey don Carlos nuestro señor, con çiertas capitulaçiones juradas e firmadas le soltó, e le dio por muger a su hermana la rreyna biuda de Portugal, madama Leonor, e se desposó con ella *in facie ecclesie*, en la villa de Yllescas, y quedando la Rreyna en España, se le dio lugar quel rrey Françisco se fuese en su rreyno de Françia, dexando a sus hijos el Delfín y el segundogénito en rrehenes, en tanto quel dicho Rrey cumplía çierta parte de lo capitulado. E como se vido en su rreyno no lo quiso complir sin nueuas capitulaçiones. Sí: es verdad que para rredemir sus hijos e lleuar su muger en Françia ovo otras nueuas condiçiones, e pagó vn millon e quinientos mill ducados e le dieron la Rreyna y los hijos y quedaron amigos y hermanos. Sí: es verdad que después de todo esso tornaron a ser enemigos e embió gente el Rrey de Françia a Nápoles, e la tuuo en mucho estrecho e tomado gran parte del rreyno, e que después el Emperador, e sus capitanes en su nombre, echaron los françeses todos fuera de Italia. Será verdad que después el dicho Rrey de Françia se confederó e juntó con el Gran Turco contra en [*sic*] Emperador e embió en su fauor el Gran Turco vna muy poderosa armada de infieles con su capitán general Barbarroxa, e los acogió en su tierra, en Tolón e Niça, en la costa del mar Mediterráneo, contra el Emperador, por poner en nescesidad la Christiandad. E avnque hizieron mucho daño, de que les cupo harta parte a los vasallos de Françia, no les dio Dios lugar de hazer lo que penssaron, e se tornaron esos turcos en Turquía e no osaron atender a Çésar. Pues dexadas esas cosas e pendençias de Françia, que ay mucho que dezir, así de hazer passar al turco en el Imperio contra Viena, ques la cabeça del archiducado de Austria, donde el Emperador e sus leales mílites se dieron tal recabdo que los infieles tornaron atrás aviendo rresçebido mucho daño, e quedaron muchos dellos muertos: ocurrid a los seys versos vltimos desta estança y verés quán gran verdad son. Y si vos, letor, soys viejo, tanbién podés ver si

---

[206] *Madrid:* v. *supra*, nota 44.

os ha dicho verdad mi comento pues nos estamos en las rrenzillas y guerras con fr	ançeses. Si quisiéredes ver y saber si es verdad quel rrey Enrrique 8. de tal nombre en Inglaterra, siendo casado con la serenísima rreyna doña Catalina, quarta hija de los ya dichos Rreyes Cathólicos de España, tía del Emperador, nuestro señor, e teniendo della a la sereníssima prinçesa doña María, acordó de rromper los pactos e obligaçión matrimonial, e se casó con vna donzella llamada Ana de Boloña, [207] y desacatando la Yglesia la tomó por muger públicamente. E después asymismo públicamente la hizo degollar por adúltera, e a Tomas Moro, su secretario del mismo Rrey, e al Obispo Rofensse, [208] sancto varón, porque contradezían ese segundo matrimonio. Con él ¡quántos monjes ynoçentes los hizo descabeçar, porque no aprouauan el diuorçio contra la rreyna doña Catalina! Si destas cosas y otras semejantes yo ouiese de dezir lo que en nuestro tiempo ha passado, mucho tiempo, mucho papel y más vida de la que yo tengo sería menester para ello. Mas para aquí, a nuestro propósito, basta lo dicho (I, est. XLI, 462-465).

103.   Negros esclavos.

Quien no sabe lo que jura
No deue de ser creýdo.

Verdad son obligados de dezir todos los que son presentados por testigos, so pena de perjuros. Y del juramento hallo yo, y me paresçe, que son escusados de jurar los niños que no tienen edad deçente, e los que les sobra e son decrépitos e se conosçe dellos que les va faltando el seso e la memoria deteriorando, ya deuanean, y los mentecaptos, e los que son infieles, y avn no todas mugeres avíen de ser testigos (avnque sean christianas) en espeçial las que biuen mal e son desonestas. E los derechos no dan fe ni crédito a los infames, ni permiten que le tengan, y las leyes y decretos tienen proueýdo quáles deuen aver por fidedignos en sus juramentos. Vna cosa se vsa en esta nuestra çibdad de Sancto Domingo, y en toda esta ysla Española, y es dar crédito a nuestros

---

[207] *Boloña:* Boleyn, Bolena.
[208] *Obispo Rofensse:* v. *supra,* nota 60.

esclauos negros siendo tan perjudiciales y malos, e andando siempre algunos dellos alçados e matando christianos e rrobando la tierra. E avnque quartean y ahorcan dellos nunca escarmientan ni son mejores christianos por eso, ni basta castigo a los mudar, ni hazer mejores, ni bien acondiçionados (I, est. XLII, 469-470).

104. *Brujas.*

> De sospechosos huygamos,
> Y tambien de hechizeras,
> Y no quieras partir peras
> Con tu mismo Hazedor.

Es el fin desta estança amonestar el consorçio e amistad de los buenos y honestos varones e que huygamos de los sospechosos a la fe e inclinados a viçios e vanidades. E tanbién que nos apartemos de hechizeros y de vnas mugerçillas que sin ser combidadas se introduzen en quantas casas y partes ellas pueden sembrar sus maldades y errores. Y éstas son ya gran copia, en especial en el rreyno de Nauarra [209] y en muchas prouinçias donde más aparejo hallan sus cautelas. Las quales bruxas e todos los que en malas artes se ocupan son ministros del diablo, para tentar y vençer muchas vezes a los que desenfrenadamente son inclinados a las pompas y onrras temporales. Como hizo con el Papa Siluestre 2.º de tal nombre, el qual fue monje llamado Gilberto e apostató e hizo pleyto omenaje al demonio porque le fauoresçiese en sus desseos, e dióse a la nigromançia e arte mágica, e así, procurándolo el diablo, fue Obispo e despues Arçobispo e después Papa. Pero después, alumbrándole Dios, conosçió su error en fin de sus días, e murió cathólicamente. Mucho aviso se ha de thener para rresistir los apetitos carnales venéreos, con que lijeramente el aduersario trae los hombres ciegos a buscar su fauor, como se siguió en Salomón, que vino a ydolactrar. Mira lo que escriue de

---

[209] *Rreyno de Nauarra:* v. Julio Caro Baroja, *Las brujas y su mundo* (Madrid, 1961), parte III: alude Oviedo a los famosos aquelarres de Zugarramurdi. *Silvestre 2º:* la Edad Media pronto tejió una leyenda de magia alrededor de la figura de este Papa extraordinario, que fue rematada por Guillermo de Malmesbury, *Libri V de rebus gestis regum Angliae* (h. 1128).

Çipriano e Justina [210] e el estudiante Agladio, e de cómo aquella virgen Justina con la señal de la cruz + hazía huyr los demonios, e así Çipriano, que era nigromántico, conosció que era mayor la virtud de la cruz + que el demonio, e se conuirtió a la fe.

Dizen los dos versos vltimos desta estança que no quiera ninguno partir peras con su Señor. No sólo parte peras mas ánimas el que con Dios se atrauiesa, ques el verdadero Señor de todos. Pero porque en vn breue tractado fundado de las supersticiones e hechizerías que scriuió el doctor frey Martín de Castañega [211] anda esta materia bien declarada del error de las hechizerías, hallará allí el curioso lettor lo que dexo aquí de dezir por euitar prolixidad. Y tanbién hallará en ese cathólico libro el rremedio de semejantes errores. Sanct Pablo dize: Bien es que aya erejes para que los firmes e aprouados sean conosçidos (I, est. XLII, 473-474).

105. *Crítica del lenguaje cortesano.*

> Buelta a lo començado,
> Hablemos en cortesanos:
> Aquel su besar de manos
> ¿No veys todos ques mentir?
> Muy mejor seríe dezir:
> Sea Dios en vuestra guarda.

Xenophonte [212] dize que los perssas thenían gran vigilançia en castigar los falsos testigos. A mi paresçer aquello era no solamente nesçesario en la república, mas sancta costumbre y dina de se conseruar entre christianos, en quien ha de estar la fe y la verdad más fixa e aumentada. Y pues el testo dize que boluamos a lo

---

[210] *Cipriano e Justina:* en nota marginal escribe Oviedo: *Historia de los Sanctos Çipriano e Justina.* Se trata de la leyenda piadosa que inspiró a Calderón de la Barca *El mágico prodigioso.*

[211] *Frey Martín de Castañega: Tratado muy sotil y bien fundado de las supersticiones y hechizerías, y vanos conjuros y abusiones: y otras cosas al caso tocantes, y de la posibilidad e remedio dellas* (Logroño, 1529); ed. moderna A. G. de Amezúa, SBE (Madrid, 1946).

[212] *Xenophonte:* probablemente Oviedo conocía la *Ciropedia,* obra a la que alude, a través de *Las obras de Xenophon, trasladadas de Griego en Castellano por el Secretario Diego Gracián* (Salamanca, 1552), o alguna traducción italiana; v. *infra,* notas 453 y 628.

començado, así lo hagamos, çertificados de la verdad, y tan çertificados que avnque no estemos en Persia, que quien escriuiere
cosas inçiertas será punido en esta vida y en la que está por venir.
"Hablemos en cortesanos, &c." Por çierto, a mí me paresçe
este común dezir de "besoos las manos" ques mentir a ojos vistas,
y que sería muy mejor dezir al próximo que "Dios sea en su
guarda", de que se le siguiría gran bien y merçed, y del besar las
manos ningún prouecho ni vtilidad. Pero por no perder la costumbre del mentir ándase así esto, con otros errores cortesanos,
tan comúnmente vsado que lo quieren atribuyr a buena criança. Y
ni el vno besa las manos, como lo dize, ni el otro se las dará para
que se las bese. Ni se deuen pedir sino a los perlados e saçerdotes
de orden sacro pues que tractan e toman en ellas el Sanctísimo
Sacramento de la Eucaristía, o se deuen pedir e besar al rey e al
prínçipe, nuestros señores temporales, por rreconosçimiento del
señorío que Dios les dio sobre nosotros en la tierra. E déuense
besar al padre e a la madre e abuelos, por obediençia filial e aver
su bendiçión paternal. Todo lo demás es escusado, &c. (I, est.
XLIII, 478-479).

106. *Malas lecturas: el* Amadís.

> Sancto consejo sería
> Que dexasen de leer
> Y también de se vender
> Esos libros de *Amadís*. [213]

Razón muy grande es: sancto y prouechoso, de mucha vtilidad
y nesçessario sería dexar de leer esos libros de *Amadís*. Y que
éssos e ni otros semejantes no se vendiesen, ni los ouiese, porque es vna de las cosas con quel diablo enbauca e enbelesa y
entretiene los neçios, y los aparta de las leçiones honestas y de
buen enxemplo. Ocupaçión es la de la mala lectura en que los
discretos no se ocupan porque con ella se pierde el título de la
discreçión e se siguen muchos daños y peligros al cuerpo e al
ánima. Al cuerpo, dexando de hazer otros exerçiçios que para
la vida, onrra e hazienda más conuernían. Al ánima quitándole

---

[213] *Amadís:* v. *supra,* nota 86, e *infra,* textos 107-09, nota 502.

el tiempo en que las buenas obras se han de hazer, mediante las
quales ella se avezindase e açercase más çerca de Dios e adquiriese la gloria para donde fue creada. Gran culpa, grande error,
gran çeguedad e desatino es leer cosas sin prouecho, e mentiras
de que ningún bien se puede seguir y mucho mal puede proçeder.
Y por más vil e suzio e dañoso passatiempo le ternán los vertuosos
quel del emperador Domiçiano, matando moscas, porque avnque
fue prínçipe lleno de viçios e muy dessemejante de Tito, su hermano, e de Vespasiano, su padre, e cruel e el que hizo la segunda
persecuçión de los christianos, su mayor passatiempo, según escriuió Suetonio [214] Tranquilo, era matar moscas. Para lo qual se
retrahía en su cámara como para gozar de un deleyte a él muy
grato, que quería gozársele solo sin compañía alguna, sino de
solas las moscas. Y en esa ocupaçión gastaua el tiempo que avía
de estar atento a la gouernaçión de su imperial ofiçio, de lo qual
muchos escriptores dexaron memoria, como lo verés en el testo e
comento del mismo Suetonio. Y es muy justo que se escriua de
los grandes prínçipes así lo malo como lo bueno, para que sepan
que sus obras e vidas han de estar escriptas como lo meresçieren,
porque avnque aya en su tiempo un coronista lagotero e mentiroso
que los alabe contra rrazón e verdad, no han de faltar otros historiales verdaderos que hablen lo çierto (I, est. XLIIII, 481-482).

107.   *Contra el* Amadís. *Refranes de Castilla.*

> Ved qué sçiençia de París,
> Salamanca, ni Henares.
> Digo la de aluañares
> Por los sabios reprouada.
> Entre vanos alabada
> Porques rregla de culpados
> Amarse los maculados
> Porque así casan en Dueñas.

Al propósito de euitarse la mala leçión dice el testo: "Ved qué
çiençia de París, de Salamanca ni Henares", en los quales estudios

---

[214] *Suetonio:* supongo que Oviedo usó la traducción italiana (Venecia,
1539), ya que la castellana apareció después de su muerte (1596).

tantos theólogos sçientes [215] en diuersas e nesçessarias doctrinas se exerçitan e floresçen. Esotra çiençia, o mejor diziendo, vana leçión de *Amadís*, dígola de aluañares, [216] ques, o son, los caños por donde se purgan e despiden los hedores e suziedad de los pueblos. Sçiençia, o mal saber, es la de essos libros viçiosos, reprouada por los sabios varones e honestos, e alabada por los vanos e aderentes a la poçilga de Venus. Porque es rregla e costumbre de los maculados e no limpios amarse e juntarse con los culpados, porque así casan en Dueñas, como se suele dezir en nuestra Castilla; "que rruyn con rruyn casan en Dueñas". [217] E así, quando ven que se allega vn malo a otro, o vn viçioso a otro, dizen: "Así casan en Dueñas", que es vna villa a seys leguas de Valladolid, del Conde de Buendía. No porque sea allí tal costumbre más que en otra parte vsada de casarse los rruynes con los rruynes, sino porque es vn dicho que ansí se vsa dezir desde mucho tiempo ha, y no dexo de creer que en algunos se començó en tal ora o tal coyuntura que se le asentó al vulgo o le cayó en graçia, que se ha perpetuado e tura e turará en Castilla, porques a propósito dezirse cada vez que vn ruyn casa con muger su semejante. E no sería menos çierto dezir que así casan en otros pueblos rruyn con rruyn, pero eso está ya intitulado a Dueñas, como quien suele dezir, quel buen vino es de Madrigal, avnque no todo el vino de aquella villa es bueno, pues que también le ay allí malo y avn vinagre. E prosiguiendo la materia, en que la estança proçede, dize el testo (I, est. XLIIII, 482-483).

---

215 *Sçientes:* v. *supra,* nota 166.
216 *Aluañares:* albañales.
217 *Dueñas:* Correas, *Vocabulario,* pág. 575: "Rruin kon rruin, ke ansí kasan en Dueñas. En Dueñas tuvieron uso de kasar en su lugar, kon su igual i konozido, i no fuera; i los de la komarka, por matraka, inventaron este refrán, kizá kon enbidia i desdeñados, ke rresulta más en onor ke en baldón. No komenzó porke allí se kasó el Rrei don Fernando viexo kon [Xermana de Foix]". Correas tira contra Covarrubias, *Tesoro,* 488: "Dize un proverbio por ironía, quando casan dos, que el uno no puede poner tacha al otro: Ruyn con ruyn, que assí casan en Dueñas. Hase de entender al revés de lo que suena el proverbio, en quanto a los que casaron en Dueñas, porque trae origen de que en aquella villa se casó el rey don Fernando la segunda vez con la reyna Germana".

108. *La familia del* Amadís.

> Qué valdrían las açeñas
> Faltándoles la çiuera.
> Esos sesos de fuslera
> Aunque suenan no dan fructo:
> Dan al demonio tributo
> De los vanos vanitando,
> A otros materia dando
> A novelar muy atentos.

Mucho valen vnas buenas açeñas, así como las de Martos en Córdoua, e mucho le rentauan al Conde de Ureña en el tiempo que yo las vi. E así ay otras muchas en España, que valen mucho pero si les falta çiuera, ques el trigo que muelen, e no le ouiese, poco valdrían. E así son de poco valor los ombres de flaco entendimiento, a quien el testo llama seso de fuslera, ques ese metal de que se hazen las campanas de cobre y estaño para que suenen, y avn çençerros a vezes, que dan poco fructo, e es poca su estimaçión, avnque cada cosa sirue en aquello para que es. Porquel çençerro sirue a la rrecua, y si se pierde el buey ençençerrado, atina el que le ha perdido a yr donde anda el buey, e es trasportado. Y el loco sirue para que se conozca el cuerdo, así que el buen fructo y el malo todo es fructo, mas muy diferente. Y el mal fructo es lo quel demonio granjea e quiere e le dan de tributo los vanos, vanitando, [218] e dando materia e ocasión a otros para nouelar muy atentos. E tan atentos que ya el libro de *Amadís* [219] ha cresçido tanto y en tanta manera, que es vn linaje el que dél en libros vanos ha proçedido, ques más copiosa casta que la de los de Rrojas, como suelen dezir, que porque son muchos, acostumbran dezir "Más son que los de Rrojas". [220] Y a [*sic*] Amadís

---

218 *Vanitando:* v. *supra,* nota 25.

219 *Amadís:* razón que le sobra tiene Oviedo al hablar de este *linaje.* Según mis cuentas, en vida de Oviedo salió el libro duodécimo del *Amadís,* vale decir el *Silves de la Selva... con el naçimiento de los temidos caualleros Esferamundi y Amadís de Astra* (Sevilla, 1546): según el árbol genealógico de Pascual de Gayangos, *Bib. Aut. Esp.,* XL, xxxviii, Silves de la Selva era cuarto nieto y Esferamundi quinto nieto de Amadís de Gaula.

220 *Los de Rrojas:* lo registra Correas, *Vocabulario,* págs. 534 y 746, donde añade "ke son muchos".

es tan acresçentado que tiene hijos y nietos, e tanta moltitud de fabulosa estirpe que paresçe que las mentiras e fábulas griegas se van passando a España. Y así van cresçiendo como espuma, e quanto más cresçieren menos valor tienen tales fiçiones, avnque no para los libreros e imprenssores, porque antes les compran esos disparates e se los pagan, que no los libros auténticos e prouechosos de leçiones fructuosas e sanctas. Pero al cabo cada vno busca los libros conforme a la vena e intento de su inclinaçión, e propósito e facultad, o de su buen desseo o vanidad. Pero consejaría yo al christiano quel libro que comprase sea a propósito de su saluación, porque dice el rreal Psalmista: Señor, todos los que de Tí se alexan peresçerán, porque Tú destruyste todos los que alguna cosa aman sin Tí (I, est. XLIIII, 483-484).

109. *Mentiras de los libros de caballerías. Nápoles: el Pontano y Sannazaro.*

> Yo hallé algunas siestas
> Ombres graues ocupados
> Desa liçión ençarçados
> Y quedé maravillado:
> El estilo encumbrado
> Dezían que los mouía
> A leer tal bouarría, [221]
> Pues la medula fue mala.

Acuérdome auer hallado çiertos caualleros, hijos de padres illustres de títulos y estados, en casa de vno dellos ocupados en vn libro de ésos, con mucha atençión, oyendo la materia de que tractaua. E pidiéronme que en çierto paso que yo les dixesse mi paresçer. Lo hize e les dixe: Señores, todo lo que esos renglones dizen son mentiras equíuocas, e traen aparejo de entenderlas o sentirlas, añadiendo la misma mentira o menguando el caso. Lo qual no se pudiera hazer seyendo verdad, sino aparejar o aperçebir las orejas y el entendimiento, esforçándose cada vno a interpretar e declarar el verdadero sentido. Y si lo quereys ver, aquí he oýdo de los caualleros que aquí estays, vuestras opiniones,

---

[221] *Bouarría:* derivado de *bobo* que no hallo registrado en los léxicos a mano.

y todas son biuas e de altos ingenios, mas creo que desque ayays dormido esta noche, o estudiado el mismo examen, será vuestro paresçer diferente de cada vno, lo qual, si la quistión o conclusión de la materia fuera verdadera e no artifiçiosamente apartada de verdad, no discreparan tanto vuestros paresçeres, antes pienso que los más fueran concordes. Y caso que el estilo dese auctor de quien se tracta, como dezís, sea alto, y que eso fue la causa que os mouió a disputar sobre semejante materia, yo no querría ser el vençedor de tal disputaçión e litigio, por no quedar por el más mentiroso.

Esta disputa e las semejantes llamaua un día el Pontano [222] en el tiempo que yo le vi en Nápoles, de edad de ochenta o más años, y esto era el año de 1499. Y estando platicando con çiertos gentiles ombres doctos, y entre ellos Jácomo Sanazar le rogaron que les dixese su paresçer sobre çierta materia equíuoca, e dixo: Avnque yo os diga lo que siento, dirá el que eso escriuió que no fue ese mi paresçer el suyo con que se mouió a escriuirlo, e dirá verdad, avnque no lo sea la mentira, y por tanto es mejor que mienta ese auctor solo, que no que le ayude yo a mentir. Mejor sería que le preguntásemos a Miçer Jácomo de Sanazar, qué cosa es aquella tierra de Arcadia, que pues supo la lengua pastoril della y la mezcló con la toscana, también sabrá dezirnos qué les paresçe allá de nuestra lengua italiana. A lo qual todos acudieron con mucha rrisa. Porque Miçer Jacómo Sanazar nunca estuuo en Arcadia, avnque a su obra la llamo *Arcadia,* pero fue docto e gentil cauallero. E rresçibió ese mote como si su padre le ouiera dicho lo que se ha tocado, porque a la verdad el Sanazar y todos amauan e acatauan al Pontano como a padre, e era estimado por muy docto en aquella cibdad, e avn en toda Italia. El qual avía seydo secretario de dos o tres rreyes predeçesores del infeliçe y buen rrey don Federique, que perdió aquel rreyno, sin defetto de su rreal persona sino por falta de su ventura (I, est. XLIIII, 485-487).

---

[222] *Pontano:* ochenta años era casi la edad de este célebre humanista napolitano en 1499, porque había nacido en 1426; murió en 1503; v. *infra,* nota 694. *Jácomo Sanazar:* o como él prefería firmarse, Jacopo Sannazaro, publicó su *Arcadia* en 1504.

110. *Culebras de Indias.*

> Como el que sin hataca
> La mano mete en la olla,
> Vense naos a la colla
> Dilatando su partida.
> El angüe [223] ques escondida
> Es de muy mayor peligro.

Iterando y aprouando los versos preçedentes compara el testo, para más validaçión de lo que ha dicho, que al imprudente e que no se quisiere justificar se hallará burlado, como el que sin hataca, o cuchar, mete la mano en la olla, que de nescesidad, estando hiruiendo, se ha de quemar e harrepentirse sin tiempo. Al propósito de lo qual dize: "Vense las naos a la colla, dilatando su partida". Quando la nao está presta para hazer su viaje alça las entenas, cogidas las velas, y esto llaman estar a la colla, esperando solamente quel piloto mande alçar las áncoras e soltar las velas, llegado el viento que espera al propósito de su viaje. E así están algunos, puestos en bíspera de caminar e podríanse partir e seguir su jornada, e dilatan la partida e pásase el tiempo e pierden de hazer su camino. Porque no ven el angüe, que despúes sale de traués en el tiempo venidero, e la tormenta fuctura llega quando, por no se aver ydo quando tuuo lugar, da con la nao al traués e se pierde. Y eso causó no vsar de la oportunidad que tuuo para yr en saluamento, e esperó la mudança del tiempo con que se perdió en la mar por se aver detenido.

Angüe se llama propriamente la serpiente o culebra, e a este propósito de las cautelas, e peligros ocultos, dize Françisco Petrarca [224] en vn verso: *So come sta tra fiori ascoso l'angue.* Quiere dezir este verso toscano: Sé como está entre las flores escondida el angüe, y la culebra. Muchas vezes acaesçe estar la culebra escondida entre las flores e yeruas en los campos e prados, para hazer mal e daño. Así como so color de buenas palabras e amistad se suelen, disimulando, hazer muchos engaños. E ésos son más peligrosos de que no nos guardamos.

---

[223] *Angüe:* feo latinismo *(anguis)* por víbora.
[224] *Petrarca: Trionfo d'amore,* III, v. 157; la cita es correcta.

En Tierra Firme, el año de 1521, vi que çiertos indios e indias estauan cogiendo el mahíz que yo thenía sembrado çerca del rrío del Darién, e saltó vna culebra çinco o seys pasos en el ayre contra una muchacha e la picó en la garganta del pie, e luego la moça se sintio mortal e en continente [225] la hize lleuar á la çibdad de Sancta María del Antigua del Darién. E vn barbero le dió çinco o seys lançetadas para la sangrar, e no le salió gota de sangre sino vna agua amarilla, como açafrán, e no biuió 24 oras después que la culebra la hirió. Dezían médicos e çirujanos que aquella angüe, o culebra, era tyro, que es çierta espeçie de culebras ponçoñosísimas que se arrojan e saltan, como aquélla hizo, para herir a los ombres. Púselo aquí porque soy testigo de vista de lo que he dicho, e aquella muchacha era india e servía a mi muger, e quadra aquí con el verso del testo y con el de Petrarca. Aunque no estó [226] sin sospecha que aquella culebra era áspis, [227] o semejante a las culebras con que se mató Cleopatra, rreyna de Egipto, porque Ottauiano no la hiziese colocar biua en su triumpho. Las quales áspides induzen sueño mortal al que hiere, e así esta muchacha se dormía quando es dicho, después que fue herida, &c. (I, est. XLIIII, 488-489).

111. *Piratas en el Mediterráneo. Dos tipos de nobleza.*

Aquel paje anda pigro [228]
Que no teme mastresala.
De la escondida cala
Suelen salir los ladrones;
Y no todos los blasones
De armas son aprouados.

Sin se partir el testo de la materia de los engaños, que pende de la preçedente estança, e acumulando otros, pone tres puntos

---

[225] *En continente:* modo adverbial latino *in continenti* [*tempore*], en tiempo continuo, o sea, de inmediato.

[226] *Estó:* forma arcaica ya, para la época en que escribe Oviedo, por *estoy.*

[227] *Aspis:* es el nominativo latino de *áspide. Tyro:* "salamandra, batracio", A. Alcalá Venceslada, *Vocabulario andaluz* (Madrid, 1951), s. v. *tiro;* el *Dicc. Ac.* también lo registra como andalucismo.

[228] *Pigro:* otro crudo latinismo *(piger)* por "lento, perezoso".

o pausas diferentes en estos seys verssos, e dize que "aquel paje anda pigro que no teme mastresala". Y no se ha de entender esso por solos los pajes, sino por todos aquellos que deuen ser castigados si no temen e tienen superior que castigarlos pueda. Muy a peligro están los tales de se perder, y avn la çibdad o villa donde no fueren los vezinos corregibles e thenidos en justiçia, porque, como se suele dezir, el aparejo haze los ladrones, y las hijas malas las descuydadas madres.

Dize más el testo: "De la escondida cala suelen salir los ladrones". Cala se llama vna ensenada detrás de alguna punta en la costa de la mar, donde se esconden las fustas e vergantines que andan a saltear. De las quales calas ay muchas en la costa del rreyno de Valençia y el rreyno de Granada, de que suelen salir moros del rreyno e prouinçia e costas de Africa, e françeses e otros salteadores.

No todos las blasones de armas son aprouados, porque vnas son muy antiguas e otras muy frescas. Y en este caso, al reués del pescado, auemos de entender que lo fresco hiede, o no es tal como lo çeçial. Verdad es que armas no las puede ninguno poner sin liçençia expresa del prínçipe, y esas çeçiales e veteranas tienen el preuilegio fundado en la verdad e antigüedad notoria de su linaje. E las modernas tienen vn previlegio rreal fauorable con letras de oro, de que avn no está enxuta la tinta. E quanto más fresco peor, porque la diferençia es ésta: que los linajes claros e jubilados ganaron sus armas vertiendo su propria sangre e derramando la de los infieles o enemigos de su rrey e de la patria. E esotros frescales ganaron sus escudos sin pelear o con fuerça de dineros, dados a lagoteros soliçitadores, lleuando desde las Indias testimonios en derecho de su dedo e no de la verdad, con esquisitas formas e fauores que mueuen al rrey a conçeder esas armas, que es su voluntad de les dar. Pero no por eso son hidalgos ni dexarán de pechar, si pecheros nasçieron, sino fuese en vna Toledo, o donde la çibdad o rrepública tal priuilegio touiese (I, est. XLV, 490-491).

112. *Sambenitos, hidalgos y godos.*

Los sancbenitos pintados
Tráense sin deuoçión.

Por la puerta del perdón
Absueltos no salen todos:
Ni menos fueron los godos
Todos de sangre rreal.

Muy aueriguado y público es que los sancbenitos, [229] pintados con dos cruzes, vna delante e otra detrás, se traen por penitençia e no por deuoçión ni voluntad quel penitente tenga con tales cruzes. Ved qué deuoción le ternía el que, sentençiado en Castilla, e rreconçiliado, tomó su hábito e le echó en vn pozo e se vino a las Indias con vn escudo de vn león rreal de color de púrpura, rrampante, en campo blanco *vel* argénteo, orlado de ocho aspas de oro en campo de goles, como le traen los Çepedas, [230] que son notorios hijosdalgo: e estotro era notoriamente de casta de judíos, nueuamente venidos a la fe christiana. El qual, e otros tales, porque salgan por la puerta del perdón no salen todos absueltos ni más christianos que antes eran, sino marcados e señalados por quien son.

No puedo dexar de rreýrme viendo algunos soberuios blasonar que deçienden de los godos. Ni creays, caso que así sea, que desçienden por eso de la sangre rreal de los godos, porque entre ellos siempre ovo perssonas e grados muy diferentes e destintos, de patriçios, equestres e plebeos. E los vnos e los otros eran

---

[229] *Sancbenitos:* sambenitos. Empezaron por ser escapularios de' benedictinos (de ahí la etimología, *San Benito,* y no *saco bendito,* como se ha venido diciendo desde época de Covarrubias), y terminó por ser el escapulario que se ponía a los condenados por la Inquisición. Comparar este texto con *infra,* texto 198.

[230] *Çepedas:* la acusación de Oviedo va nada menos que contra la familia de Santa Teresa de Jesús. Desde la época del artículo de Narciso Alonso Cortés, "Pleitos de los Cepedas", *BRAE,* XXV (1946), 85-110, quedó bien claro que los ascendientes directos de la Santa habían sido penitenciados por el Santo Oficio, y, en consecuencia, la familia íntegra llevó esa mácula a cuestas por mucho tiempo. Ahora bien, los hermanos y varios primos de la Santa vinieron a Indias, v. Manuel M. Polit L., *Los hermanos de Santa Teresa en América,* segunda ed. (Quito, 1932). Rodrigo de Cepeda murió en el Río de la Plata; Lorenzo de Cepeda murió en 1580; Jerónimo de Cepeda murió en 1570. Pero creo que Oviedo no truena contra ninguno de éstos, ya que vivieron y murieron muy lejos del área de influencia de nuestro alcaide y cronista. Sospecho, mas bien, que se trató de Alonso de Cepeda y Ahumada, primo de la Santa, pues éste se radicó en Nicaragua, que sí fue tierra que Oviedo conoció bien.

godos, como lo ay en las otras nasçiones todas estas diferençias (I, est. XLV, 491-492).

113. *Conversos.*

> El que derecho no anda
> John, [*sic*] o Pedro, Raphael
> ¿Qué aprouecha si es Simuel
> O Mahoma de secreto?,
> Haciendo de blanco prieto
> Mostrándonos la corteza.

Suelen los que no andan derechos en la fe, con nombre de christiano fingido tener otro secreto de judío o moro en lo interior y en sus obras: "haziendo de blanco prieto mostrándonos la corteza", dando a entender vna cosa por otra. Porque su fin es muy apartado de lo que publican, e no se les da más mentir que rrascarse la cabeça. Porque piensan que aquel trato de sus engaños es la granjería con que el tal piensa que salua el ánima y acresçienta la hazienda. Y a las vezes en lo vno y en lo otro se engaña quando es conosçido, porque le queman e pierde el cuerpo e la hazienda, e si no muere conosçiendo a Dios e arrepintiéndose de sus delitos vase su ánima al infierno, donde nunca acabe de penar en pago de la corteza que dice el testo que nos mostraua, negando la verdad. Sanc [*sic*] Jerónimo, hablando a dos ermanàs rreligiosas de sancta vida, les dize así: Dezidme, hijas ¿qué podemos nosotros demandar delante la silla del Juez eternal, que osemos dezir: "Esto demandamos como cosa nuestra"? Bien sabeys quel glorioso Apóstol Sanct Pablo dize: Quando venimos a este mundo desnudos entramos: quando saliéremos así mesmo nos yremos. Ni truximos ni lleuaremos. Pues si no truximos nada quando venimos, ni avemos de lleuar quando nos vamos, falsamente diremos, mientras estamos aquí, que es algo nuestro. Si bien miramos hallaremos quel mundo y todo quanto en él está, es ageno de nosotros. Todo es cortezas y engaños y cautelas sino lo que la Yglesia predica y quiere del cathólico christiano, fundado en la verdad euangélica llena de toda limpieza (I, est. XLV, 492-493).

114. *Roma en 1500.*

> Espías disimulados,
> Sagazes, con mal aviso:
> Otro es su paraýso
> Que aquel do fue Helías.

Recuérdome, y muy bien dello, que estando yo en Roma el
año de mill e quinientos en tiempo del Papa Alexandre sexto, cosas vía que con razón llama el testo espías disimuladas a los
clérigos, porque sus segaçidades [*sic*] y avisos para negoçiar e
malefiçiar nunca se acabarían de dezir, como en aquel tiempo
andaua aquella curia rromana. Otro es el paraýso de allí que
aquel donde fue Helías, non obstante que allí rreside el vicario
de Christo, nuestro Redemptor, cabeça de la sagrada Yglesia, e
allí están las llaues de Sanct Pedro y la puerta del çielo. Allí,
pues, avía tan frequentada la maliçia de los ombres que daua
causa de penssar que las rreliquias verdaderas que allí ay, sostienen que no se hunda con el clero e los demás aquella çibdad
sancta, cabeça del mundo. Del paraýso terrenal, donde fue lleuado Helías, e de los miraglos del mismo Helías, hallareys mucha
memoria en el terçero e quarto libro de los *Rreyes,* y déxolo de
dezir por euitar prolixidad. E el paraýso donde están él y Enoch,
dicho el deliçiano, e comúnmente llamamos terrenal, donde Dios
crio nuestros primeros padres Adam y Eua, e de allí fueron echados por pecadores engañados por el común aduerssario nuestro,
&c. (I, est. XLV, 494).

115. *De Alemania y los mejores frutos españoles.*

> ¡Qué vemos en nuestros días
> De herejes leuantados!
> Y entr'ellos alabados
> Como ráuanos de Olmedo,
> O aluillas [231] de Toledo,
> O nabos de Somosierra.

---

[231] *Aluillas:* uvas albillas.

Es para admirarse los ombres de ver quán perdido está oy el mundo, y así dize el testo, como admirado: ¡Qué vemos en nuestros días de erejes leuantados! Poned los ojos en Alemania [232] y en Bohemia y por aquellas partes septentrionales, y verés tanta perdiçión ques para quedar los ombres atónitos y pasmados, considerando en quán poco tiempo el demonio ha dañado tantas e tan grandes prouinçias, ques mucha lástima pensar en ello. Y lo peor de todo ello es ver su constançia y tesón en el mal, y entre los tales erejes alabando sus errores como si fuese la plática de rráuanos, y se alabasen por los mejores los de Olmedo como lo hazen en Castilla. O como si se tractase de quáles son mejores huuas para la mesa, e se dixese que las aluillas de Toledo, como en la verdad lo son. O como si se tractase de los mejores nabos y dixesen que los de Somosierra hazen ventaja a todos, y así es la verdad. Que hablando de erejes, los de Germania, al presente, hazen ventaja a todos los del mundo en ser los peores. Porque demás de aver seydo causa de las muertes y trabajos e inçendios de su misma tierra, han seydo traydores al Emperador, su natural señor, e hanlo seydo a Dios, ques más, pues han negado a Su sagrada Yglesia, y Sus sanctíssimos preçeptos, e contrariado Sus exçelençias han mezclado mill errores e inserto millares de abominaçiones descomulgadas. E con las armas puéstose de hecho de defender sus culpas e pecados, violando templos e vertiendo sangre e muriendo en tales e tan grandes delitos que avríamos menester mucho tiempo para dezirlos. Basta que son innumerables los testigos de sus maldades, que el ayre se corrompería expresándolas, e los ojos de toda Europa lo testifican y toda la rrepública christiana lo llora (I, est. XLV, 494-495).

116. *Más productos españoles. De apodos.*

> Todo lo que el arca çierra
> Ni es oro ni dineros:
> En la puente de Biueros
> No se suelen tomar truchas:
> Ni las burlas, si son muchas,
> Se deuen de comportar.

---

[232] *Alemania:* v. *supra,* nota 32 y los textos que siguen a esa nota.

Razón es que se crea que el arca también puede çerrar e guardar otras cosas, como el oro e los dineros, ante por la mayor parte se ençierran en ella otras muchas cosas de que ay abundançia comúnmente en casa, más que de oro o dineros. E así, por consiguiente, no todos los ombres tienen ni se ençierran en ellos las virtudes, pues los menos las saben ni las vsan.

Ni en la puente de Biueros, que está en el rrío de Xarama en la mitad del camino que ay desde la villa de Madrid a Alcalá de Henares, se toman truchas que no las ay, sino otros peçes y barbos. Quiere dezir el testo que las cosas se han de buscar adonde las ay e no donde no se pueden hallar. En aquella puente e sus rriberas hallarés por allí muy brauos toros, e muchos e buenos conejos. Y las truchas en Benauente y en Nela [233] e otras partes. Y así si quisiéredes hallar buenos christianos avéslos de hallar entre los cathólicos defensores de la rreligión christiana y no entre los que se apartan de la Yglesia e la rredarguyen, y en la fe e ley euangélica quieren ynouar e alterar cosas espeçiales y contra lo que Jhesu Christo y Su Yglesia tienen e se deue guardar inuiolablemente.

Dize más el testo: "Ni las burlas, si son muchas se deuen de comportar". Costumbre es muy vsada entre los ombres bien criados burlar liuianamente e vsar de algunos motes sin pesadumbre, ni lastimar con palabras odiosas ni maliçiosas porque no salten de las burlas en las veras, y avn en los coxcorrones, perdiendo la vergüença y el amistad. Los groseros y gente baxa vsan otros términos de burlas, a vezes de manos, y con pullas e palabras suzias e torpes. Pero en fin, ninguna burla es buena, ni entre buenos se deue admitir ni vsar della porques más posible introduzirse entre las burlas la enemistad e proçeder rrencores, que no confirmarse la paz e el amor e amistad de los amigos. E como dize el testo que no sean muchas las burlas, paresçe que acepta las pocas. Yo digo que ni pocas ni muchas porque nunca ovo burla que no dexase ocasión de sí para más burlas adelante. E por tanto es más seguro no burlar, pues que a vezes vemos que a tal coyuntura o tiempo se puede dezir vna palabra que queda perpetuamente fixada e impresa en el vulgo para todos los días de

---

[233] *Nela:* río que nace en la Cordillera Cantábrica, al Norte de Burgos.

aquél contra quien se dixo, e avn algunas vezes passan hasta sus desçendientes. Así como decir al vno *Garçiçamarro*, e a otro *Carne de Cabra*, e a otro *Pelahustán*, e a otro *Çencerro*, e a otro *Perigallo*, e a otro *Hoçico de Puerco*. Este vltimo no fue español e púsele aquí porque estas burlas en todo el mundo andan. Los demás, señalados caualleros fueron en Castilla e en sus suçessores de algunos dellos ay oy casas de títulos e de gran rrenta e vassallos, como lo tengo dicho en los tractados e diálogos que he escripto de las casas illustres e linajes de nuestra España. [234] El *Hoçico de Puerco* fue Sergio romano, Papa 2 [235] en el número de los pontífices. Fue creado Papa el año de 844, e llamáuanle primero *Hoçico de Puerco* e mudósele el nombre. E después se guardó e guarda essa costumbre e todos los Papas se mudan el nombre quando los eligen a la silla de Sanct Pedro. Pero más antiguas son estas burlas e mudanças que todo lo que está dicho. Leed e sabrés que aquellos antiguos e famosos rromanos vnos de ser expertos en sembrar fauas se llamaron Fabios, e otros lentejas e ganaron el nombre de Léntulos, e de vna berruga que vno tuuo en el rrostro como vn çíçer, o garuanço, le llamaron Çiçerón e proçedió la casta de los Çiçerones, e así de otras suçedieron esos linajes. Pero lo que les dio lustre e fama fue aver sido virtuosos y exçelentes varones los que en esas baxas orígines las ensalçaron y encumbraron en honores para sí e sus desçendientes. Quiero dezir que dexar los viçios e llegarse los ombres a las virtudes es lo que haze al caso, y lo que cresçe la onrra y el estado y adquiere la gloria, enderesçando la vida e obras al seruiçio de Dios que es la perpetua gloria e bienauenturança. Porque todo lo demás, o ques apartado de Dios, es vanidad e dino de ser desechado e oluidado como cosa sin fructo e pereçedera. E no para hazer caso sino de aquello que mejora nuestra vida e consçiençia, e que fuere al propósito de nuestra saluaçión, que es el efecto para que Dios nos crio e quiso hazer el ombre e por quien El se puso en la Cruz † para rredimirnos (I, est. XLV, 495-497).

---

[234] *Nue;tra España:* o sea las *Batallas y quinquagenas,* obra todavía casi íntegramente inédita, y cuya edición espero ultimar algún día.

[235] *Sergio romano, Papa 2:* se refiere a Sergio II, Papa de 844 a 847.

117.   *Productos locales.*

> No suelen yr a buscar
> En los riscos las dehesas;
> En Robledo, sí, artessas
> Y en Nieua muchos trillos.

El que ouiese de comprar muchos quintales de hierro no vernía a los buscar a estas nuestras Indias pues que en ellas no ay
tal metal, si de España o de otra parte acá no le truxesen. Pero
si lo fuese a buscar a Bilbao y Vizcaya hallarle hía en abundançia.

Los presentes verssos del testo dizen que "no se suelen yr a
buscar en los rriscos las dehesas" porque no las ay en ellos, ni
el ganado sería bien apaçentado. Pero hallarlas hían en el campo
de Alcudia y en otras partes donde las ay, e la dispusiçión del
paýs o terreno hizo Dios naturalmente dispuesto para averlas, y
los rriscos y las breñas son indispuestos para pastos o dehesas.
Quiere dezir que las cosas se han de buscar donde las ay. Así
como en Rrobledo artesas, y en la villa de Sancta María de Nieua
trillos para el pan. Y así, quando quisiéredes converssaçión de
buenos y exçelentes theólogos, ocurrid a las Vniuersidades de los
estudios de París, Salamanca, Alcalá de Henares, Osuna, Lérida
e Valladolid, e a Boloña e Louayna, &c. E quando desséaredes
la compañía de gentiles caualleros en el arte militar yd a la
Corte y exérçitos del Emperador don Carlos, rey nuestro señor.
Si quereys indulgençias y bulas acudid al Papa e a su Corte
rromana. Y así en todo lo ques nesçessario se han de buscar las
cosas desseadas donde aya abundançia dellas y no donde no se
pueden aver, o no están en vso ni costumbre de lo que bus-
cáredes. E así en la estançia siguiente dize el testo de qué forma
está el mundo y las cosas dél, &c. (I, est. XLV, 497-498).

118.   *Almuñécar y Alicante.*

> Almuñécar buena passa,
> Pan de higos Alicante.
> Herrador sin pujauante
> No hará bien su offiçio.

¡O quánto se deue mirar en que las obras e las palabras se conformen, porquel crédito bueno se conserue e no sean desestimados los ombres! Una de las cosas en que se conosçe el varón prudente es en la eleçión de las cosas en que se exerçita, porque el que mal dispensa en lo que elige no puede açertar sino acaso. Y a este propósito dize el testo: "Almuñécar buena passa, pan de higos Alicante". Mirad qué dos disparates al propósito de lo que está dicho. Pues no son disparates, ni fuera de la materia. Las mejores pasas de España son las de Almuñécar e no se hallan otras mejores. E así, el pan de higos que se haze en Alicante es el mejor del rreyno de España, e quien a de buscar qualquiera cosa désas no la ha de hallar mejor ni tal como donde está dicho. Porque buscándolo en otra parte no lo ha de hallar tan bueno, y el que se derrama a buscar las cosas que hazen a su propósito donde no las ay, es como el herrador sin puxavante, que avnque sea buen ofiçial no hará bien su ofiçio sin la herramienta que se rrequiere para vsarle. Así que en todo ha de andar la prudençia muy alistada e los ombres aperçebidos con tiempo para todo lo que han de hazer. Preuenidos e vigilantes, porque como dize Salomón: *Sicut aqua profunda sic consilium in corde viri.* Quiere dezir: Así como el agua profunda el consejo del varón en su coraçón discretamente lo comprehende e alcança. E abráçate con Dios, letor prudente, e conséjate con quien sepas que te sabrá consejar con verdad, mediante Dios. E como dize el sabio: *Ne des alienis honorem tuum.* No des a ninguno tu honor (I, est. XLVI, 499-500).

119. *El acueducto de Segovia.*

> Estremado edifiçio
> Es la puente de Segovia;
> Y no para lleuar nouia
> Sobrella, muy mesurada,
> Sino vieja escarmentada,
> Que no dessea bolar.

Bien dize el testo ques estremado edifiçio el de la puente de Segouia, y cosa mucho de ver de contemplar su forma e altura e arte de la lauor. La qual es vna antiquísima e artifiçiosa arquitectura, e no de las comunes sino peregrina. E de admiraçión ver aquella puente de piedra seca e vnos arcos sobre otros, estrecha e muy alta. E por ençima della viene el agua a la çibdad en gran cantidad. E sin dubda es osadía o temeridad, o mejor diziendo, locura, andar sobre ella. Ni ay para qué sino para algunos ombres desocupados, e atentos a ver cosas semejantes e rraras, o lo que menos les conuiene, porque ya an caýdo de allí algunos, que no les costó el salto menos de la vida. Yo me vi ençima della en mi edad adolesçente y no me detuue mucho allá, ni avíe para qué, sino para atender algún peligro. Y dize bien el testo que no es para lleuar sobrella nouia muy mesurada, sino vieja escarmentada que no desee bolar desde allí abaxo. E siendo escarmentada, como dizen, passaría arregaçada. Ques tanto como dezir que ni moça ni vieja no se deue poner en esa prueua, porque quien allá subiere no ha menester haldas ni cosa que embaraçe. Esto todo quiere dezir, o trae el texto a propósito, que no nos ocupemos en cosas de poco frutto, ni donde está aparejado el peligro. Porque allí no ha de ser la vista ni detenimiento del ombre de buen entendimiento para más de mirar e passar adelante, e considerar lo que se deue con prudençia loar e conjeturar el cuydado de tal obra, así para sostenerla, como el que tuuieron los fundadores antiguos de proueer de agua aquella çibdad, e traerla de tal manera a su rrepública. Porque de ver aquello e otras cosas artifiçiosas, toman los ombres de buen injenio aviso para adelante poderse ayudar de las cosas vistas para las ocurrientes e fucturas nesçesidades, e proueer en lo que es o podría ser ýtil a su patria, e a lo que conuiniere edificarse desa o de otra manera. Porque, en fin, todos los ingenios de los ombres tienen nesçesidad vnos de otros (I, est. XLVI, 500-501).

120.   *De hidalguía y nobleza.*

Aquel es de buen solar
Que por tal es conosçido.
Y el no tal enrriquesçido
Ríese del questá pobre.
La moneda ques de cobre,
Según es tienel valor
No de oro ni mejor
Que plata, ni su çapato.

Infinitos son los ombres que blasonan esos solares de su nobleza e hidalguía, e dize el testo que "aquel es de buen solar que por tal es conosçido." Y eso dízese porque en Castilla no admiten por hidalgo al que no es conosçido por tal, ni los pecheros le consienten ni dexan salir por hidalgo sin lo prouar en vna chançillería rreal ante los alcaldes de los hijosdalgo que para ello están diputados e son juezes de tal letigio.

Dize más el testo, que el que no es hijodalgo y es enrriquesçido se rríe del questá pobre. Ríase cuanto quisiere, pues, como dize el testo, la moneda de cobre, según es, tiene el valor e los méritos. Y no penseys que esos casamientos de los cobdiçiosos nobles e pobres que con esos rricos se juntan adoban la casta, antes estragan la suya propria, porquel hijo que proçediere dese desconforme ayuntamiento no será de oro ni de plata, ni como su çapato del que le engendró. Bien será posible que acresçiente la hazienda, pero abaxará los quilates de la buena estirpe, pues lleua esotras mezclas apartadas del rrebaño patriçio. Non obstante que esos nueuos linajes, así bastardados, acógense a vn consuelo, e dizen que ninguno tiene menos abuelos que su vezino, por rruýn que sea. Y es mal consuelo, porque como dizen, mucho va de Pedro a Pedro. No mireys la cantidad sino la calidad, e que valen más los pocos buenos que los muchos rruynes y defectuosos. Ni tanpoco deue nadie enloquesçerse por la nobleza de su linaje, pues vemos que Abrahán e Isac, varones sanctos, engendraron a Esaú e a Yzmael, que fueron malos y pecadores. En fin, yo no quiero dezir quel de noble linaje sin virtudes sea mejor que el plebeo y de baxa estirpe con ellas. Pero quiero afirmar que virtuosos los vnos e virtuosos los otros, los nobles deuen ser preferidos e hazer ventaja a los comunes y baxos plebeos. El mismo Sanct Jerónimo escriue que la nobleza del linaje entre los antiguos, que de primero la corona del triumphador, se daua por mandado de los prinçipales nobles, e solos ellos la alcançauan. En tanta manera que Mario, siendo cónsul e vençedor de los Numidias y Teutones e Cimbros, por no ser de noble familia lo tenían por indigno de corona triumphal para que triumphase. Finalmente, lo mejor haze ventaja a lo que no es tal. Creo que si lo ha sabido dezir, que está muy clara e bastantemente deçisa esta quistión (I, est. XLVI, 501-503).

121. El juego del abejón.

Al juego del abejón
Ninguno juega seguro.
Quien puede comer pan duro
No piensa morir tan presto.

Oydo avrés, y avn podría ser jugado ayais al juego del abejón, ques entre cuatro compañeros, donde se resçiben algunas palmadas, y es menester que sean diestros los jugadores porque, en fin, no lo seyendo resçiben algunas pescoçadas e golpes de manos tan pessados que lo sienten los carrillos y avn las muelas, y quando más seguro está el que juega.

Dize más el testo e últimos versos, que "quien puede comer pan duro no piensa morir tan presto". Juego de abejón es la vida del hombre, y está obligada a quatro humores: frío, caliente, húmedo e seco; e a quatro tiempos del año: inuierno, verano, [236] otoño e estío. Y en cada cosa déstas ay mudanças y destemplamientos, y el malencólico e la flegma, o la cólera o la sangre [237] nos combaten, e golpean, e alteran, e se rrecreçen mudanças en la dispusiçión e perssona. Demás de vna infinidad de peligros en que está nuestra vida obligada e no segura. E por el mismo caso siempre está la enfermedad a la puerta, avnque no aya vejez ni falta de dientes y muelas y se pueda comer el pan duro. Demás de las enfermedades y pasiones que con el tiempo se adquieren corporalmente, allende de las dolençias espirituales que nuestros pecados y maldades y falta de fe y del amor de Dios y del próximo, nuestro descuydo con poco temor de nuestro Señor como ingratos y desconosçidos al Rredemptor, vamos a la muerte del cuerpo y del ánima tan rrezios, que sin detenimientos, quando pensamos que estamos en la carrera somos al cabo della, e se

---

236 Verano: "Hasta el Siglo de Oro se distinguió entre verano, que entonces designaba el fin de la primavera y principio del verano; estío, aplicado al resto de esta estación, y primavera, que significaba solamente el comienzo de la estación conocida ahora con ese nombre", Corominas, DCELC, IV, 704-05.

237 La sangre: melancolía, flema, cólera y sangre eran los cuatro humores de la medicina clásica, y según su combinación salían los diversos tipos humanos.

nos ha passado el tiempo del bien hazer sin buenos méritos para mereçer la gloria, e hallaremos la pena eterna. Porque como dize Sanct Jerónimo: Es cosa manifiesta que sin Dios no ay ganançia en el mundo que valga nada. Y por tanto muy poco aprouecha al ombre hazerse señor de todo el mundo e que su alma esté en peligro. Así que, pues el tiempo se nos pasa, en lo que nos queda por pasar boluámonos a Dios, antes quel juego e término de la vida se nos vaya de entre manos, porque no nos perdamos e Dios nos dará fuerças e alientos para mejorarnos, como lo han hecho los que se saluaron en nuestra ley euangélica. Como lo dize el glorioso doctor de la Yglesia alegado. Creedme que es vn castigo sin dolor e vna reprehensión sin amargura quando aprendemos en cabeça ajena (I, est. XLVI, 506-507).

122. *Educación del paje.*

> Primero toparés mill
> Que vno varón bastante:
> Ni presuma estudiante
> De ser ombre del palaçio
> Por consejos del Barbaçio;
> Si no llevó repelones,
> Y rompiéndose blandones
> Alrrededor del oreja.

Iamás se deue poner el sieruo en onrra por no le dar alas con que desobedezca a su señor. Esto nos dexó el sabio por aviso y espeçial doctrina, donde dize: *Nec façile multis inuenies milibus vnum: virtutem precii qui putet esse sui.* Y ese propósito comiençan estos versos a dezir, que "primero toparés mill que vno varón bastante".

Ni tampoco ha de presumir el estudiante por consejos del Barbaçio de hazerse palançiano, [238] si no lleuó rrepelones seyendo paje e rompiéndose blandones alrrededor de sus orejas, exerçitándose

---

[238] *Palançiano:* palaciego, cortesano. Recordemos que Oviedo fue mozo de cámara del Príncipe don Juan, el primogénito de los Reyes Católicos, muerto en 1497, y que a base de esa experiencia compuso el *Libro de la Cámara real del Príncipe Don Juan,* ed. de J. M. Escudero de la Peña, SBE (Madrid, 1870), obra que bien merece una buena edición crítica, a base de los diversos manuscritos conservados.

los hachazos que entre pajes en el palaçio rreal suele aver. Tanto que algunas vezes ni bastan mastresalas, ni alcaldes, ni alguaziles a ponerlos en paz, hasta que no les queda hacha sana e se van sus amos de palaçio a escuras, o alumbrándolos con los pauilos e mechas que han quedado de tal torneo, y avn bien descalabrados algunos. Quiero dezir quel buen cortesano e ombre de palaçio desde muchacho paje ha de criarse en la escuela cortesana donde las perssonas rreales rresiden, e todos los grandes e mejores de los rreynos acuden, e todas las graçias e gentilezas e buena criança se exerçitan e vsan continuamente, e toda la gala e poleçía [239] se continúa mejor que en otra parte alguna, en todo lo que los caualleros e hidalgos deuen aprender e ser exerçitados para saber seruir e biuir en la paz y en la guerra. Barbaçio fue vn dottor famoso en *vtroque jure*, e leyó en la çibdad de Boloña, [240] ques vna çibdad de Italia donde ay vniuersidad e escuelas generales de diuersas çiençias e colegios de letrados. Bien querría yo mi hijo letrado e en buenas letras enseñado, pero muy bien me paresçen los ombres corteses e bien criados (I, est. XLVII, 509-510).

123. *Superioridad del lenguaje toledano.*

> Verdad es que se apareja
> Después de hecho letrado:
> Auiendo pero curssado
> Con la gente cortesana
> A tomar de buena gana
> La criança de la Corte.

Atendiendo a quanto es nescesaria la corte al letrado proçede el testo e dize ques verdad que se apareja el letrado después ques docto en la doctrina de las escuelas, e cursado en ellas, para tomar con la gente cortesana la buena criança de la corte. Porque avnque en la verdad en Salamanca concurren biuos ingenios, la lengua castellana [241] en el reyno de León, donde cae Salamanca,

---

[239] *Poleçía:* policía, cortesía, buena crianza.
[240] *Boloña:* allí leyó (enseñó) Barbacio en la segunda mitad del siglo xv.
[241] *La lengua castellana:* acerca de la superioridad del castellano toledano que fundamenta Oviedo, ver el libro de mi maestro D. Amado

no se habla tan bien como en el rreyno de Toledo, generalmente, puesto que en Salamanca biuen e ay muchos caualleros e gente noble.

Pero comúnmente y en general no es tal el rromançe, e está tan averiguado esto que, como las leyes rreales de la patria e gouernaçión de los rreynos de Castilla están escriptas en rromançe, es ley del rreyno e rreal que si alguna dubda ouiere en las leyes e fuere de Castilla quanto a la lengua, quel intérprete sea de Toledo, porque allí es donde se habla mejor nuestra lengua, o rromançe. Puesto que al presente bien se podrían enmendar asaz vocablos en las Siete Partidas y en el Fuero Real que hizo el rrey don Alonso déçimo de tal nombre en Castilla. E donde mejor que en Toledo se habla es en la casa rreal de los rreyes nuestros señores, así porque allí acuden todos los prinçipales e bien criados señores e gente noble, como porque allí es la escuela e toque de la buena criança. E no consiste ésa en solamente el hablar pero en el obrar e entender los primeros que los ombres e mugeres de buena criança deuen tener muy bien entendidos e vsados. E desta manera el letrado cortesano muy mejor lo será quel que con solos los derechos [242] estouiere, porque no le faltarán aviesos y vocablos apartados del palaçio con ser latinos. Ni dexará de ynorar muchas cosas que en la corte se aprenden, quanto a esta materia, de la común e ordinaria buena criança de la gente del palaçio. Así quel curso e conuerssaçión es grande adalid para el camino de la buena criança e comedimiento, e saber hablar e biuir conforme a la gente noble e bien doctrinados del palaçio y en buenas costumbres habituados (I, est. XLVII, 510-511).

124. *Los vascos y el éuskera.*

Pero conuiene que acorte
Esos verbos rexpectiuos
A prolixos sensitiuos

Alonso, *Castellano, español, idioma nacional. Historia espiritual de tres nombres* (Buenos Aires, 1942). Claro está que Oviedo era del reino de Toledo (era madrileño), y elucado en la Casa Real.

[242] *Los derechos:* el civil y el canónico, y el que se doctoraba en ambos derechos era, como Barbacio en el texto anterior, *doctor in utroque jure.*

Con presunçión entonados
Loándose de los grados
Y trauesuras passadas.

Mucho conuiene al letrado que del estudio sale acortar palabras, porque como en las escuelas son nesçesarias para en las
disputaçiones y mejor entender la lengua latina y cursar en el
exerçiçio de las letras y mejor entender sus estudios, quedan tan
parleros. Y entónanse con su çiençia de suerte que son incomportables, hasta que se hazen a callar e dexan de hablar en sus grados
e trauesuras, quando se topan con otros que en su tiempo estudia-
ron. E hazen como los vizcaýnos, o los papagayos, que avnque
dos vizcaýnos estén entre ombres graues no dexarán de tocar
un rrepique de vazcuençe [sic] [243] por cosa del mundo, por ver
si se les ha oluidado la lengua cantábrica. E así los papagayos,
que por muy bien que hablen, y los tengays muy enseñados, en
juntándose dos papagayos o más, nunca dexan de cherriar e rrepetir sus gritas e importunar las orejas de quantos los oyen. E de
hecho se les oluida lo que avían aprendido a hablar. E los estudiantes o letrados que se topan por acá, digo fuera de sus escuelas
e estudios donde aprendieron para juristas, quedan palabristas e
después que se han saludado passan su razonamiento a hablar
en las cosas por ellos passadas, de que menos nesçesidad ay de
memorarlas (I, est. XLVII, 511-512).

125. *De grandes comidas.*

Y de las ollas hurtadas
Y mayor copia de votos,
(Y los menos de los doctos)
Vençiendo por moltitud,
No por letras ni virtud,
Ni sin falta de soborno,
Ni con examen adorno,
Como requiere la sçiençia;
Porque valga la sentençia
Que la despreçian los locos.

---

[243] *Vazcuence:* el año de 1504 Oviedo lo pasó casi íntegro en Tavira
de Durango (Vizcaya), según declaración propia, *Quinquagena II*, texto 165.
Por lo demás, la observación de Oviedo acerca del vascuence, y del respeto
de los vascongados por su idioma, es muy acertada, porque en éuskera los
vascos se llaman *euskaldunak,* o sea, los que poseen el éuskera.

Toman tanto sabor los que han estudiado desque se hallan fuera del estudio donde aprendieron, que avnque estén ya con grandes officios y cargos metidos, y avn en el Consejo Rreal ya puestos, si por caso se combidan los vnos a los otros, quando la Pasqua de Nauidad saben con el frío bien los manjares, e la chimenea e braseros, y andan los platos con los capones de Aranda y muchas perdizes, y el socorro de Sanct Martín e Madrigal e Caparica proueyendo las copas e taças, y la mesa tan abastada de quanto la del rrey podría tener, e acompañados de sus mugeres, por cuya industria a su tiempo llegan las fructas de sartén diferençiadas, e otros rregalos, e quanto se puede pensar que al propósito de la gula sea. Y alçados los manteles llegan los reyes (quatro) [244] y sus caualleros y exércitos guiados por el rey de copas. Y los que no juegan hablan en las trauesuras de su moçedad, en su estudio de Salamanca e cómo se hurtauan las ollas, o las dexauan al fuego lleuándose lo que tenían a comerlo en otra parte. E contauan de cómo se oponían para aver las cátredas; dezían la manera que se tenía en aver más copia de votos. Y como dize el testo, no de los más doctos, sino de la moltitud que suele ganar en tales casos el grado o la silla sobre que se contiende, y no por virtud ni sin falta de sobornos más que por adornado ni sufiçiente examen, como la sçiençia lo pide, porque valga la sentençia que los locos despreçian e dize: *Sapientia atque doctrinam stulti despiçiunt.* Quiere dezir que la sapientia e doctrina la despreçian los locos. Y así desta manera açiertan a salir por letrados algunos ydiotas y viçiosos y estragadores de negoçios. Y otros, médicos, intitulados de liçençiados y doctores en mediçina que son para la infeliçe rrepública, donde los pecados del pueblo los traen, peor que vna pestilençia porque son más turables y no menos perjudiçiales quel milano para los pollos, o en las Indias el guaraguao, que tiene el mismo ofiçio. Y esotros señores padres conscriptos, de quien e de sus combites se dixo de suso, vanse a rreposar la çena más por el destinto [245] de sus

---

[244] *Quatro:* se refiere a los naipes, que aparecen después de haber comido bien y bebido mejor: vinos de San Martín de Valdeiglesias y demás.

[245] *Destinto:* instinto.

mulas que por el proprio tiento con que salen del banquete, cansados del prandio [246] y rellenos e no sin yr emplazados para celebrar otro y otras semejantes días, a costa de los rrestantes combidados, por la orden e traça que las señoras sus mugeres ponen los plazos, sin que se digistan los que van delante, y cayga quien cayere (I, est. XLVII, 512-513).

126.   *Ceremonias en la mesa real. De justadores.*

> Ya sé que verés a pocos
> Rústicos siendo letrados,
> Corteses ni bien criados,
> Por muy latinos que sean,
> Hasta que primero vean
> Al que come con osero,
> Y que rresidan primero
> Algún tiempo sin escuelas,
> Viendo quando las espuelas
> El justador se las pone.

Viene el testo continuando la materia, que dize que pocos rústicos (entiende por hijos de labradores) siendo letrados, corteses ni bien criados se hallarán, ni los verés, por muy latinos que sean, hasta que vean primero al que come con osero, ni primero que algún tiempo rresidan sin escuelas e miren quándo se calça las espuelas el ombre darmas y el justador. Quiere todo esso decir que hasta quel letrado sea curssado en la corte la ynorará en muchas cosas.

El que come con osero [247] es la perssona del rrey o del prínçipe solamente en Castilla, porques çirimonia rreal que sólos los rreyes o el príncipe eredero ponen en las mesas el osero, que es vna pieça de plata a manera de vn copón grande, tan ancho el asiento como la boca e toda la pieça çeñida e hueca, e en la boca es más ancha que vn palmo, e es rredonda e de dos palmos de altura. E como el prínçipe se ha lauado los manos el trinchante se pone en mitad de la mesa, enfrente de su alteça, para cortar,

---

246 *Prandio:* latinismo poco feliz (*prandium*), pues lo que quiere decir Oviedo es "comilona, banquete".

247 *Come con osero:* v. *supra,* nota 238.

e se ponen los cuchillos e el salero e luego el pan. E el rrespostero
de plata trae el osero de plata en la mano derecha leuantado el
braço, e hinca la rrodilla en tierra e besa el osero e dale al mastresala o al trinchante. El qual le toma e haze la misma salua
e lo pone delante de la perssona rreal vn poco desuiado del plato
en quel rey come, a la mano derecha, e comiendo echa en el
osero los huesos que dexa despojados de la carne, o fructa que
come. E después que ha comido la fructa postrera, el maestresala
leuanta el osero e dale al repostero de plata que lo lleue al aparador, e luego va el maestresala por las fuentes. No se ha dicho
para que, por ver el osero, se vea la buena criança en verle, sino
porque en la corte rreal se ha de aprender, que es donde el
rrey está. E él sólo vsa comer con osero e ninguno otro grande
ni señor lo pone en su mesa, a lo menos en tiempo de los Cathólicos rreyes don Fernando e doña Ysabel, de gloriosa memoria,
e del sereníssimo Príncipe don Johan, mi señor, su primogénito.
E así se vsó en España el osero, e no en ninguna otra mesa sino
en la rreal, ni le osara poner ningún otro señor de sus rreynos,
ni se les atribuyera a bien, porque ay çirimonias e insignias rreales que al rrey sólo pertenesçen, e de los [sic] que se vsan en
la mesa del rey de Castilla ésta es vna dellas.

El ombre darmas, o justador, se comiença a armar desde los
pies hasta la cabeça, e quando se desarma comiença desde la
cabeça, e lo primero que haze es quitarse el yelmo. E así quando
se començó a armar se puso primero las espuelas, e después de
calçadas asiéntanse las greuas e por el calcañar de la greua sale
el asta de la espuela por çierta muesca o abertura que para ese
efecto la greua tiene en el talón hecho. E después proçeden las
armas rrestantes, hasta que al fin toma el yelmo, e aquél enla-
zado, caualga a cauallo o vase a pie, si el combate ha de ser a
pie con las armas ofensiuas que más le conuiene lleuar. Esto ques
dicho de las espuelas es para que el que no es cortesano, ni ha
seguido las armas, lo sepa viendo lo ques dicho e otras cosas
que en las cortes rreales se vsan. E no en las escuelas de las
letras e artes liberales e otras sçiençias porque en las vniuerssida-
des no se aprenden las cosas del arte militar quanto a las exerçitar. Puesto que quanto a la teórica e lo que del arte de la guerra
ay escripto, no lo ynoran en Salamanca ni en los otros estudios

generales. E avn allí en parte lo podrían aver visto, porque aquella çibdad siempre ha tenido e tiene muchos e nobles caualleros e casas de mayoradgos, e no ynoran el exerçiçio militar e toda gentileza saben. Pero lo de la corte es más e más copiosa la conuersación de los illustres e nobles para semejantes cosas (I, est. XLVII, 513-515).

127. De médicos, ciencia y experiencia.

El doctor que se dispone
A vsar de mediçina
Muchas vezes ve la orina
Antes que sepa curar.

Si se dispone algún doctor de mediçina a vsarla es menester que muchas vezes vea la orina para entenderla y entenderse. Y esto alo de exerçitar y continuar para que sepa curar y entender mejor lo que estudió con la espiriençia, que es madre de todas las artes y la que más asegura el estudio. Digo, verifica lo que se ha estudiado poque la sçiençia sin la experiençia anda coxa e tiene nesçesidad de la compañía del tiempo ques verdadero experimentador para muchas cosas. Así como para ver e conosçer las drogas e mediçinas, yeruas e raýzes e simientes, e quáles son frías e quáles calientes, húmedas o secas, porque avnque lo aya estudiado, conuiene que vea las operaçiones. Sin duda el que escriue toma muchos juezes sobre sí, e vemos por experiençia que los más de los ingenios oy en día están llenos de embidia, e vnos velan contra otros. Pero venga lo que viniere, murmuradores nunca faltaron a otros que mejor que yo sabían e podían escreuir, que no dexaré de proseguir, confiando en Dios, que me dará Su graçia para que mis rreglones siempre sean conformes con la verdad, porque me acuerdo que este mismo santo doctor de la Yglesia dize: Ermano Luçinio, acuérdate que començar es offiçio de muchos; perseuerar e llegar al cabo es de muy pocos (I, est. XLVII, 515-516).

128. De monederos falsos.

El cambiador echa grano
Al ducado ques de pesso,

Por poderle dar vn beso,
A ojos vistas lo haze;
Y al que no le satisfaze
No le quiere dar el trueco.

Ligera o manifiesta cosa es, y muy fáçil de entender, al cambiador que echa grano al ducado de peso, que es manifiesto ladrón, e que quiere dar vn beso al cambio del ducado a ojos vistas. Y al que no quiere consentir el grano no le quiere dar el trueco el cambiador: ¡fea cosa e intolerable! Todas estas cosas penden de la constançia del rregimiento e de su flaqueza que, a la verdad, los otros ombres es muy dificultoso e áspero de creer. E la justiçia e ministros della, que lo disimulan, parte les cabe desa culpa, e Dios los castigará. No pongais dubda en ello. No entendays que avnque puse la comparaçión en el cambiador que por él sólo se dize: no. A muchos toca y en muchos se ha de castigar. ¿No os paresçe que es peor que el grano del cambiador mezclar con el trigo çenteno? ¿No os paresçe que es tan malo aguar el tavernero el vino y el mercader engañar en el presçio, y en el peso y en la medida? ¿Quién acabará de contar las maldades y hurtos y rrobos que vnos ombres cometen contra otros? Y todos penden de vn origen ques el mentir, cuyo padre es el demonio, y el remedio y el castigo de todo pende de sola la verdad, que es Dios la misma verdad, como lo dize el glorioso Euangelista: "Yo soy la vía, e la verdad, e la vida". Pues ese camino y esa verdad y ésa siguamos, ques el mismo Dios para que nos saluemos (I, est. XLVIII, 518-519).

129. *León Hebreo y Petrarca.*

Como niñón mal sofrido,
Çiego de tal ocasión:
Es muy chica dilaçión
La que demanda su gusto,
Y seguro barahusto [248]
Saberle boluer la cara,
Porque no nos cueste cara
Su obra ni penssamiento.

---

[248] *Barahusto:* "balaustrada". *Dicc. Aut.* s.v. *barahuste;* explicación un poco distinta da Oviedo al final de este texto.

Siguiendo el testo la materia de Cupido e del rey Dauid dize
que como niñón mal sofrido, çegado de la ocasión que halló dispuesta para pecar con Bersabé, acordó de creer a su apetito e
gusto que le pedía su libídine con poca dilaçión, donde fuera
seguro el barahusto y el boluer la cara a la sensualidad. Porque·
no nos cueste cara la obra ni el pensamiento del omeçidio e del
adulterio, siendo dos pecados mortales cometidos juntamente, y
tales que cada vno dellos era bastante para hazer a vna ánima
liuiana muy pecadora. Puesto que la penitençia y contriçión de
Dauid fue tal y de tanto mérito que Dios le perdonó por Su clemençia, e le fue açepto e sancto. Pero dize el testo quel amor es
niño mal sofrido e çiego. Escriue maestro León, [249] filósopho hebreo, en sus *Diálogos amorosos* de Philón e Sophía, que de los
amores de Marte e Venus nasçió Cupido. E quel verdadero Cupido es passión amorosa e entera concupisçençia, la qual se haze
de lasçiuia de Venus e del feruor de Marte, e por tanto le pintan
niño desnudo, çiego e con alas e saetante. E píntanle niño porquel amor siempre cresçe. Y este mismo filósopho dize que la
alienaçión hecha por la meditaçión amorosa es con priuaçión de
senso, e mouimiento no natural mas violento. Ni en aqueso los
sentidos rreposan ni el cuerpo se restaura, antes impide la diges-
tión e la perssona se consume &c. Barahusto se toma aquí por
desechar o esquiuar e no dar lugar a deuaneo ni liuiandad amorosa. A propósito del amor e qué cosa es, lo pinta Françisco
Petrarca [250] e dize en el *Triumpho de amor,* que es dialogando:

> Questo e coluy ch' il mondo chiama Amore;
> Amaro, como vedi, e vedray meglio
> Quando fia tuo, como è nostro signore,

[249] *Maestro León:* León Hebreo (Judas Abravanel), judío español, murió
en Italia en 1521. En Roma, 1535, y en italiano aparecieron sus *Dialoghi
d'amore,* que en italiano habrá leído Oviedo pues las tres traducciones
castellanas son posteriores a su obra: Juan Costa en 1568, Carlos Montesa
en 1582, y el Inca Garcilaso de la Vega en 1590.

[250] *Petrarca: Trionfo d'amore,* I, vv. 76-81: "Questi è colui che 'l mondo
chiama Amore: / amaro, come vedi, e vedrai meglio / quando fia tuo, com'
è no_tro signore; / giovencel mansueto, e fiero veglio: / ben sa chi 'l prova e
fíate cosa piana / anzi mill' anni; in fin ad or ti sveglio". Estos tercetos
están casi todos en diálogo, entre Petrarca y un amigo aun no identificado
con certeza, quizá Sennuccio del Bene. Los versos que traduce Oviedo al
final de este texto corresponden a los italianos vv. 82-84.

Mansueto fançiulo, e fiero veglio,
Ben sa ch' il proua e fíati cosa piana
Anzi mill anni en fin ad hor ti sueglio.

Quieren dezir esos versos del Petrarca, ya dichos: Éste es aquel
que el mundo llama Amor; amargo como ves, e verás mejor quando sea tuyo, como es nuestro señor, mansito niño e fiero viejo.
Bien lo sabe quien lo prueua, a ti te sea cosa llana ante de mill
años, e en fin desde agora te lo acuerdo. E prosiguiendo Petrarca
dize: Él nasçe de oçio e de lasçiuia humana, nudrido de pensamiento dulçe e suaue, hecho señor e dios de gente vana, &c.
(I, est. XLIX, 526-527).

130. *Contadores Mayores de Castilla.*

> Si las datas no concuerdan
> Con el cargo del rresçibo
> El alcançe queda biuo
> Pagando continuamente.
> Sin que nada se desqüente
> De la cuenta ques passada.

Acostumbran los que son buenos contadores, al tiempo que
toman las cuentas a los que deuen darlas al rrey e a sus Contadores
Mayores de Cuentas, quel que la da se haze el cargo de lo que
deue e fecho lo firma de su nombre e jura quel cargo que se ha
fecho es bueno, fiel e verdadero, e que cosa alguna no se ha dexado de cargar ni rresçebido más, ni deue de lo que ha dicho e
firmado e jurado. Estonçes, para convençer maliçias los contadores, dizen e le mandan que dentro de çierto tiempo que se le
señala por tres plazos e canónicas muniçiones, [251] torne a ver el
dicho cargo que se ha fecho, e si ouiere más cosas que añadir e
cargar las acresçiente en el dicho cargo, so pena de perjuro. E con
aperçibimiento que todo lo que paresçiere el dicho término passado lo pagará con el quatro tanto acresçentado sobre el cargo, con
más la pena que la ley e drechos [*sic*] dan a los que fraudes cometen. En nuestro tiempo los Contadores Mayores de Cuentas del
Emperador nuestro señor tomaron cuenta a vno de sus thesoreros,

---

[251] *Muniçiones:* moniciones, amonestaciones.

e hallaron, después de aver fecho con él la diligençia ques dicho, que se avía dexado de cargar çinco o seys quentos de marauedís. E le condenaron en ellos con el quatro tanto, e los pagaron el dicho thesorero e sus eredores sin rremisión alguna. E fue justamente sentençiado, porquel thesorero, e qualquiera que ha de dar cuenta, la deue dar clara e sin fraude, ni encubierta alguna, porque de otra manera todo lo que se encubre es hurto.

Pero dexemos de hablar en las cuentas temporales e boluamos al testo e a la cuenta espiritual, que es de lo que tractamos. Si las datas no concuerdan con el cargo del rresçibo, porque es imposible que concuerden ni que nadie pueda dar descargo tan complido que se yguale con el cargo, porque todo lo que auemos tenido lo deuemos a Dios, que nos dio el ser e la vida e todo lo demás. Pero plugo a Su inmensa misericordia darnos a Sí mismo e su Passión, e dar Su ley euangélica e hazernos dinos que guardándola merezcamos e satisfagamos para que gozemos de Su eterna gloria. Por tanto no nos desuiemos ora ni momento de seruir e amar a quien tanto bien nos hizo e haze, y pues somos pecadores, conuirtámonos a Dios que su sagrado Evangelio dize: Yo os digo que así será gaudio [252] en el çielo e su rreyno con vn pecador que se rreconozca e conuierta, que nouenta e nueue justos que no tengan nesçesidad de rreuerse o enmendarse: e informado desta verdad el testo dize: (I, est. XLIX, 529-531).

131. *San Pedro y Séneca.*

> El que aquí sin duelo hiere
> Y el que fuere piadoso
> Ha de thener el rreposo
> Por la justiçia medida,
> Y ésta nunca fenesçida
> Pues que ha de ser sin fin.

Aquí en estos verssos se concluye esta penúltima estança de la primera *Quinquagena* y viene concluyendo la materia de que tracta. E dize que el que aquí en esta vida sin duelo hiere o sin

---

[252] *Gaudio:* voz latina *(gaudium)* que mantiene Oviedo al traducir a *San Lucas,* XV, 7.

misericordia fuere cruel y el que fuere piadoso, cada qual dellos
ha de tener el reposo por la justa medida de la justiçia, donde más
auemos de turar. Y esta medida o justificaçión nunca ha de faltar,
porque ha de ser sin fin ni término, y el juez que nunca erró ni
puede errar es y será el medidor y galardonador de todos. En los
Actos de los apóstoles hallareys esta sentençia, que dize asý:
Abriendo Pedro la boca dixo: "En verdad yo hallo que Dios no
tiene rrexpetto a las perssonas; mas de qualquier gente que sea
aquél que le theme e obra justiçia, aquél le es açepto". Pues esto
es asý, e el prínçipe de los apóstoles nos avisó en lo que aveys
oydo de la condiçión e retitud de Dios, quiero acordar al que por
estos renglones passare lo que dize Séneca en vna de sus epístolas,
como tan sabio varón e philósopho. Y caso que no está en el
cathálogo de los Sanctos numerado, no ha faltado quien por sancto
le alabe, pues Sanct Jerónimo, en el libro *De viris illustribus,* dice
que fue ombre cathólico de vida muy continente, y por esto le
pone en el número de los sanctos. Y mayormente porque Pablo
Apóstol muchas vezes le escriuió, e él a Sanct Pablo. Pero vengamos a la epístola de Séneca, [253] al propósito de suso alegada: Así
es de la doctrina que entra en el coraçón del ombre como de las
otras cosas que el comienço es la mitad de la obra, y así te digo
yo que parte de la bondad es querer ombre ser bueno e dessearlo.
Pasemos adelante y esto baste quanto a la penúltima estança desta
primera parte (I, est. XLIX, 533).

132. *El sabio Merlín y el libro de su* Baladro.

> Mucho sabía Merlín
> Mas al cabo se perdió,
> Y vna muger le metió
> Donde no pudo salir.
> Ni menos descabullir
> Por fuerça ni por taladro.

No alabo vanas sçiençias, así como la de Merlín, del qual el
testo nos acuerda que se perdió e que vna muger le mató e metió
donde no supo ni pudo salir, ni descabullirse por puerta ni

---

[253] *Séneca:* en nota marginal escribe Oviedo: "Séneca, epístola 36".

agujero, quel taladro no haze más que vna barrena o agujero rre-
dondo. Este Merlín fue vn encantador en Bretaña, hijo del diablo
e de vna monja, y enamoróse de vna muger llamada por el nombre de pila Niniana, natural de la pequeña Bretaña. Llamáuase
asimismo la donzella del Lago, a la qual el mismo Merlín mostró
su arte, e ella le encerró donde murió. Así lo cuenta él mismo a
vno dicho Bandemagus, en fin del último capítulo 38 de su libro
del *Baladro*. [254] Vino a çierto caso de hechizerías e mal arte este
cuento de Merlín, e aquí hase de tomar por aquéllos que se dan
a mugeres, a quien ellas pagan como quien son, cada vna en su
valor. Porque en fin, como lo dize la verdad euangélica: Todo
buen árbol haze buenos fructos, e el árbol malo haze mal fructo,
e no puede el buen árbol hazer malos fructos, ni el árbol malo
hazer buen fructo. Así que Merlín fue ombre de mal arte, e ésse
supo él mostrar para quel arte le diese su pago, e enseñóle a vna
muger, la qual le pagó como quien ella era.

> Si su libro del *Baladro*
> Es dino de ser creýdo,
> E Bandemagus oýdo
> De la mala fin que hizo;
> Aunque no me satisfizo
> Esa profana lectura

Como uno de los loables exerçiçios del ombre es la leçión de
que se pueda sacar provecho para el ánima e ocupaçión honesta
para el cuerpo, esta leçión se debe escoger e buscar que sea
sancta. E sobre todas es la sagrada Escriptura, e después désa
todo aquello que la Sancta Madre Yglesia y doctores della aprue-
uan, e después de todo esto no son de desechar las leçiones de
las verdaderas historias, con tanto que avnque sean verdaderas no
sean torpes ni desonestas. Pero por aquella auctoridad que dize:
Vt sçiat reprobare malum, et eligere bonum. Quiere dezir que se
debe rreprouar (o dexar) lo malo e elegir lo bueno. En fin, ya que
querays leer algunas leturas e profanas, ha de ser no las aprouando

---

[254] *Baladro: El baladro del sabio Merlín con sus profecías* (Burgos, 1498),
ed. moderna A. Bonilla y San Martín, *NBAE*, VI. En el *Baladro* Bandegamus
es armado caballero de la Tabla Redonda, y puede hablar con Merlín cuando
éste es engañado, ed. cit., págs. 121, 150 y 174.

por buenas, sino para conosçerlas por lo que son e rreprouando lo malo dellas, e guardaros, e lo que fuere bueno, sentirlo por lo que es. E así yo vi ese *Baladro* que dizen de Merlín, e no es de darle crédito a él ni a Bandemagus, que dize allí, que era vn cauallero que la historia de Merlín cuenta que fue ombre de crédito en la militar disçiplina. Pero al cabo no me satisfizo la letura ni es para tenerla sino por vana e mentirosa, pues que dize quel diablo fue padre de Merlín, e yo no consejaría a ninguno que gastase su tiempo en tales leçiones. Pero con todo eso se puede colegir della la ganançia que se saca de los amores vanos, e qué pago alcançan los amadores de Cupido. Pues aunque consigan quanto desean es todo pecado e perder el tiempo y el cuerpo y el ánima. E por la mayor parte se granjean muertes vergonçosas e infames, e no para que ningún ombre prudente las deseen [*sic*] sino para huyr dellas como del mismo infierno. Y así son infernales y perdidos quien en tales exerçiçios se ocupan e nunca paran sino en mal, y de paso en paso se avezindan en el abismo con Sathanás (I, est. L, 534-536).

133. *Petrarca en castellano.*

> Mas quien amores procura
> A Merlín disculpará
> Y de aquellos sacará
> La paga que se rrequiere
> Lo que Petrarca rrefiere
> Muchas muertes çertifica.

Tomando o siguiendo el thenor de la materia dize el testo que quien amores siguiere, o los procura, hallará desculpado a Merlín, y de aquéllos sacará la paga que se rrequiere. En esto está claro el entendimiento que se deue dar, porque la locura no la pueden desculpar sino locos y enamorados y partiçipantes en sus desatinos, puesto que ellos mismos se ven lo que sacan de su profesión e setta, conforme al artifiçio, o deuaneo, en que tractan los enamorados. Y alegar al poeta Francisco Petrarca [255] no es hazerle onrra, sino darle crédito en desuaríos de muy desuariado. Pero

---

[255] *Petrarca:* v. *supra*, nota 250. Los tres últimos versos leen en italiano: "Ei nacque d' ozio e di lascivia umana, / nudrito di penser' dolci soavi, / fatto signor e dio da gente vana".

con todos sus ardores, tuuo tiento en confessar qué cosa es este
amor libidinoso, pues dize.

> Questo e coluy ch' l mondo chiama amore
> Amaro, como vedi, e vedray meglio
> Quando fía tuo, com' e nostro signore,
> Mansueto fançiulo e fiero veglio,
> Ben sa ch'il proua e fíate cosa piana
> Anzi mill anni en fin ad hor ti sueglio.
> Et naque d' otio e di lasciuia humana
> Nudrito di pensier dolci e soaui
> Fato signor e dio di gente uana, &c.

Lo que estos nueue versos dizen, en la misma lengua toscana
que Petrarca los compuso, tornados en nuestra lengua Castilla
[*sic*] dizen aquesto:

> Aquéste es aquel que el mundo llama amor
> Amargo como ves, e verás mejor
> Quando sea tuyo, como es nuestro señor:
> Mansito niño e fiero viejo,
> Bien lo sabe quien le prueua, e séate cosa llana
> Ante de mill años, en fin desde agora te despierto:
> E nasçe de oçio e de lasçiuia humana,
> Criado de pensamiento dulçe e suaue,
> Hecho señor e dios de gente vana.

La diferençia de la lengua es causa que no suenan los versos
e vocablos de la manera misma, porque los consonantes no se
concuerdan en la sentençia, puesto quel sentido della es lo que
tengo dicho, e en lo toscano suenan muy bien. E está gentilmente
discantado qué cosa es este amor quel mundo llama amor, e
fingendo el Petrarca que habla con la sombra, o espíritu, de vn
su amigo, e que aquélla le da a entender qué cosa es Cupido. Le
dize lo ques dicho e le aperçibe quel mismo Petrarca lo verá mejor
quando él sea de los enamorados. E dize ques mansueto niño e
fiero viejo, porque quando el amor comiença es manso y agrada-
ble, e siendo viejo es fiero, como lo sabe bien el que lo prueua e
le será al Petrarca notorio antes de mill años. E desde entonçes le
despierta e avisa, e dize que nasçe de oçiosidad e de lasçiuia
humana, e se haze señor e dios de gente vana. Lasçiuia avés de
entender que se toma aquí por blandiçia o apetitosa e feminil

inclinaçión, o passión libidinosa o luxuriosa. La gente quel testo entiende que desculpará a Merlín serán culpados e viçiosos, e de la misma professión e rrebaño de los enamorados. Y de los tales y de sus efettos sacará e comprehenderá la paga que se rrequiere que ayan los que en semejante desuarío se ocupan. E lo quel Petrarca rrefiere e çertifica son muchas muertes e malos fines de enamorados, como los rrelata o espaçifica [sic] en las quatro partes del *Triumpho de amor,* e su comentador elegantemente lo declara e cuenta, como por su tractado mejor se verá.

Agora paresçe que el testo de nuestra segunda rrima salta en otra materia, pero no de todo en todo contraria ni apartada de la que ha tractado hasta aquí. Y buéluese a conformar con las comparaçiones que en las preçedentes estanças se sinificaron en propriedades de cosas, que comúnmente el vulgo acostumbra dezir (I, est. L, 536-538).

134. *Los buenos vinos españoles. El comendador Euangelista.*

> El vino de Caparica
> Diuersos monos produze:
> Ni es oro quanto reluze
> Ni las aguas d'un sabor;
> Ni paga cada señor
> De una misma manera.

Infinitos géneros de beodos ay en el mundo, y por la mayor parte ellos son a enbeodarse de opinión de henchirse del mejor vino que hallan. Pero tanpoco se escusan de beuer del que tienen más a mano porquel gusano de la sed, de que son soliçitados, no les da espaçio ni tiempo para yr lexos a busçar el vino. [256] En Castilla conténtanse con Madrigal, y passados los puertos de las sierras de Segouia, béuenlo de Sant Martín y de Cibdad Rreal y de los lomos de Madrid, y si van al Andaluzía conténtanse con lo de Guadalcaná y de Caçalla y Xerez de la Frontera. Pero sin los que es dicho, ay otros muchos buenos vinos blancos y tintos, como os podrés informar del cronista Luçio Marineo Sículo [257] y

---

[256] *El vino:* v. *supra,* notas 196 y 244.

[257] *Lucio Marineo Sículo:* en latín, y en su primera edición, la obra se intituló *De Hispaniae laudibus* (Burgos, 1497); pero sospecho que Oviedo

de aquel su tractado que escriuió en loor de España, como le plugo o lo entendió, como estrangero e no natural della. Puesto que en lo que toca a esta declaraçión de los buenos vinos él tracta la materia como ombre que la entendía. Y entre los más exçelentes pone el vino de la Caparica, ques en Galizia, y el de Rribadauia, e otros. E cada vno dellos obra en los deuotos de Baco según cargan, e según la dispusición de la vasija, como muchas vezes la espiriençia lo muestra en los borrachos, que después que se toman del vino unos quedan brauos, hechos leones, e tales que se osaría matar vno dellos con todo el exérçito de Xerses. E otros quedan tan tristes y llorosos como el planto de Egeria. Otros ay rrisueños y donosos, y tan parleros algunos que no ay picaça ni papagayo, ni tordo, que tanto charle. Otros caen en un sueño tan profundo ques menester que le lleuen a la cama a fuerça de pies y braços ajenos, si no quieren que sobrel jarro se queden transportados. Así quel vino de Caparica, y avn otros, diuersas maneras de monos produzen. Pero hasta agora no está determinado quál de los susodichos, ni de los otros muchos más quel auttor alegado escriue, tenga más fuerça o dominio en los que los beuen.

Dize más el testo, que no es oro quanto rreluze. Y no creays que lo dize por sólo ese metal sino por diuersos géneros de cosas, que no son aquello que paresçen. Pues ¡quánta moltitud de ombres el mundo en sí contiene, e quán pocos ay que ombres buenos se puedan dezir, y quán faltos son de virtudes los más, e quán viçiosos e diferentes! E así lo podés dezir de las mugeres, que son más inperfettas, cuya materia no se podría así presto expresar, ni la tengays por más fáçil de contar que de numerar las estrellas. Ni las aguas son de vn sabor ni hazen igual efecto en los estómagos humanos por sus diferençias e propriedades, en que tanpoco me quiero detener. Ni creays que Plinio, con quanto escriuió en su *Natural hystoria* lo dixo todo, ni todos los que en tal materia se han ocupado la pudieron totalmente dezir, sino dexando mucho más por escriuir.

Dice más el testo, que no paga cada señor de vna misma manera. Y es verdad, y también pueden dezir los señores que no siruen sus criados de vn modo.

---

consultó la versión castellana: *De las cosas memorables de España* (Alcalá de Henares, 1530).

Por lo qual vn cauallero graçioso, llamado Euangelista, [258] e era de la orden militar de Sant Johan de Rodas, estando enojado de sus moços, que en vistiéndoles luego se le yvan, e tomaua otros e vestíalos, e hazían lo mesmo. Acaesçió que partiéndose el Prior de Sant Johan de la Corte, quando el Euangelista pensó que dos moços que avíe vestido muy bien, yrían con él, le dieron cantonada, e por falta dellos no pudo seguir al Prior. Así quel comendador Euangelista se quedó en la Corte, e otro día tomó dos moços bien vestidos, e prometióles doblado partido del que a los tales se suele dar. E dioles a entender que quedaua en la Corte de asiento, para negoçiar las cosas del Prior de Sant Johan, don Aluaro de Estúñiga, su señor, con el rrey don Enrrique 4, porque en su tiempo fue. E como tuuo asegurados los moços, (e avía dos o tres días quel Prior era partido), Euangelista madrugó e tomó los vestidos de sus moços, e caualgó en vna mula que tenía que mucho andaua e por aquel día no pudo alcançar al Prior, pero el segundo le alcançó. E lleuaua a las ancas vna maleta con los sayos e jubones de los moços, e pasó delante del Prior sin se detener. E el Prior le llamó e dixo: Vení acá, Euangelista, Comendador onrrado, ¿cómo vays así tan de prisa? E el Comendador se detuuo e le dixo: Señor, voyme de mis moços, e tráygoles aquí sus vestidos, e de quantos se me han ydo a mí con los que les he dado, quiero yo agora yrme con éstos que traygo. Fue muy rreýdo este donayre. Pero tened por çierto, lettor, que yo podría yr desde aquesta ysla Española, donde estó, hasta donde el Emperador nuestro señor está, en Alemania, e boluer a esta fortaleza de Sancto Domingo donde syruo a su Magestad, si los moços que me han seruido, o mejor diziendo, se me han ydo, me boluiesen lo que me han rrobado. Y en verdad que a todos no les deuo el valor desta pluma con que esto escriuo. Y vno sólo, el año de 1516, yendo yo a Flandes al Emperador rrey nuestro señor, que en esa sazón avía Dios lleuado a su gloria a

---

[258] *Cauallero ... Euangelista:* vivió en el siglo xv, efectivamente, y fue Comendador de la Orden de San Juan de Jerusalén (Rodas, la llama Oviedo), o de Malta, título que tomó ante la conquista de Rodas por el Turco y cesión de Malta por Carlos V, 1530. Evangelista escribió un regocijado *Libro de çetrería y profecía* y alguna poesía, v. A. Paz y Melia, *Sales españolas*, Bib. Aut. Esp., CLXXVI, i-vi.

su abuelo el Rrey Cathólico, vn moço mío, en Laredo, vna noche, me lleuó en dineros e joyas de oro e otras cosas valor de más de trezientos ducados de oro, de que nunca cobré vn marauedí de todo ello ni me pude detener a buscar el ladrón, porque la nao en que yo yua se partió desde a dos o tres días, y por no perder el viaje ove de aver paçiençia.

Pero boluamos a los señores y dexemos los criados. Ni todos los señores que siruen de hijos ajenos son de vna condiçión ni de vna conçiençia. Y el que mal paga a quien le sirue no açierta en ello, pues que es obligado a rrestituçión, e ninguna puede ser tal como satisfaziendo al mismo a quien se deue. Y el que en esta vida no lo pagare serle ha forçado que en la otra pene por ello. Passemos adelante, que yo os digo ques rrexpetto de mal christiano no pagar las soldadas e sudores de los que le siruen. Y tanbién digo que los seruidores deuen mirar que merezcan el salario e pan que se les da. Mucho se podría dezir en esto, y yo rremito la desçisión de los amos y de los criados a sus confessores, y no se descuyden en esto pues que los vnos y los otros han de dar cuenta con pago, e es caso de rrestituçión muy nesçessaria (I, est. L, 538-540).

135. *Plan del resto de la obra.*

Amigo letor, pues ha plazido a nuestro señor de aver dado fin a la primera parte o primera *Quinquagena,* antes que entre en la segunda os quiero traer a la memoria lo que Séneca dize en su primera epístola, que embió a Luçilo, e comienza: *Ita fac, mi Lucille,* &c.

E dize: Si tú quieres bien parar mientes, vna grandíssima parte de la vida se corre e passa de aquellos que mal obran, gran parte a los que no hazen nada, e toda la vida se passa e pierde a los que otra cosa hazen. Esto es, a aquéllos que toda su vida consumen y gastan en ganar los bienes deste mundo, los quales son agenos e no pertenesçen a nos, ni a perfiçión de virtud, ni al verdadero e soberano bien. ¿Quién me mostrarás tu que ponga presçio al tiempo? ¿Ni quál estimará e apresçiará el día que entienda e mire cómo él muere cada vn día? Por çierto en esto somos todos engañados que no nos proueemos ni aparejamos a la muerte. ¿Parésçeos que son palabras y consejo éste para oluidarse? No, por çierto, ni es rrazón que yo le oluide de poner en el número de los españoles famosos, pues fue natural de la çibdad de Córdoua. E mi intento es hazer memoria en estas *Quinquagenas* de los ombres dignos de fama e perpetuo nombre, passados y presentes, que yo me acordare aver leýdo o visto, que de nuestra nasçión sean. Porque de todos para mí será cosa impossible, por su gran número en espeçial, que de sólos sanctos e mártires son incontables. Pero así désos como de los belicosos e famosos en las armas, e tanbién de los que en letras fueron señalados varones, no dexaré de hazer alguna breue relaçión y ponerlos he con estas deuisas.

INSIGNIAS.

Los que fueron sanctos o mártires con vna cruz † tal como está, de la hechura e color que la traen los caualleros de la orden de Montesa.

E si fueren caualleros e personas famosos en el arte millitar, ponérseles ha la cruz de Jerusalén, pues en aquella cibdad fue Christo nuestro Rredemptor cruçificado. La qual será asimismo rroxa y desta hechura, si los tales touieren título de prinçipe, duque, marqués, o conde.

E si fuere gentil ombre, e famoso en la militar disçiplina, ponérsele ha un Tao como este.

Y si fuer varón gentil, e que no fue christiano, ponérsele ha corona de laurel, por vençedor, e lo mismo porné a los que fueron famosos e notables en letras.

E a las vírgines se les porná vna palma de victoria pues vinçieron a los tres enemigos nuestros, que son el mundo y el diablo y la carne, y gloriosamente triumphando meresçieron la gloria eterna.

Algunos ternán juntamente con la cruz † la corona del laurel, pero en fin por estas diuisas e qualquiera dellas, demás de sus nombres e historia, se verá la suerte o calidad del ombre e cauallero de quien se tratare. E pues tanbién se ha de hazer memoria de algunas mugeres famosas, naturales de España, ponérseles han las insignias susodichas a las que competieren, y donde conuenga, según la calidad de la perssona e historia que touiere.

Tanbién se ha de tractar en la segunda e terçera partes, o *Quinquagenas,* de algunos caualleros estranjeros e famosos, que siruieron a la casa Real de Castilla e a los rreyes Cathólicos don Fernando e doña Isabel, de gloriosa memoria, e al Emperador rrey don Carlos, nuestro señor, e fueron valientes míllites, e dinos de fama, e por tanto deuen ser tractados e memorados como naturales, e serán señalados como lo he dicho de las mismas deuisas, porque avnque no fueron españoles por su nascimiento, siruieron muy bien e lealmente, e meresçen estar en compañía de los muy illustres e naturales de España, e por tales fueron açeptados e gratificados con títulos e rrentas e vasallos e estados e fechos naturales. E con tanto, aquí se da fin a la primera parte e primera *Quinquagena.*

LAVS DEO.

SEGVNDA PARTE

ESTANÇA PRIMERA

Prohemio de la segunda *Quinquagena* e persuassión al que lee para que continúe la leçión.

Ya avrés considerado, deuoto e prudente lettor, la primera e precedente *Quinquagena* y las muchas diferencias de materias que en ello se han tocado e acordado a los lectores. Tened, pues, atención a esta segunda parte o *Quinquagena* y mirad con qué cuydado os quiero recrear con otras hystorias que no os serán de menos contentamiento que las que avés oýdo, ni menos útiles avisos para vuestra consolación e buen gusto. Ni os canssarán ni darán pesadumbre tan peregrinos sucesos y verdaderos e famosos trances e blasones de vuestros patriotas. Pues que en fin es todo lo que oyrés onrroso y honesto tractado que anima los que biuen e rresucita el honor de los passados e combida a los venideros [a] ayuntar e continuar las virtudes de los antiguos, colmando la famosa gloria temporal a sus genealogías, despertando y renouando sus memorias, e rogando a Dios por las ánimas de sus progenitores, ayundándolos, como son obligados los gratos e cathólicos sucessores a los defuntos con sus limosnas e sufragios, y dando gracias al Rredemptor como fieles christianos pagarés vna parte de la debda que teníades oluidada e que a todo fiel cristiano le conuiene satisfazer para contentar a nuestro Saluador e complir con el próximo. E haziéndolo asý la diuina Magestad permitirá que después de vuestros días no falte quién por vos haga lo mismo (II, est. I, folio 1 r).

136. *Don Francisco de los Cobos.* [259]

> Onrrarás a Dios ques lleno
> de bondad, y a tu padre
> reuerencia, y a tu madre,
> que tú te lo hallarás.

Razón es y mucha que se haga lo quel testo dize e nos acuerda, de lo qual no estaua desuiado el philósopho Solón, pues que amonestaua a los ombres que onrrasen a Dios y touiessen reuerencia al padre y a la madre. Cathólicamente está dicho, porque de los mandamientos de la Yglesia en que este philósofo dize, se incluyen dos mandamientos: *primun y vnun cole Deum* [sic] y el otro es el quarto precepto *venerare parentis.* Y bien dize el testo que se deue onrrar a Dios porques lleno de bondad, e que el que rreuerenciare a sus padres él se lo hallará. Así lo halló Eneas por la rreuerencia que tuuo a su padre Anchises, y por el cuydado de sacarle seyendo viejo quando Troya se ardía tomándole a cuestas porque no se quemase. Mirad la rrecompensa, pues que le dio Dios por mujer después a Lauinia, hija y eredera del rrey Latino, e dél procedieron aquellos famosos rromanos que tantos e tan valerosos príncipes e señalados varones fueron e tanta parte del mundo mandaron. No busquemos antigüedades en esse caso del amor filial, pues a la mano en nuestro tiempo touimos el exemplo e comedimiento e rreuerencia quel Comendador Mayor de León, Marqués de Sabiote, Adelantado asimismo de Caçorla, e Contador Mayor de Castilla, e principal secretario, e del Consejo Secreto de la Cesárea Magestad del Emperador rey Carlos nuestro señor, tuuo con su padre Diego de los Couos, por cuya piedad filial e christiano amor en seruir e rregalar a su padre, quiso e permitió Dios quel padre biuiese más de cient años para ver al hijo tan gran señor como tengo dicho, e le escreuí más largamente en los Dialos [260] [sic por *diálogos*] de las casas nobles y principales

---

[259] *Francisco de los Cobos:* v. *supra,* nota 169. Murió en 1547.

[260] *Dialos* [sic]: las *Batallas y quinquagenas,* pero no he hallado el diálogo dedicado a Francisco de los Cobos.

de España. E el hijo aviendo seydo hijo de vn pobre escudero
natural de la cibdad de V́beda, le vimos muchacho y criado de vn
secretario de los rreyes Cathólicos don Fernando y doña Ysabel,
de gloriosa memoria, y sin vn marauedí de rrenta. E tan pobre en
su principio e después tan grande como le vimos, que fue consue-
gro del inuicto Gran Capitán don Gonçalo Fernández de Córdoua
(honrra de nuestra España), duque de Terranoua y de Sessa, cuyo
nieto y sucesor de su casa y estado es el muy illustre señor Duque
de Terranoua, casado con la muy illustre señora duquesa doña
María, 261 hija del muy venturoso ya dicho señor don Francisco
de los Couos, Comendador Mayor de León, etc., e de la muy
illustre e generosa señora doña María de Mendoza, su muger,
Mirad, letor, como os avés de aver con vuestros padres, y tomad
exemplo en este Comendador Mayor, y sabed que nunca huuo vn
rreal este hijo que dexase de embiar el medio o todo a su padre.
Pues ved quanto mejor lo haría quando llegó a ser señor y tan
grande cerca de César por sus virtuosas obras y grandes habilidades y a mandar los rreynos de España. Y sabed que tanto
quanto cuydado tuuo de su padre fue ante Dios aceptado, y fue
tal que seyendo ya decrépito ... e tan deteriorado e flacas e frías
sus fuerças e alientos corporales que ni podía comer ni beuer e
con leche de las mugeres que criauan, alimentauan e sostenían
en vida aquel anciano e decrépito varón. E para reparar su frialdad y prestarle calor dormían dos doncellas muchachas en su
cama, sus cercanas parientas, a exemplo de la vejez e impotencia
del rrey Dauid. Así que con rregalos e industrias naturales biuió
Diego de los Cobos algún tiempo más que biuiera no teniendo
tan piadoso hijo, y en virtud de su filial comedimiento obró con
él Dios nuestro Señor e estuuo tan en gracia del Emperador que
su Magestad le subió a los títulos que tengo dicho, e le hizo otras
muchas e grandes mercedes como gratíssimo rrey con tal criado
fidelíssimo e conuiniente a su rreal seruicio. Porque en los nego-

---

261 *Duquesa Doña María:* María Sarmiento se llamaba la hija de Francisco de los Cobos, y se desposó con el III Duque de Sessa, D. Gonzado
Fernández de Córdoba, en 1538. La mujer de Cobos se llamaba Doña
María de Mendoza y Pimentel, y era hija de los Condes de Rivadavia;
v. además *infra,* texto 310.

cios arduos de la gouernación del estado e estados de su Magestad Cesárea e en los sucesos ordinarios e gouierno estaua tan
ynstruto e prompto e tan diestro e prudente que el Emperador
se tenía por muy satisfecho e seruido de Couos, e le quitaua de
mucho trabajo e cansancio. Tanto adelante estuuo en su priuança
fauorescido que quando murió ninguno le precedía en las cosas
de los despachos de cosas que tocasen a la hacienda rreal e a
mercedes e cosas de importancia. Boluamos a nuestra materia
que no a seydo fuera del propósito de la filial rreuerencia e cuydado que los hijos deuen tener con sus padres, e como el testo
dize como lo hazen se lo hallan e los paga Dios (II, est. II,
folio 4r).

137.   *Crítica de las* Sergas de Esplandián.

> Esplandián, vuestras *Sergas*
> pagarán vuestros auctores
> escotando los amores
> vanos que jamás no fueron,
> y desbauados touieron
> a modorros escuchando.

Todos saben que Esplandián y sus *Sergas* es vn libro vano de
aquellos de *Amadís de Gaula* que por España es muy noto a los
vanos lectores amigos de mentiras de las quales aquel volumen
está lleno. E su auctor llamóles *Sergas de Esplandián* [262] e hinchóle
de palabras escusadas y sin prouecho, ventosas, dando a sus auctores poco o ningún honor discurriendo por amores e rrequiebros
que no passaron ni los ovo en efetto, desbauando e envanesciendo
a sus oyentes que tales mentiras esscuchan e oyen con atención,
hechos modorros, y dando ocasión a las simples donzellas y a las
liuianas mugeres que hierren, [263] y a las ancianas e biudas que

---

[262] *Sergas de Esplandián:* Garci Rodríguez de Montalvo, corrector y
adobador del primitivo *Amadís* (cuya primera ed. conservada es de Zaragoza, 1508), fue asimismo su primer continuador, y en Sevilla, 1510, publicó
el quinto libro de *Amadís,* o sea las *Sergas de Esplandián.* Acerca de la
actitud contra la literatura caballeresca de Oviedo, v. *supra,* nota 86.
[263] *Hierren:* yerren, de errar.

se pierdan e infamen y no acierten a hazer lo que deuen, e comúnmente dando ocasión a pecar e adulterar los que no lo hizieron sin tales leciones. Con las quales los ombres de auctoridad se apocan e dañan, e los plebeos se echan a perder, e todos los demás se hazen ventosos con semejante ocupación e pierden sus haziendas e el tiempo que en eso gastan, e ponen en condición las vidas e las onrras y en notorio peligro sus ánimas, e no mirando en ello escotan los deuotos de tal lectura e exercicio aquellas fábulas e ficiones de que se apacientan y bastecen su memoria. Bastimento e pasto por cierto muy invtil e dañoso y de mala digistión e condenada enfermedad. En el concepto e juycio de todos los ombres llegados a rrazón, granjería es cierta para ganar el infierno e camino de infernales e así hallarán el pago los que a tales leciones se vieren (II, est. III, folio 6v).

138. *Don Antonio de Leiva, Príncipe de Áscoli.*

> Pues que sin pies y sin manos
> al señor Antonio vimos
> tan famoso que crehimos
> ser Rrioja más onrrada
> por él que Roma guardada
> con Cipión o Camilo.

Tiene mucha rrazón nuestra segunda rrima de dezir que sin pies y sin manos vimos al señor Antonio de Leyua [264] tan famoso que crehimos ser Rrioja más onrrada por él que Rroma guardada con Cipión o Camilo. Rioja es prouincia de nuestra España, muy conoscida e vezina con Álaua e ambas caen en el antiguo señorío de Cantabria, de la diócesis al presente del obispado de Calahorra. E en esa comarca e ánbito de Rrioja cae el antiguo e illustre solar e casa de Leyua, de la qual fue señor, e yo le conocí, al anciano e valiente cauallero capitán de cient ombres de armas de los Rreyes Cathólicos que ganaron a Granada e Nápoles, Johan

---

[264] *Señor Antonio de Leyua:* v. *supra,* nota 66. A su padre, Juan Martínez de Leyva (o Leiva), a quien menciona más abajo Oviedo, le dedicó el diálogo 24, *Batalla I, Quinquagena III.*

Martínez de Leyua, cabeça deste linaje e mayordomo, cuyo hijo
mayor e sucesor de su casa fue Sancho Martínez de Leyua, e el
segundo hijo fue este señor Antonio de Leyua, príncipe de Áscoli, en el rreino de Nápoles, capitán general de la Çesárea Magestad del Emperador don Carlos 5, rey nuestro señor. E por
sus grandes e muy señalados seruicios, le dio César el título e
principado ya dicho e le hizo otras muchas mercedes, cuya excelencia en la militar disciplina requiere muchos rrenglones e tiempo
para expresarse, pero alguna parte se dirá aquí por satisfazer
al testo, porque eso y lo demás se hallará en mis coloquios e
diálogos que yo escreuí de las casas illustres e cauallería de España, e más copiosamente la rrelación de su inuita perssona e
obra. Fue tan enfermo de la gota que estaua tollido de los pies
e de las manos, por lo qual dize el testo que le vimos sin pies
ni manos, de manera que avnque las tenía se aprouechaua poco
o ninguna cosa dellos, e asentado en vna silla le trahían en el
exército sus mílites e soldados, e doquiera que yua no era con
sus pies sino yendo a cauallo o en vna litera o sentado en vna
silla lleuándole sus criados y seruidores. E sus manos eran tales
que no se seruía dellas ni podía menear las armas ni vestirse, ni
avn comer quasi. Con todas estas dificultades fue capitán excelente e después general del Emperador, e se alló en muchas batallas e rrecuentros [sic] muy sangrientos donde por su ánimo e
esfuerço inuencible y grandíssima prudencia e sciencia millitar
de que Dios le doctó, siempre quedó onrrado e vencedor de los
aduersarios e enemigos. Vídose aquesto tantas vezes e en trances
e casos peligrosos que ni los que debaxo de su auctoridad pe-
leauan temían a los contrarios, ni los enemigos avían el ánimo
conveniente contra el exército donde el señor Antonio de Leyua
se hallaua. Es averiguado y fue notorio que en su tiempo ninguno
le hizo ventaja en la industria e conoscimiento e aviso de las
cosas de la guerra, e junto con su grande e sotil entendimiento
e largo exercicio e espiriencia que tenía en el arte militar, tuuo
en su fauor e ayuda ser venturoso en los sucesos que le concurrían. Diole Dios tanta habilidad e discreción que era muy
templado e no vanaglorioso en sus victorias, que suelen a los
vencedores prestarles soberuia e en tales tiempos descompasarse
o soltar palabras de que después les pesa averlas dicho o mos-

trado alguna presunción, antes en tal sazón muy comedido e prudente se mostraua y era de la gente militar muy amado e sociable, e temido de los aduersarios como el fuego. Repartía tan bien los despojos que ganauan que todos quedauan contentos de su rretitud, e sabía onrrar e bien tractar a los que eran ombres esforçados, e sabiamente castigaua e rreprehendía o desdeñaua los faltos de ánimo. Sin dubda era cosa diuina su ingenio en la guerra e su belicosa exercitación e gracia especial, y por tanto es rrazón que de algunos casos que le interuinieron particularmente hablemos, pues que de todos sus fechos sería cosa en que se gastase más tiempo de lo que yo tengo para ello, y así haré memoria de lo que le sucedió en Lombardía al tiempo que los franceses fueron a turbar el estado de Milán seyendo general el señor Próspero Colupna [265] del exército de Çésar, por cuya comisión el señor Antonio de Leyua con la infantería española e cauallos ligeros se adelantó hasta Aste, por sostener e animar con su fauor los pueblos e naturales de la tierra que estauan en la opinión de España. E con vna parte de la gente que se fue a Valencia que estaua por los enemigos, e no aviendo los de dentro tenido tiempo para fortificar el castillo le combatió dos días, e el Birago [266] fue preso e antes que los franceses pudiesen socorrer se enseñorió del castillo e de lo demás con mucha sangre de los enemigos, e el dicho Birago milanés, que seguía la parte de Francia, fue tomado. Está aquel castillo en la costa e rribera del Po, principal rrío de Italia. En fin, el rrey de Francia Francisco venía poderoso a Lombardía en esa sazón e ya el señor Antonio de Leyua estaua dentro e la thenía en guarda e era capitán del primero escuadrón de los ombres de armas imperiales, con los quales e con mill infantes italianos e dos mill alemanes se metió en defensa de la cibdad de Pauía. E desde a poco murió el general, el señor Próspero Colupna, Condestable de Nápoles, mas no morirá su nombre e fama, ni saldrá de la memoria de los que

---

[265] *Próspero Colupna:* es *Próspero Colonna* (1452-1523), también formado al servicio del Gran Capitán, que comandó las fuerzas imperiales en Italia, y obtuvo la gran victoria de la Bicocca (1522). *Aste:* Asti. *Valencia:* Valenza del Po.

[266] *Birago:* Galeazzo Virago, noble milanés adicto a los franceses.

biuen, porque hablando verdad fue vno de los famosos capitanes de nuestros tiempos e muy cierto e leal seruidor del Emperador nuestro señor, e avía antes muy bien seruido a los Reyes Cathólicos en las guerras passadas e era gran Condestable de Nápoles e cabeça de los Coluneses, e de tanta auctoridad e expiriencia que cuando murió era general e el más estimado de la Italia en los exércitos de la parte imperial méritamente. Por cuya fin el Rrey francés tuuo mucho menos que hazer para aver a Milán, e parecióle que faltando el señor Próspero con facilidad avría todo lo demás, acordó de ir a Pauía [267] donde estaua, como he dicho, el señor Antonio de Leyua con la gente ya dicha e otros buenos e veteranos soldados españoles. E puso luego la guarda que conuino e hizo hazer muchos molinos de mano temiendo que le serían quitados los del rrío Tesín, que pasa por aquella cibdad de Pauía. E porque no tenía dineros para pagar los soldados, hizo que de los cibdadanos fuesen mantenidos según la posibilidad de cada vno, e por suplir las muchas nescesidades de la guerra, vna de las quales es (y de las que más importan) el dinero, juntó la plata y el oro sacro y profano e hizo moneda con verdadera rrelación e propósito de lo rrestituyr en su tiempo, e por memoria de los venideros hizo que en los cuños e insignias rreales se pusiesen aquestas letras: CESARIA PAPIE OBSESSI MQXXIIII [sic]. Finalmente el Rey ya dicho cercó a Pauía e la puso en estrema nescesidad e mató muchos de los de dentro con la mucha artillería que en su campo trahía e asimismo los cercados con la que tenían, que era mucha e buena, mataron e hizieron gran daño en los del exército francés.

Estando pendientes e muy continuos los combates de parte del rrigor de la póluora, vino el socorro imperial, e las principales cabeças dél fueron cinco. La primera e principal, el illustrísimo Duque Mossior de Borbón, [268] y el Visorrey de Nápoles, cauallerizo mayor dicho Mingo Val, e el Marqués de Pescara, e el

---

[267] *Pauía:* v. *supra,* nota 44.

[268] *Mossior de Borbón:* v. *supra,* nota 44, donde también hay algunas noticias acerca de *Mingo Val* (o sea Carlos de Lannoy, cuarto Virrey de Nápoles), y de Fernando de Ávalos, *Marqués de Pescara,* y su sobrino Alfonso de Ávalos, *Marqués del Vasto* (o Guasto, como decía Oviedo). Sobre

Marques del Guasto y el muy valiente cauallero e jubilado en el arte militar el señor Fernando de Alarcón, marqués de la Val Seciliana, e con estos otros famosos capitanes. Pero muchos menos exército [sic] en número que los franceses enemigos, mas eso no apocó los ánimos de los nuestros, antes con deliberación fueron a buscar en el parque al enemigo que estaua muy fortificado. El qual parque es vn cercuyto muy grande de vn fuerte muro, e dentro dél vn palacio llamado Mirabel, donde los passados duques de Milán acostumbraban por su deletación e plazer yr a caça e se aposentauan. E ordenaron estos capitanes de Çésar que los muros del parque se rrompiesen, como se rrompieron con ciertos baybenes. E por allí entraron los nuestros e se trauó vna muy sangrienta batalla entre ambos exércitos, e fueron rrotos e vencidos los franceses, con la perssona del rrey Francisco preso, e juntamente con él la flor de la cauallería e los más e más principales señores de Francia, y murieron más de ocho mill ombres, e del exército del Emperador no murieron septecientos. La presa e despojo del campo fue de mucho valor e rriqueza, allende de los muchos millares de ducados que se ouieron de rrescates de los presos. Esta victoria rresultó del valor e rresistencia del señor Antonio de Leyua, e de su esfuerço e constancia en tanto quel cerco turó. El Rrey de Francia fue puesto en el castillo que llaman Piciguitón, [269] debaxo de la guarda del dicho señor Fernando de Alarcón, marqués de la Val Seciliana, alcayde del Castillo Novo de Nápoles, e vno de los muy diestros e famosos capitanes de nuestros tiempos en el arte militar. E después fue traýdo el dicho Rrey a España por la mar, e estuuo algún tiempo preso en el alcáçar de Madrid, y después fue suelto por la clemencia del Emperador, con ciertos pactos e condiciones e juramento quel Rrey francés no guardó, e se tornó a rrenouar la guerra de Italia en que muchas cossas passaron. Para el propósito del señor Antonio de Leyua se me ofresce a la memoria vn trance notable que pasó con el de Medecis, [270] que era de la parte francesa, e fue

---

Fernando de Alarcón Oviedo prometió un diálogo en sus *Batallas y quinquagenas*, pero o no lo escribió o se ha perdido.

[269] *Piciguitón:* Pizzighetone.

[270] *El de Medecis:* más abajo le identifica Oviedo: *Johan Jacobo de Medicis,* también llamado por los españoles Juanín de Medicis y en las

así: supo el señor Antonio de Leyua que se avía alojado cerca de la cibdad de Milán e salió della a le buscar, e supo que estaua a catorze millas, en vn lugar que se dize Carato (no fortificado), e dió sobrél otro día en saliendo, él sólo aviendo caminado de madrugada, e mató e prendió la mayor parte de los enemigos. Y con mucho plazer e alegría de la vittoria el señor Antonio de Leyua se tornó a Milán después que ovo dado la rrota al dicho Johan Jacobo de Médicis. En el siguiente año desbarató e prendió en Landriano al Conde de Sanct Polo [271] e otros capitanes franceses, seyendo los enemigos quatro mill e quinientos e más, e la mitad menos los del señor Antonio de Leyua, e demás de los muertos e presos les tomó los cauallos e bestias e carros e quasi los arneses de los más de los franceses e de todo su exército e artillería, lleuándole armado e sentado en vna silla a causa de la gota que thenía en los pies y en las manos, e quatro hombres lo lleuauan. Trance fue muy notable e digno de ser perpetuamente acordado. Cáeme a mí mucho en gracia la admiración que tenían quantos le vieron en la guerra, y no menos lo que se dize de quando estuuo en Boloña al tiempo quel Papa Clemente 7º con solepne magnificencia coronó al Emperador nuestro señor el año de 1530, con aquellas cirimonias e grandíssima fiesta en que concurrieron muchos príncipes, duques, marqueses, condes e caualleros, militares e señores e notables varones, rriquísimamente adornados e en seruicio de las dos cabeças principales del mundo e con tales e tan sumptuosos auctos e cirimonias. Preguntando yo a algunos caualleros e perssonas graues e de auctoridad que allí se hallaron (demás de lo que he visto escripto de aquella jornada), que qué era lo que les paresció más de ver e encomendar a la memoria de aquel día, me dixo vno de los interrogados de aquesta manera: "Lo que a mí me dio más admiración fue ver al señor Antonio de Leyua aquel día, capitán general de la infantería, entrar en aquella plaça de Sanct Petrol, [272] tollido de

---

historias de esta ilustre familia conocido con el nombre de Giovanni delle Bande Nere (1498-1526).

[271] *Conde de Sanct Polo:* Francisco de Borbón-Vendôme, Conde de Saint-Pol (1491-1545), su derrota en Landriano, en junio de 1529, es narrada en términos muy parecidos a los de Oviedo por Francesco Guicciardini, *Storia d'Italia*, XIX, iv.

[272] *Sanct Petrol:* San Petronio es el patrono de Boloña y da su nombre a la catedral.

pies y manos e armado en blanco, en vna silla en que le lleuan quatro hombres. E sentaron la silla en el suelo donde él les mandó, e la infantería armada e bien adereçada a punto de guerra entró tras él e tomaron aquella plaça en torno toda. E él estaua tan manco que con trauajo podía con sus manos quitarse la gorra a los señores que a él se la quitauan e le hazían mesura e acatamiento." E allí donde estaua daua terror e espanto admirable a toda Italia, e así le venían a ver de muchas partes como a hombre famoso e espejo de la milicia, tan alabado e estimado capitán en el mundo. Dize más el testo que fue tan famoso este cauallero que crehimos ser Rrioja más onrrada por él que Rroma guardada o segura con Cipión o Camilo. Rioja de suso se dixo ques cierta prouincia así llamada en Castilla [la] Vieja, de donde fue natural el señor Antonio de Leyua. Quién fue Cipión Africano e cómo acauó la guerra que los rromanos touieron contra los cartagineses e su capitán Aníbal e le echó de Italia, y quién fue asimismo Camilo, dictador rromano, que fue el que rrestauró a Rroma e la libró del furor de los franceses estando apoderados della, hallarse ha largamente escripto lo vno e lo otro en Tito Liuio, e asimismo en las vidas que escriuió Plutarco[273] desos dos famosos capitanes rromanos, e otros historiadores dizen lo mismo (II, est. IV, folios 9v a 10v).

139. *El Gran Capitán. Felipe Escolar. Hidalguía del autor.*

> Si por falta del estilo
> no lo supiere dezir
> no se puede preterir
> la gloria que a España dan
> el duque Gran Capitán
> y Phelipo oluidado
> cuyo nombre se a callado
> y le llaman Escolar.

Imposible sería parescer ni esconderse la verdad, y si mi estilo no lo supiere dezir, no basta mi defecto para preterir la gloria

---

[273] *Plutarco:* en vida de Oviedo circulaban impresas cincuenta y ocho *Vidas,* traducidas por Alfonso Fernández de Palencia (Sevilla, 1491), y ocho traducidas por Francisco de Enzinas (Estrasburgo, 1551).

que da a España el Gran Capitán [274] don Gonçalo Fernández de
Córdoua, duque de Terranoua e de Sesa, conde de Sancto Angelo, cauallero militar e Comendador de Valencia del Ventoso
en la orden e cauallería del apóstol Sanctiago, cuyas vittorias
no entiendo aquí dezir por ser muchas e tales e tan grandes que
el corto tiempo no da lugar a tan copiosa historia. Baste dezir,
letor, que ganó dos vezes el rreyno de Nápoles, con mucha efusión
de sangre e daño de franceses e de sus parciales en nuestro tiempo. Pero avnque no todo lo que a su inmortal e famosa historia
compete se hallará mucho dello escripto por mí en los diálogos
de mis coloquios en la segunda parte en el capítulo e diálogo
séptimo. Dígase agora quién fue Phelipo oluidado, cuyo nombre
se ha callado e le llaman los estrangeros Phelipo Escolar, del qual
yo no he visto ni oýdo ombre que en él hable, ni historia que lo
acuerde, ni yo me marauillo poco desto, y que seyendo tan señalado capitán tanto descuydo aya avido en nuestros escriptores
que no lo acuerden e lo escriuan los estraños y nos den noticia
de tan famoso capitán de nuestra nasción. En lo qual diré mi
parescer y lo que siento deste sobrenombre e apellido de Escolar.
Si dixeran Escobar sospechara que aceptaua el que el Dante co-
mentó quando tal nombre le puso. Y así lo torno a dezir, porque
no creo que se dixo Escolar sino Escobar, que es apellido de vn
claro e noble linaje de hidalgos notorios en nuestra España, e
sería muy posible, por inaduertencia del escriptor que la letra
que hizo *l* dexase de hazer la *b*, o que caducándose la tinta e
letra se hiziese la *b ele*, el tiempo faltando como digo la tinta. El
que este nombre nos acuerda es el comentador del Dante Christóforo Landino, [275] florentín docto, el qual en su apologio defiende al Danthe e a Florencia de los calupniadores, y entre algunos

---

[274] *El Gran Capitán:* (1453-1515) recuérdese que en 1512, con motivo
del revés de Rávena, Fernando el Católico pensó mandar una expedición
a Italia a las órdene3 del Gran Capitán, que no cuajó, pero en esa oportunidad nuestro cronista fue secretario del famoso general; v. *infra*, textos
140 y 276. El diálogo acerca del Gran Capitán que se menciona más
abajo, fue publicado casi íntegro por A. Rodríguez Villa, *Crónicas del
Gran Capitán, NBAE*, X, lix-lxxi. *Batalla I, quinquagena I*, diálogo 17, está
dedicado a D. Luis Fernández de Córdoba, II Duque de Sessa, sobrino y
heredero del Gran Capitán.
[275] *Christóforo Landino:* la primera edición es *Il Dante col commento
di Christóforo Landino* (Florencia, 1481).

caualleros y excelentes capitanes que nombra de aquel tiempo, dize deste Phelipo Escolar aquestas palabras puntualmente: "Vieron nuestros padres a Nicolao Achiauolo debaxo de cuyo gouierno el rreyno de Nápoles se rrigió; vieron Phelipo Escolar, hyspano, entre los ýngaros (¡qué hombre inmortal, Dios!), el qual por su admirable virtud por todos los grados militares hasta el supremo allegó. XXIII vezes vino a batalla juzgada (o aplazada) contra turcos, y en todas las vezes alcançó e ouo la victoria, y no solamente contra pueblos bárbaros militó, mas en Italia fue duque (o capitán general) de los exércitos de Sigismundo Augusto, e ocupó el Frigoli e en batalla venció a Carlo Malatesta. Vi yo, seyendo muchacho a Leonardo Bruno (que ya era viejo), el qual las florentinas historias elegantíssimamente escriuió, e las griegas e latinas de qualquier tiempo diligentíssimamente avía leýdo. Este afirmaua que desde Jullio César hasta su tiempo ninguno hallaua el qual juzgase que en militar desciplina se deuía preponer a Phelipo Escolar. Leemos que fue muy profunda la prudencia de Aníbal, y entre sus más loables fechos se loa la maña o industria que tuuo estando cercado de todas partes para salir de las manos de Fabio Máximo. Lóase Mitrídate en semejante especie de virtud. Mas en qué parte fue inferior la admirable astucia de Phelippo máxime en Belgrado, quando fingendo grandíssimo temor conduzió los enemigos en lugar que con sólo vasos llenos de piedras arrojados de alto, escondiéndose él e derribando la rripa (o barranca), tantos millares mató de los enemigos quel número doblado de las puertas de Florencia fecho millares es menos. Ingenió sin falta estupendo e marauilloso, que con cosa que más aýna podía mouer a rrisa que a themor, en tal manera fuesen embaraçadas las enemigas esquadras que fácilmente después con poco número de los suyos todos los matase." Todo lo que he dicho es del comentador del Dante. Mas para saber en qué tiempo fue este Phelipo es menester ocurrir al catálogo de los emperadores e al tiempo de Sigismundo, pues dize este auctor que este Phelipo fue su capitán general, e dize un historial moderno e alemán llamado Johan Carion [276] desta manera: "El año 1410, muerto Rruberto César, Sigismundo IV, hijo de Carlo, Marqués

---

[276] *Johan Carion:* v. *supra,* nota 36.

de Brandemburque, rrey de Vngría e de Bohemia, fue creado
emperador. Tuuo el imperio 27 años, fue príncipe de sapiencia
e doctrina e bondad, christianíssimo e de estatura conuiniente a
príncipe, etc." No penseys, lettor, que soy pariente de Escobares,
ni que afición ni necesidad de buscar parientes hijosdalgo, como
éstos son conocidos, me ha fecho detener en Felipo Escolar, e
lo que he dicho de su interpretación, porque loado Jhesuchristo,
ninguna nescesidad désas yo padezco, sino sólo mi consciencia
me ha mouido a tal interpretación e sospecha, que la *l* fue algún
tiempo *b*, y que se caducando la tinta ha causado tan gran inconuiniente, pues que Escolar no me dexa penssar otra cosa.
Basta que de qualquier nombre que le pongan fue español, capitán famosíssimo, para increpar el descuydo de los escriptores
de nuestra nasción en aquel tiempo, e para mouerme a mí para
le poner entre nuestros famosos, illustres e naturales varones de
España. Puédese con verdad conjeturar que en el mismo tiempo
de aquel emperador Sigismundo ovo en España guerras e nescesidades e trabajos e tales ocupaciones de guerras contra los moros
del rreyno de Granada e entre los christianos, que no tenían
cuenta los escriptores con lo que pasaua entre los rreyes y rreynos
estraños. Pero con todo eso no me satisfago ni dexo de aceptar
lo quel auctor estrangero nos aplicare, en especial siendo tan
particularmente dicho e por ombre tan bien entendido y dotto
como Christóforo Landino, e tan bien estimado, etc. (II, est. IV,
folios 10v-11r).

140. *El Gran Capitán y el autor.*

> Mas el Cordoués no vio
> su ygual en los nascidos
> desde los moros vencidos
> por el sancto rey Pelayo.

Istoria es del Cordoués quel testo aquí trae a consequencia
que poco ha se tocó algo della en esta misma estança, y entiéndese
por el Gran Capitán don Gonçalo Hernández de Córdoua, el
qual no vio su ygual en los nascidos desde los moros quel sancto
rrey don Pelayo venció quando començó la rresturación de
España, que por lo menos hasta que murió el Gran Capitán

passaron quasi nueuecientos años, porque España se perdió año
de 720, según Eusebio, [277] *de los tiempos,* e algunos auctores dizen
pocos años más o menos. E desde a dos años que se perdió el
rrey don Rrodrigo començó el rrey don Pelayo la sancta rrestau-
ración e conquista contra los infieles. Pero por la mayor parte, los
que hablan en la pérdida de España cuentan el rreynado de don
Pelayo desde el perdimiento del rrey don Rrodrigo, e la muerte
deste invicto Gran Capitán fue el año de 1517 [278] años. Este loor
del Gran Capitán, avnque paresce excesiuo por aver seydo en el
tiempo declarado el Cid Rruy Díaz e el conde Fernán Gonçález
de Castilla y el rrey don Fernando que ganó a Córdoua e a Seuilla, que todos tres están auidos por sanctos, e otros capitanes
muy señalados, que no ay nescesidad de hablar en ello hasta que
en su lugar el testo los llame e trayga a consequencia, y tanbién
porque las comparaciones son odiosas en algunas partes, quanto
más quel verso está limitado e dize quel cordoués y Gran Capitán no vio su ygual en los nascidos, asý que pues en su tiempo
no concurrieron, sino antes quél muchos años fueron los ques
dicho, no ay que altercar, basta que los que fueron en su tiempo
con quien debatió siempre fue vencedor. E le vimos e conoscimos,
de cuya escuela militar desde muy moço fue participante e militó
debaxo de su doctrina el señor Antonio de Leyua, del qual poco
ha se tractó de suso, e quasi al cabo de su vida del Gran Capitán
yo fuy secretario deste memorable señor, hasta quel año 1512 se
fue a rretraer a Loxa, quando se tractaua de boluer a Italia tercera vez. Ya avrés visto, como dixe, que los caualleros militares
de las órdenes de Sanctiago, Calatraua, e Alcántara, no se les
pornán otras insignias [279] sino las del hábito que professaron, e
por tanto al Gran Capitán se le pone aquí el de Sanctiago, en la

---

[277] *Eusebio:* en su *De Temporibus,* bajo el año 720, lo que dice Eusebio
es: "Mauritae qui per decem annos Hispanias occupauerant Gallias inuaden-
tes superantur et maxima eorum multitudo necantur a Gallis" (París, 1518)
fol. 120v. Se trata, pues, de una apresurada lectura de Oviedo, o de su
fuente, y no de un error de cómputo de Eusebio.

[278] *1517:* es la fecha que se lee claramente en el autógrafo, pero es
error de Oviedo: el Gran Capitán murió el 2 de diciembre de 1515, v. *Crónica General del Gran Capitán,* NBAE, X, 253b.

[279] *Insignias:* se refiere a los símbolos dibujados en los márgenes, y que
ya describió *supra,* texto 135.

qual era de los más antiguos della quando Dios le lleuó desta vida. E las otras insignias que muchas vezes adquirió, se le ponen por tropheos por estas márgenes. E passaremos a las estanças que nos quedan por escriuir desta segunda quinquagena (II, est. IV, folio 11v).

141. *Infortunios de reyes, príncipes y caballeros. Diuersos príncipes que perdieron sus estados y señoríos.* [280]

> ¡O qué dicho fue tan bueno
> el que respondió Quilón
> a Esopo con razón
> de Júpiter qué hazía!

A manera de encarescimiento o admiración dize el texto: "¡O qué dicho fue tan bueno, etc." Esopo philósofo preguntó a Quilón philósopho que qué hazía Júpiter, al qual los antiguos thenían por el mayor y principal de sus dioses todos. E respondióle que Júpiter las cosas grandes abatía y las baxas ensalçaua. Bien he visto yo en mi tiempo obrar Dios nuestro señor lo mismo, porque vi al señor Ludouico, [281] duque de Milán, tirano de aquel estado e después muerto encarcelado en poder del rrey Luys 12 de tal

---

280 *Diuersos:* a partir de esta palabra Oviedo escribió este titulillo en el margen.

281 *Ludouico:* v. *supra*, notas 79 y 90. *Federique de Nápoles:* o Fadrique (1452-1504), en 1501 se entregó a los franceses, y en Francia murió. Oviedo sirvió en su cámara, v. *infra*, texto 276. *Don Fernando de Aragón:* v. *supra*, nota 74. *Rey Francisco de Francia:* v. *supra*, nota 44 y texto 138. *Don César de Borja:* v. *supra*, nota 91. Su invasión de la Romaña (Imola, Forlì, Faenza, Pésaro, Rímini) tuvo lugar durante los años italianos de Oviedo, pero para 1504 el Gran Capitán le había enviado preso a España, v. *infra*, texto 244 y 316. *Rrey don Johan de Nauarra:* Juan III de Labrit (o Albret), último rey independiente de Navarra (1486-1512), v. *infra*, nota 510. *Johan Jacobo de Tribulcio:* Gian Giacomo Trivulzio (1441-1518) fue desterrado en 1494, pero Luis XII de Francia le hizo gobernador de Milán. *Vigeune:* Vigevano. *Príncipe de Salerno:* Roberto de Sanseverino, su familia era de las más fuertes simpatías francesas en Nápoles, pero Fernando V le perdonó y casó con la hija del Duque de Villahermosa, su pariente. *Conde de Saluatierra:* en Tordesillas se hizo capitán de los comuneros, y después, en Villalar, fue condenado a muerte *in absentia*. En 1524 fue preso y aherrojado en Burgos: se suicidó en la cárcel. Oviedo prometió un diálogo sobre él para sus *Batallas y quinquagenas;* v. *infra*, texto 163.

nonbre, rrey de Francia, que le quitó el estado por la trayción de
los çuyços, que se lo vendieron. Los quales el dicho duque Ludouico los traýa a su sueldo, y según opinión de muchos ésta
fue la trayción del mundo en que más traydores del mundo concurrieron, porque eran los çuyços quinze mil ombres o más. Vi
al sereníssimo e infelice rey Federique de Nápoles, que por pecados de sus súbditos perdió aquel rreyno, e vi a su hijo el excelente duque de Calabria don Fernando de Aragón, su primogénito
eredero, acatado e seruido como aquel que tan gran sucesión
esperaua, e se quedó sin ella por la malicia e indispusición de
los tiempos a él tan contrarios. Vi al rey Francisco de Francia
tan poderoso como es notorio, e confiado de su poder e valerosa
persona cercó la cibdad de Pauía e allí fue vencido e preso por
el exército imperial, como se ha dicho de suso, e traýdo a España
estuuo vn tiempo en el alcáçar de Madrid detenido, hasta que
la voluntad del Emperador nuestro señor ouo bien por le soltar
e dexar yr a su rreyno, con ciertos pactos e condiciones que mal
guardó, e de que más de vna vez Çésar se arrepintió. Vi al duque
de Valentinoes don Çésar de Borja, hijo del Papa Alexandre 6º,
muy próspero en Italia, quando tomó a Ymola e Forlín e Faença
e Pésaro e a Rímine e otras muchas cibdades e villas e castillos,
abaxando e siendo contraria a los que los quitaua esa mudable
Fortuna (o ciego médico), e leuantóle al dicho duque Valentino
para poco tiempo, pues con poco interualo yo le vi preso después
en la Mota de Medina del Campo de donde se soltó por descuydo
del alcayde e se fue a Nauarra, donde su cuñado el rrey don Johan,
señor de La Brith, rreynaua, e allá le mataron españoles. E los
estados quel dicho Duque avía quitado a otros, otros los poseyeron
después por la oportunidad e mudança de la Fortuna. Vi al mismo
rrey don Johan de Nauarra en aquel rreyno, e perdióle e echóle
dél por cismático contra la Yglesia el Cathólico rrey don Fernando 5 que ganó a Granada e Nápoles por ayudar a la Yglesia en
tiempo del Papa Jullio segundo. Vi a Johan Jacobo de Tribulcio
desterrado de su casa e patria de Milán, y vile después en ella
gran señor e Duque de Vigeuene. Vi al Príncipe de Salerno fuera
de su patria e huýdo en Francia, y vile despues boluer a Nápoles
e darle el Rrey Cathólico por muger a la muy illustre señora la
hermosa doña Marina de Aragón, su sobrina, e boluerle su estado.

Vi al malconsejado Conde de Saluatierra don Pedro de Ayala en su estado, e por seguir la vana opinión de los comuneros contra el Emperador perdió su estado e confiado de terceros se presentó en la cárcel rreal en que murió en Burgos, e con vnos grillos a los pies le vi sacar a la torre de Sant Pablo e lleuarle muerto a enterrar. No acabaría tan aýna de dezir los que he visto perdidos e caýdos de sus estados, ni los que he visto sublimados y ensalçados, y seyendo personas oluidadas subir a títulos e estados de honor ensalçados e precediendo en fauor e officios preheminentes a muchos antiguos e jubilados en vasallos e rrentas. Y esto sin que hablemos en las historias que a este propósito se podrían traer, que serían para nunca acabar si se dixesen, avnque no saliéssemos de España. Así que esto es el oficio del tiempo e de la Fortuna, según el philósopho ya dicho pensaua e a lo [sic] aplica como gentil a Júpiter. Pero no lo ynorando, la verdad no se ha de aplicar sino a la voluntad de Dios nuestro señor, y es cierto aquel cántico de la sacratíssima Virgen sancta María nuestra señora, que dize hablando en la omnipotencia de Dios: *Deposuit potentes de sede, et exaltauit humiles.* Quiere dezir: Derribo o quita los poderosos de la silla e ensalça a los humilldes. Que esto sea así, mirad a Lucifer de dónde le quitó Dios e dónde le puso en el abismo; ved lo que hizo con Saúl e cómo colocó al sancto e vmilde rrey Dauid. Mucho se podría dezir a este propósito, e no ay para qué nos detengamos en acomular ni buscar historias antiguas ni modernas para prouar lo que se está prouado, e pasemos adelante ques poco el tiempo que me queda para esta materia si me aparto de la conclusión quel testo me pide (II, est. IV, folio 12v).

142.   *Críticas al Gobierno de Indias. Barbas y bigotes en el clero.*

El ques sabio mucho mira
en saber regir su casa;
ya no veo barba rasa
y entre clérigos se atreuen
algunos que no deuen
a vsar de los bigoços.
Los viejos se tornan moços
todo es al cabo heno.

No es pequeña la obligación que tenemos a los antiguos que tanto cuydado touieron de avisarnos y de exercitar y enseñar lo que deuemos saber para nuestra erudición y enmienda de nuestras vidas. Al propósito de lo qual el philósopho Quilón dize: La primera señal del ombre prudente es saber bien gouernar su casa. Yo veo oy muchos rregidores de rrepúblicas que sin tener ni aver tenido casa ni hogar ni avn edad para aprenderlo son proueýdos e admitidos en rregimientos o veintiquatrías para rrepúblicas, e en otros oficios preheminentes y nescessarios a la gouernación e administración del pueblo, que ni se pueden entender ni bien exercitar tales magistrados sin averlos vsado e hecho algún tiempo, y esto dezir se puede que es proueer los hombres y darles dinerios [*sic*] y salarios sin merescerlos, y no proueer los oficios como conviene al seruicio de Dios y del rey y de la república. Deue causar esto o ser los ombres deste tiempo más hábiles e mejores que los antiguos y de más diligencia e limpias consciencias, o es ceguera de los que los proueen e de los proueýdos, lo qual yo creo más. Verdad es que pueden dezir que tan aýna se halla vn viejo inorante como vn mancebo no exercitado. No niego este inconuiniente, ni es eso lo que quiero dezir, sino que ni viejo ni moço fuese proueýdo sin ser expirmentado [*sic*]. Esta enfermedad e plaga en ninguna parte del mundo se ha visto más a menudo ni tan continuada como en estas nuestras Indias, ni avn en parte del mundo pudiera acaescer donde tanto mal aya causado ni que tanta pérdida aya sucedido al príncipe e a la misma tierra e prouincias de tantos e tan rricos rreynos como son éstos destas Indias. Porque los más de los que han venido a rregir o no sabían rregir sus perssonas ni sus casas, o nunca hogar touieron para que se viese la expiriencia de su entendimiento e seso e valor, e así se nos paresce en la capa, y al rrey en sus estados. Dize el testo "ya no veo barba rrasa", y entre los clérigos se atreuen algunos dellos indeuidamente a vsar bigoços. [282] Estas barbas

---

[282] *Bigoços:* este texto es interesante para la historia de los bigotes (voz y cosa) en España. Escribe Corominas, *DCELC,* I, 438; "En España no apareció [el bigote] hasta 1530 aproximadamente, y se hizo frecuente por los años 50 del mismo siglo". A la vista del texto de Oviedo quizás haya que adelantar un poco la cronología.

ofuscadas e cubiertos de boscage de pelos (y quel vso ha tornado gala), al parescer de los que no entienden pienssan ques adornamento e auctoridad, e engáñanse porque esos mismos pelos algunos son indicio de fraudes y de mala dispusición del ánimo, si se deuen creer los naturales e los que prestan fe a las señales de la phisonomía. En la ley vieja costumbre y estatuto fue que los dedicados al sacerdocio del culto diuino anduuiesen limpios y rrapados sin barba, pero de pocos tiempos a esta parte algunos clérigos la han querido vsar, arrimándose a la malenconía del Sumo Pontífice que por el saco de Rroma la comenzó a vsar el Papa Clemente 7 quando fue preso por el exército çesareano e Rroma saqueada (pero sin culpa de Çésar), e por este sentimiento truxo crescida la barba todo el tiempo que biuió, e después el sucesor, el Papa Paulo 3 de tal nombre, e arrimados a ese ... (más voluntario que justo) no han faltado cardenales que tal costumbre ayan seguido, ni an dexádolo de hazer muchos clérigos y eclesiásticos, en especial en Ytalia (donde todo se sufre), y avn dexándose crescer y apresciar los bigoços, que es el boço (que así lo llaman en Italia bigoço), desas guerras de Francia e Italia en Italia y son tanta mezcla de diuersas lenguas ...e siempre se ha pegado en España esa costumbre y está tan arraygada de todos andar ... con estas crescidas barbas si por defensa de natura no carescen dellas. Los viejos se tornan moços, todo es al cabo heno dize el testo. ... passión y vergüença es que el viejo se torne moço en sus cosas (y enfermedades), y peligrosa y de ningún prouecho, porque quando el pajar viejo se enciende en liuiandades con gran trabajo se puede matar o atajar. Dixe ques todo heno conformándome con el profeta Ysahías, que dize que toda carne es heno, y a este propósito dize el glorioso Sanct Gregorio en sus *Morales* quel Hazedor de toda la vniuersidad ... tomando carne de nuestra substancia quiso ser hecho heno porque nuestra carne no quedase para siempre hecha heno. Así que nuestro heno viene a propósito del testo, y dízelo porque está el mundo de manera tan carnal e desacordado que los viejos, en que han de tomar enxemplo de bien biuir los moços, se tornan a la primera edad e todo lo que hazen es al cabo heno, o cosas carnales, mundanas e de poco prescio (II, est. VI, folios 14r-14v.).

143. *Etiqueta y vanidad.*

> No atribuyas señorío
> al necio por su rriqueza,
> ni le loes de nobleza
> si sabes que en él no cabe.

Con los verssos precedentes vienen aquestos quatro v́ltimos desta estança y conforme a lo que Bianthe dize, que vn ombre indino no se deue loar por amor a su rriqueza. Así que bien está dicho que no es poco desuarío atribuir señorío al necio por rrico que sea. Ni tanpoco se deue loar de noble alguno si sabemos que en él no cabe tal título, quanto más que eso que es injustamente loado él se sabe que es tal loor improprio, pero como andan estas cosas de los estados a caso, así los ombres se intitulan a su voluntad o por su plazer, y al que es torpe llaman virtuoso, y al auaro magnífico, y al plebeyo noble, y al obscuro e de baxa estirpe dicen illustre. Y anda vna costumbre en sobreescritos de cartas mesiuas [283] que si ellas fuesen escriptas con verdad e buena consciencia, el que las escriue mudaría tan injusta costumbre, y aquéllos a quien se embían podrían muy bien dezir con verdad cada vno dellos: "No es para mí esa carta, porque avnque me nombra por mi nombre estotros títulos no me son conformes, y porque me conozco a mí, no conozco a él, ni acepto tan improprio dictado". Pero no está dese toque la cosa, ni se le puede dar tanto viento desso al que se le embían que dexe de estar mirando si viene sellada y cercenada, y no en medio pliego sino entero, avnque lo escripto sea tres rrenglones y si es de mano propria del que la embía o de letra ajena e pluma, e si viene sellada con nema o con hilo a la mercadantesca, [284] y otros primores que no siruen de nada. E abierta está considerando otras flaquezas, así como si el duque le llamó primo o pariente, magnífico o virtuoso, noble o generoso, e más se detiene en eso que en mirar si la carta es a su propósito, o del señor que se la embía para que le preste dineros o le haga otro seruicio. Pero basta que le embíe dessa paja de

---

[283] *Cartas mesiuas:* claro está que el antiguo escribano y secretario Fernández de Oviedo sabría mucho de estos achaques.
[284] *Mercadantesca:* v. *supra,* nota 34.

lisonjas e promessas sin efecto para quel palabreado rresponda
con el grano, y se empeñe e le fíe en quanto tiene y en quanto
pagará al plazo que sobre sus bienes pusiere, y que no será pagado. Y como sabe que en su persona no caben esos loores que
le dieron por escripto o por palabra, por no los perder e que con
otras palabras le digan la verdad de quién es, avnque aya enpres-
tado o lastado por el conde o duque su pariente, ni osa pedir lo
que prestó ni se dexa de apercebir para otra fiança antes que
cobre la primera. Pues no curemos déstos que tan anchos les vienen estos títulos e mentirosos sobrescriptos e que son personas de
la calidad ques dicho. Hablemos de aquellos que son un poco más
entonados e tienen algún quarto o nesga de nobleza (de parte de
su suegro), en esperança que los hijos saldrán bigarrados, [285] y
que junto con esta esperança tienen buenos patrimonios y rrenta
y dineros para comprar más. A éste tal si no está matrimoniado
no le faltará muger generosa que de muy buena gana se la dará
su padre, en especial si el tal suegro es pobre y le quedan en casa
otras hijas; antes le paresce que como se la avía de lleuar la
pestilencia o vn monesterio, que es bien emplearla en vn yerno
que sería posible venirle a él la sucesión del malconsejado suegro,
o a sus hijos. Y de aquí suceden las bastardías (y espumas) de las
estirpes o destirpadas noblezas, porque no hazen los tales padres
de las tales hijas lo que hazían aquellos aguadores montañeses
en Toledo (que dezía el coronista Hernando del Pulgar, [286] que no
querían ser sus yernos sino sus moços, y parésceme que los vnos
y los otros acertaron si los matrimonios se concluyeran no se
concluyendo, los que les dauan las hijas por enmendar su sangre
hebrea e los aguadores por no estragar la suya. Así que tornando
al desuarío que dize el testo, no podemos escusarnos de passar
por él, pues su ventura les da esas ganancias por su diligencia o
prudencia o poca consciencia o porque así Dios lo permite e
quiere. Quien escusará al que tiene nescesidad que no vaya a seruir e rreuerenciar a ésos que no son de tan entera e noble casta

---

285 *Bigarrados:* "*Bigarro* vale lo mismo que bizarro", Covarrubias, *Tesoro,* s.v. *Abigarrado.*

286 *Hernando del Pulgar:* alude a la letra XXXI de Pulgar, dirigida al
Cardenal de España, D. Pedro González de Mendoza, en la que, por cierto,
Pulgar alude a su condición de cristiano nuevo y a los estatutos anti-judíos
del País Vasco, *Bib. Aut. Esp.,* XIII, 59.

como de suficiente bolsa, en especial cerrándola los señores illustres que se dan a entender que por su generosidad han de ser
adorados. En fin, todas estas cosas e desygualdades son méritos
y oficio del tiempo, o mejor diziendo, de nuestros pecados. Pero
según lo que en mis días he visto e la prisa que se dan esos sucesos a mudar en España trajes, monedas, costumbres, no han de
faltar otras nouedades que hagan sancto e bueno lo que agora
tenemos por no tal, y desa sanctidad no veo caso más a nuestro
propósito (para nuestro rremedio) quel príncipe Emperador rrey
nuestro señor que tenemos y su rreal subcesión, [287] y querés ver
cómo es de Dios embiado. Notad que lleuó de esta vida a Su gloria
ocho personas rreales para su quieta subcesión en los rreynos de
España y fueron éstos: el serenísimo Príncipe don Johan, mi señor, vnico hijo varón de los Cathólicos rreyes de España don
Fernando e doña Ysabel, e su vniuersal eredero que esperaba
suceder en sus reynos. Quedó preñada la princesa su muger Madama Margarita e malparió, e lo que nasciera avía de suceder en
los reynos. Sucedió la princesa doña Ysabel, rreyna de Portugal,
muger del serenísimo rrey don Manuel, la qual murió del parto
del serenísimo principe don Miguel. Este principe don Miguel se
fue al cielo a rreynar seyendo de edad de dos años, poco más o
menos tiempo. Murió la Cathólica rreyna doña Ysabel. Por su fin
vino a rreynar en España su hija segunda, la serenísima rreyna
doña Johana, muger del serenísimo archiduque de Austria, el rrey
don Phelipe. El qual murió desde a pocos meses después que
llegó a España. Por muerte del qual boluió a rreynar su suegro
el Cathólico rrey don Fernando, e boluió desde Nápoles e gouernó los rreynos de Castilla hasta en [sic] fin de sus días. Por
la indispusición e enfermedades de la sereníssima rreyna doña
Johana, nuestra señora, que hoy biue y quanto al gouernar es
defunta, por lo que tengo dicho, por el qual defetto sucedió el rey
su hijo el Emperador nuestro señor, al qual paresce que le ha dado
nuestro soberano Dios a España e todo lo demás, y avn la vniuersal rrepública christiana para defenssor de los fieles e cathólicos, e para flagelo de Mahoma e sus secazes, e para cuchillo de
los eréticos e malas setas que por este mundo el demonio avienta

---

[287] *Subcesión:* v. *supra,* texto 24.

y siembra, e que con el fauor de Jhesucristo nuestro Rredemptor
su Magestad Çesárea lo castigará e traerá a la obidiencia de la
vniuersal Yglesia (II, est. VII, folios 18r-18v.).

144. *El autor en Italia. Traiciones de los príncipes.*

> Tales ay que comen juntos
> que están lexos de amicicia,
> porquesta negra cobdicia
> es pestilente carcoma.
> Coraçón que cría bromas
> tarde dexará tal vso.

¡O qué vicio e maldad es la del traidor! Al propósito de lo qual
dize el testo: "Tales ay que comen juntos, que están lexos de
amicicia". Vistos se an muchas vezes vnos amigos de nombre y
no de obras, que comiendo e conuerssando el tal fito [288] amigo le
vende e tracta la muerte. Desta manera lo hizo Judas Escarioth
discípulo de Christo nuestro Rredemptor, el qual comió con Él
e metía la mano en el mismo plato e le vendió por treinta dineros a los judíos e le anduuo tractando la muerte. Oyd lo quel
Euangelio dize en esto: *Quid vultis mihi dare et ego vobis eum
tradat? At illi constituerunt eis triginta argenteos.* "¿Qué me que-
reis dar, que yo os lo daré? E a él le prometieron (constituyeron)
treinta dineros de plata". E más adelante dize: El que mete la
mano en el plato comigo, ese me venderá. *Qui intingit mecum
manum in paropside hic me tradet.* [289] ¡Ved qué discípulo e
amigo tenía Christo en ese Judas! Pues yo vi al príncipe de Bosi-
naño [*sic* por Bisignano] (en el rreyno de Nápoles gran señor), [290] del linaje e apellido de Sanct Seuerino, en tiempo del
sereníssimo e infelice rey Federico, e seyendo su vasallo e amigo
e compadre, e haziéndole el Rrey comer con él algunas vezes, e

---

[288] *Fito:* latinismo por "fingido", ya usado por Oviedo, *supra,* nota 178.

[289] *Me tradet:* los dos textos evangélicos son de *San Mateo,* XXVI, 14,
y XXVI, 23.

[290] *Gran señor:* queda dicho (*supra,* nota 281) que la familia de Sanseverino, a la que pertenecía el Príncipe de Bisignano era rabiosamente fran-
cófila durante las guerras de Nápoles; muchas noticias sobre este príncipe
en *Crónicas del Gran Capitán,* ed. A. Rodríguez Villa, *NBAE,* X, v. Índice
de Personas, s.v. *Visignano;* además, v. *infra,* texto 309.

tractándole como a hermano e aviéndole hecho cauallero de los del número del Armiño, este Príncipe carteaua con el rey Luis 12 de tal nombre en Francia, e se le ofrecía de le dar el rreyno, non obstante la lealtad que deuía a su Rrey e señor. E vi quel año 1501, viernes 24 de mayo, dentro del Castillo Nouo de Nápoles el Rey prendió a este Príncipe e al Conde de Mélito, su hermano, e al señor Alfonso de Sanct Seuerino por traidores, porque se carteauan con el Rrey de Francia ya dicho. E al rrío del Garellano fue tomado en aquel paso vn secretario deste Príncipe que venía de Francia disfrazado como rromero con cartas del dicho rrey Luys, las quales escreuía a los tres que he dicho en rrepuesta de otras del Príncipe e de eso, y el Rrey se las mostró. Yo seruía en esa sazón al Rrey en la cámara e fuí vno de los que guardamos la puerta de vna quadra don [sic] el Rrey mandó poner esos desleales anjoynos [291] hasta en tanto que esa misma noche se entregaron al alcayde del Castillo Nouo, e los pasó a vna torre adonde el Rrey mandó que los tuuiese a rrecabdo. ¿Parésceos, lector prudente, que era buen compadre, amigo o leal vasallo a su Rrey ese príncipe, e que lo eran el Conde su hermano e su primo el señor Alfonso de Sant Seuerino? ¿Qué diremos de aquella cena o banquete o maldad del duque de Valentinoes don César de Borja, hijo del Papa Alexandre Sesto? Que estando sobre Forlín el año de 1500 del sancto Jubileo, teniendo cercada en la fortaleza de aquella cibdad a Madama Catalina Esforça, condesa cúya era aquella tierra, e por fuerça de armas se la tomó como cruel tirano, e cenó después de su victoria aviendo aquel día muerto e cortados a pieças sobre sietecientos ombres, e prendido a aquella señora, muger que avía seydo del conde Girónimo, hijo o sobrino del Papa Ynocencio 8 A aquella cena estuuo con el Duque con mucho plazer e rregozijo su primo el reuerendísimo Cardenal don Johan de Borja, Arçobispo de Valencia, y el Obispo de Cepta, [292] don

---

[291] *Anjoynos:* angevinos, partidarios de la Casa de Anjou, francófilos.
[292] *Obispo de Cepta:* Don Fernando de Almeida, Obispo de Ceuta. Sobre el Cardenal Don Juan de Borja v. *supra,* nota 174. Más por extenso narra este envenamiento Oviedo (que sirvió al Cardenal Don Juan de Borja en esta misma época) en sus *Batallas y quinquagenas,* diálogo sin clasificar sobre Don Juan de Borja, Arzobispo de Valencia, citado por extenso en Pérez de Tudela, *Vida,* xxiv-xxvi. *Conde Girónimo:* Conde Girolamo Riario, sobrino del Papa Inocente VIII, y Señor de Forlì.

[espacio en blanco] de Almeyda y ambos quedaron entosicados e les costó las vidas. Bien dize el testo que la cobdicia es pestilente carcoma. Mirad aquel abogado, o linterna de los despenseros, por quán poco prescio vendió al Saluador del mundo. Pues estos otros neapolitanos no se mouían sin intereses ni sin grandes prometimientos a hazer traycción a su Rey. El duque Valentinoys no sé por qué causa se mouió a su maldad, pero bastáuale a él qualquier motiuo o antojo para eso e otras cosas peores. Antes de lo qual, e seyendo cardenal, estauan él y su hermano, el Duque de Gandía y el Príncipe de Squilache, [293] su menor hermano, con mucha fiesta cenando en Rroma vna noche. Entró vna máscara al medio de la cena e habló a la oreja al Duque de Gandía, e leuantóse de la mesa e fuese con la máscara, e quedáronse cenando el Cardenal de Valencia, don César (que después fue Duque de Valentinoys), y el Príncipe su hermano e los demás. E nunca más se supo del Duque de Gandía, hasta que dos o tres días después le hallaron dentro del rrío Tíber, muerto metido en vn costal con ciertas puñaladas. Cenado avían con el Papa Alexandre 6 su hijo el Duque de Valentinoes después que boluió a Rroma aviendo tomado a Forlín, e también cenó allí el duque de Viseli, don Alonso de Aragón, [294] yerno del mismo Papa, casado con su hija doña Lucrecia, e yéndose a dormir el Duque de Viseli con su muger avíe de pasar por delante la yglesia de San Pedro, a otro quarto que al otro costado della avía en que biuía ese yerno del Papa. E allí salieron ciertos traydores e le dieron de halabardazos, y le dexaron por muerto por mandado de su cuñado el Duque de Valentinoes. E después, curándole de las heridas, e teniéndose esperança que sanaría el herido, le hizo ahogar en la cama vna noche. Muchas cosas se podrían dezir de las amistades fitas, que avnque parescen amigos los ombres, muchos dellos ay que son muy peores que los enemigos manifiestos. Y tanto son más dañosos quanto menos se puede aguardar dellos. Y en cada cosa déstas que breuemente he tocado ay vna gran historia de crueldad si se contase tan largamente como ello passó. Pero porque dize el testo

---

[293] *Príncipe de Squilache:* Sobre el *Duque de Gandía*, Pedro Luis de Borja, v. *supra*, nota 9; *Príncipe de Squilache* lo fue Jofré de Borja (Goffredo Borgia), muerto en 1516.

[294] *Don Alonso de Aragón:* Duque de Bisceglie, v. *supra*, nota 93.

quel coraçón en que se cría broma, tarde dexará tal vso sepamos qué cosa es broma. Broma es cierto género de gusano que se cría en las interiores partes de la madera, en aquella parte interior quel nauío trae debaxo del agua y es causa muchas vezes que las naos se anegan e pierden por la broma. La cual se cría en la madera e parte maçiza de la tabla o madera. E así la broma que se cría en el coraçón maluado del ombre es los malos pensamientos, los quales se avmentan de día en día e multiplican de manera que tarde se dexa tal vso donde ha tiempo questá fixada tal dolencia, e haze perder al mismo que la cría o tiene e a muchos asimismo que le ymitan e siguen inconsideradamente, sin se entender con el ladrón de casa, ques el más peligroso vezino que ninguno puede tener ni alcançar. (II, est. IX, folios 21r-22r).

145. *Explicación de ciertos dichos de Castilla. Desdichas en Indias.*

> ¿Por quél diablo se puso,
> si sabes, en Cantillana?
> ¿Y en Burgos en la Llana?
> ¿Y en aquella Costanilla,
> y en las Gradas de Seuilla?
> ¿y en los cambios de Medina?
> y si el mercader se fina
> lestá haziendo cosquillas.
> ¿Y por qué en Val de Astillas
> tiene casa de morada
> y no quiere la posada
> donde limosna se da?
> ¿Y por qué nunca se va
> de la corte sin dexar
> más de mill en su lugar
> engañando negociantes?

Relátanse aquí en estos versos interrogatiuos, prouerbios que comúnmente acostumbran a dezir en Castilla, así como suelen vulgares afirmar, sin entender, que *está el diablo en Cantillana*. [295]

---

[295] *Está el diablo en Cantillana:* hay otras explicaciones de este dicho (Gonzalo Correas, Bartolomé de Góngora, Antonio Paz y Melia), que recoge Francisco Rodríguez Marín en sus notas al *Quijote*, II, xlix.

Y avnque es muy vsado no saben todos la causa, ni yo he pudido enteramente acabar de certificarme por qué se dixo. Pero quadra en alguna manera lo que a algunos ancianos he oýdo, y paresce que se conforman con la historia del rrey don Alonso, en cuyo tiempo el Almirante de Castilla, Alonso Ivfre Thenorio, Almirante de Castilla se entró en la cibdad de Seuilla e echó della a doña María Alonso, muger que fue de Alonso Pérez de Guzmán, e a don Johan Alonso, su hijo, señores de Sant Lúcar y Medina Sidonia y Béjar y de Rota e Ayamonte, e asimismo echó de la cibdad a don Pero Ponce de León, hijo de don Fernán Pérez Ponce, nieto de la dicha doña María Alonso, que era señor de Marchena, y echó asimismo a don Luys de la Cerda, hijo de don Alonso de la Cerda, nieto del infante don Fernando, que estaua casado con hija de don Alonso Pérez, y echó tanbién a don Pero Núñez de Guzmán, e a don Alonso Fernández de Saauedra, Alcalde Mayor, e tanbien echó el Almirante a todos los otros que le paresció. E se tomó las rrentas del Rrey, e se lo tuuo con sus cautelas hasta quel rrey don Alonso XI [296] (que yo llamo dozeno de tal nombre) salió de las tutorías. Y en ese medio tiempo andaua discurriendo por la tierra por su mandado vn su capitán de larga consciencia, e hazía muchos males e desafueros a muchos e las más vezes se acogía a Cantillana, porque como está allí vna barca e pasaje de Guadalqueuir, más a menudo hallaua allí de los que yuan y venían a quién rrobase e hiziese enojo. E estando ya muy conoscido por malo apartáuanse de allí los caminantes e las rrecuas e dezían: "Vámonos por otra parte, que está el diablo en Cantillana". Otros dizen otras ocasiones para este título de Cantillana que no me satisfazen, ni de aqueste diablo no haze memoria la dicha historia, avnque dize lo demás que se tocó de suso del Almirante don Alonso Jufre Thenorio más largamente, el qual fue muy valiente cauallero como se puede conjeturar de lo que está dicho, pues que eran tan principales caualleros los que se ha dicho que los

---

[296] *Alonso XI:* v. *supra,* nota 134. Oviedo le llama *doceno,* como antes llamó Alfonso XI a Alfonso X, el Rey Sabio, porque contaba los reyes de Castilla a la misma manera que Alfonso el Sabio, *Primera Crónica General,* quien incluía a Alfonso el Batallador de Aragón como Alfonso VII de Castilla, v. J. Gimeno Casalduero, "La numeración de los Reyes de Castilla en el *Laberinto* de Juan de Mena", *Monteagudo,* 29 (1960), 2-6; v. *infra,* nota 431 y texto 208.

echó de Seuilla, del qual dize la crónica [297] del Rrey ya dicho que
con seys galeas y ocho naos y seys leños peleó con la flota de los
moros, que eran veinte y dos galeas, y tomó tres dellas, y echó
a fondo quatro e mató e prendió mill e dozientos moros, e los
trezientos metió en Seuilla atados en sogas e con esta victoria el
Rrey le salió a rrescibir e onrróle mucho. Otra batalla ovo después
este famoso almirante contra la flota del rrey de Portugal de la
qual era almirante Manuel Cataño, ginoués, el qual e vn hijo
suyo fueron presos e ganóles ocho galeas que truxo a Seuilla, e
otras seys echó a fondo e otras huyeron, y el pendón de Portugal,
que dezían el estandarte, atáronle en la galera capitana del almirante preso, e venía arrastrando por el agua, e el rrey mandólo
quitar de allí e que fuese colgado en la Yglesia Mayor de Seuilla,
como más largamente se escriue en la historia [298] alegada. E fue
esta batalla muy sangrienta de ambas partes, pero la victoria
quedó por Castilla con grandísimo daño de Portugal.

Tornando a nuestra materia, pregunta asimismo el testo que
por qué está asimismo el diablo en la Llana de Burgos. Y es
la causa porque aquella Llana que dizen es vna plaza donde
concurren muchos mercaderes rricos e onrrados e allý se tractan
de grandes intereses e cambios e negociaciones de mercaderías e
tractos de mucho caudal. E créese que el diablo no ynora todo lo
que allí se tracta, ni le deue a él de faltar e que ponga su decreto
en tantas diuersidades de ganancias en que no faltará, por aventura, algún poco de vnsura [*sic* por usura], la qual no se puede
cometer ni la puede aver sin hazerle participante y ministro della.

Tanbién pregunta el verso que por qué está el demonio en la
Costanilla. Esto dize por la platería de Valladolid, que así se llama
aquella calle, en la qual, si todo el oro e plata que allí se labra
es de los quilates e valor que deue de ser, allende de los prescios
de la hechura, Dios lo sabe. Cosa es que paresce que no va nada
en ello porque se rreparte la pérdida entre innumerables. Pero
ni del oro o plata que allí se labra (que es mucho) nunca he oýdo
dezir a ombre alguno que le dieron cosa por de veinte y dos

---

[297] *La crónica: Chrónica del muy esclarescido príncipe e rey don Alfonso el Onzeno* (Valladolid, 1551), cap. LXII.

[298] *La historia: Chrónica . . .*, cap. CLXXXIV, pero allí el Almirante de
Portugal se llamaba Manuel Peçano.

quilates que después se hallase que tenía más ley, sino las más vezes menos. Y esta Costanilla en muchas partes la ay, y las sustentan plateros con el mismo defetto e peligro de sus ánimas y en daño de sus próximos. Devríales de bastar lo que lleuan demasiado por la hechura e obra de sus manos, y la mucha soldadura que es vender cobre e plata por oro, e la limalla que ellos dizen que se les pierde e la rrecojen con el pie de la liebre, e más comen ellos que ella hazía tales fraudes. Bastar devría el pesar injusto e dar de menos de lo que se les paga.

Tanbién dize el testo que está el diablo en las Gradas de Seuilla [299] pero aquello paresce dificultoso pues que es sagrado e templo de Dios. Mas en fin, pregunta bien, porque los más que allí concurren es a conferir sus tractos e intereses, e no por oyr misa, e como aquella cibdad es tan grande e frequentada de tantas diuersidades de gentes e negocios e es la puerta e alhóndiga o el silo destas nuestras Indias, donde han ydo a parar o tomar tierra quantos tesoros destas partes en nuestros tiempos se han lleuado e lleuan cada día a nuestra España. No ynorándolo nuestro aduersario, tiene mucho que hazer en aquellas Gradas y en las trapaças que allí se vsan, y en despachar adelantados y mariscales para nuestras Indias (títulos ventosos y de ningún prouecho), tantos y tales algunos que si estas tierras nueuas no se oviesen dado manera en sus malos fines, hartos más serían que los de Rrojas. [300] Y porque ellos son sus sermones inciertos e fabulosos han muerto innumerables chapetones que en sus palabras se confiaron, prometiéndoles lo que nunca pudo ser y certificándoles lo que ha Dios de hazer como le pluguiere e no como ellos se lo dizen, e hablándoles en cosas quel que los oye no lo entiende y el que las dize no las sabe. Y desta manera, de ciento que de acá vengan no bueluen cinco con dineros a su patria, y ésos que los lleuan los más son taverneros, porque los que no son tales, y tienen vergüença, o se mueren por acá o si bueluen a España no aseguran ni paran en ella, e procuran vn adelantamiento déstos

---

[299] *Gradas de Seuilla:* de amplias resonancias literarias en la Edad de Oro, v. Torres Naharro, *Propaladia,* ed. J. E. Gillet, III (Bryn Mawr, 1951), 684-85. En cuanto a la Costanilla de Valladolid, su fama decía que la calle era propia de judíos, J. Caro Baroja, *Los judíos en la España moderna y contemporánea,* I (Madrid, 1961), 60.

[300] *Los de Rrojas:* v. *supra,* nota 220.

para boluer a pagar acá lo que mal ganaron, y para traer a otros muchos a padescer y morir con menos obsequias de las que tenían arbitrado sin se acordar que vnos en la mar e otros en la tierra con diuersos géneros de miseria e pobreza, ahogados en los rríos e muchos a manos de estas gentes saluajes, sin sepoltura sagrada la mayor parte y también algunos en papos de cocatrizes, [301] e otros en las vñas de los tigres, e infinitos de hambre. E avn para venir a buscar estas muertes, primero dexan en Seuilla la capa los soldados, y los capitanes los traen en virtud de las baratas e baraterías en que allí se enpeñan debaxo dese título e adelantamiento a buscar y dar tantas y tales muertes a muchos simples chapetones. Y porque este nombre mejor se entienda, entender [falta *debes* o palabra semejante] letor, que no es más dezir *chapetón* que llamarle *nouicio* o que dezir en Italia *bisoño*. Y avnque muchas vezes se ha visto que el fructo que sacan estos adelantados destas Indias es acabar mal e traer muchos de sus patrias e de diuersas partes a la carniscería. Nunca ves que escarmientan otros en cabeças ajenas, pues si tantos trabajos se hallan en estas cosas, y desde Seuilla se toma la derrota o principio destas desauenturas, imposible sería quel enemigo de la humana natura ynorase las Gradas, ni dexase de poner en cuydado a los que de acá van para crescer su fantasía si algo lleuan. E ayudárselo a gastar mal para ponerlos en nescesidad presto y tornar a buscar más en estos destierros, e acabar en ellos al rreués de sus cogitaciones. E a los que nueuamente acá vienen siempre les dizen que Fulano lleuó de las Indias tantos mill pesos, e Çutano tantos mill ducados, y el vno que compró la veintiquatría, y el otro el rregimiento, y el otro el juro, o tal posesión o eredamiento. E no le dizen quántos e quáles se han quedado acá de asiento, perdidos e muertos. ¡O gente española! ¡O gente española, quán de grado y sin consulta ni rrazón os moués a creer lo que no os conuiene! ¡Gradas de Seuilla! ¡Gradas de Seuilla! ¡Quántos desagradados de lo que en España dexan y acá dessean, avés visto pasearse en vosotras, que informados del viento nunca los tornastes a ver, porquél se los lleuó y España los perdió!

Dize el testo, o pregunta, por la misma orden, si está el diablo en los cambios de Medina del Campo y esto estáse rrespondido.

---

[301] *Cocatrizes:* cocodrilos.

Allí está cierto, porque pues es plaça principal del tracto y ferias
de toda España, e donde mayor [falta *número*] con frequencia
ay mercaderes, no avía de faltar quién les consejase esas partidas
de cambios y rrecambios que allí celebran. Y como todo lo mal
ganado huele al fuego infernal, así aquella villa es donde más a
menudo se aprende [*sic*] el fuego, e se queman no vna o dos
o tres casas, [302] sino ciento e doscientas, e más o menos. Puedo yo
dezir que en septenta e siete [303] que ha que nascí (o a los menos
después que yo me puedo acordar), no ha avido en toda España
junta tantas casas quemadas como en sola Medina del Campo, en
diuersas vezes y tiempos. Vna calle y dos y tres e más e menos,
muchas vezes allí se ha visto, e perderse e abrasarse grandes
haziendas de muy gran valor. Pues donde tan a la mano andan
los tizones, señal es que nuestro aduersario no está durmiendo, ni
lexos desas llamas, ni granjea él allí solamente esos carbones de
pino sino almas e haziendas de pecadores. Porque como en otra
parte tengo dicho, la mercaduría *a theologis sententiis plane
damnata est, et a canonicis decretis, auctoribus Gregorio, Chri-
sostomo, Augustino, Casiodoro, Leone omnibus vere christianis
interdicta, nam (ut ait Christostomus [sic]) mercator Deo pla-
cere non potest, nullus ergo christianus sit mercator.* Al propósito de lo qual dize el testo, que si el mercader se fina le está el
demonio haziendo cosquillas, para que en aquel tiempo en que
más apartado ha de estar el cuydado de las ganancias desta miserable vida y más rrecogido y vigilante para su enmienda e pedir
a Dios misericordia, estonces Sathanás por le arredrar de lo que
conuiene a su ánima, no le induziendo a lágrimas e sospiros, ni
arrepintiéndose de sus culpas, le da ocasión para rreyrse e despreciar la enfermedad e peligro en que está, y le dize que no es
nada su dolencia, ni peligrosa su enfermedad, porque no se le
salga de las manos por la confisión e arrepentimiento de sus culpas. Así que, mercader amigo, prouéeos con tiempo, no creays
al que os diere esperança de la vida temporal, sino al que os

---

302 *Dos o tres casas:* fue famoso, entre otros varios que sufrió, el in-
cendio de Medina del Campo provocado por Antonio de Fonseca (*supra,*
notas 100, 105 y 168) durante la guerra de las Comunidades.

303 *Septenta y siete:* un cómputo real da el año de 1556 (fecha de la
muerte de Oviedo), pero según las cuentas que nuestro cronista hacía de
su edad, el año sería el de 1555, v. Pérez de Tudela, *Vida,* clxiv.

acordare que estays al cabo della. Y mirad lo que dizen esos
doctores sanctos que pocos rrenglones ante desto os dixe de suso.

Tanbién pregunta el testo que por qué dizen questá el diablo
en Val de Astillas, e que tiene allí casa de morada. Quiere dezir
que haze más asiento allí que en otras partes, e que más ordinariamente acude a tal domicilio, pero tómase Val de Astillas por
todas las ventas e mesones. Es Val de Astillas, [304] si mal no me
acuerdo, vn pequeño lugar que está dos leguas de Valladolid,
todo de mesones, donde ay vna puente sobre el rrío Duero, paso
muy frequentado de pasajeros caminantes, que van e vienen de
vnas partes a otras innumerables gentes. En el qual pueblo no
ay otro tracto sino el que tengo dicho, e donde ningún ombre del
mundo querrá viuir sino el que quiere vsar del oficio, que tenga
siempre cuenta e ojo con el jarro y la taça. Y como y las otras
vasijas del jaez de Baco son astillas y yesca para los deuotos del
vino, el nombre le dieron a la puente e pueblo muy al proprio, en
llamar puente de Val de Astillas aquel lugar porque tan bien beuen los que se van como los que vienen a pasar a Duero, dexando
tantos tauerneros a la vna mano como a la otra. E si por pecados
del caminante allí ha de dormir no le puede faltar rruyn cama, y
vna baraja de naipes en que tome vna lición de aquellas que en
tales lugares se acostumbran para ayuda al camino, porque ni le
faltará maestro que a su costa le enseñe las esquadras del rrey
de copas ni quién le venda las candelas, que podría ser que no
se le darían avnque se muriese el huésped que tal nescesidad
touiese.

Dize asimismo el testo que el diablo no quiere la posada donde
se da limosna. Notorio es que la limosna mata el pecado, e de la
limosna no se le sigue prouecho alguno si es fecha como se deue,
y no para vanagloria ni por ser visto, e querer que le tengan por
mejor de lo que es. Gran virtud meritoria es la del que parte con

---

[304] *Val de Astillas:* el moderno Valdestillas (Valladolid). Recuerda sus
posadas Correas, *Vocabulario,* pág. 445; "Kuando fueres a Valdeastillas,
por merzed de Dios ke te hagan, no las rrezibas", con larga explicación.
Mesonero de Valdestillas se convirtió en frase hecha en el Siglo de Oro,
y así la recuerda Alonso Fernández de Avellaneda, *Quijote apócrifo,* cap.
final. Por lo tanto, tal frase no debe usarse como argumento a favor de la
castellanidad de Avellaneda, según ha hecho su reciente editor, F. G. Sali-
nero (Madrid, 1972), pág. 463.

los pobres e nescesitados. Obra es muy acepta a Dios, e sancta costumbre es la del limosnero. Dize Sanct Jerónimo en vna su epístola: *siue ille sacerdos siue ille cognatio sit et afinis nihil in eo considera nisi paupertatem, etc.* Agora sea aquél sacerdote, agora pariente, agora conjunta persona, no consideres en él sino la pobreza. E deuemos dar sin diferencia alguna a todos los nescesitados limosna sin buscar ni inquerir a quién, ya quel que Dios te pone delante no le dexes yr sin tu socorro, porque la oración del pobre te hará a ti rrico, y te aparejará a salir del pecado, y a conseruarte en estado de gracia e amor de Dios. E por estas causas e otras muchas que se podrían dezir, no quiere Sathanás la posada donde se da limosna a los pobres.

Tanbién pregunta el testo que por qué nunca se va de la Corte sin dexar más de mill de sus demonios en su lugar, engañando negociantes. De pensar es que por su ganancia e malos desseos no perderá tiempo ni la conuersación de aquellos lugares donde más se pueda aprouechar de sus fraudes. E así como en la Corte asiste e concurren más negocios e personas notables e de más valor, así los vicios andan más encumbrados e exercitados. Allí la soberuia es más anexa a los poderosos, y la gula con los otros seys pecados, todos los siete principales, e cómodas las rramas e circustancias que dellos penden, e así ternán más que hazer e a más que engañar. Puedo testificar que a mi parescer yo no he visto en pueblo alguno que aya estado tanta deuoción como en la corte de España, ni gente más limosnera e caritatiua, ni más exercitada en virtudes, non obstante la embidia e otros males cortesanos que tanpoco faltan fuera della. Y no es de marauillar que donde las perssonas rreales rresiden se hallen más virtuosos pues es la escuela donde más copia de illustres e generosos concurren, e donde los ombres de merescimiento más rresplandescen porque hallan más compañía de sus semejantes, e los que son torpes e viciosos allí tienen menos valor e estimación donde mejor los conoscen. Pero tanbién el diablo más contento anda entre gente bien vestida e inclinada a trajes nueuos e costosos, que no entre pobres e desnudos. Si de buenas costumbres carescen, con todos, los vnos e los otros, es conuersable (II, est. IX, folios 22r-23r).

146. *Contrabando en Indias.*

>Húelgase con los fardeles
>que passan disimulados,
>por de dentro atestados
>de otra mercadería.

Aqueste passo toca a los mercaderes con quien el diablo huelga mucho, a causa de los fardeles de anjeo e cañamazo que passan a estas Indias, disimulados y de dentro atestados de otras mercaderías escondidas, en lo qual el Rrey es defraudado e sus rrentas e derechos, pues mostrando ser de anjeo pueden venir dentro pieças de holanda e otras cosas que encubre, como se ha visto no ha mucho tiempo en esta ysla Española. En lo qual se podría dezir mucho, y no se dize porque pensando rreprehender tal vicio no enseñemos a pecar a nadie. Hartos primores he oýdo de ladrones, que no quiero memorarlos por no despertar a quien duerme, ni dezir cosas que otros lleue a la horca e me quede a mí de qué hazer penitencia. Pecado es el hurto condenado, y contra vno de los diez mandamientos de Dios, y muy aborrescido comúnmente en el mundo y entre la mayor parte de la humana generación (II, est. IX, folio 23v.).

147. *Injustísima muerte de Atabaliba, Inca.*

>Porque solas las querellas
>de Áthabaliba serían
>volumen que henchirían
>todo lo quel sol mirasse.

Aquestas querellas del gran príncipe Athabaliba [305] dize el testo que serían vn volúmen que hinchese e ocupase todo lo quel sol mirase. En fin, quiere dar a entender que tal historia no sería menos breue quel vniuersso todo, al qual el sol alumbra con su mouimiento por el Zodíaco en sus cursos e tiempos, e que todo lo que mira en la mar e en la tierra. Sin dubda es grande la lástima que pone oyr y entender quán despiadadamente Francisco Piçarro, Capitán General y Adelantado de la Nueua Castilla (*alias*

---

[305] *Athabaliba:* Atahualpa, muerto por Pizarro en 1523.

el Perú llamado aquel señorío) dio consentimiento a tal omecidio
con parescer de sus secazes e consejeros, rrodeando e buscando
falsas colores para le matar después que fue preso, sin aver causa
ni rrazón para le dar la muerte injustamente como se la dieron
(II, est. X, folio 24v.).

148. *Guerras civiles del Perú.*

Quien su muerte consintió
la pagó con el cuchillo.

Rezia cosa es la sinjusticia, e poca vista tiene quien a su voluntad se rrije e a la verdad desdeña. Este fue vn caso de los notables
e señalados en el mundo. EL MARQVÉS DON FRANCISCO
PIÇARRO. [306] Este fue vn título que Dios le dio a este soldado
por poco tiempo e por sus pecados. E llámole soldado porque sin
duda él fue ombre valiente de su persona e gran tiempo exercitado en la guerra desta parte e Indias, e yo le traté e conoscí
mucho algunos años. Y como el testo dize, él pagó la muerte de
Atabaliba con el cuchillo, porque después este Marqués y su compañero especial y grande amigo con cuya compaña e a costa de
los dos aquella tierra se descobrió, EL ADELANTADO DON
DIEGO DE ALMAGRO, e sobre los términos destos dos gouernadores se hizieron mortales enemigos e vinieron a las armas, por
su mal e de otros muchos que a sus opiniones se alegaron [*sic por
allegaron*], e quedando vencido el Almagro fue degollado en la
cibdad del Cuzco contra justicia, aviéndole fecho dar vn garrote
en la cárcel a la soldadesca, sin ser su juez para ello, el capitán
Hernando Piçarro, teniente del Marqués su hermano, e inferior,
lo qual él hizo injusta e cruelmente. El qual hasta agora que
estamos en el año de 1557 [307] está preso en la fortaleza de la Mota
de Medina del Campo, debaxo de cierta sentencia que ciertos

---

306 *EL MARQVÉS DON FRANCISCO PIÇARRO:* éste y otros nombres
en mayúsculas van recuadrados al margen en el original. Sobre los Pi-
zarros, Almagros y las guerras civiles del Perú, v. *supra*, notas 18, 19, 180-
184.

307 *1557*: el año de 1557 murieron Hernando Pizarro y Oviedo, y además
el colofón de estas *Quinquagenas* (q.v.) dice que se terminaron el "24 de
mayo de 1556". La fecha del texto será un *lapsus calami* por 1555 (v. *supra*,
nota 303), como se lee con toda claridad al final del texto 150.

señores del Consejo Rreal, diputados para la causa, pronunciaron
contra él. Antes de la qual declaración, don Diego de Almagro el
moço, hijo del Adelantado, en vengança de la muerte del dicho
su padre, con otros sus amigos e confederados mataron al dicho Marqués en la cibdad de Lima, *alias* de los Reyes. E no solamente pararon esas discordias en los principales matadores de
Atabaliba, pero después precedieron las que es dicho e otras
muchas, porque por la muerte del Marqués vino por juez el licenciado Vaca de Castro e como general de aquellas partes, e vino a
batalla con don Diego de Almagro el mançebo, en la qual el Vaca
de Castro quedó vencedor, e se rretruxo el don Diego al Cuzco, e
allí fue preso por los ministros del Vaca de Castro, el qual le hizo
cortar la cabeça. E aquesto cuéntanlo vnos al propósito del vencedor, e otros le culpan porque sin ésa e otras muertes e crueldades queste Licenciado hizo, se pudiera pacificar la tierra y él
pudiera ser menos cobdicioso. Después alçóse con la tierra el capitán Gonçalo Piçarro, hermano del Marqués, e embió el Emperador nuestro señor vn cauallero de Áuila, llamado Blasco Núñez
Vela por Virrey, e diose mal rrecabdo avnque no le faltaua ánimo,
e vino a batalla con el tirano, en la qual mataron al Virrey peleando como muy valiente cauallero, e murieron con él otros leales
seruidores del Emperador, contra los quales se vsó toda crueldad
por los vencedores de la parte del tirano, e ninguna cosa dejó de
hazer el Virrey como valiente cauallero hasta que fue derribado
e preso. E porque fue notable crueldad e desacato lo que con él
se hizo, fue que estando preso e muy herido le cortaron la cabeça, y avnque era ombre bien barbado le pelaron la barba los
desleales de manera que no le quedando della quasi pelo para
la lleuar de allí colgada a vna picota donde el tirano la mandó
colgar, hizieron que vn negro le horadase el vn carrillo con vn
puñal o cuchillo por donde metió vno o dos dedos a la boca, e
así la lleuó a poner en la picota como es dicho. ¿Avés oýdo, letor,
semejante vltraje e vellaquería, que todo lo fue sin dubda? Pero
no es razón de oluidar que entre esos pocos caualleros e hidalgos
que fueron vencidos allí SANCHO SÁNCHEZ DE ÁVILA, pariente del Virrey y muy mancebo, se ovo tan valientemente, y
peleó de manera, hasta que la moltitud de los desleales le mataron,
que si veinte tales como él se hallaran de la parte nuestra, indubi-

tadamente se creyó que la jornada tuuiera otro suceso, y avn que los vencidos fueran los vencedores. Así que quedó el tirano Gonçalo Piçarro por esta victoria enseñoreado de la tierra del Perú por algún tiempo, hasta que llegó su paga. Yo voy acortando palabras. El licenciado Vaca de Castro fue preso a Castilla, y para testimonio de su cuenta estuuo preso ciertos años por mandado del Emperador en el castillo de Aréualo, e después salió de allí e anda al presente preso en la Corte. [308] Fue a castigar la muerte del Virrey el licenciado Gasca, del Consejo de la sancta e general Inquisición, clérigo e experto en negocios, de grande habilidad e prudencia. E diose tal rrecabdo e tan buena maña que supo ganar las voluntades de parte de algunos de los alterados e conduzirlos al seruicio del Emperador, e hizo tan bastante exército que dio la batalla al tirano e lo prendió, del qual e de otros desleales se hizo justicia, e pagaron la cabeça del Virrey con las suyas, con nombre de traydores, y dexó la tierra asentada e puesta en sosiego e obidiencia, e muy acatada el abdencia e chancillería rreal para la gouernación del Perú e de aquellos rreynos. E boluióse a España dexando pagadas las debdas del Rrey, que fueron de grandes empréstidos e gastos hasta castigar a aquel tirano y sus secazes. E lleuó más de vn millón e quinientos mill ducados para la Çesárea Magestad, e fue a Flandes a besar las manos al Emperador e darle cuenta de lo que en la buena ventura de Çésar había fecho. E teniéndose por muy seruido de su persona le hizo merced del obispado de Palencia, ques el tercero obispado de rrenta de los principales de Castilla, a la qual dignidad e prelacía es anexo el condado de Pernia en Galicia. He con pocas palabras tocado grandes historias por hazer memoria de tales varones para el número de los illustres e famosos ombres de España, de quien hazen memoria estas mis *Quinquagenas*, porque a todos éstos que he dicho yo los vi tan baxos de bienes temporales que si así perseueraran no entraran en cuenta de los illustres, y vi después al Marqués e al Adelantado en términos de los más prósperos y señalados y rricos capitanes del mundo, y en el mismo punto llegó

---

[308] *La Corte:* la vida de Vaca de Castro tuvo un final feliz, que no llegó a conocer Oviedo: fue exonerado de toda culpa y debidamente recompensado, murió en 1566.

el tirano Gonçalo Piçarro, y el Visorrey por inpaciente dexó de ser gran señor. Hernando Piçarro, con toda su terrible condición, la qual fue mucha parte y el principio destas discordias, más tiene de dos cuentos de rrenta, allí preso donde está sin libertad. Pues don Diego de Almagro el mancebo, gran señor fuera si la Fortuna no se cansara con él, pero acabósele la ventura e murió siendo muy bienquisto mancebo e de gentiles habilidades. Avnque he dicho más quel testo me obliga no dexa de ser todo ello al propósito, avnque en otras partes se ha de hablar en las mismas historias, e en parte avré complido en algo de lo que queda dicho sin estoruo de lo que se dixere (II, est. X, folio 25r).

149. *Fines éticos de la Historia.*

> La nasción han infamado
> esos que por sus desgarros
> se juntaron con piçarros [*sic*]
> para más mal acabar,
> en la tierra y en la mar
> dexando de sí mal nombre.

¿A quién ha cabido la mayor parte desa infamia de las trayciones y traydores del Perú? Cierto es que aquel Gonçalo Piçarro fue el principal tirano, y por su causa a los que de su desleal opinión se alegaron llamaron *piçarros,* y ése les dio materia para mal biuir y mal morir, con título de traydores y desleales. Y en tanto que aya ombres y tinta e papel no se oluidarán sus trayciones y deslealtades, que es vna pestífera y vergonçosa erencia para vn linaje, e tal ques incurable sin que pasen muchos siglos. Y por eso turan esos malos títulos e acuerdos, y sabemos que Judas vendió a Christo y fue traydor, e Caín traydor e matador de Abel su hermano, e Anthenor fue traydor a su rrey Príamo, Tolomeo fue traydor a su amigo Pompeyo. Pero dexemos de hablar en cosas antiguas: Vellido Dolfos mató al rrey don Sancho teniendo cercada a Çamora, e en nuestro tiempo, en Barcelona, Johan de Cañamares dio vna cuchillada al Cathólico rrey don Fernando, el mismo año que ganó a Granada de 1492 años. Cosa es antiquísima aver traydores desde los primeros ombres hasta agora, e no está solo en el infierno Gonçalo Piçarro ni su maestre Caruajal, [309] si no murieron conosciendo sus culpas. Y aver malos es clarificar los buenos, y a ese propósito conuiene que las historias hagan memoria de los vnos e los otros e den a cada qual su lugar (II, est. X, folio 25v).

150. *Los Pizarro.*

En Trugillo do nascieron
nunca serán acogidos.

El testo dize que en la ciudad de Trugillo, donde esos Piçarros nascieron, nunca serán acogidos. Eso está bien claro, lo vno porque la cibdad de Trugillo es muy leal e ay en ella nobles e muy buenos caualleros e hidalgos que no consentirían en su patria a ningún desseruidor de su rrey, y estos Piçarros no eran parte en aquella tierra porque su padre fue vn escudero pobre hidalgo, que yo conoscí, e tuuo quatro hijos, de quien en estas Indias siempre abrá acuerdo en su perjuyzio. El vno dellos llamado Hernando Piçarro, que he dicho, que está preso en la Mota de Medina del Campo, el qual dio principio a quanto mal ha avido en el Perú. Y este era hijo lejítimo de Gonçalo Piçarro, escudero pobre, que tuuo otros tres hijos bastardos, y el mayor dellos fue el marqués don Francisco Piçarro, y el tercero hijo fue el tirano e traydor Gonçalo Piçarro, e el quarto hermano destos de padre se llamó Francisco Martín, al qual mataron quando murió el Marqués, y al padre destos mataron franceses en la guerra de Nauarra, siruiendo al Emperador rrey nuestro señor.

Los títulos mal avidos
así suelen acabar.

No son mal avidos los títulos de parte de quien los da y haze merced dellos a quien le sirue, que es el rey, pero son mal empleados donde no caben e aciertan a ser puestos en los que se desconoscen e no alaben a Dios con ellos, e se ensoberuescen con

---

309 *Caruajal:* el maestre de campo Francisco de Carvajal, fue ajusticiado en 1548, v. *supra,* texto 92.

el nueuo título e mudança de estado, e con la abundancia destos bienes temporales, y estos tales por la mayor parte acaban mal. Contra toda verdad e rrazón avían estos Piçarros señoreado tanta parte de la Tierra Firme e avido tanta rriqueza que se han lleuado a España del Perú muchos millones de oro e plata y esmeraldas incontables, e tantas que la que antes valía mill ducados e más no se hallauan en España por ella cinquenta, pero por muchas que se han lleuado ha avido algunas de gran valor. El Marqués ya dicho y el adelantado Diego de Almagro, su compañero, y especiales amigos hizieron compañía con el maestrescuela de Panamá llamado Fernando de Luque, y a costa de la hazienda de todos tres descubrieron el Perú con licencia del general de Tierra Firme llamada Castilla del Oro. E ambos capitanes vsaron grande ingratitud con el dicho Padre Luque, que otros le llamauan el Padre loco por se aver juntado con ellos. Este clérigo murió vna muerte de pocos días de enfermedad en la cibdad de Panamá, e muy pobre porque los capitanes Piçarro e Almagro le deuían la tercia parte de quanto ganaron, pero lo que los capitanes ya dichos granjearon fue que así los Piçarros como al Almagro e su hijo ningún cuerdo avrá enbidia de sus muertes. Verdad es quel Hernando Piçarro biue como se ha dicho sin libertad, y en la sentencia que contra él se dio mandan que todos los días de su vida sirua en la frontera de África en la parte que por la Çesárea Magestad fuere declarado e mandado, e debaxo de la obidiencia del capitán que le ordenaren, e que en tanto esté preso e a buen recabdo en la dicho Mota de Medina del Campo, para que se determinen por justicia otras muchas cosas que se le piden ciuil e criminalmente por diuersos terceros. Bien ha diez años, poco más o menos, que esta sentencia se pronunció, y estamos en el de 1555 e por tanto la opinión de muchos es que esas causas e prisión de Hernando Piçarro son para él como juro de por vida. Muchas cosas se dexa mi comento de dezir por las causas que tengo dicho, porque me paresce que pues son de mucha historia que se deuen rremitir a la *General e natural de Indias* [310] que yo he escripto en tres partes, e escriuo al presente la quarta, e aquí

---

[310] *General e natural de Indias:* v. *supra*, nota 3.

no se sufre dezir en este caso más por el estilo destas *Quinqua-genas* (II, est. X, folio 26r).

151. *Ensaladas de Nápoles.*

> Cosa es muy de mirar
> ver aquellas ensaladas
> de Nápoles tan pintadas
> de tantas yeruas y flores.

Todas las letras caudinales [311] del comento de aquí adelante siguirán aquel cántico de los dos doctores sanctos de la Yglesia Ambrosio e Augustín. Pues demos su exposición a la vndécima estança desta segunda parte o *Quinquagena,* que habla su principio en la muy hermosa vista e primores de las ensaladas de Nápoles. E como testigo de vista digo que vi muchas vezes en la mesa del serenísimo rrey don Federique (a quien yo seruí), y eran ordinarias cada noche en las cenas del Rrey. En vn plato de plata de seys o siete marcos ponerle en su mesa vna ensalada de diuersas yeruas e flores de colores diferentes, e apropriadas a la salud e al gusto formando vn escudo con las armas rreales, o vna nao, o vn ombre de armas, o otra figura, la que al maestro

---

[311] *Letras caudinales: sic,* por cardinales, o sea "iniciales". Se refiere a un nuevo acróstico, a los que era muy aficionado Oviedo, por el estilo del declarado *supra,* nota 32, que dice: TE DEVM LAVDAMVS TE DOMI-NVM CONFITEMVR TE ETERNVM PATREM OMNIS TERRA VENERA-TVR TIBI OMNES ANGELI TIBI CELI ET VNIVERSE POTESTATES TIBI CHERVBIN ET SERAPHIN INCESSABILI VOCE PROCLAMANT SANCTVS SANCTVS SANCTVS DOMINVS DEVS SABAOTH PLENI SVNT CELI T [*sic*] TERRA MAJESTATIS GLORIE TVE TE GLORJOSVS APOSTOLORVM CHORVS TE PROPHETARVM LAVDABILIS NVME-RVS TE MARTIRVM CANDIDATVS LAVDAT EXERCYTVS TE PER ORBEM TERRARVM SANCTA CONFITETVR ECCLESIA PATREM INMENSE MAJESTATIS VENERADVM TVV [M] VERV[M] ET VNJ-CU[M] FILIV[M] SANCTV[M]. Como era costumbre en la época, las cuatro últimas M están indicadas por una raya encima de la vocal anterior. Es el comienzo del *Hymnus pro gratiarum actione (Te Deum laudamus),* escrito con peculiar ortografía, pero ocupa hasta la última página de esta *Quinqua-gena.* En el folio 1 vuelto de este volumen había empezado otro acróstico, que dice: TV SOLVS DOMJNVS MARIAM GVBERNANS TU SOLVS ALTISSIMVS MARIAM CORONANS IESV CHRISTE CVM SANCTO SPIRITV IN GLORIA DEJ PATRIS AMEN. Este acaba en el folio 26r, y el *Te Deum* comienza al folio 26v.

o rrepostero que tenía cargo desa ensalada le parescía que quería pintar en su ensalada, tan excelentemente fecho e con tanta perfición e primor e rrazón del arte del debuxo como vn singular pintor los supiera muy al natural pintar: cosa sin dubda mucho de ver. Allí ocurren los jazmines, las violetas, e olorosas yeruas e flores e templado interior e delicadamente el óleo, vinagre e azúcar, de manera que no son menos satisfactorias al gusto que a la vista, ni de poco contentamiento pero en la verdad paresce que comete ombre crimen en comer e deshacer vna cosa tan linda e tan bien fecha, de arte de medio rrelieue o escultura. Ay officiales e grandes ombres en esto en aquella tierra. Y en las casas de los señores vno de los rreposteros que tienen cargo del aparador de la plata sabe hazer esas ensaladas e es bien salariado para tal officio, e el tal suele ser estudioso e sabio en el conoscimiento de las yeruas de cada tiempo, porque así como los meses son diferentes en las pruduzir [*sic*] así son las ensaladas, más o menos lindas, e así contentan más las del verano que las del inuierno, pues en ningún tiempo faltan ni dexa de aver que mirar en ellas (II, est. XI, folio 26v).

152. *Leyendas del Cid y del Rey don Fernando I.*

No quiebres constitución
si del rey es aprouada.

Muy justa cosa es que se guarden las leyes e mandamientos del rey e de los príncipes en sus señoríos porque el que los hizo fue con propósito de conseruar sus naturales e súbditos, e tenerlos en justicia e guardar lo quel rrey manda y establece es pecar y desobedecer. [Falta algo]. Pero alumbrado el rrey de Castilla por Dios para no ser engañado con siniestras rrelaciones tomó por tutor a sí mismo desta manera: quieren sus leyes que de qualquier prouisión o mandamiento suyo se pueda supplicar para ante su Alteza e que obedezcan lo que mandare, e quanto al complimiento pueden suplicar y suplican antel mismo rrey para que mejor informado de la verdad proua aquello que fuere seruido, e entre tanto esté suspenso el efetto del primero mandamiento. Así que esa tal suplicación es el tutor del rrey, y muy nescesario para su rreal consciencia, e para la conseruación de su patrimonio e hazienda, e para la libertad de sus súbditos. Los reyes de Castilla no rreconoscen superior temporal ni al Emperador, ni en España se han de rregir sino por las leyes rreales e no por el derecho común, aviendo ley del rreyno expresso para el caso o materia de que es el letigio, e quando no la ay ocurren los juezes al derecho común, en quanto no fuere contra la ley del rreyno. Esta preheminencia tiene España, e la ganó con la espada en la mano el sereníssimo e bienaventurado EL REY DON FERNANDO PRIMERO DE TAL NOMBRE, [312] en tiempo del qual el Emperador Enrrique se quexó al Papa Vrbano, diziendo quel rey don Fernando no le quería rreconoscer por superior en lo temporal, e vinieron las cosas en todo rrompimiento, e el Rrey se determinó de le dar la batalla dentro en Francia, porquel Papa y el Emperador y el Rrey de Francia estauan a vna e ligadontra [sic por "ligados contra"] el rey don Fernando. El qual puso en orden su exército e fuelos a buscar, e salido en campo dio la auanguarda al inuito e nunca vencido e muy famoso cauallero don Rodrigo de Biuar, que llamaron EL CID RVY DIAZ, [313] contra el qual Rrey de Francia embió poderosamente al conde don Remón de Saboya, e vinieron a batalla en la cual muchos franceses e alemanes e saboyanos fueron muertos e presos, entre los quales fue preso el Conde de Saboya e otros muchos caualleros principales, e el Cid le soltó con cierta pleytesía e dio vna hija suya muy hermosa, e el Cid embióla al Rrey e ouo en ella vn hijo que fue llamado don Fernando e fue después Cardenal de España. Después desa primera batalla ovo el Cid otra victoriosa e muy sangrienta, e el Rrey de Francia e el Emperador embiaron a supplicar al Papa que rrogase al rrey don

---

[312] *Fernando Primero:* al margen, en mayúsculas y en un recuadro. Esta historia se remonta, en última instancia, a la perdida *Gesta de las mocedades de Rodrigo,* refundida en el cantar que se conserva de las *Mocedades de Rodrigo* (o *Crónica rimada*), y difundida en varias crónicas y romances, v. S. G. Armistead, *A Lost Version of the "Cantar de gesta de las Mocedades de Rodrigo" Reflected in the Second Redaction of Rodríguez de Almela's Compendio Historial, UCPMPh,* XXXVIII (1963), 299-336, y A. D. Deyermond, *Epic Poetry and the Clergy: Studies on the "Mocedades de Rodrigo"* (Londres, 1968).

[313] *El Cid:* en otro recuadro, en mayúsculas y al margen. Lo mismo ocurre más adelante, en otros nombres que copiaré en mayúsculas pero ya no anotaré.

Fernando que se boluiese a su tierra e que no querían su tributo
o rreconoscimiento e interuiniendo el Sumo Pontífice en ello se
hizo la paz e el decreto e esención canónica de los rreynos de Castilla e sus anexos, e el Rrey embió la hija del Conde al Papa, e le
embió a dezir que yua preñada de cinco meses e que le suplicaua
criar e guardar la criatura, e parió a su tiempo vn hijo el qual
baptizó el Papa de su mano e le puso nombre don Fernando, y
le ligitimó para que pudiese aver toda dinidad, e fue después
gran señor en la Yglesia de Dios. Asentada la paz el rrey don
Fernando dio la buelta a Castilla desde Tolosa de Francia, con
mucha prosperidad e victoria e esentados los rreynos perpetuamente como hasta el presente lo están. E el Cid Rruy Díaz ganó
desta empresa mucho honor, e quedó en gran rreputación e fama
de excelente capitán, la qual por sus obras e grandes fechos
siempre le fue Dios avmentando hasta su muerte, etc. (II, est.
XII, folio 29v).

153.   *Alonso de Barrasa, caballero de la corte de Enrique IV.*

> Aquel salto de Barrasa
> fue vn hecho muy osado.

Vna cosa podés, letor, comprehender destos versos destas *Quinquagenas* en sus estanças, y es de mucho primor que lo que
paresce ques dicho como desatino es atinar a vna historia del
jaez que se tracta en la memoria de estos varones hazañosos.
Mirad cómo encaxó el testo aquel salto memorable (y avn agora
sin segundo) del memorable ALONSO DE BARRASA, [314] que es
vna historia moderna e peregrina e no para ser oluidada de vn
hidalgo criado del rrey don Enrrique Quarto. Caso fue muy
osado e peligroso e de mucho esfuerço, y parescerle ha por ventura al letor que salgo de la materia e dichos de filósophos e
avisos nescesarios para la vida, y bien mirado éste fue vn estremado y notable acaescimiento en que se quiso poner voluntaria
e osada e peligrosamente vn criado del Rrey que he dicho, ombre

---

[314] *Alonso de Barra:a:* en realidad se trata de su padre, Diego de Barrasa, v. mi obra *El cronista Pedro de Escavias. Una vida del siglo XV*
(Chapel Hill, 1972), págs. 161-62; v. *infra,* nota 440.

hijodalgo notorio, porque así lo son los del linaje Barrasa. Junto
con parescer temeridad fue su intención buena e piadosa e así
quiso Dios que le sucediese prósperamente. Aquí no se tracta de
vna materia sino de muchas e diuersas, como de lo que está dicho
se puede colegir, e acordéme desta a causa quel consonante del
verso me truxo a la memoria esta historia vera e notoria en España y de vn nuestro español, del qual yo hoý a mi padre que
lo vido e conosció, e hoý a la primera marquesa de Moya doña
Beatriz Fernández de Bouadilla e lo hoý a la marquesa de Cotrón[315] doña [espacio en blanco] Centellas, que ambas fueron
damas de la infante [sic] doña Ysabel, que después fue la Cathólica rreyna doña Ysabel de España, y esto fue biuiendo el Rrey
su hermano don Enrrique 4 de tal nombre en Castilla. Tanbién
lo hoý a caualleros antigos [sic] e a viejos e ombres de aquel
tiempo, como agora diré lo que acaesció a este hidalgo llamado
Alonso de Barrasa, aposentador e criado del Rrey que he dicho.
En Segouia, en el palacio viejo del Rey, avía siempre en vn corral
leones, e de la vna parte del corral avía vna ventana alta sobrél.
que de la sala del Rey salía sobre aquel corral de los leones, e en
frente de aquélla avía otra sobre el mismo corral en el aposento
de las damas del palacio. Vn día el leonero entró a dar de comer
a los leones, e por ser poca la rración o querer más e se ceuar
en el pobre leonero, començaron a trauar de aquel pecador e
maltractarlo, e la grita de las mugeres e damas de la vna parte
que acudieron a las bozes que el leonero daua pidiendo socorro,
e las bozes de los caualleros e ombres de la otra sala amenazando
los leones, no pudieron hazer de manera que aquellos fieros
animales no andouiesen exercitando su ferocidad e vñas procurando de le matar para se lo comer. Bien creo yo que no le fal-
taran escriptores a este osado varón y más touiera si romano
fuera (o de otra nasción) si concurriera con aquellos antiguos e

---

315 *Marquesa de Moya:* este marquesado fue creación de los Reyes
Católicos en 1480, en cabeza de D. Andrés de Cabrera y su mujer Beatriz
Fernández de Bobadilla, quien fue una de las íntimas de la reina Isabel,
v. *infra,* texto 261. *Marquesa de Cotrón:* es la misma que se menciona
supra, nota 186; murió entre marzo y noviembre de 1504, v. A. de la Torre
y E. A. de la Torre, *Cuentas de Gonzalo de Baeza, tesorero de Isabel la
Católica,* II (Madrid, 1956), 535 e Índice.

comedidos, elegantes auctores del tiempo de Tito Liuio o Plutarco, e otros historiales en que se leen muchas cosas notables, e que hizieran ésta vna dellas muy famosa en que sus estilos se mostraran más al propósito de aqueste suceso peregrino, que no lo hará mi rrelación, pero dirélo de aquella manera que llanamente lo entendí. Acertóse Alonso de Barrasa en aquella sala con otros caualleros, e no pudo comportar su ánimo de ver así padescer a aquel ombre, e teniendo vna espada e vna capa, saltó desde la ventana dentro del corral de los leones, bien diez tapias de altura, o poco menos, e cayó de pies, arrimado a la misma pared e cayósele el bonete de la cabeza (el qual dezía la Marquesa de Cotrón que era amarillo), e muy presto echó mano a su espada, e tomó su bonete e fuese contra los leones, los quales como vieron tan grande nouedad dexaron el ombre e rretiráronse atrás ocho o diez pasos, pero todos juntos e en son de apercibidos, e llegó Barrasa al ombre, que estaua bien herido de las vñas de los leones, e tomóle del braço e púsolo detrás de sí, rretrayéndose hacia la puerta del corral paso a paso, e los leones asimismo viniéndose hacia Barrasa su poco a poco. El leonero salió fuera e Barrasa después, todavía el rrostro mirando a los fieros leones, e apenas era salido de la puerta, e cerrádola tras sí, quando todos siete leones que eran estauan asidos della. En fin, se salió con su ombre, el qual escapó e biuió, e Barrasa quedó onrrado, e a vista de muchos caualleros e damas hizo lo que es dicho como denodado varón. Vi yo después, seyendo bien muchacho, puesto algunos años vn león dorado en la yglesia de la ermita de nuestra señora Sancta María de Atocha (que agora es monasterio) de frailes de la orden de los Predicadores, cerca de la villa de Madrid quasi vna milla, el qual leon avíe sacado por cimera en vna justa delante del rey don Enrrique 4º en Madrid, con vna letra o versos que dezía:

Mire tu gran señoría,
alto rey más que Trajano,
qué galardón merescía
ARMAS DE BARRASA   quien siete destos vencía
con vn espada en la mano.

Dióselos el rey por armas en vn escudo de goles *vel* sanguino, e en la mitad del escudo vna espada azul desnuda la punta para abaxo, con el pomo e empuñadura e cruz de oro, e a los lados de la espada tres leones de cada parte en pal, cándidos *vel* argénteos, mirando los vnos e los otros a la espada e debaxo de la punta della otro león, así que son siete leones rampantes. Está enterrado en el monasterio de Sanct Francisco de Segovia en vna capilla suya, en la qual ha más de sesenta años que yo vi vna tumba con vnos escudos destas armas e cierto letrero que no tengo memoria de lo que dezía. Pero sé que estos Barrasas son ombres hijosdalgo de la Montaña, y en Laredo y en Colindres, ques cerca de aquella villa, he visto yo algunos hidalgos deste linaje, e en otras partes de Castilla así como en Toledo e en Segouia, pero como tengo dicho su origen es en la Montaña. Este Alonso de Barrasa que dixe vnos le hazen aposentador del rrey don Enrrique 4, e así lo oý muchas vezes, pero rrazón es que creamos a la historia del rrey don Johan 2, la qual dize que fue cauallerizo del príncipe don Enrrique, e dize que al tiempo que el Condestable de Castilla, maestre de Sanctiago don Aluaro de Luna estaua en el cadahalso donde le degollaron en la plaça de Valladolid, vido a Barrasa, cauallerizo del Príncipe, e llamóle e dixole: "Ven acá, Barrasa, tú estás aquí mirando la muerte que me dan, pero te ruego que digas al Príncipe mi señor que dé mejor galardón a sus criados quel Rrey mi señor mandó darme a mí." Así que este es el mismo Barrasa que he dicho, e después de la muerte del Maestre e muerto el rey don Johan, sucedió en el rreyno su hijo el príncipe don Enrique 4º, e después acaesció a este Barasa [sic] lo que es dicho con los leones en la cibdad de Segouia (II, est. XII, folio 30r-30v).

154.   *Homenaje a Juan de Mena.*

> Crate siendo nauegante
> no le halló compañero
> pues ahogó su dinero
> por el qual muchos se anegan.

Real cosa es ser el ánimo libre de cobdicia y por eso dize el testo que halla compañero al philósopho Crate quando nauegando ahogó su dinero, por cobdicia del qual muchos se anegan buscando. Este filósopho theniendo cantidad grande de oro lo echó

en la mar diziendo: "Andad en mala ora, que más quiero ahoga-
ros yo a vos que ser de vos ahogado." Dando a entender ques
imposible poderse poseer juntamente las rriquezas e la virtud,
y desta causa es más loada que desseada la pobreza, la qual
llamó nuestro poeta cordoués, Johan de Mena, *sancta* en aquella
su copla 226 de las *300*, [316] que dize:

EL FAMOSO POETA JOHAN DE MENA

> O vida segura la mansa pobreza,
> dádiua sancta desagradecida,
> rica se llama no pobre la vida
> del que se contenta biuir sin riqueza.

Ello está bien dicho, mas esse contentamiento de la pobreza
pocos le tienen, y por tanto es dino de mucho loor Crate. Pero
mejor fuera dar esas rriquezas a quien las ouiera menester pues
quél no las quería. De la pobreza mucho se puede dezir, e asaz
dixo el comentador del poeta susodicho donde declaró esa copla
e la pobreza. Pero ninguno la enseñó mejor ni tan bien como
Christo nuestro Rredemptor e sus apóstoles, y como quier que es
el más sancto estado el de la pobreza le dió Christo a sus discí-
pulos, e si otra manera de vida ouiera e más segura en ella los
constituyera, mas como dixe de suso no le hallo compañero a
Crate ni veo oy sino lo contrario. Estas nuestras mares destas
Indias ocidentales en que biuo me lo han enseñado, y después
quel año de 1514 a ellas vine hasta el presente en que estoy de
1555, muchos ahogados, muchos comidos de tigres e bestias fieras,
muchos tragados destos grandes lagartos o cocatrizes, [317] muchos
muertos por los indios saluajes con sus frechas de tal yerua pre-
paradas que los ombres heridos dellas mueran rrauiando, muchos
muertos de llagas e diuersas enfermedades, muchos muertos de

---

[316] *Las 300:* es la copla 227 de la ed. moderna de J. M. Blecua, *Laberinto de Fortuna o las Trescientas de Juan de Mena* (Madrid, 1951). El
comentador, que cita Oviedo más abajo, es Fernán Núñez de Guzmán (v.
infra, notas 611 y 681), comendador de la orden de Santiago y profesor de
Griego en Salamanca, y por ello conocido con el nombre del Comendador Griego, v. su *Copilación de todas las obras del famosísimo poeta Juan
de Mena* (Sevilla, 1528), fols. IV y LXXIX.

[317] *Cocatrizes:* v. *supra,* nota 301.

hambre y sed, e avn algunos ha avido que se han comido vnos a otros. Destas cosas muchas e muchos en cantidad que yo he visto e conoscido han padescido e passado desta presente vida, e lo peor que hay en ello, e más de dolor que comerlos los indios, ni comerse los mismos christianos, ni perder las vidas de las maneras que es dicho, ni de otras muchas que se podrían dezir es el peligro de sus ánimas. E ya que todo lo que es dicho les parescía poco a Gonçalo Piçarro e sus desleales consortes, e que se pueda dezir que si han muerto los que he dicho podíen ser sus ánimas saluas e no morían infames, mas por la pertinacia deste tirano quiso quel cuerpo dél y dellos acabasen como traydores y tiranos contra su Rrey e señor natural, e que sus ánimas las lleuase el diablo porque no les quedase nada por perder ni que aventurar por este oro que malas ganancias en que se han ocupado, e con que se han perdido e fecho mal fin no siguiendo a Crate, sino al cobdicioso Craso. Puse de suso a dictado a Juan de Mena, porque en su facultad e verso castellano ha seydo el más excelente poeta de los que tenemos, como lo testifican sus obras. El qual fue secretario del serenísimo rrey don Johan el segundo de tal nombre en Castilla, e de noble estirpe e alto ingenio, e uno de los generosos e virtuosos varones desta nuestra nación, e natural de la cibdad de Córdoua. Por lo qual me paresció que es dino de acojerse en este calendario illustre e famoso. De su muerte ay diuersas opiniones, e los más concluyen que vna mula le arrastró, o cayó della de tal manera que murió en la villa de Tordelaguna. [318] Yo espero en Dios de yr presto a España, e le tengo ofrescida vna piedra a su sepoltura, con este epitaphio, de la qual obligación yo saldré si la muerte no escusare mi camino. Al curioso lettor pido que enmiende estos versos como mejor estén e sean en fauor de Johan de Mena, e se tome de mí lo que mi desseo dessea onrrar a tan excelente varón para su patria e nuestra.

> Dichosa Tordelaguna,
> que tienes a Johan de Mena,
> cuya fama tanto suena
> sin semejante ninguna.

---

[318] *Tordelaguna:* Torrelaguna (Madrid); allí murió Mena en 1456.

El dexó tanta memoria
en el versso castellano
que todos le dan la mano:
Dios le dé a él Su gloria.

(II, est. XIII, folio 31v-32r).

155. *Los Reyes Católicos.*

Sé que donde fue Liberia
fue Mahoma venerado,
y agora despreciado
como se deue hazer.

Venerado e seruido fue Mahoma e su setta en Granada, y
agora es rreuerenciado Jhesu Christo y su sancta fe cathólica.
Liberia [319] fue vna cibdad antigua donde agora está Granada (o
aý muy cerca), e oy en día parescen escriptos concilios libera-
litanos de muchos obispos e perlados, que antes de la destruyción
de España se hizieron e celebraron en la cibdad de Liberia. La
qual antiguamente fue de christianos, e después se perdió quasi
toda España e la tomaron los moros africanos e fue allí en Granada e su rreyno rreuerido el pérfido Mahoma, e agora por la clemencia diuina es tractado Mahoma e su setta como se deue hazer,
en virtud de la virtud de Christo, desde que los bien aventurados e
Cathólicos rreyes de gloriosa memoria don Fernando Quinto de
tal nombre en Castilla e doña Ysabel, su muger, gloriosamente
por fuerça de armas ganaron aquel rreyno a los infieles moros
en diez años. La conclusión del [*sic*] qual conquista fue el año
1492 años, quando se tomó la real e grande cibdad de Granada,
por la qual el testo aquí entiende Liberia. EL REY DON FER-
NANDO QUINTO Y LA REYNA DOÑA YSABEL CATHÓLI-
COS DE GLORIOSA MEMORIA. En la qual sancta difinición de
guerra yo me hallé muchacho page de edad de 14 años, pero
para continuar las flores deste real e muy illustre cathálogo de los
famosos caualleros de España, es bien que, caso que no se diga
aquí tanta e tan alta historia destos dos príncipes Rey y Rreina,

---

[319] *Liberia: Illiberi,* en latín.

que podemos ygualarlos con los más famosos de España, y avn
de los christianos todos. Ellos rreynaron con el espada en la mano
contra la opinión e rey de Portugal don Alonso 5, que fue vencido e desbaratado entre Toro e Çamora, junto al rrío de Duero,
con sus valedores, e fue echado de Castilla e quedaron pacíficos
en ella el Rrey e Rreyna Cathólicos, e después por su mandado
fueron descubiertas estas Indias, yslas e Tierra Firme del mar
Océano, e después ganaron el reyno de Nápoles dos vezes, la
primera fauoresciendo al rrey don Fernando 2º de tal nombre
de aquel rreyno, echando los franceses dél e rrestituyendo e fauoresciendo al dicho Fernando, *alias* dicho el Jouen, contra el rrey
Charles 8 de tal nombre en Francia. E la segunda vez que aquel
reyno ganó el Rrey Cathólico fue quando él e el rrey Luys 12 de
Francia se partieron aquel rreyno de Nápoles, en tiempo del
infelice rrey don Federique, a quien le quitaron, e después sobre
la partición se desabinieron, e por batallas e fuerça de armas
quedó el rreyno todo de Nápoles por España, como agora está,
avnque después no han faltado otros embaraços e rrenzillas, que
todo lo han paga [*sic* por *pagado*] millares de cabeças francesas.
E despues que lleuó Dios a su gloria la rreyna Cathólica doña
Ysabel, sucedió la cisma de la Yglesia, en tiempo del Papa Julio 2º, de que sucedió la batalla de Rrauena, muy sangrienta,
e continuándose la cisma ganó el rrey Cathólico el rreyno de
Nauarra, e ganó a Trípol e Bugía, e otras cibdades en África
a los infieles moros. Pero no es de preterir que aquel mismo año
de 1492, que ganaron a Granada, echaron estos Rreyes Cathólicos de todos sus rreynos los judíos, e el mismo año se descubrieron
las Indias, como se tocó de suso, pero en cada vna cosa de las
que aquí se han tocado ay mucha historia, e no se podría dezir
por istenso [*sic* por *extenso*] sin mucho tiempo, mas para aquí
basta solamente averlo acordado, e avn tanbién porque en otras
partes converná hablar en las cosas destos bienaventurados Rrey
y Rreyna, que con breuedad, como cifra, se apuntarán en pocos
rrenglones en lugares quel testo lo pida, e en otras cosas muchas
del jaez de sus grandezas (II, est. XV, folio 35r).

156. *Beatos y beatas.*

> De ser o no ser casado
> se suelen arrepentir
> los hombres, si sé sentir
> lo que dizen en la plaça.

No pueden ni deuen estar los ombres desde que salen de la edad adolescente, e algunos antes que la cumplan, estimados ni biuir como es rrazón sin tomar estado en que empleen mejor su tiempo, ora sea de rreligión, como casándose. E con esa determinación preguntó vno a Sócrates si sería mejor tomar muger o no. E rrespondióle: "Qualquier cosa désas que hagas, te arrepentirás." Y sobre este fundamento se fabricaron los quatro versos del texto, e así lo siento yo si he sabido entender e sentir lo que dizen en la plaça todo el vulgo. Pues vemos que por los defettos del marido o de la muger procede el arrepentimiento en el vno o en el otro, e algunas vezes en ambos, e avnque no se case el ombre o la muger, como la constancia del ombre es frágil e en los menos esa virtud permanesce o es perfetta, tanbién se arrepiente de averse dexado de casar, y quédanse hechos vigardos e llámanlos BEATOS o beatas y plega a Dios que así lo sean mejor que yo lo sospecho, y avn como algunos y los más désos dan lugar que se sospeche, pues que ni están fuera del mundo ni dentro dél, sino apartados de lo vno o de lo otro, o mejor diziendo, enboscados de ambas maneras, e no más seguros en su manera e forma de biuir (II, est. XV, folio 35v).

157. *Pérfida Francia.*

> No se contracte con Francia
> sin tomar prenda segura.

Tiene nescesidad de mirar quien contractare con Francia qué seguridad toma, o fianças, para que se cumpla lo que se capitulare. Porque avnque anden juramentos, están en posesión e costumbre los franceses de quebrantarles, e no guardar palabra ni fe que dieren más que cuanto se tarda el tiempo de darles ocasión para hazer lo que les paresce ques más a su propósito porque en nuestros tiempos muchas vezes han rrompido las pazes, sin atender a más de su voluntad e interese. Non obstante que el Sumo Pontífice e su auctoridad appostólica aya interuenido en acordar las partes, y pues aquesto es verdad, y Dios e el mundo son testigos, quánto más se deue al presente e de aquí adelante no fiar de tal nasción ni de su rrey, que con título de Christianíssimo está confederado e aliado con mano armada con el Gran Turco, principal enemigo de la christiandad, e haziendo pública guerra por mar e por tierra contra christianos e contra la bandera de Ihesús crucificado. Pero porque esta materia es prolixa e para más espacio, e muchos coronistas fidedignos la tractan e escriuen, e en tiempo mostrará el euento [320] dello, atendamos con la esperança que se deue tener en Dios pues que esta causa es suya e no ha de oluidar su Yglesia e cathólica república (II, est. XIX, folio 41r).

158.   *España y Francia.*

La cosa que menos tura
son los plazeres mundanos.

Éste es vn passo contemplatiuo e demostratiuo, en que todos los ombres que tienen ojos se pueden aver informado por sí mesmos en estas cosas de Francia, e con mucha verdad e causa dize el testo de suso que "no se contracte con Francia sin tomar prenda segura", e dize más, que "la cosa que menos tura son los plazeres mundanos". E avnque totalmente en todo no satisfaga el comento, quiero en parte más al proprio [*sic* por *propósito*] hablar con vos, el letor, destos rrenglones, qualquiera que seays (si christiano fuéredes), y tened por cierto que christiano escriuió esto destos negocios que aquí se apuntarán del tiempo presente, entre el Emperador don Carlos, rrey de España, y su cuñado el rrey Francisco de Francia, cerca de los discursos que en mi tiempo han passado entre ellos y sus predecesores, lo qual no da lugar que se oluide la poca verdad que por parte de Francia a España se le ha guardado por sus duplicadas formas no guardando ni compliendo cosa que se aya jurado ni prometido por franceses

---

[320] *Euento:* consecuencia, resultado; latinismo.

en sesenta e tres años desde el de 1493 hasta el presente de 1555 años en que estamos. Porque en Barcelona [321] hoý e vi solepnemente pregonar la paz entre Francia y España, y después acá otras vezes se ha hecho lo mismo. Aquella que digo quebrantó Charles 8 rrey de Francia, e pasó a Ytalia a quitar el rreyno de Nápoles al rey Alfonso 2º, en socorro del qual, y del rrey Fernando su hijo, fue enbiado por mandado de los rreyes Cathólicos de España don Fernando e doña Isabel, su Gran Capitán don Gonçalo Fernández de Córdoua a Italia, e echó los franceses de aquel rreyno. Después sucedió en Francia el rrey Luys 12, e tanbién ovo con él otras amistades que tanbién las quebró e rrompió. E tanbién fueron sus exércitos echados de Nápoles por el mismo Gran Capitán, e después se tornaron a asentar pazes que tanpoco fueron turables, e sucedió la cisma contra el Papa Jullio 2º de que se formó la cruel e sangrienta batalla de Rrauena, e procedió la conquista del rreyno de Nauarra. E muerto el dicho rey Luys sucedió el rey Francisco de Francia, con quien se rrenouaron las pendencias. E no bastó desbaratarle e prender su persona en el cerco que tenía contra Pauía, año de 1525, e con él toda la cauallería de Francia, ni bastó traerle preso a España, e después por la clemencia del Emperador fue suelto e le dio por muger a la rreyna su hermana madama Leonor, e no bastó la capitulación e juramento que hizo para seguridad de la paz hasta que las cosas llegaron a tanto quel Emperador entró en persona en Francia, e tomó muchas villas e castillos, e aviendo piedad de los christianos que pudieran morir en la prosecución de la guerra, se contentó César con tratar, e se trattó la paz con nueuas capitulaciones, que también después las quebrantó el dicho rrey Francisco, e se confederó con el Gran Turco Solimán, e le embió vna poderosa armada de infieles, con su capitán general Barbarroxa e fue acogida e ospedada en su rreyno de Francia, con grande infamia e vergüença, penssando destruyr a Italia e las tierras del Emperador, e no le dio Dios ese lugar. Después la justicia diuina le lleuó desta vida al mal consejado rey Francisco, e sucedió su hijo, [322] que tanbién, como eredó el rreyno, sucedió en la ermandad e

---

[321] *Barcelona:* allí estuvo Oviedo en 1493.
[322] *Su hijo:* Enrique II, que sobrevivió por dos años a Oviedo: v. *supra,* nota 39.

amistad e liga turquesa. Por manera que, como el testo dize, no se deue tractar con Francia sin prenda segura, porque son gente de poca verdad o ninguna.

E porque de suso el testo dize que turan poco los plazeres mundanos, así lo rrespondió Aristótiles quando le preguntaron que quál era aquella cosa que más presto que otra ninguna enuegesce, e él rrespondió quel plazer y el contentamiento es lo que antes envejesce e se passa. E para que esto se crea, acuérdese cada vno de los discursos de su vida e lo que su buena andança le turó (y avn la mala), y por aý entenderá mejor lo que dize el philósopho. Mas que porque cosa tan notable como fue la prisión de tan gran rey como era el rey Francisco de Francia, ya dicho, sepays, letor, que no escriuo de todo punto por oýdas, digo que le vi e hablé con él [323] estando preso en el alcázar de Madrid, el mismo año que tengo dicho, E quise poner aquí el inmortal nombre del Emperador rrey nuestro señor para la cuenta deste glorioso e illustrísimo cathálogo de los famosos varones de nuestra España, non obstante que todos sus triunphos e trofeos e grandes victorias no se digan aquí juntamente por su mucho número, puesto que en parte se yrán discantando en lugares conuinientes a la continuación e proceso destas *Quinquagenas* con la bruedad e tiempo que sea decente y al propósito deste volumen. DON CARLOS PRIMERO DE TAL NOMBRE REY DE ESPAÑA E QVINTO EMPERADOR CÉSAR AVGUSTO (II, est. XIX, folios 41r-41v.).

159.   *Libros   apócrifos*: *Fray Antonio de Guevara.*

Vanidades no las leas
porque si se acuerda dellas
causan en el seso mellas
que se hazen incurables.

Son peligrosas las leciones vanas porque si se asientan en la memoria, así como vn cuchillo con mellas no sirue bien ni corta como sería menester, así el seso o sentido del que vanidades lee se mella e estraga e se haze incapaz, de tal forma que muchas

---

[323] *Hablé con él:* v. *supra*, nota 44, texto 141.

vezes es incurable e con gran dificultad se cura e torna a su ser, porque se siguen tales fístolas en el entendimiento del que a libros apócrifos e vanos se da, que demás del daño corporal que causan, ofenden al ánima los errores e settas e temas que de la leción vana e desonesta se engendran. Si quisiéredes saber qué cosa es apócrifa leción o tractado, digo ques falta de verdad e moltitud de falsedades e ninguna narración justa. *Qui vero sint apocryphi libri quere in decret. distin. 15 c. sancta romana eclesia.* Pero porque con facilidad hallés esta verdad poned la mente en vnos enconados parleros y verés con qué osadía alegan a *Amadís* e a *Marco Aurelio* e *Morgante* [324] e otros tales, e por aý verés en qué escuela fue enseñado el que tales auctores tiene rrecapacitados (II, est. XX, folio 43r).

160. *Don Álvaro de Luna y don Juan de Silva, I Conde de Cifuentes.*

> Y sí conuiene que rruede
> para ganar a Trugillo.

Incurren en gran culpa los buenos varones que se descuydan y dexan de trabajar huyendo del ocio y empleando bien el tiempo, y procediendo en la sentencia que se tocó de suso del philósopho Xenócrates, diziendo que no sólo deue el ombre golpear la sartén como ha dicho, mas si conuiniere que rruede a sí mismo para ganar a Trugillo. En esto se toca vn caso peregrino e muy notable que nos enseña que quando sea necesario deue el ombre ayudarse de todas las maneras que posible le sea para hazer lo que conuiene, avnque sea echándose a rrodar para ganar la cibdad de Trugillo, no podiendo conseguir su intento de otra manera, y puso el testo la comparación al proprio en Trugillo porque allí

---

[324] *Morgante:* sobre el *Amadí*, v. *supra*, notas 86 y 219; *Marco Aurelio:* es el *Libro áureo de Marco Aurelio* (Sevilla, 1528), o bien la refundición por el propio Antonio de Guevara, *Libro llamado relox de príncipes en el qual va encorporado el muy famoso libro de Marco Aurelio* (Valladolid, 1529); *Morgante:* es el poema caballeresco de Luigi Pulci, *Il Morgante*, cuya primera ed. conservada es de Venecia, 1482, aunque hubo anteriores: trad. española (Valencia, 1553).

se echó a rrodar EL CONDESTABLE DE CASTILLA, MAES-
TRE DE SANCTIAGO, DON ÁLVARO DE LVNA, por aver
aquella cibdad como agora se dirá con la breuedad que sea posible. Cuenta la historia del rrey don Johan 2º [325] de tal nombre
en Castilla, en el año 29 de su rreynado y tiempo, de las diferencias de los Infantes de Aragón, que Trugillo estaua por el Infante
don Enrique, maestre de Sanctiago, e tenía por él aquel castillo
vn cauallero natural de aquella cibdad, llamado Per Alonso de
Orellana. Y estaua por corregidor vn bachiller criado de la Infante doña Catalina, muger del dicho Infante, llamado Garci
Sánchez de Quincoces, a quien no menos le quedó el cargo de
la fortaleza que al dicho alcayde. E como el Condestable llegó
a Trugillo fue muy bien recebido por los del pueblo, e procuró
de hablar con el alcayde, e con el bachiller, e no lo pudo acabar
con ellos. E tuuo forma de aver dos hijos del alcayde, e hízolos
tener a buen recabdo. Éstos escriuieron a su padre e madre, que
estauan en el castillo, que allende de caer en mal caso e ser
trayción sino entregasen la fortaleza al Rrey o a su mandado, fuesen ciertos quel Condestable les mandaría degollar. Rrecelando
desto el alcayde concedió de venir a hablar con el Condestable,
e por muchas amonestaciones e amenazas quel Condestable le
hizo, nunca le pudo sacar de su propósito, diziendo quél tenía
aquella fortaleza por la Infanta doña Catalina, a quien tenía fecho
pleito omenaje por ella, e que no la entregaría saluo a ella o al
Infante don Enrrique su señor. E con esto el alcayde se boluió
al castillo, e el bachiller que dentro estaua, auiendo sospecha del
alcayde, por aver venido dos vezes a hablar con el Condestable,
no le quiso rrescebir hasta que le dio tales seguridades que fue
dél contento. E estando ya ambos a dos en la fortaleza, el Condestable trabajó de aver habla con el bachiller, el qual tenía mayor
poder en la fortaleza quel alcayde. E como quier que mucho se
escusó con la habla, esforçándose ser mancebo e de valiente fuerça, embió a dezir al Condestable que pues tanto le plazía de
hablar con él, que la habla avía de ser a vn postigo que es a la
parte del campo e tiene vna cuesta asaz agra, e encima del postigo están dos torres de las mejores que hay en aquella fortaleza;

---

[325] *Don Johan 2.º*: *Crónica del sereníssimo rey don Juan el segundo*
(Logroño, 1527), y varias eds. posteriores, v. *infra*, notas 623 y 647.

quel Condestable subiese solo a la mitad de la cuesta, e quel
bachiller asimismo solo vernía a hablar allí con él. E el bachiller
mandó poner la gente encima de aquellas dos torres porque viesen
si alguna otra gente viniese. Y el Condestable vino encima de vna
mula con su espada e su daga, e truxo por su moço despuelas al
alférez Johan de Silua, que era vn muy buen cauallero hijo del
adelantado Alonso Tenorio (y este alférez fue después Conde
de Cifuentes) al qual el Condestable le dexó con la mula al pie de
la cuesta. EL ALFÉREZ JOHAN DE SILUA BVEN CAVALLE-
RO. El bachiller descendió armado de coraças e con su espada
e puñal e vino al lugar asignado, e el Condestable le hizo vna
larga habla amonestándole e rrequiriéndole que quisiese dar la
fortaleza al Rrey e a él en su nombre, mostrándole los males e
daños que se le podrían seguir si no se la diese, e prometiéndole
grandes mercedes de parte del Rrey si la entregase. El bachiller
todavía dixo que por cosa del mundo él ni entregaría la fortaleza
ni sería en que se entregase a perssona del mundo saluo a la
Infanta su señora, o al Infante don Enrique su señor. E por mucho
quel Condestable en esto porfió el bachiller le dixo que por demás
era a su merced trabajar en esto que antes rrescibiría la muerte
que entregar la fortaleza a persona del mundo saluo a quien tenía
por ella fecho pleyto omenaje. Y el Condestable, como conosció
bien esta la deliberación del dicho bachiller, e visto como la fortaleza era tan fuerte e estaua tan bien bastecida e rreportada
que no se podía tomar saluo por largo cerco e mucho trabajo,
abraçóse con el bachiller de tal manera que ambos a dos fueron
rrodando la cuesta ayuso e Johan de Silua dexó la mula e vino
a muy gran prisa a ayudar al Condestable, los quales ambos a
dos lleuaron al bachiller preso, lo qual hizieron tan presto e con
tan grande osadía que antes que pudiese ser socorrido de la fortaleza él estaua ya entre cient ombres de armas del Condestable.
El qual le mandó poner a muy bien rrecabdo, e otro día siguiente
le fue entregada la fortaleza, e puso en ella por alcayde vn escudero de su casa, y dexó puesto corregidor en la cibdad, e
partióse de allí para Montanjes. [326] Así que el rrodar aprouechó
para que Trugillo se ganase como el testo dize, a propósito de

---

[326] *Montanjes:* Montánchez (Cáceres).

que cada qual dexando la ociosidad aparte, e se aplique a todo buen exercicio e onesto para conseguir su intento bien obrando. Ha seruido el testo en traer aquí al propósito deste catálogo dos caualleros tan señalados e tan principales e esforçados como fueron el maestre don Áluaro de Luna, [327] el qual era asimismo Condestable de Castilla e Conde de Sanctisteuan e fue Duque de Trugillo, quel Rrey se lo dio, e tuuo más de veinte mill vasallos, sin los del Maestrado [sic] de Sanctiago e sobre cien mill ducados de rrenta, sin los seruicios que se le hazían e presentauan, e governó el rreyno treinta y dos años, e teniendo por suyas patrimoniales sesenta villas e fortalezas, no haziendo mención de la Orden, e biuiendo con él cinco condes, e pagaua tres mill lanças en Castilla, e con todos esos fauores de la Fortuna fue degollado públicamente en Valladolid, por mandado del dicho rrey don Johan 2º, con cuyo fauor e priuança alcançó todo lo ques dicho, e después la muerte que avés oydo. El otro cauallero que le ayudó a prender al bachiller Quincoces en Trugillo, quel Maestre lleuó consigo disimulado por moço despuelas, e que dinamente pongo en este cathálogo, fue Johan de Silua, [328] Alférez Real de Castilla, el qual fue embiado por embaxador del mismo Rrey al Concilio de Basilea, donde se señaló tanto que estando sentado en el Concillio en la silla el embaxador del Rrey de Inglaterra, le arrebató e quitó della el dicho embaxador Juan de Silua, e se sentó él en la silla segunda, diziendo que aquel lugar e la silla era del Rrey de Castilla. Lo qual fue gran osadía, e asistió en ello e fue causa que se guardase la preheminencia del Rrey e la onrra del rreyno de Castilla, por lo qual e por lo mucho que gastó, e dio, vino muy onrrado de su embaxada a España, e el Rrey le hizo merced de la villa de Cifuentes e Montemayor por sus muchos e leales e grandes seruicios, como más largamente los escriuió el coronista Hernando del Pulgar, [329] en su tractado de los *Claros varones*, así que este señor fue el origen de la casa del

---

[327] *Don Áluaro de Luna:* v. *supra*, texto 7.

[328] *Johan de Silua:* fue creado I Conde de Cifuentes en 1455 por Enrique IV.

[329] *Hernando del Pulgar: Claros varones de Castilla* (Toledo, 1486), y muchas más; en la ed. de J. Domínguez Bordona (Madrid, 1954), págs. 72-78, título VIII, "El Conde de Cifuentes", v. *infra*, nota 640.

Conde de Cifuentes, con el apellido de Silua, e de la casa de los Marqueses de Montemayor [330] con el apellido de los de Rribera (II, est. XXI, folios 44r-44v).

161. *Rebeliones de negros en Santo Domingo.*

> Plega a Dios que se concierte
> de tal forma la manada
> que la boca esté cerrada
> porque la mosca no entre.

Con mucho peligro biuen los pueblos donde los esclauos son más que los libres. Vengamos al testo que dize "Plega a Dios que se concierte, etc." Suélese dezir en vn vulgar prouerbio "En boca cerrada la mosca no es ahogada." [331] Quiero dezir que ay algunos papamoscas descuydados que abierta la boca, e no pensando cómo biuen, se les entran las moscas en ella e se le ahogan por descuydo. Pero los quatro versos primeros desta estancia hablan a otro fin, e dizen que plega a Dios que la manada *i.* [*sic* por *id est*] la rrepública o moltitud del pueblo, mude la costumbre e se concierte de tal forma o manera que la boca se atape o cierre, e no se hable en tantos desconciertos e manera de mala gouernación como en el mundo anda [*sic*] entre los christianos con tantas guerras e desabenencias generalmente que la mosca importuna de los infieles no se entre tanto en la religión christiana que avnque la mosca se ahogue no cause poner en trabajo al nombre christiano, como está aparejado en la potencia del Gran Turco. El qual, por el descuydo de los cathólicos, e por no le aver ydo a la mano, está tan próspero ques bien menester la ayuda de Dios y Su especial misericordia para le rresistir. Pero dexando aparte esto, avnque es lo que más importa, de la rrepública de Christo, e hablando de esta mosca e moscas negras, de que tan abundantemente ha nuestro descuydo dexado henchir esta nuestra cibdad de Santo Domingo e ysla Española, con traer tanta moltitud de

---

[330] *Marqueses de Montemayor:* título concedido por Carlos V a Don Juan de Silva y Ribera en 1538.
[331] *No es ahogada:* Correas, *Vocabulario*, 130, registra: "En boka zerrada no entra moska ni haraña". Covarrubias, *Tesoro*, 222, ya registra la forma moderna: "En boca cerrada no entra mosca".

negros esclavos a ella, que va la cosa en tanto peligro cresciendo
que plega a Dios que la manada o pequeño rebaño de los fieles
christianos, que en esta tierra biue, se concierte e asegure de tal
arte o suerte que la boca esté cerrada. Y esta boca es la deste rrío
e puerto de Santo Domingo desta ysla Española, y los otros sus
puertos, porque al olor destos açúcares, que aquí ay, no entre
esta mosca o moscas desta moltitud de negros como cada día
viene e se quedan en esta tierra, sin mirar el peligro en que esta
ysla se pone con ellos, tanto que muchos se alçan e han muerto
asaz christianos, e quemado lugares, e anda la cosa tan rrota, y
esta gente prieta tan soberuia, que como quieren su libertad cada
día ay nueuos rrebelados destos esclauos. [332]

Domingo 21 de hebrero de 1546 años vino nueua a esta
cibdad como en la villa de Sant Johan de la Maguana, ques
quarenta leguas de aquí, avían los negros quemado la yglesia
e quemado los ingenios de açúcar de aquella villa, e rrobádola, e
fecho mucho daño, e después el martes 23 días, víspera del apóstol Santo Mathía, salió desta cibdad el señor Almirante don Luys
Colón, Duque de Veragua, e con sus hermanos don Cristóbal e
don Diego, e otros caualleros e hidalgos por mandado de la
Audiencia Rreal que aquí rreside, para yr a castigar los malhechores e atajar el daño e rrebelión en quanto posible fuese, avnque
no se crehía que los negros osarían esperar, por la costumbre
que tenían de acojerse luego a la sierra e montañas ásperas e
cercanas del Baruco, donde están fuertes e no se pueden aver ni
tomar por la dispusición de la tierra fragosa. Antes se creyó que
sería menester tiempo e guerra guerreada e más solicitud de la
que hasta entonces se había tenido. Puesto que antes desto avía
salido desta cibdad por mandado de la misma Abdiencia Real
EL CAPITÁN TRISTÁN DE LEGVÍÇAMO CON XXXV SOL-
DADOS, pero avían los negros quemado otra vez aquella villa de
Sanct Johan, e muerto tres christianos, e auían rrobado el pueblo
e tomado muchas armas, e lleuádose algunos negros para engrosar
su rrebelión. A causa del qual saco fue allá este capitán, e dende

---

[332] *Esclauos:* como ilustración de estos negros esclavos en 1546, ver la
descripción que nos da Oviedo de la primera rebelión de negros, en 1522,
Historia general, IV, caps. iii-iv.

en siete días le acometieron los negros, víspera del apóstol sancto Andrés e nueue de nouiembre del año antes de 1545 años. E vinieron sobre este capitán a do se avía desenbarcado con esa poca compañía que lleuaua, el qual e los christianos estauan beuiendo, porque conoscieron que no les avían de dar tiempo después, e que avían de venir a las manos. E finalmente los negros, con grande ímpetu llegaron a cauallo e a pie con dos capitanes, vno llamado Diego e otro llamado Hernando (e atrás se avían quedado cinco christianos enfermos, chapetones, que adolescieron), e con mucha grita los negros dieron sobre los treinta christianos, seyendo los negros más de ochenta. E por acortar la historia digo que la batalla fue muy rreñida, e mataron vn christiano e hirieron otros quinze, e el capitan salió muy mal herido pero quedó vencedor, e peleó tan animosamente que en su virtud principalmente e la de los pocos que con él estauan vencieron la moltitud de los negros, e les mataron el vn capitán de los dos que es dicho, e más de veinte negros, e hirieron otros muchos, e quedó Tristán de Leguíçamo señor del campo e muy onrrado e aprouado por el esfuerço de su persona por muy valiente ombre avnque mancebo. Después los enemigos negros, buscando de se vengar, tornaron a aquella villa e hizieron lo ques dicho, sobre lo qual fue el señor Almirante como se dixo de suso, e no halló ni ovo dispusición para castigar los negros e a su principal, que a la sazón se dezía Lemba, avnque después andando el tiempo ése e otros muchos negros han pagado con las cabeças. Pero esto no tiene medio si no se cierra esta entrada destos negros en esta ysla. Gran donaire es que nos cuesta vn negro boçal por lo menos ciento e cinquenta pesos para nuestra hazienda e seruicio de nuestras casas, e después para le matar cuesta trezientos pesos o más. Quiera Dios que este açúcar que gozan pocos no amargue a todos, porque si no se prouee en este trabajo en peligro está toda esta tierra. Así que la mosca es la que tengo dicho (II, est. XXII, folios 46r-46v).

162. *Explicación de un dicho.*

Si bailó la Marineta
tome lo que se halló.

Por toda España está muy vsado dezir: "Si Marina bailó, tómese lo que halló." [333] Procurando yo saber el origen deste prouerbio o chiste me le han dado a entender de dos maneras. La vna es que vna donzella llamada Marina era muy aficionada a baylar e hazíalo muy bien, e en cierto rregozijo, con otras mugeres moças bayló vn día mucho e muy sueltamente, e estando baylando se hundió aquella cámara o parte della, e por aquel boquerón o agujero cayó en vna bodega de tal manera que se quebró vna pierna o ambas e avnque biuió quedó toda su vida lisiada sin poder más baylar ni avn andar sino sobre muletas, y esto sacó de su bayle. Otros dizen que vna donzella así llamada e desposada estando en cierta parte con otras mugeres moças, dançó e bayló con vn mancebo en presencia de muchos, pero con toda honestidad, e antes quel bayle se acabase, vino el esposo e la vido baylar, e disimuló sus celos e quedó en determinación de se apartar della, e así lo hizo, e sacó o halló esto de su baylar. Otros dizen que este prouerbio fue voluntario e que no ovo origen por causa alguna de las que son dichas, sino quel inuentor lo dixo por todos los que se entremeten en cosas que no se devrían meter, e les sucede mal dello, e así se dixo por castigo de los tales: "Si Marina bayló, tome lo que halló." Que quiere dezir, quien mal obra o piensa obrar, tome lo que halló, e lo que rresulta de su error es arrepentirse sin tiempo e ofrescerse a lo que le viniere con toda paciencia (II, est. XXII, folio 46v).

163. *Muerte del Conde de Salvatierra, 1524.*

> Por mejor se tiene cierto
> el salto sobre la mata,
> al que hiere o que mata,
> que ruego de ombres buenos.

---

[333] *Lo que halló:* Correas, *Vocabulario*, 289: "Si Marina bailó, tome lo ke halló; o ganó". En nota el editor Combet añade: "Covarr[ubias, *Tesoro*]: 'Hay costrumbre en algunas aldeas, que acabando de bailar el mozo, abraza a la moza; y debió ser el abrazo que dieron a esta Marina tan descompuesto que escandalizó y dio que decir al lugar todo; de donde nació el proverbio y aplícase a la mujer que desenvueltamente hace o dice alguna cosa, por la cual se le sigue alguna nota' (art. *Marina*)."

Otra cosa es estar suelto que atado, y por eso se dixo que vale más salto de mata que rruego de ombres buenos, e atender a la discreta o no penssada determinación de vn juez justo o injusto, qualquier que sea. En fin, yo no consejaría a ninguno que de lo quél pudiera ser juez se meta al juicio ajeno. Esto prouó bien el mal consejado don Pedro de Ayala, conde de Saluatierra e Mariscal de Henpudia, [334] que aviendo seydo comunero e fecho notables enojos y desseruicios al Emperador rrey nuestro señor (no sé yo sobre qué prenda o palabra), se presentó en la cárcel rreal. Pero en fin, en ella murió como imprudente e mal consejado cauallero, e de aquella torre de la puerta de Sanct Pablo en Burgos, a la ora que tañía al Aue María, le sacaron e pusieron en vnas andas e lo lleuaron a enterrar los pies de fuera puestos vnos grillos, años de mill e quinientos e veinte e quatro años (II, est. XXII, folio 47r).

164. *Anécdotas perrunas.*

> Por perro que mucho ladre
> nunca se surze capuz,
> al viejo dezir cuz cuz
> es cosa demasïada.

Al perro muy ladrador no le temen tanto las capas como los ladrones. Otros que llaman escuseros, que muerden sin ladrar, son los que rrasgan la capa e que ponen en nescesidad al dueño della para la hazer surzir. Así que el perro que mucho ladra y el gato que mucho se quexa o maúlla, no hagáys mucho caso dellos, que por eso se dize "gato maullador, nunca fue buen caçador, ni el perro que mucho ladra tanpoco es mordedor", antes de couarde, ladra e huye al mejor tiempo. E a tales animales son semejantes los ombres parleros e jatanciosos, que todo su saber e todo su entender se les va en palabras e pocas obras sin fructo. Al perro viejo cuz cuz es cosa demasiada, e tráese aquí al opósito del perro ladrador, que de ser cachorro o cobarde es todo palabras,

---

[334] *Henpudia:* Ampudia. Sobre el Conde de Salvatierra, v. *supra,* nota 281.

e por el contrario al ques viejo no aprouecha cuz cuz, ni halago
alguno para que dexe su vela e haga lo que deue. Y éstos son
comparados a los ombres leales e virtuosos e acogidos a rrazón
e que saben e entienden, e son constantes en la virtud e no se han
de apartar della por dádiuas ni promessas ni halagos, e que siempre están firmes en sus propósitos y en lo que deuen estar, con la
lealtad natural e acostumbrada que se suele hallar en los tales
animales, de los quales se podrían dezir grandes e muchos exemplos, porque como dize Plinio, sobre todos los animales son fide-
lísimos a su señor el can y el cauallo. Y este auctor cuenta muchos
casos notables de los perros, y entrellos dize quel can de Jasón
licio, después que murió el dicho Jasón, nunca quiso comer, e se
dexó morir de hambre. E tanbién dize que vn can llamado Hircano
se echó en el fuego donde quemauan el cuerpo del rrey Lisímaco,
su señor. E cuenta otros casos dinos de oyr. Pero dexemos lo antiguo e dígase lo que hizo aquel lebrel llamado Bruto, que tuuo
el serenísimo Príncipe don Johan de gloriosa memoria, mi señor. El qual, después que el Príncipe pasó desta vida en Salamanca miércoles entre las doze e la vna ora después de medianoche,
día de Sant Francisco, quatro días de otubre del año 1497 años, e
sus criados le enterramos antes quesclaresciese en la iglesia catredal de aquella cibdad, donde estuuo en depósito su cuerpo hasta
que boluieron hasta Salamanca los rreyes Cathólicos sus padres,
don Fernando e doña Ysabel, porque avnquel Rrey se halló presente quando murió el Príncipe, e la Rreyna avía ydo a la rraya
de Portugal con su hija la rreyna e princesa doña Ysabel, donde
la vino a rrescebir el rrey don Manuel de Portugal su marido, e
boluiéndose la Rreyna Cathólica a Salamanca, el Rrey Cathólico
se fue con aquella triste nueua a encontrar con la Rreyna e las
infantes [sic] sus hijas doña María e doña Catalina e vinieron a
aquella cibdad a visitar la tumba del Príncipe su primogénito, que
tanto amauan, e a tomar a la infelice biuda princesa madama
Margarita, su muger, e se fueron a la villa de Alcalá de Henares,
e dexaron ordenado quel cuerpo del Príncipe se lleuase al monasterio de Sancto Thomás de Ávila, como se hizo. Pero desde
la ora quel Príncipe murió e fue enterrado, hasta que su madre la
Rreyna tardó de venir e ver aquella tumba, nunca el lebrel Bruto
se quitó de a par della, echado sobre vna almohada de estrado, e

quando tenía nescesidad de hazer caña [335] o orinar se salía de la yglesia e se prouehía, e incontinente se boluía a par de la tumba con tanta tristeza e descontentamiento e abaxada la cabeça que qualquiera ombre de mediano juyzio vía que aquel perro sentía la muerte de su señor. Yo digo lo que vi. Venida la Rreyna lleuó este lebrel consigo, e se lo trahía a par de sí hasta quel perro se murió desde a poco tiempo, conosciéndose en él vna tristeza admirable en su cara, e su andar despacio e la cabeça abaxada, e en su comer poco e despacio, de manera que parescía que biuía contra su voluntad e así biuió poco después de lo que tengo dicho, lo qual fue muy notorio en España (II, est. XXII, folios 47r-47v).

165. *Origen de un dicho. Vizcaya.*

Acertaua quien dezía
al buen callar llaman Sancho.

Suelen dezir en Castilla "al buen callar llaman Sancho", e lo mismo se puede dezir en qualquier otro nombre que bien calle, e será bien fecho. Algunos quieren dezir que el Sancho de donde ovo origen aquesto fue vn vizcaýno muy entendido e muy callado, e fiel criado de don Lope Díaz el Vizcaýno que fue el quarto Conde de Vizcaya, muy buen cauallero, en tiempo del sancto e valeroso conde primero de Castilla, muy valeroso Fernán Gonçález [al margen: EL CONDE FERNÁN GONÇÁLEZ DE CASTILLA] con el qual se halló el dicho Conde de Vizcaya en la batalla donde fue vencido el rey Almançor de Córdoua. Así que dos excelentes e illustrísimos Condes pondremos aquí para la cuenta deste famoso catálogo, que son el primero conde de Castilla Fernán Gonçález, verdadero cuchillo contra Mahoma e los de su setta, y el quarto Conde de Vizcaya. No se podrían dezir los grandes fechos del conde Fernán Gonçález sin mucho tiempo, cuyo cuerpo está enterrado en Sant Pedro de Arlança, ques a [espacio en blanco] leguas de la cibdad de Burgos, y es tenido por sancto. Su historia particular [336] e la general de España son muy notorias, y

---

[335] *Caña:* el sentido es obvio y la letra muy clara, pero no puedo documentar su uso en otros autores de la época.

[336] *Su historia particular: La crónica del noble cauallero el conde Fernán Gonçález* (Sevilla, 1509), tuvo posteriores arreglos y reediciones.

por eso me rremito a ellas donde el curioso letor podrá ver vna sancta historia e memorables fechos. E a este conde don Lope Díaz [al margen: DON LOPE DÍAZ EL VIZCAYNO CONDE] llaman el vizcaýno rrico de mançanas [337] e pobre de pan e vino, e gran señor e valiente cauallero, e en su casa tuuo vn criado muy acepto e muy esforçado cauallero por su perssona, y era muy callado e tomaron los vizcaýnos opinión de dezir quando vían a alguno loarse e panforrear, que al buen callar llaman Sancho, como hacía aquel criado del Conde, que callaua e hazía. Aquesto muchas vezes lo hoý yo en Vizcaya el año de 1504 que estuue la mayor parte de aquel año en Tauira de Durango [338] y en aquel condado de Vizcaya, y avn lo leý en vn libro antiguo de las cosas de Vizcaya e de los condes della, de que yo saqué éste e otros notables pasos porque el mismo libro e la letra dél mostraua en sí que era dino de crédito por su antigüedad. E destos condes desciende el antiguo e illustre e muy noble linaje de Haro, e su abuelo deste Conde fue viznieto del primero que puso por armas los lobos ceuados como los traen los de Haro, y el que puso primero tales armas fue don Çuria, e el segundo su hijo don Muso López, y el tercero fue don Yñigo Esquerra, padre del cuarto conde don Lope Díaz el Vizcaýno el susodicho. E con esto se da fin al comento desta estança 22. Prosigamos nuestro camino y venga la estança 23, en que se tocan algunos pasos que tengo creýdo que darán contentamiento al letor, con la condición que en otras partes he protestado que ningún tratado puede bien entenderse sin le passar todo e lleuar continuada su leción, para gozar del tiempo que en tal exercicio se ocupare (II, est. XXII, folios 48v).

166. *Anécdotas de Indias. La vendimia en España.*

En el valle de Vlancho
oro ay si bien se busca;

---

[337] *Rrico de mançanas:* esta expresión proverbializada parte del *Poema de Fernán González,* copla 448: "Ffue dado por cabdiello don Lope el vyzcaýno, / byen rrico de mançanas, pobre de pan e vyno". Es sabido que en el País Vasco apenas si se produce vino (el *txakolí*) y no hay trigo, en cambio abundan las manzanas, con las que se hace la bebida nacional, la sidra *(sagardua).*

[338] *Tauira de Durango:* v. *supra,* nota 243.

el que coge la rrebusca
en vendimia qué hiziera.

Si bien se busca el oro en el valle de Vlancho, tened por
cierto que le hay. Aués de saber que la prouincia que los indios
llaman Guaymura en la Tierra Firme, e los christianos Honduras,
que está a la parte que aquella costa mira al norte, desde allí
por tierra ay septenta leguas, poco más o menos, hasta la otra mar
Avstral en la prouincia de Nicaragua. En la mitad de este camino está el valle que llaman de Vlancho, que es donde ay muy
buenas minas de oro, y avn aquellos presciosos árboles del líquido
ámbar e como dize el testo "oro ay si bien se busca", y dize bus-
cándole bien, no porque ha de faltar el oro sino porque le han
buscado mal, y muy desalmadamente hasta aquí, haziendo los
christianos crueldades e desafueros a los naturales (y no creo que
sin méritos dellos), en el tiempo que gouernó aquella tierra Pedrarias Dáuila e otros, e así los indios tanbién han muerto muchos
christianos, y avn comídose algunos dellos, porque en aquella
tierra los indios son frecheros e comen carne humana. Estando yo
en aquella tierra se comieron los indios al tesorero Peralta [339] e a
Estúñiga, e a los Baezas (dos hermanos), que a todos quatro hidalgos se los comieron con sus cauallos, sin dexar sino solos los
huesos dellos e las vñas. Por lo qual el gouernador Pedrarias hizo
hazer justicia de muchos caciques e indios principales que biuos
los hizo comer a perros en la cibdad de León de Nagarando, lo
qual yo vi año de 1528 años. Así que el oro se buscaua mal en
aquella tierra en aquel tiempo, pero no ay dubda de aver mucho
oro e muy bueno en aquella tierra sabiéndolo bien buscar, e no
como estonces se hazía, tan a costa de las ánimas de los vnos e
de los otros.

El que coge la rrebusca en vendimia qué hiziera. Claro está
que más ayna hinchiera su cesto, pero entendamos qué cosa es la
rrebusca. Al tiempo que en Castilla vendimian la viña, e cojen
todo el fructo, quedan ciertos rrazimicos pequeños e grumos,
vnos mal maduros e agros, e los vendimiadores avisados se dexan

---

[339] *Tesorero Peralta:* con algún detalle más, narra la misma anécdota
Oviedo en su *Historia general,* XLII, xii.

aquellos cencerriones o grumos adrede en las mismas cepas de la viña de consentimiento del señor della, porque no se mexclen con la buena huua, porque con su agrura e agraz no estraguen el vino. Y esto que así queda por cojer llaman rrebusca, y es de quien la quisiere. E van muchas moças e muchachos a buscar esa rrebusca, e se la lleuan a sus casas. E por la mayor parte siempre los que buscan esa rrebusca son pobres e menesterosos, e como a tales pregunta el testo que qué hizieran esos tales en vendimia quando vendimiada la viña esotros pobres toparon con la rrebusca. De creer es quel que anda a cojer rrebusca que si no hallara la viña vendimiada, que presto hinchiera su cesta. Y estos tales rrebuscadores se toman aquí por los cobdiciosos que no se contentan con lo que tienen, e van a las viñas ajenas a se las rrebuscar e biuir chupando bienes ajenos (II, est. XXIII, folio 49r).

167.   *Criterios de la historia. Fray Antonio de Guevara, Pedro de Rhúa.*

Es la memoria más sana
en lo que los ojos vieren;
lo que orejas oyeren
es menor rrecordación.

Es la memoria más sana, etc. Sant Jerónimo dize que más se rrecuerda la memoria de lo que los ojos ven que de lo que la oreja oye. Todos los ombres somos testigo desa verdad, y es asý y mejor se entienden las cosas vistas que las que se oyen o se leen. A lo menos de aquellas que los ojos corporales pueden ver. Antes que yo viese estas nuestras Indias, ni con oyr al mismo Colón, primero descubridor dellas, ni al piloto Vicente Yáñez Pinçón, que fue vno de los que se hallaron con él en el primero viaje que hizo a estas partes, ni con oyr a Fray Buyl, que fue el primero perlado que acá vino, ni oyr a Mosén Pedro Margarite,[340] cauallero de la orden de Sanctiago, e a otros caualleros

---

[340] *Mosén Pedro Margarite:* de la noble familia catalana de los Margarit, vino a Indias con Colón y fue primer alcaide de Santo Domingo; vuelve a tratar de él más extensamente Oviedo en la *Quinquagena III*, texto 308, y recoge anécdotas y hechos desconocidos por la historia acerca de este caba-

e hidalgos criados de los Rreyes Cathólicos, que por su mandado vinieron con el mismo Almirante don Christóual Colón en el segundo viaje que acá vino, nunca pude sentir ni entender las cosas de las Indias hasta que las vine a ver, e entendí muy diferenciadamente lo que vi e veo de lo que antes avía oydo. [341] E como por mandado del Emperador nuestro señor e como su cronista destas partes he escripto y escriuo la *Natural e general historia de Indias,* quando vengo a examinar alguna cosa de las que aý passan donde no he podido ser presente e verlo, hallo muy diferentes en la rrelación a los que me lo certifican, pero todavía lo doy a entender mejor que a mí me lo dizen, y mejor que en España se entendería de los que a mí me lo dixeron, a causa de la espiriencia que yo tengo en estas partes desde el año de 1514 años, que a ellas vine, que en éste de 1555 años ha 42 años que por acá ando, e cada día aprendo e veo cosas nueuas, e me marauillo de algunos tractados que en España han escripto otros auctores en latín e rromance sin aver visto las Indias. En los quales ay cosas muchas muy al rreués de como se verán en mi *Historia general,* porque yo hablo de vista o muy informado de lo que digo, e los que desde Castilla escriuen, avnque hablen por mejor estilo, se podrían engañar. Yo no hago este oficio como adeuino, ni a tanto peligro de mi consciencia como los avsentes. Quisiera yo mucho quel docto Rrúa, [342] letor en Soria, ouiera visto estas Indias para que descargara su conciencia con estos historiales que escriuen desde España las cosas destas Indias, como avisó e rreprehendió las obras del Obispo de Mondoñedo don Fray Antonio de Gueuara, que harto más tuuiera que hazer, y más sin fatiga, que en los hurtos e faltas del Obispo, porque no tuuiera que buscar como buscó, como dotto, los auctores para confundir esas mentiras que juntamente, no por capítulos e parte,

---

llero. *Fray Buyl:* v. Fidel Fita, "Fray Bernal Boyl; documentos inéditos", *BRAH,* XX (1892), 160-77; en el mismo tomo del *BRAH* hay varios artículos más sobre este primer clérigo en Indias.

341 *Avía oýdo:* sobre el proceso de la conquista intelectual de América, o sea cómo la mente europea llega lentamente a posesionarse de América, v. J. H. Elliot, *The Old World and the New. 1492-1650* (Cambridge, 1972). *Natural e general historia de Indias;* v. *supra,* nota 3.

342 *Docto Rrúa: Cartas de Rhúa, lector en Soria, sobre las obras del reuerendíssimo señor Obispo de Mondoñedo, dirigidas al mesmo* (Burgos, 1549); reed. *Bib. Aut. Esp.,* XIII.

pudiera condenar estos escriptores que biuen de sudores ajenos,
pero todos sus volúmines de tabla a tabla, o de la primera hasta
su vltima letra se pueden desechar por falsedades, y lo que en sus
trattados es verdad es tomado de otros autores, pero contado con
cautela e mudando la limpieza e bordándola, e rremendando,
e poniendo de más e de menos como se les antoja en lo que escriuen (II, est. XXV, folio 56v).

168. *Un luterano en Indias.*

> Fue por la persecución
> la Iglesia prosperada,
> por martirios coronada
> y después fue poderosa
> en rriqueza e pomposa,
> pero ya de menos sanctos
> al presente, mas los mantos
> más polidos e costosos.

La Yglesia fue prosperada por las persecuciones, como lo dize
Sanct Jerónimo, que escriue que por las persecuciones fue acres-
centada y con mártires coronada. Y después de venida en príncipes
christianos ha seydo mayor en poderío e rriquezas, empero menor
en virtudes. El testo dize que al presente tiene la Yglesia menos
sanctos en vida acá temporal que en los tiempos passados. Y tanbién se puede dezir que antes siempre ay más, porque ay los passados y los presentes. Pero no es eso lo que quiero dezir, sino que
biuen oy los que christianos se llaman de nombre menos sanctamente que los passados, pero estos modernos tienen mejores e más
polidos e costosos mantos. Quédese aquí esta materia para otro que
mejor lo discante, porque del clero ha de ser el que en él supiere
hablar, y esa corección yo la rremito a sus perlados. A lo menos
en estas nuestras Indias deseo que los clérigos que Despaña vienen, e de otros rreynos e naciones, estouiésemos seguros que no
son frayles e por su plazer oviesen dexado el hábito e tomado el
manto clerical, porque los tales son muy dañosos e peligrosos para
tierras nuevas. Y en las naos e flotas que salió del puerto desta
cibdad este mes de mayo de 1555 años, vno déstos va preso, quel
rreuerendísimo señor don Rrodrigo de Bastidas, Obispo de la ysla
de Sant Juan de Puerto Rrico, embía preso e rremitido a los muy

rreuerendos padres Inquisidores de Seuilla por erético, e es de
nación flamenco e él confesaua que avía oýdo sermones del mismo
Lutero, e dezía algunas eregías e avn las quería sostener e dezía
que fue frayle dominico, y acá andaua a rratos a cauallo e armado e con vna lança, e así fue tomado e preso en vn ingenio de
açúcar desta cibdad, que se havía soltado de la cárcel arçobispal
do estaua preso por sus dichos eréticos (II, est. XXV, folio 56v).

169. *Ensalmaderas y santiguaderas.*

> Las sanctiguaderas son
> auidas por sospechosas
> porque se meten en cosas
> en que les fallesce seso,
> sus passos no tienen peso
> ni doctrina de christiano.

Son las sanctiguaderas auidas por sospechosas, etc. Y dize más
el testo que sus passos son sin peso e liuianos e faltos de doctrina
christiana, non obstante su sanctiguar. Y a la verdad en nuestra
Castilla yo he visto castigar algunas de las tales mugeres liuianas
por sus desatinos, las quales como locas inoran las verdades cathólicas, e si mirassen lo que la sagrada Escriptura dize del
castigo de Dios a los que se le atreuen, ellas mudarían sus costumbres. Oyd, lector, con atención estas palabras de la Sagrada
Escriptura: "Yo soy vn Dios muy zeloso de mi onrra, y al que en
ella tocare castigarle he a él y a todos sus descendientes hijos
y nietos hasta la tercera y quarta generación." Dízese a propósito que las tales mugercillas si oyesen a Ysahías sabrían qué
dize en perssona de Dios: "No quiero premitir que nadie me
quite mi onrra, y la dé a otro dios." Y esos mentirosos y menti-
rosas mugeres, hijos son del diablo el qual es padre de la mentira. E asimismo el Psalmista dize: "Dios aborresce todas las vanidades que son las supersticiones y hechizeras." E en el psalmo
40 dize: "Bienaventurado es el ombre que pone su esperança en
Dios y no en las vanidades e locuras falsas." E así digo yo que
quien para efectuar alguna cosa aplica materiales o dize palabras
de alguna virtud para lo hazer, notorio e claro es ser en vano su
obra, y siendo vana la obra superstición y hechiziría [*sic*] es y

mentira tal arte e digno de mucho castigo, y por tanto dize el psalmista: *"Beatus vir cuius est nomen domini spes ejus et non rexpexit in vanitates et insanias falsas."* Quien esta materia de las mugeres ensalmaderas e santiguaderas quisiere más largamente oyr, lea aquel tractado llamado *Rreprobación de las supersticiones e hechicerías* que escriuió el Maestro Ciruelo, [343] cathredático de Salamanca, ques obra sciente e muy prouechosa a este propósito (II, est. XXVI, folio 59r).

170. *Don Luis de Ávila y Zúñiga.*

> Al Emperador le dí
> que tal nombre le compete,
> pues su valor le promete
> (demás de la monarchía
> terrena) más alta vía
> de gloria méritamente,
> porque coxos no consienten
> en el gremio cristianismo
> sino verdad y baptismo
> y no muger bozinglera.

Si el lector quisiere estar atento en el discurso destas estancias, puede muy bien ver y entender junto con el armonía quel verso trae en su orden e con las historias que al proceso conuienen, tractando y enxiriendo diuersas historias e auctoridades, cómo todo está incluso con amonestar al Emperador nuestro señor lo que él se tiene en cargo para el fauor que su Magestad suele dar a la rreligión christiana como segundo pilar della. Y por tanto el testo dize: Al emperador le dí / que tal nombre le compete, etc." Compete a su Magestad Çesárea el nombre e título de defensor de la Yglesia, después del Papa Summo Pontífice, y es el segundo gladio [344] y cabeça del pueblo de Christo, e como a tal por su gran valor le promete, demás de la terrena monarchía más alta vía

---

[343] *Maestro Ciruelo: Reprouación de las supersticiones y hechizerías* (Salamanca, 1538); en la Hispanic Society of America hay ejemplar probablemente anterior (¿Sevilla, 1536?), pero el título es un poco distinto al que cita Oviedo: *Reprouación de supersticiones que escribió el maestro Ciruelo;* reed. Francisco Tolsada, Joyas Bibliográficas (Madrid, 1952). *Sciente:* v. *supra,* nota 166.

[344] *Gladio:* latinismo (*gladius*) por "espada".

e gloria méritamente, porque no admite coxos en el gremio christiano. Llama coxos aquí a los que coxean en la fe, o son contra ella con nombre de christiano, del arte de la muger bozinglera. La qual no deue ser creýda ni admetida por su grita, sino satisfecha con la retitud del castigo apostólico. E como César manda satisfazer a los destacados a Dios y a su Yglesia en fauor de la fe, e puniendo e castigando los eréticos disimulados o públicos, por los ministros e officiales de la justicia e sancto oficio de la Inquisición contra la erética prauedad e apostasía, como e según las leyes e cánones sagrados lo despensan, e avn quando conuiene con su sagrada e Imperial perssona, e la nescesidad e el tiempo lo rrequiere, como lo avemos visto en la guerra de Alemania contra los luteranos e anabatistas e colampadianos e sus eréticas settas. [345] Pospuesto el peligro de su persona, e todo quanto aventurar se pudo por el rremedio vniuersal de la rrepública christiana, tomando las armas e con la espada en la mano rresistiendo los enemigos e aduerssarios de la Yglesia, e la defendió e ensalçó con sus victorias, non obstante la indispusición e enfermedad de la gota, que en el mismo tiempo thenía, la qual passión avnque era grande nunca pudo causarle descuydo, ni dexar de canto el arnés sino con él a cuestas e la lança en la mano, e no negando su persona a trabajo alguno. Hizo vna prueua de sí más que de ombre humano, como lo escriue el illustre cauallero don Luys de Áuila, [346] gentilombre de su cámara e testigo de vista que se halló cerca de su Magestad en toda la guerra de Alemania. El qual puntual e breue e elegantemente e por lindo estilo en esta nuestra lengua castellana dixo lo que vio, e después su Magestad le hizo merced por sus seruicios de la Encomienda Mayor de la orden e cauallería de Alcántara. E es DON LVIS DE ÁVILA Y STÚÑIGA vno de

---

[345] *Eréticas settas:* v. *supra,* nota 32.

[346] *Don Luys de Áuila:* acerca de su genealogía, v. Ángel González Palencia, *Don Luis de Zúñiga y Ávila, gentilhombre de Carlos V* (Madrid, 1931), págs. 6, 121, 133; y del mismo autor, *Gonzalo Pérez, secretario de Felipe II,* I (Madrid, 1946), 294 *seq.* El I Duque de Béjar fue don Álvaro de Zúñiga (v. *supra,* nota 171). Acerca de la gran privanza de don Luis de Ávila con el Emperador Carlos V, v. Don Luis Zapata, *Miscelánea, MHE,* XI (Madrid, 1859), 184-85. La obra de Ávila a que alude Oviedo es *Comentario ... de la Guerra de Alemaña ... en el año de .M.D.XLVI y M.D.XLVII* (Venecia, 1548), con abundantes reediciones en vida de nuestro cronista; v. *infra,* nota 456.

los generosos e illustres e famosos caualleros de España, e valiente e esperimentado en el arte militar, e muy sabio, e de lindas
partes e habilidades que vn cauallero notable deue aver. E
muy agraciado cortesano, e acepto por sus méritos e bien visto
del Emperador nuestro señor, e como dino deste illustre calendario de los famosos Despaña le pongo en este catálogo en quél
meresce muy bien ser acogido. Es hermano del Marqués de las
Nauas, e hijo de don Esteuan de Áuila e de doña [espacio en
blanco] de Estúñiga, hermana del primer Duque de Béjar. Su
abuelo fue el muy valiente cauallero Pedro Dáuila el Viejo,
señor de las Nauas, que fue el primer capitán que rrompió su
lança en seruicio de los rreyes Cathólicos don Fernando e doña
Ysabel en la batalla de entre Toro e Çamora, donde fue des-
bartado [sic] e vencido el rrey don Alonso de Portugal 5 de tal
nombre. Así que el Comendador Mayor de Alcántara, don Luys
Dáuila, castizo es en la militar disciplina e muy diestro e aprouado cauallero en ella (II, est. XXVII, folio 59v-60r).

171. *Vana prédica del autor.*

> Si tal espacio tuuiera
> en los avaros tocar,
> porque el mundo sí penssara
> que no avíen de despender
> no les diera qué temer
> injustamente guardado.

Teniendo tal espacio como fuera conuiniente en los avaros
tocar, y esto hiziera yo de grado non obstante la flaqueza de mi
estilo, por dar a entender al mundo su culpa e certificar con
mi poca habilidad que si pensara ese mismo mundo que los vanos
rrecogedores de sus thesoros no los avíen de despender, no les
consiguiera que touieren cosa que guardar, ni ocupado el vso
para que le fueron concedidos esos bienes que en males se conuierten athesorados en fuzia de sus esperanças vanas, y castillos
que fundan en el ayre sus locos desseos, haziendo papo de ventosas ymaginaciones. Y si sòn personas del eclesiástico hábito (o a lo
menos del nombre, quel hábito pocos dellos traen) no se despiden
de vn capelo de obispo o arçobispo como patriarca o cardenal, y

avn de la tiara. Y si son legos tanpoco se contentan ni descon-
fían de alcançar vn illustre título o gran magistrado. Pocos años
ha que vn clérigo que avía ydo al Perú, alcançó e ovo allá ciertas esmeraldas, y se fue a España, e entre las otras lleuaua vna
quél estimaua mucho, y en la verdad era rica e limpíssima y
en toda perfición, e tamaña como una gruesa avellana con cáscara,
e dezía él que por doze o quinze mill ducados no la daría, e que
para darla por tan poco prescio que pensaua seruir con ella a
vn gran príncipe o al Papa. E non obstante que estaua enfermo, e
muy flaco, se puso en camino. La qual esmeralda yo vi e la tuue
en mis manos, e me la mostró como a amigo, en secreto, e me
rrogó que le dixese mi parescer e yo le dixe que pensase bien
lo que hazía, e que curase de su perssona e salud e que con más
acuerdo se determinase en lo que me avíe dicho, encomendándolo
todo a nuestro Señor. Y le aparté en quanto pude de tanto trabajo, porque sin dubda le vi tal que no tenía vida a mi parescer
para el camino que quería emprender. Esto passó en la villa de
Aranda del Duero el año de 1548 años. Pero como él estaua determinado de seguir su propósito e viaje, lo puso por obra. E desde
a pocos meses supe que llegado en Çaragoça de Aragón, le
tomó la muerte sin conseguir el capelo. E en vn mesón se aca-
baban sus deseños e vanos desseos e su vida, e las esmeraldas
pararíen en algunos de sus moços, o en el messonero, que no
trabajó en venirlas a buscar allende de la equinoccial línia (o
tórrida zona), donde yo sé que el padre ya dicho estuuo, gran-
jeando el fin que ovo. Así quél no me creyó e se partió de Aranda
enfermo, e falto de salud e de seso, e su cobdicia concluyó aquella
traça desseos [sic] fundada en sus esmeraldas e piedras presciosas
e vano propósito (II, est. XXVIII, folios 60v-61r).

172. *Fray Juan Hortelano ¿santo o idiota? Salamanca, 1497.*

> No permitas Tú, Señor,
> al christiano ser hambriento
> ni tanpoco ser sediento
> de tu doctrina sagrada.

Oýdo avrés loar a vn frayle sancto de nuestros tiempos: pues
escuchad lo que os diré en esta materia. Dize el testo: "No per-

mitas Tú, Señor, al christiano ser hambriento". En la verdad los que topan vnos sermones de rreligiosos faltos de estudio de las diuinas letras, y presuntuosos e atreuidos de subir al púlpito, aý vnos dellos dexan a los que los escuchan, porque no es aquel lugar para satisfazer con la buena voluntad, seyendo faltos de doctrina, e inorando la sciencia, como la inoraba Fray Johan Ortelano, que le tenían por santo y era vn ynocente ydiota. [347] El que ha de predicar al pueblo guarnescido ha de estar y certificado que ha de ser entendido de los que le escuchan, e no tanto habundante de palabras añadidas, quanto buen declarador de la euangélica verdad, e ymitador della. Y porque me ocurrió a la memoria Fray Juan Ortelano, frayle de los Menores obseruantes de la orden de Sant Francisco, diré lo que vi de aquel buen ombre. Estando en la cibdad de Salamanca, enfermo del mal de que murió, el serenísimo Príncipe don Johan mi señor, año de 1497 años, vn día o dos antes que muriese embió a pedir al guardián de Sant Francisco que le embiase a Fray Johan Ortelano, que le quería ver y rogar que rrogase a Dios por su Alteza. Y él vino a palacio, ya de noche, en vn asnillo y dos o tres frayles mancebos con él que le tenían que no cayese, porque era viejo de septenta años o más, según lo dezían y él lo parescía. Y después que estuuo a par de la cama del Príncipe sentado más de vna ora hablando con él, e se ofresció a rrogar a Dios por él (avnque condicionalmente), porque dixo: "Yo rogaré a Dios por vos que os dé salud, si avés de biuir." E al tiempo que quiso yrsse este rreligioso, baxó con él Pero Núñez de Guzmán [348] (que era vn cauallero de los aceptos al Príncipe, el qual murió Comendador Mayor de la orden e cauallería de Calatraua), y dos o tres de los que al Príncipe seruíamos en la cámara, que ýuamos ayudando al frayle que era viejo, como es dicho, e gordo e pequeño. E baxados con él a la puerta de palacio (que eran las casas del Obispo que están en frente de la Yglesia Mayor), estauan dos frayles aguardando con el asno, e Pero Núñez de Guzmán le

---

[347] *Ydiota:* ignorante, único sentido que tiene la voz en el Siglo de Oro.

[348] *Pero Núñez de Guzmán:* años más tarde fue nombrado ayo del Infante don Fernando, v. H. L. Seaver, *The Great Revolt in Castille. A Study of the Comunero Movement of 1520-1521* (Cambridge, Mass., 1928), págs. 35-36. Era hermano de Ramiro Núñez de Guzmán, señor de Toral, y Oviedo da más noticias suyas en *Historia general,* XVI, ii, y XVI, xiii.

dixo: "Padre, lleguemos allí a la puerta de la yglesia, e dezid vna Aue María por la salud del Príncipe nuestro señor." Y el dixo: "Vamos." E así como los que allí nos halláuamos, hincados de rrodillas delante la puerta principal de la iglesia, que estaua cerrada, començó a dezir este rreligioso, e dixo: *Aue Maria gratia plena Dominus tecum, benedicta tu in mulieribus, et benedictus frutus ventris tui.* Y avn pienso que no dezía tanto, ni sabía más desta salutación angelical, porque en tanto que cada vno de los que allí estáuamos dixo vna Aue María dezía el frayle tres o quatro vezes lo que es dicho, o menos della. E caualgó en el asno ayudándole, e se fue a su monesterio acompañado de los frayles e de dos monteros Despinosa [349] de la guarda del Príncipe, con vna hacha de cera alumbrándole. Este padre bien es de creer que era buen ombre, pues los otros frayles le alabauan por sancto, e todos públicamente en aquella cibdad le tenían por tal, pero no era suficiente para predicar, ni sabía el Aue María enteramente, ni del Paternoster, ni del Credo cosa alguna según sus mismos frayles e compañeros decían. El que ha de predicar e dar a entender la leción e verdad euangélica, saber tiene muy bien lo que la Yglesia manda, que se acuerde e exorte a los fieles. Y esto házenlo algunos predicadores muy bien, e otros medianamente, y otros de manera que sería mejor estarse en sus celdas. E así Sant Gregorio [350] dize: Con mucha dificultad pasa la predicación sin algún pecado, porque qualquiera predicador, o es traýdo a alguna indicación quando es menospresciado, o a alguna gloria si es venerado de los que le oyen. Y por eso fueron lauados los pies a los apóstoles, porque fuesen alimpiados de qualquier pequeña mácula avida en la predicación, así como de algún poluo cogido en el camino. Todo esto dize Sant Gregorio. Y este mismo sancto doctor de la Iglesia dize: Tienen los arrogantes esta propriedad que siempre pienssan que han de dezir cosas marauillosas primero que las digan, y preuienen su habla con admiración

---

[349] *Monteros Despinosa:* desde la Edad Media los monteros de Espinosa (de Espinosa de los Monteros, Burgos) constituían la guardia personal del rey de Castilla.
[350] *Sant Gregorio:* en nota marginal Oviedo identifica las *Moralia,* IX, xiii y XXIII, xvi, como sus fuentes, pero supongo que tenía la obra en castellano, y traducida circulaba desde la edición de Salamanca, 1514.

porque inoran quanta locura sea la soberuia avn en los ingenios
muy agudos (II, est. XXXI, folios 64v).

173.   *El autor: sus servicios y su obra.*

> Con vn aliento sereno
> constante fuera de vicio
> para que a su seruicio
> se cumpla nuestra jornada
> y alcancemos la morada
> de la sempiterna gloria.

Vmilmente concluyo la presente estancia, e así dize el testo:
"Con vn aliento sereno constante e fuera de vicio" para que ser-
uiendo a Dios se cumpla nuestra jornada e peregrinación mortal
e consigamos la morada de la sempiterna gloria. Dios es caridad,
y el que permanesce en caridad permanesce en Dios. Así lo dize
aquel su sagrado secretario, sanct Johan Euangelista, en su diuina
y sagrada Escriptura. Concluyo ésta mi ocupación quanto a esta
estança 31, con aquella auctoridad del benedicto e glorioso Sanct
Isidoro que dize: Cata, christiano, que estonces eres más tentado
quanto menos sientes que eres combatido. Pasemos agora a los
méritos e a algunas particularidades de la muy noble e muy leal
villa de Madrid, donde yo nascí de padres e predecesores del
principado de Asturias de Ouiedo. E escriuo lo que avés leýdo,
y lo que de aquí adelante leyéredes destas mis *Quinquagenas* y
segunda rima, en esta fortaleza de la cibdad e puerto de Sancto
Domingo de la ysla Española del mar Océano, a 18 grados de la
línia equinocial a la parte de nuestro polo ártico, donde soy alcayde de la misma fortaleza e regidor, vno de los del senado e
rregimiento desta cibdad por la Çesárea e sacras magestades del
Emperador rey don Carlos e la rreyna doña Johana su madre,
nuestros señores, donde rresido e siruo XXXII años ha. E primero
seruí en la Tierra Firme de veedor de las fundiciones de oro, e
como vno de los capitanes que a sus Magestades han bien seruido
en aquella conquista, e como su cronista e historiador destas
Indias. A las quales vine en tiempo de la gouernación de España
del sereníssimo e Cathólico rrey don Fernando 5 de tal nombre,
e por su mandado, el año de la Natiuidad de nuestro Rredemptor

Jhesu Christo de 1514 años, e vine a biuir a esta cibdad el año
de 1523, y al presente corre el año de 1556, constituýdo en mi
canssada edad de LXXVIII años, por lo qual doy ynfinitas gracias
a mi saluador e a su gloriosa madre la Virgen Sancta María
Nuestra Señora, e a mi espejo e abogado el glorioso euangelista
Sant Johan a quien yo amo y tengo en mis entrañas, e a cuya
sombra e verdad siempre fuí siervo e deuoto, y como a patrón e
señor mío siempre le encomendé mi perssona e pluma con mi
ánima, etc. (II, est. XXXI, folios 64v-65r).

174. *Comienzan los loores de Madrid.*

> Desseo que la memoria
> de la villa Mantuana
> en la region Carpentana
> sea siempre aumentada.

Como ninguno sin ser ingrato deue oluidar su patria, áme
parescido que yo sería culpado si entre tanta moltitud e diuersidad de historias e buenas materias como vo acomulando en esta
segunda rima de mis *Quinquagenas* oluidase a Madrid, seyendo
vna villa tan noble e famosa en España, e como yema de toda ella
puesta en la mitad de su circunferencia. En la qual yo nascí de
padres e progenitores naturales del principado de Asturias de Ouiedo, procreados en vn pequeño pueblo que se dize Borondes,
de la filegresía [*sic*] de San Miguell de Vascones y concejo de
Grado, notorios hijosdalgo e de nobles solares. Y como otros muchos por diuersos motiuos suelen dexar la tierra donde nascieron
e yrse a ser vezinos en partes estrañas, así lo hizo mi padre seyendo mancebo, e asentó en aquella villa de quien al principio
desta estança dize el verso: "Deseo que la memoria de la villa
Mantuana en la rregión Carpentana sea siempre aumentada." Madrid, según Tholomeo, se llamó antiguamente Mantua, e su asiento
es en la rregión Carpentanea, que según el mismo auctor, Claudio
Tholomeo (y Estrabón e otros cosmógrafos), notan todo aquello
que ay entre la Sierra Morena e las Sierras de Segouia, de desde
la Sierra de Moncayo todo lo que desde allí ay hasta la mar
Océana la vía del poniente e curso del rrío Tago cuya cabeça es
la antiquísima e muy illustre cibdad de Toledo, metropolitana

e silla de los reyes godos. Está Madrid puntualmente en quarenta e vn grados e [espacio en blanco] minutos de la línia del quinocio [sic], o tórrida zona a la parte de nuestro polo ártico. E a doze leguas della, a la parte del sur *vel* mediodía, está la dicha cibdad de Toledo, e a la parte septentrional, catorze leguas de Madrid, está la cibdad de Segouia, e al leuante, o parte oriental, tiene Madrid a seys leguas della la villa de Alcalá de Henares e su general e insinie [sic] vniuerssidad, e quatro leguas más al leste está la cibdad de Guadalajara, e por la parte del ocidente, siete leguas de Madrid, está la villa de Casarruuios del Monte. Suélese dezir vulgarmente que está Madrid cercada de fuego e armada sobre agua. Esta metháphora se dirá con las menos palabras que yo pudiera dar a entender su alegoría. E lo que paresciere fabuloso téngase en ello atención a la medula o sinificación de la verdad e sentido alegórico cierto, e dezirse ha de donde ouo principio lo que al lector le paresciere fabuloso, e verán muy claramente la figura e lo figurado por vna llana e verdadera narración, sin las interpretaciones que los poetas quieren que se vse con lo que piensan ellos encubrir, en especial los que no se entienden (II, est. XXXII, folios 65r-65v).

175. *Agua y fuego de Madrid: sus armas.*

La qual de fuego cercada
sobre agua se fundó.

Huego se saca de las piedras pedernales, como es notorio, e de las tales está cercada e son los muros de la villa de Madrid. A propósito de lo qual dize el testo así: "La qual de fuego cercada sobre agua se fundó." Y desta causa en Castilla, tractando de aquesta villa, suelen dezir "Madrid la osaria, cercada de fuego armada sobre agua". Llámanla osaria porque en su tierra e boscajes se suelen hallar e aver muchos osos, e así tiene aquella rrepública por armas vn escudo blanco *vel* argénteo con vn árbol madroño en la mitad de sinople o verde, e vn oso leuantado o empinado sobrél de sable, la lengua sacada a los madroños de goles *vel* rubios e rroxos. Dízese estar cercada de fuego por la mucha cantería de pedernal que en los muros de aquella villa hay fogosos y en ella fabricados. Dize ser armada o fundada de

agua, porque en muchas partes della el agua está cerca de la
superficie de la tierra e muy someros los pozos, tanto que con
el braço sin cuerda pueden tomar el agua en ellos dentro de la
población. E de fuera, cerca de los muros, hay fuentes naturales
e algunas dellas de muy singular agua para el mantenimiento e
continuo seruicio de los vezinos e todo el pueblo, demás de los
pilares grandes e comunes albercas e caños e abebraderos [sic]
para dar agua a los cauallos e mulas e las otras bestias e ganados
del seruicio cotediano del pueblo, y en abundancia. Así que con
rrazón se mouieron a dezir los antiguos que aquella villa está armada sobre agua, o fundada sobre agua, porque tiene tanta que
dentro del ámbito del muro se rriegan muchas huertas, e de la
que sobra e sale fuera de la circunferencia se rriegan otras muchas
huertas y eredades e alcaceres, en los tiempos conuinientes e en
grande abundancia e fuera de lo poblado con poca industria o
trabajo. Así que muchas fuentes e aguas tiene en sí Madrid muy
buenas e sanas. (II, est. XXXII, folio 65v).

176.   *Ruy González Clauijo y su embajada a Tamorlán: historia
e leyenda.*

Y de aquella salió
aquel noble orador
Clauijo, enbaxador
del rey Enrrique tercero,
del qual era camarero,
y llegó al Tamborlán
del qual su fama nos dan
vna militar noticia
famosa de su milicia
en las partes orientales.

Ora quiero dizir quién fue este cauallero por quien esta segunda rima dize en el testo "Y de aquella villa salió aquel noble
orador Clauijo [351] embaxador, etc." Para inteligencia de lo qual
aveys, lettor, de saber que el rrey don Enrrique 3º de tal nombre

[351] *Clauijo:* su *Historia del Gran Tamorlán* no se imprimió en vida de
Oviedo; la ed. príncipe es la que hizo Gonzalo Argote de Molina (Sevilla,
1582); sobre esta versión de Oviedo, v. Francisco López Estrada, *Embajada
a Tamorlán* (Madrid, 1943), págs. lx-lxx; v. además, *infra* 393.

en Castilla, que también le llamaron el Doliente, e fue padre del
rey don Johan 2º, tuuo en su casa e seruicio vn cauallero que por
su perssona e habilidad e gentil natural le fue muy acepto, que
era natural de Madrid, llamado Ruy Gonçález Clauijo, y era su
camarero, e le embió por su embaxador al Gran Taborlán, del
qual e de su potencia e militar disciplina auía oýdo dezir muchas
cosas, e de sus famosos fechos en las armas. E por se informar de
la verdad acordó de enviar a él por su enbaxador al discreto
camarero suyo [al margen: RVY GONÇÁLEZ CLAUIJO], para
que le viese, porque muchos historiales de aquel tiempo comen-
çauan a escreuir las cosas e memorables fechos de aquel príncipe
infiel. Y por no me detener diré lo que escriuió Paulo Jouio, [352]
Obispo de Nochera, en aquella su rrelación e *Comentario de las
cosas de los turcos,* que dió al Emperador don Carlos nuestro
señor. El qual auctor dize que el Gran Turco Bayazeto, primero
de tal nombre (que fue el 4 Gran Turco), teniendo cercado e en
mucho aprieto a Constantinopla, supo que venía a la Natolia [*sic*]
el Gran Taborlán, señor del Zagatay e de Tartaria de Leuante
hacia los Partos e Sogdianos. Su patria fue Samarcandia, cibdad
en la costa del rrio Jaxarta, el qual conduzió vna innumerable
moltitud de gente de cauallo e de pie (o infantería), e ocupó toda
la Natolia. A causa de lo qual Bayazeto leuantó su exército
de sobre Constantinopla e pasó en Angori, e cerca del monte
Estrella (donde Ponpeo combatió con Mitridate), hizo hecho de
armas con el Tanborlán, e quedó vencido e preso, e atado en
cadenas de oro fue puesto en vna jaola de hierro e lleuado por
toda Asia e Soria [?] hasta que murió e llegó el ýltimo término
de sus miserias. En la qual batalla murieron más de dozientos
mill ombres, la qual fue en tiempo del Papa Bonifacio 9. Para
la fama militar del Gran Taborlán ésta basta e tornemos a nuestra
villa de Madrid de la qual salió aquel noble orador: e llegado
a explicar su embaxada dixo al gran Taborlán muchas grandezas
de la perssona rreal del rrey don Enrrique su señor, e de su
estado real de Castilla. (Aquí entra la fábula común que en este
caso anda entre el vulgo, cuya alegoría adelante se declarará).
Y entre otras cosas le dio noticia de aquella puente que en Castilla ay, sobre la qual pacen muchos millares de ouejas e otros

---

[352] *Paulo Jouio:* v. *supra,* nota 37.

ganados. Lo qual dezía por aquel espacio e leguas quel rrío Guadiana se sume o va debaxo de tierra. También le dixo que avía otra puente de piedra seca muy admirable e alta, sobre la qual embía vna montaña y sierra vn grueso golpe de agua a vna principal cibdad. Esto se entiende por la puente de Segouia, que sin dubda es vn admirable e sumptuoso e espantable edeficio de ver para los ojos humanos. Tanbién le dixo que tenía el rey de Castilla tres vasallos a quien servían más de mill caualleros de espuelas doradas, y estos eran los tres maestres de las órdenes militares, Santiago, Calatraua e Alcántara. Tanbién dixo quel rrey de Castilla tenía vn leon e vn toro que todos los días del mundo ciento e cinquenta vacas e otros tantos o más carneros e puercos [falta algo, probablemente *comían*]. Esto dezía él por las cibdades de Leon e de Toro. Díxole que tenía el rrey, su señor, tres lebreles o canes los más hermosos e prouechosos que podrían ser ni hallarse, porque demas de comerse cada día muchas bestias e animales para los alimentar, la lana [353] desos canes era muy rrica, e se sacauan della mucha quantía e millares de ducados del prescio della para la Cámara Real. Esto dezíalo el embaxador por los Canes de Çorita e Can de Rroa e Can de Muño. Dixo más, que thenía el rey su señor vna villa cercada de fuego e fundada sobre agua. Diziéndolo por Madrid, que como tengo dicho, sus muros son de pedernales fogosos, y en muchas partes della se halla el agua somera e a poco fondo de la superficie e haz de la tierra. E así le dixo otras cosas semejantes, en las quales todas le dixo verdad.

El Gran Taborlán, dize este cuento fabuloso, que thenía vn anillo en vno de sus dedos puesto, hecho por tal arte que quando alguno le dezía mentira, la piedra que en él estaua engastada mudaua la color acostumbrada que tenía antes. E oyendo estas cosas, por la virtud del anillo en que miraua, conosció ser cierto lo quel Clauijo dezía, e estaua muy marauillado conjecturando el poder grande del rey de Castilla e quanto el embaxador le dixo. E porque no pensase que al Tamborlán le faltauan otras joyas que otros príncipes no alcançauan e que eran de más prescio que todo

---

[353] *La lana:* los topónimos nombrados de inmediato aclaran esta alusión (Canes de Zorita, de Roa y de Muño, ahora Muñogrande, Avila), pues estaban sobre cañadas de la Mesta.

lo dicho, le mostró vna mata de rromero, diziendo que la tenía en más que quanto el Clauijo le avía contado, e que era cosa de más estimación que todo lo que avía oýdo. E despreciándolo el Clauijo, rriyéndose, le dixo que con semejante leña calentauan los hornos en su tierra, e así se haze en Madrid. El Tamborlán, descontento del desprecio de su rromero, no quiso dezir las grandes propriedades e virtudes del rromero, pues que en tan poco aquel embaxador le avía tenido. Esta fábula o historia así anda por el mundo entre vulgares, pero lo que se deue colegir por notoria verdad es quel Clauijo fue en la dicha embaxada, e que fue muy onrrado cauallero, e natural e vezino de los principales de Madrid, e principal official en la Casa Rreal, e camarero del rrey don Enrrique 3º. Quiero yo deziros, lettor, que si en mi escojer fuera, tomara antes aquel anillo que daua a entender lo que era verdad o mentira, que no el romero ni todo lo ques dicho. Ni que el anillo de Giges, que le hazía inuesible [sic] como lo escriue Valerio Máximo. [354] Y no le quisiera tanto para mí, como para seruir con él al Emperador don Carlos rrey nuestro señor para que conosciese los que le mienten, porque en poder de su Magestad rresultaría mucho bien a toda España e a sus señoríos e vasallos. Y porque no os parezca tanta admiración este anillo del Gran Taborlán, truxe aquí a memoria esotro que dizen que hazía inuesible al que he dicho. Y si quiéredes saber de otros anillos, que el vno tenía propriedad de hazer oluidar el amor y el otro conseruaua la memoria; éstos dos escriuen que lo hizo Moysés, como ombre que era diestro en l'astrología, para huyr e apartarse de Tarbis Ethiopía, [355] su muger, hija del rey de Ethiopía, e hallarlo heys en la *Historia Escolástica*, donde sobre el *Éxodo*,

---

[354] *Valerio Máximo:* circulaba en castellano desde 1495 la traducción impresa de Ugo de Urríes.

[355] *Ethiopía:* el error parte de una mala interpretación de *Números,* XII, 1: "Locutaque est Maria et Aaron contra Moysen propter uxorem eius Aethiopissam", en que Aethiopissa no es nombre propio sino de nacionalidad, etíope. *Historia Escolástica:* esta enciclopedia biblico-histórico de Petrus Comestor (m. 1179) fue la que indujo el error anterior de Oviedo; no recuerdo trads. castellanas para la época de Oviedo, pero D. Fernando Colón tuvo ejemplar, y se conserva en la Biblioteca Colombina, aunque carente de portada, que al final dice: *Scholastica historia magistri Petri Comestoris* (Estrasburgo, 1503).

capítulo 6, *de vxori Moysi Ethiopisa* lo podés ver. Boluamos a
Madrid (II, est. XXXII, folios 65v-66r).

177. *Las dos Mantuas, la de Virgilio y la de Oviedo.*

> ¡O Madrid, si fuessen tales
> mis versos como tu gloria!
> Mayor seríe mi memoria
> que del otro mantuano,
> yo en metro castellano
> quél en el suyo latino.
> Pero pues acaso vino
> el acuerdo que aquí toco,
> no puede ser sino poco
> lo que yo puedo contar
> de la villa que sin par,
> miradas sus calidades.

Reintegrando la materia, y a manera de esclamación, dize el
testo: "¡O Madrid, si fuessen tales mis versos como tu gloria,
mayor sería mi memoria en el verso castellano que de aquel otro
poeta mantuano, Virgilio, en la lengua latina! etc". Virgilio fue
mantuano, el qual entre los latinos poetas tiene la palma, o a
todos haze ventaja. Yo quise en aquella su patria saber su origen,
y estuue en ella el año de 1499 años, y supe que Virgilio, avnque
él dixo *Mantua me genuit,* [356] no era natural de la misma Mantua
sino de vn aldea de la cibdad de Mantua, pequeña población llamada Ceres. Pero dexemos eso aparte, por mantuano se tiene y yo
conozco que no pueda estar a la par con Virgilio, sino fuesen mis
verssos y estilo ygualmente bastantes a la gloria e valor de nuestra
Mantua Carpentana (agora llamada Madrid), y por ese gran inconuiniente o falta mía, no puedo dezir sino poco en loor de vna
república tan excelente, que no tiene par miradas sus calidades.
E viniendo a descriuir en algunas cosas e partes notables, ellas
mismas son en sí prouables e se dexan entender e gozar a los

---

[356] *Mantua me genu:t:* Tiberio Claudio Donato, *P. Virgilii Maronis
Vita,* atribuyó los siguientes versos a Virgilio, y dijo que estaban inscritos
sobre su tumba: "Mantua me genuit, Calabri rapuere, tenet nunc / Parthe-
nope. Cecini pascua, rura, duces". Seguramente no son de Virgilio; v. *supra,*
notas 142-45.

ojos humanos, y de tanto contentamiento que no cansan la vista
ni hartan, o mejor diziendo no dan pesadumbre ni enojo a quien
las contempla, antes a los naturales agradan y dan mucho gozo,
y a los estrangeros conbidan a se hazer naturales e vezinos de tan
illustre e abundante e sana e fructuosa patria, e conversación
tan loable entre todos y en cada vno de sus géneros de vezinos:
plebeyos, equestres, e patricios, destintos e cada vno e qualquiera dellos e todos juntos en todas buenas costumbres e artes e habilidades muy bastantes e virtuosos e constantes en el seruicio de
Dios e de su rrey, y en sus proprios honores muy vigilantes (II,
est. XXXII, folio 66r).

178. *Calidades de los madrileños.*

> ¡Qué ombres, qué habilidades
> produzes tú de contino!
> Con verdad me determino
> loarte de buena gana.

Verdad es vna virtud inexpunable, y en su fuzia me determiné
loar a Madrid, porque quando la verdad está manifiesta con mucha osadía combate quien de su parte la tiene, e con grande ánimo
e seguridad hablan los ombres en qualquier oportuna materia. Así
que confiado yo de la misma verdad, puedo en este caso dezir que
es Madrid nobilísima, fuerte, fértil e muy sana, tanto que quando
en Castilla ay pestilencia la tierra que primero adolesce no es
Madrid ni su tierra, sino la que a la postre enferma, e la que primero conualesce e sana de qualquier morbo e general contagión
pestilencial, a causa de sus claros horizontes e limpios cielos e
sanos ayres e templada rregión e benignas estrellas. Es habitada
de nobles varones e tales vezinos que dezía la Cathólica rreyna
doña Ysabel quel official o artesano de Madrid, e oficios mecánicos,
biuían tan como ombres de bien que se podían comparar a los
escuderos onrrados e virtuosos de otras cibdades e villas. E los escuderos de Madrid e sus cibdadanos dizíe que eran semejantes a
onrrados e comedidos caualleros de los pueblos principales de
España. E los caualleros e nobles de Madrid a los señores e grandes de Castilla. Porque allí ay siempre muchos caualleros e
hidalgos, patricios y equestres, e artesanos esmerados suficientes

e virtuosos e generalmente toda aquella vezindad esperimentados
en toda gentileza e virtud natural, e comúnmente inclinados a
todo buen exercicio e obra, e dispuestos ánimos e perssonas para
la paz e la guerra quando conuiene, e a todo son ágiles e prontos,
e paresce quel clima e la clemencia superior les es fauorable en
lo que se emplean e se quieren exercitar. Es doctada essa rrepública de mugeres dispuestas e hermosas e bastantes e de tanto
valor que merescen ser consortes de tales maridos, adornadas de
mucha virtud e honestidad. Entre las quales ha auido matronas
e damas señaladas que los rreyes e rreynas passados de España, e
también en nuestro tiempo, las han querido e lleuado a su rreal
casa para ornamento e acompañamiento de sus perssonas reales e
de los hijos infantes e infantas de sus Altezas. De las quales adelante se hará memoria de algunas señoras de las que en mi tiempo yo vi en la Casa Rreal. En la qual nunca han faltado oficiales
principales naturales de Madrid cerca de las perssonas rreales, ni
[falta *en*] su Corte muchos artesanos de oficios mecánicos. Testigo
soy de vista desde el año de 1490 a esta parte, e sabría nombrar
muchos porque los vi e conoscí e me crié en la Casa Real. Y es
notorio que ha muchos años que tal costumbre e posesión tienen
los de Madrid, de seruir a los rreyes de Castilla e sus predecesores
muy bien e lealmente e en officios preheminentes (II, est. XXXII,
folio 66v).

179. *Linajes de Zapata, Mendoza y Luján.*

> Por muy fértil e muy sana
> y de nobles habitada
> y de reyes freqüentada,
> poblada de cortesanos
> y polidos castellanos,
> esforçados, ingeniosos,
> de Zapatas valerosos,
> de Mendoças y Luxanes.

Será bien que vamos destinguiendo e nombrando desta noble
e illustre vezindad algunos caualleros de los que yo vi e conoscí,
pues dize el testo ques Madrid habitada de nobles, e yrá esta
estança prosiguiendo e declarando por sus nombres algunos varones principales e linajes de caualleros de aquella villa. Non

obstante que por sus orígenes la mayor parte dellos vinieron sus predecesores de otras partes a se avezindar allí, a causa de la bondad del proprio asiento y ser frequentada de sus reyes naturales. Y començaré por el linaje de los Çapatas y Luxanes, que por su origen el vno y el otro son aragoneses. Y los primeros caualleros dellos vinieron por oficiales principales de la seteníssima rreyna doña Leonor a Castilla, hermana del rey don Martín de Aragón, muger que fue del rey don Johan primero de tal nombre en Castilla, en la qual ouo al rey don Enrrique 3.º de tal nombre, e al infante don Fernando que ganó a los moros la villa de Antequera e fue después Rey de Aragón. E porque de los que no alcançé de los predecesores destos caualleros no quiero tractar, ni sabría por su mucho número, avnque los nombre, pues no lo vi diré de lo que se me acordare, e puedo testificar vno de los quales y el principal fue JOHAN ÇAPATA [357] EL AYO DEL PRÍNCIPE DON JOHAN, comendador de Hornachos, valiente cauallero por su perssona e esperimentada lança, cuñado del vltimo maestre de la cauallería e orden de Sanctiago, don Alonso de Cárdenas, casado con su hermana doña Costança de Cárdenas (que tanbién la vi) [encerrado en un círculo: DOÑA COSTANÇA DE CÁRDENAS], e fue vna de las matronas e illustres señoras de quien de suso me ofrescí que haría memoria. Porque tal fue ella que meresció muy bien el lugar que se le diere en este illustre catálogo, por las grandes partes e virtudes de que Dios la quiso doctar, cuyos hijos fueron muy gentiles caualleros, y Juan Çapata, su padre, fue tal que por sus méritos y mucho valor fue el primero ayo que tuuo el serenísimo Príncipe don Johan, de gloriosa memoria, e por tan suficiente los rreyes Cathólicos don Fernando e doña Ysabel, que ganaron a Granada, le escogieron entre toda la cauallería de sus rreynos para criar a su vnico hijo. Deste cauallero sucedieron sus hijos y nietos, e vna grande e noble parentela e mayoradgos. El qual linaje antes estaua jubilado e de sus debdos e parientes avía en Madrid otras casas principales e mayoradgos, en que con breuedad passaremos e se dirá lo que a mi

---

[357] *Johan Çapata:* Oviedo le dedicó *Batalla I, Quinquagena III,* diálogo 32; algo de este diálogo inédito, referente a la nobleza de Madrid, en que relucen los mismos apellidos que en las páginas siguientes, está publicado en *Bib. Aut. Esp.,* CXVII, xvi-xvii.

memoria ocurriere. Y avn por la primera deste linaje era tenida, e a quien principalmente acudían como a su cabeça e vando, es la casa de Ruy Sánchez Çapata, hermano mayor del dicho Johan Çapata el Ayo, cuyo hijo fue Johan Çapata el Arriscado, señor de Baraxas y el Alameda, al qual fue hijo y su mayoradgo Pero Çapata el Tuerto, señor de la villa de Baraxas y de la fortaleza del Alameda [al margen: EL CAPITÁN PERO ÇAPATA EL TUERTO, SEÑOR DE BARAXAS E EL ALAMEDA]. El qual seyendo mancebo y valiente cauallero en vna escaramuça en el tiempo en que los reyes Cathólicos don Fernando y doña Ysabel tuuieron cercada la cibdad de Granada, año de 1491 años, le dieron vna saetada con que le quebraron el ojo derecho. E el Rrey y la Rreyna, cuyo criado era desde page, le hizieron merced del hábito de Sanctiago, e le hizieron su capitán de cien ombres de armas en sus guardas ordinarias e su copero mayor de la Rreyna, e le confirmaron la alcaldía de las sacas de Guipúzcoa. E casó con la generosa e hermosa dama doña Teresa de Cárdenas, hija del primero Adelantado de Granada e primero duque de Maqueda don Diego de Cárdenas [al margen, en un círculo: DOÑA TERESA DE CÁRDENAS]. Este cauallero Pero Çapata no tuuo hijos e sucedió en su casa e mayoradgo su sobrino Johan Çapata, que casó con doña María de Cisneros, su prima, hijos de hermanos, sobrina del reuerendísimo Cardenal de España, Arçobispo de Toledo, don Fray Francisco Ximénez de Cisneros, que ganó a Orán en África e fue gouernador de los rreynos de Castilla. Con la qual ouo gran casamiento, e con la erencia del tío Pero Çapata el Tuerto quedó esta casa la mayor en rrenta de los Çapatas, e desta casa pende otra noble sucesión de Juan Çapata e doña María de Cisneros, en que no me detengo.

Pasemos al linaje illustre de Mendoça, en Madrid, donde ay dos mayoradgos. El vno es DON JOHAN HURTADO DE MENDOÇA, [358] SEÑOR DE FRESNO DE TOROTE, el qual es biznieto o hijo de biznieto del muy illustre marqués de Santillana, don Yñigo López de Mendoça, que llaman de los Prouerbios [Al

---

[358] *Don Johan Hurtado de Mendoça:* le ha dedicado un hermoso estudio Dámaso Alonso, "Un poeta madrileñista, latinista y francesista en la mitad del siglo XVI: Don Juan Hurtado de Mendoza", *Dos españoles del Siglo de Oro* (Madrid, 1960), págs. 11-102; v. *infra,* texto 184, nota 396.

margen: EL MARQUÉS DE SANTILLANA DON YÑIGO LÓ-
PEZ DE MENDOÇA]. Al qual no le pongo aquí por vezino de
Madrid, mas por vno de los muy esforçados y excelente varón
para este catálogo de los illustres señores e caualleros famosos
que España tuuo en su tiempo, así por su particular esfuerço e
doctrina militar e valiente lança que fue por su perssona e grand
rresplandor de su alto linaje como por sus letras e ciencia de famoso e cathólico poeta e orador, según por lo que escriuió paresce.
Don Johan Hurtado de Mendoça, señor de Frexno, no tiene tanta
rrenta como él meresce, y es bastante en virtudes y doctrina, e
alto ingenio e docto poeta e orador, e onrroso varón en estos
nuestros tiempos a su patria, de quien tractamos, e avn a toda la
nasción castellana. El otro mayoradgo de Mendoça en Madrid es
DON BERNALDINO DE MENDOÇA, [359] SEÑOR DE LAS VI-
LLAS DE CUBAS E GRIÑÓN, hijo de don Johan de Mendoça,
señor de Beleña, hermano que fue del segundo Duque del Infantadgo. El qual don Johan fue ombre desaprouechado para su
hazienda, pero estas villas ovo don Bernaldino por la erencia e
mayoradgo de su madre doña Beatriz, hija de Pero Núñez de
Toledo, hijo de Alonso Áluarez, Contador Mayor que fue del rrey
don Enrrique 4.

Los Luxanes son en Madrid principales caualleros, e como
tengo dicho son por su origen aragoneses. El principal dellos al
presente es el comendador Hernán Pérez de Luxán, [360] alcayde
que fue de Gaeta en el rreyno de Nápoles, que casó con doña
Catalina Lasa [sic], hija de don Pero Laso de Castilla e de
doña Aldonça de Haro. Su padre deste cauallero fue Pedro
de Luxán el Coxo, maestresala del Rrey Cathólico e cauallero de
la orden de Sanctiago [al margen: PEDRO DE LUXÁN EL

---

[359] Don Bernaldino de Mendoça: v. F. Layna Serrano, Historia de Guadalajara y sus Mendozas en los siglos XV y XVI, II (Madrid, 1942), 219-21.
Don Bernardino nos proporciona excelente ejemplo de esa cualidad bifronte
que caracteriza a tantos sectores de la nobleza española, en particular la
castellana, en la Edad de Oro: por parte de su padre don Bernardino pertenecía al poderosísimo y nobilísimo clan de los Mendoza; por parte de su
madre, don Bernardino era descendiente directo del contador Alonso Álvarez de Toledo, ejemplo de converso ennoblecido, según señala su primo
el Relator Fernán Díaz, v. F. Márquez Villanueva, Investigaciones sobre
Juan Álvarez Gato (Madrid, 1960), págs. 91-92; v. infra, texto 184.
[360] Hernán Pérez de Luxán: v. supra, texto 74.

COXO, MASTRESALA DEL REI CATÓLICO, ALCAIDE DE
GAETA], valiente lança por su persona. E su coxedad fue de vn
tiro de espingarda en vna pierna que le dieron en la continuación
de la guerra del rreyno de Granada, donde muchas vezes se señaló
e le hizo el Rrey alcayde de Muxácar e después de Gaeta, en el
rreyno de Nápoles, que es vna de las más importantes fuerças
de aquel rreyno. E después de sus días tuuo el dicho comendador
Hernán Pérez lo vno e lo otro. El qual Pedro de Luxán ovo en la
muy generosa señora doña Leonor de Ayala, su muger [al margen
en un círculo: DOÑA LEONOR DE AYALA], al dicho comendador Hernán Pérez de Luxán, su mayoradgo, e al muy esforçado
e valiente cauallero el coronel Pierna Gorda, que murió en la
batalla de Rrauena, e a doña María de Luxán, muger de Luys
Núñez, hijo de Pero Núñez de Toledo, mayoradgo e señor de la
fortaleza de Villafranca de Guadarrama e Casas Buenas, e otros
eredamientos. Eredó asimismo Hernán Pérez de Luxán la casa
de su abuelo Johan de Luxán el Bueno [al margen: JOHAN DE
LUXÁN EL BUENO ASÍ LLAMADO POR EXCELENCIA.], así
llamado porque en la verdad fue muy buen cauallero e complido
de bondad, e porque en vn mismo tiempo concurrieron tres caualleros vezinos de aquella villa e de vn mismo nombre. El vno era
éste, y el principal, que llamaron Juan de Luxán el Bueno, que
biuía a par de la yglesia de Sancto Andrés; e el otro era su hermano bastardo, que biuía en el arraual en la plaça del Mercado, y
el tercero era Johan su primo, cauallero de la orden de Santiago,
que llamauan el de Elche, porque era gouernador por el Comendador de León, don Gutierre de Cárdenas, de sus villas de Elche
e Clemillén y Azpe en el reyno de Valencia. Fue casado el dicho
Johan de Luxán el Bueno con la generosa y muy valerosa matrona
doña María de Luzón [al margen: DOÑA MARÍA DE LVZÓN],
en la qual ovo estos hijos: Pedro de Luxán el Coxo, susodicho;
Francisco de Luxán, cauallero de la dicha orden de Sanctiago,
cauallerizo mayor de la archiduquesa reyna doña Johana nuestra
señora quando pasó a Flandes a se casar; el doctor Rodrigo de
Luxán del Consejo del Rey Cathólico (que murió en Nápoles); el
lizenciado Luxán, cauallero asimismo de Sanctiago, del Consejo
de las Órdenes y del consejo de la Emperatriz nuestra señora que
en gloria está; Aluaro de Luxán que murió mancebo siruiendo a

la Rreyna Princesa de Portugal, hija mayor de los Reyes Cathólicos, cuyo mastresala e mayordomo mayor fue el dicho Johan de
Luxán el Bueno. E en su acompañamiento e seruicio de la dicha
Rreyna Princesa estuuo siempre doña María de Luzón por ser
tan sabia e noble matrona, hasta que la dicha Rreyna Princesa
de Portugal murió en Çaragoça de Aragón del parto del príncipe
don Miguel, año de 1498 años. Fue muy estimado don Johan de
Luxán por su bondat e ser muy sabio cauallero e de gran confiança. E quando en Barcelona el año de 1492 hirió el traydor de
Johan de Cañamares al Rrey Cathólico, porque se supiese que si
en aquella trayción avía otros culpados, y no le matasen con hier-
bas en la cárcel, estaua con el malhechor vn cauallero de parte
de la cibdad de Barcelona e de parte de la Cathólica Rreyna e de
Castilla estuuo siempre Johan de Luxán, hasta que de aquel traydor se hizo la justicia quél meresció. Otros caualleros deste linaje
muy onrrados ha avido e ay en Madrid (II, est. XXXII, folios
66v-67v).

180. *Los Vargas de Madrid.*

Los Vargas son gauilanes.

Tiénese por costumbre dezir en Castilla "Es hidalgo como vn
gauilán", que no ay más que dezir ni encarescer para llamar o
intitular a vno de limpia sangre. Esta opinión viene de vna fábvla
o testimonio que leuantan al gauilán de vn comedimiento e gentileza natural que le atribuyen las lenguas de los caçadores. Y esta
opinión o fábula así anda por el vulgo, y dizen que el gauilán
en invierno el páxaro que toma cerca de la noche le guarda
biuo entre sus manos, e se calienta con él la noche e a la mañana
le suelta sin daño alguno, e mira hazia donde va huyendo e por
no le topar después el gauilán se va a caçar hazia otra parte. Esto
créalo quién quisiere, que yo ni lo creo ni lo he experimentado,
ni he visto escripto auctor que tenga crédito que tal diga. Pero
sé y he visto vn común consenso que no deue ser totalmente
desechado, e se guarda en honor de la nobleza e hidalguía del
gauilán, que tos [*sic* por *todos*] los que traen halcones a vender
no pagan portado ni derechos algunos si traen con ellos vn gauilán. Y si el gauilán se muere, sálanle, e avnque venga muerto son

francos los halcones. Esto se guarda e de aquí deue nascer la hidalguía que a esta aue le atribuyen. En fin, conformándose el testo con la opinión de la hidalguía del gauilán: "Los Vargas son gauilanes." Y en la verdad ha auido dese linaje caualleros famosos e muy dados al arte militar e de lindos pensamientos e amigos de honor. Pero dexemos los antiguos Vargas e Machucas (que todo es vn linage); hablemos en los VARGAS SOLARIEGOS DE MADRID. Son tre [sic por entre] los nobles de aquella villa los que más antigüedad en ella tienen. Yo conoscí a Johan de Vargas el Viejo, padre de Diego de Vargas el de la Capilla, y por vna capilla que hizo en la yglesia de Sanct Pedro, su perrochia [sic] en Madrid, la qual es tal que al presente muchas mejores e mas sumptuosas [falta el verbo hay], pero estonces era de las principales, e por ella el vulgo le llamó de la Capilla. Deste cauallero fue hermano Yván de Vargas, y éstos y los que de ellos penden son los principales deste linaje e apellido de Vargas en Madrid quanto a su antigüedad e nobleza. Éste de la Capilla touo vn hijo que murió mancebo e quatro hijas que casaron con ombres hijosdalgo las tres e la vna me dizen que fue monja. El Yuan de Vargas tuuo dos hijos e otros tres o quatro hijas. El mayor dellos se llamó Pedro de Vargas, y el segundo se dixo Martín de Vargas, al qual por su sancto fin le podemos llamar mártir de Jhesuchristo, del qual se deue gloriar e presciar su patria [al margen: EL BIENAVENTURADO CAPITÁN E MÁRTIR SANCTO MARTÍN DE VARGAS]. Este cauallero seyendo mancebo e de lindos deseos de quien él era, e seyendo capitán de infantería e veedor del Rrey en África de la gente de guerra española, se halló en el Peñón de Vélez [361] defendiéndole con otros christianos contra vna poderosa armada de infieles turcos e moros, y peleó tan valientemente quando Barbaroxa, rey de Alger e capitán general del Gran Turco, tomó aquella fuerça, que aquel príncipe rrenegado le quedó muy aficionado por su esfuerço e grande ánimo. E teniéndolo preso e con algunas heridas, e presos otros tres o quatro capitanes, el Barbarroxa, mediante vn intérprete, le hizo dezir que rrenegase la fe de Christo e la ley de los christianos, e que le daría vna hija suya por muger e vn castillo e vasallos, e le haría gran señor, e

---

[361] Peñón de Vélez: v. supra, nota 191.

quél consejase a los otros capitanes que rrenegasen asimismo, e se
tornasen moros, e que los mandaría curar, e que a todos haría
grandes mercedes. E que si no lo hiziesen que supiesen que los
haría matar luego con muy crudas muertes. Martín de Vargas
respondió que nunca plugiese a Jhesuchristo que por temor de la
muerte corporal en tal negación consintiese, ni negase a quien
le avía rredimido e padescido muerte por él, ni negase a su pres-
ciosa Madre la gloriosa Virgen Sancta María, e boluió la cara a
los otros capitanes, e díxoles: "Señores e amigos, muramos como
caualleros de Jhesuchristo, que presto seremos con Él en su gloria." E dicho esto boluió la cabeça hazia aquel cruel infiel Barbaroxa, e díxole: "Nunca vos verés que Martín de Vargas niegue
a su Dios, ni su sagrada e sancta fe cathólica, por complazer vn
perro infiel como vos, enemigo del nombre christiano." De lo qual
enojado Barbaroxa mandó que miembro por miembro fuese
deshecho e martirizado a vista de los otros christianos. E Martín
de Vargas estuuo tan firme e constante por la gracia de Dios e su
martirio que, viéndose despedaçar, daua gracias a nuestro Señor,
e predicaua la fe e esforçaua a los compañeros para que muriesen
en ella E así fue desmembrado e partido su cuerpo en muchas
partes, e dio el ánima a Dios, al qual plugo por Su misericordia
dar tanto ánimo a los demás que murieron todos por la fe, e así
es de creer que están en la gloria eterna. Mucha razón tiene
Madrid, e avn toda la vniuersal Yglesia, de alegrarse con tan buen
fin como el que hizo este cauallero e los mártires que con él
padescieron, según es dicho. Doña Beatriz de Vargas, hermana
deste cauallero, casó en Seuilla con vn cauallero de casa del muy
illustre Duque de Arcos, llamado [espacio en blanco] Pinelo. E
otra su hermana llamada doña [espacio en blanco] de Vargas,
casó con [espacio en blanco] del Castillo, secretario del Consejo
Rreal de Castilla, al qual le quedó la casa de su suegro Yuan de
Vargas. Otros Vargas buenos cualleros ha auido e ay en la buena
villa de Madrid, de donde fue natural e vezino el lizenciado
Francisco de Vargas, [362] thesorero general e del Consejo Rreal de

---

[362] *Francisco de Vargas:* de él se dijo "Averíguelo Vargas", dicho atri-
buido a la Reina Católica, en una de sus versiones, v. José M. Iribarren, *El
porqué de los dichos* (Madrid, 1962), págs. 36-37; v. además la comedia de
Tirso de Molina, *Averígüelo Vargas, Bib. Aut. Esp.,* V.

los Rreyes Cathólicos, e después lo fue del Emperador don Carlos nuestro señor, el qual fue casado con vna señora de Plazencia, llamada doña Ynés de Caruajal, generosa e de mucho valor, en la qual ouo a su hijo el mayoradgo Diego de Vargas el qual quedó muy eredado, e es el que más tiene de los Vargas en Madrid. E asimismo fue hijo del lizenciado de Vargas don Gutierre, el Obispo de Plazencia, [363] e otros hijos e hijas touo el licenziado de que no tengo memoria. El mayoradgo Diego de Vargas casó con la generosa señora doña [espacio en blanco] de Cabrera, parienta cercana de la muy illustre señora Condesa de Módica, muger del muy illustre señor Almirante de Castilla, don Fadrique Enrríquez, [364] 2º de tal nombre. Fue hermano del dicho licenziado de Vargas, Diego de Vargas el Coxo, rregidor de Madrid, que casó con la muy magnífica señora doña Costança de Biuero [en medio de la página en círculo: DOÑA COSTANÇA DE BIVERO], cuyo hijo mayor fue Francisco de Vargas, teniente de alcayde de los alcázares de Madrid e rregidor de aquella villa. Esta onrrada matrona fue tal e de tan buen exemplo que después que estuuo biuda la quiso thener cerca de su real perssona e para su acompañamiento, la reyna Cathólica doña Ysabel. Pero pues está mouida la materia de los de Vargas, no es razón que dexemos de poner en este catálago [sic] los más famosos Vargas que ha avido y de quien los dese linaje se prescian e intitulan e hazen el primero dellos [al margen: GARCI PÉREZ DE VARGAS], que fue vn muy notable cauallero del qval y de su mucho esfuerço escriuen muchas cosas en su loor, que como valiente cauallero hizo en tiempo del rey don Fernando 3º de tal nombre, que ganó a Seuilla y Córdoua. La corónica del qual Rrey haze mucha memoria deste cauallero, y avn *Valerio de las historias escolásticas* [365] no le oluida, porque muchos dezían ser en su tiempo vno de los caualleros que mejor mandauan la lança. E pues os digo, lettor, donde

---

[363] *Obispo de Plazencia:* Don Gutierre de Vargas y Carvajal sobrevivió a Oviedo, pues fue Obispo de Plasencia de 1524 a su muerte el 27 de abril 1559.

[364] *Don Fadrique Enrríquez:* v. *supra,* nota 6; sobre su mujer, Doña Ana de Cabrera, Condesa de Módica, v. *infra, Quinquagena III,* texto 220.

[365] *Valerio de las historias escolásticas:* tratado de historia bíblica y en particular española compuesto por Diego Rodríguez de Almela, e impreso por primera vez en Murcia, 1487.

hallarés cosas memorables que hizo, no ay razón para que yo oluide algunos de sus memorables fechos de armas porque no me culpen los deste claro e noble linaje. El segundo e claro varón desta prosapia que por sus grandes fechos le mudaron el nombre de Vargas e de aý adelante se dixo él y sus sucesores Machuca, fue de Diego Pérez de Vargas [al margen: DIEGO PÉREZ MACHVCA] porque en tiempo del rey don Fernando 3º hallándose en vna batalla contra moros quebró la lança e la espada e vna porra, e no teniendo con qué herir a los enemigos se allegó a vn oliuo e quebró vn rramo dél, e quedóle vn sepillo [sic] a manera de porra en lo baxo de aquel lleno [?] o troncón, e boluió a la batalla e començó a dar tales golpes en los infieles que al que daua no avía menester más para morir. E el conde don Áluar Pérez, con gran plazer que dello avía de ver las porradas que daua, en dando el golpe le dezía: "Así, Diego, así, machuca, machuca". Y aqueste nombre vnieron después todos los de su linaje como más largamente lo escriue *Valerio de las Historias Escolásticas*. Pero las armas de Vargas e Machuca vnas mismas son, de ondas blancas e azules el escudo lleno, pero los timbres diferentes, porque los sucesores de Garci Pérez de Vargas traen vn braço armado con vna espada, e los sucesores de Diego Pérez Machuca traen vn braço con vn tronco o rramo de oliuo de la manera ya dicho. En Madrid ay caualleros destos Vargas, como he dicho, e en Estremadura buenos caualleros e casas de mayoradgos, y en otras partes de Castilla donde biuen caualleros e hidalgos del nombre de Vargas (II, est. XXXII, folios 67v-68r).

181.   *Los Castilla, de sangre real.*

Y el linaje de Castilla.

El linaje de Castilla es de la sangre rreal, e toma su origen en el rrey don Pedro el Cruel. Deste apellido de Castilla ay dos linajes, e traen diferenciadas armas rreales en sus escudos. Este rrey don Pedro está enterrado en Madrid en el monasterio llamado Santo Domingo el Real, de monjas dominicas. Los caualleros que yo allí conoscí deste linaje diré, y primeramente al notable cauallero DON PEDRO DE CASTILLA, e a la illustre señora doña Catalina Laso de Mendoça, su muger, que primero fue Condesa

de Medina Celi, e muger de don Luys de la Cerda, conde de
Medina Celi, que después fue el primero que de aquella casa
tomó título de Duque. [366] E ouo diuorcios entrellos, e ella se casó
con el dicho don Pedro de Castilla, hermano que fue de don Sancho de Castilla, señor de Herrrera de Val de Cañas, ayo segundo
del serenísimo Príncipe don Johan, después que murió su primero
ayo Johan Çapata [al margen: LA CONDESA DOÑA CATALINA
LASA sic DE LA VEGA Y MENDOÇA]. E fueron asimismo
hermanos del dicho don Pedro, don Alonso de Castilla, señor de
Villavaquerín, e doña Aldonça de Castilla, muger de Rodrigo
de Vlloa, Contador Mayor de Castilla de los rreyes Cathólicos don
Fernando e doña Ysabel. Los quales fueron hijos de don Pedro
de Castilla, Obispo de Palencia, nieto del dicho rrey don Pedro el
Cruel. [367] Este don Pedro de Castilla biuió en Madrid, e ouo en
la dicha su muger a su hijo e mayoradgo don Pero Lasso de Castilla, que casó con doña Aldonça de Haro, hija de don Diego
López de Haro y de doña [espacio en blanco] Méndez de Sotto-
mayor. Fue hija del dicho don Pedro de Castilla doña Juana de
Castilla que fue muger de Garci López de Cárdenas, nieto e
sucesor en la casa de Johan Çapata el Ayo. Tuuo otra hija el
dicho don Pedro de Castilla que se llamó doña Ana de Castilla,
que fue muger de don Gutierre de Monrroy, señor de Monrroy, en
la qual ouo vn hijo que sucedió en su casa, e después ouo diuorcio
entrellos, e casó la dicha doña Ana de Castilla con don Rodrigo
Manrrique, hermano de don Alonso Manrrique, [368] Cardenal e
Arçobispo de Seuilla, hijos del muy illustre señor DON RODRI-
QUE MANRRIQUE, CONDE DE PAREDES, MAESTRE DE

---

[366] *Título de duque:* por creación de los Reyes Católicos, a 31 de octubre de 1479; v. *infra*, nota 522.

[367] *Don Pedro el Cruel:* los conocimientos genealógicos de Oviedo, son,
como ya he dicho, de linajista profesional; comparar su genealogía de los
Castilla con la moderna y muy bien documentada que trae el P. Fidel Fita,
"Don Luis de Velasco y Castilla, Virrey de México y del Perú", *BRAH*,
XLVI (1905), 499-508. Oviedo les dedicó *Batalla I, Quinquagena III*, diálogo
33, "De los Castillas", que no he podido encontrar.

[368] *Don Alonso Manrrique:* fue también Inquisidor General, y hermano
del poeta Jorge Manrique; a la vista de estos datos, perfectamente exactos,
hay que corregir todas las lucubraciones genealógicas de Antonio Serrano
de Haro, *Personalidad y destino de Jorge Manrique* (Madrid, 1966), cap. II;
v. *infra*, nota 583.

SANCTIAGO, valentísimo cauallero e mortal lança contra los infieles moros del rreyno de Granada, e por tanto muy dino deste famoso catálogo de los caualleros famosos de España, antiguos o moderos [*sic*] e más esperimentados en el arte militar.

El don Pero Laso de Castilla quedó en su casa e mayoradgo en Madrid e ouo en doña Aldonça de Haro, su muger, dos hijos y muchas hijas. El mayoradgo suyo fue don Luys Laso de Castilla que casó con doña Francisca de Silua, hija del primero marqués de Cañete don Diego Hurtado de Mendoça e de su muger doña Ysabel de Bouadilla, hija de los primeros Marqueses de Moya. El segundo hijo de don Pero Laso de Castilla fue don Pero Laso de Castilla, que casó en el rreyno de Bohemia y es al presente cauallerizo mayor del serenísimo señor Infante de Castilla don Fernando, rey de Rromanos e Vngría e Bohemia, hermano del Emperador nuestro señor. Las dos hijas de don Pero Laso de Castilla e doña Aldonça de Haro fueron doña Catalina Laso, que casó con el Comendador don Hernán Pérez de Luxán, dél se tractó de suso, e la segunda fue doña Teresa de Haro, muger que fue del comendador Hernán Rramírez Galindo. Otras hijas tuuieron don Pero Laso e doña Aldonça que siendo de poca edad las metieron monjas en el monasterio de Santo Domingo el Rreal de Madrid. El don Luys Laso, por conplazer a su muger doña Francisca de Silua, vendió su casa principal de Madrid a don Gutierre de Vargas, Obispo de Plazencia, e fuese a biuir a Toledo.

Ay en Madrid otro cauallero calificado y muy estimado méritamente por su valerosa persona, cauallero de la orden de Sanctiago, e ombre de mucho esfuerço, e que nunca negó su perssona a ningún trauajo militar e de muy lindas habilidades de cauallero, llamado DON JOHAN DE CASTILLA, hijo de don Alonso de Castilla que tengo dicho que fue señor de Villavaquerín, e fue vezino de Valladolid, cuyos hijos fueron don Pedro, don Diego, don Alonso, Obispo de Calahorra, y este don Johan, vezino de Madrid, don Phelipe, sacristán mayor del Emperador nuestro señor e después Deán de Toledo, e don Francisco de Castilla, excelente poeta [369] en verso castellano. Todos los quales fueron muy

---

[369] *Excelente poeta:* su *Theórica de virtudes en coplas de arte humilde con comento. Práctica de las virtudes de los buenos reyes de España en coplas de arte mayor* (Murcia, 1518) tuvo varias reediciones en el siglo XVI,

gentiles caualleros, pero el que haze aquí al caso por nuestro
vezino de Madrid es don Johan de Castilla, el qual desde muchacho paje se crio en seruicio del serenísimo Príncipe don Johan, mi
señor, e le fue muy acepto por sus buenas e gentiles habilidades.
E desque fue de edad fue valiente cauallero de su persona, e
exercitado en las armas, e se halló en defensa de la fortaleça de
Salsas, quando la defendió el capitán don Sancho de Castilla su
primo, contra franceses. E tanbién se halló don Johan de Castilla
en la defensa de Pamplona, quando la cercó el rrey don Johan de
Nauarra, que perdió aquel rreyno por cismático. El qual don
Johan casó en Madrid con doña María de Cárdenas [al margen:
DOÑA MARÍA DE CÁRDENAS], nieta de Johan Çapata el Ayo,
e de doña Costança de Cárdenas. La qual doña María fue dama
de la Cathólica rreyna doña Ysabel, e después fue a Portugal
dama de la serenísima rreyna doña María, madre de la Emperatriz de gloriosa memoria. En la qual doña María de Cárdenas
ovo don Juan de Castilla, su marido, a don Alonso de Castilla, que
murió mancebo, e dos hijas: doña Johana e doña María. La doña
Johana casó en Soria con don Jorge de Beteta, e la doña María
de Castilla fue dama de la Emperatriz e casó con don Diego de
la Cueua, hermano del 3º duque de Alburquerque don Beltrán
de la Cueua, e muerta doña María de Cárdenas, casó segunda
vez don Johan de Castilla con doña Catalina de Mendoça [al
margen: DOÑA CATALINA DE MENDOÇA], hija de don Johan
de Mendoça, señor de Beleña, e de doña Beatriz Destúñiga. En
la qual su segunda muger ovo hijos el dicho don Juan de Castilla
que son buenos caualleros. Pero porque la muerte de su muger
primera, doña María de Cárdenas, fue notable e para aver lástima
della, dezirlo he con breuedad porque sea aviso a los que esto
leyeren. Estaua don Johan de Castilla ausente de su casa e ado-
lesció su muger, e teniéndola por muerta [370] enterráronla en vn

---

pero ninguna moderna, aunque sí hay brevísima muestra de su *Teórica* en
Bib. Aut. Esp., XXXV, 251-52.

[370] *Teniéndola por muerta:* el triste caso fue seguramente histórico, pues
con menos detalles, aunque con identidad de nombres y circunstancias lo
narra dos veces don Luis Zapata, *Miscelánea, MHE*, XI (Madrid, 1859),
82-83 y 409; Zapata escribe hacia fines del siglo XVI y no conoce a Oviedo.
Pero en la inmensa mayoría de los casos, la *muerta viva* es tópico literario
pan-europeo, v. H. Hauvette, *La "morte vivante". Etude de littérature*

monesterio de monjas de Santo Domingo el Rreal, ques extramuros de aquella villa donde tienen estos caualleros de Castilla vna capilla e su enterramiento. E en la capilla mayor está enterrado el rrey don Pedro e vn hijo suyo llamado don Johan, que fue padre de Don Pedro de Castilla, Obispo de Palencia, de quien descienden estos caualleros de Castilla de quien aquí se tracta. Metida amortajada en vn ataúd doña María de Cárdenas, e puesta en la mitad de la bóueda de la capilla, esa noche siguiente, leuantadas las monjas a maytines, hoýan bozes flacas e aquexados gemidos, e no sabían de dónde eran dados, puesto que aquella capilla no estaua treinta pasos del coro baxo de las monjas. Estas bozes o clamores les puso mucho espanto, sospechando que era alguna ánima de difunto que les pedía socorro, y esto turó aquella noche o más, e después cesó, que no lo oyeron. Auiendo todo aquel deuoto conuento fecho mucha oración a nuestro Señor, e desde a tres meses o más ovo nescesidad de se abrir aquella bóueda para meter otro cuerpo del linaje, e como quitaron la losa o atapamiento de la boca de la cueua de su capilla, hallaron a la pecadora doña María de Cárdenas fuera del ataúd puesta cerca de la entrada o boca de la bóueda, amortajada e muerta. De que se coligió, e touieron por cierto, que la enterraron biua. He puesto aquí esto para aviso e acuerdo que no se deue dar tanta prisa al defunto para le sepultar, sin estar muy certificados que el enfermo está ya muerto, e que es tiempo de lleuarle a la sepultura. Después que esto avíe passado, estuue yo en Madrid e me certifiqué de lo que es dicho, y el mismo don Johan era ya casado la segunda vez y él me dixo que avía acontescido como lo tengo aquí dicho. Fue esta señora muy gentil dama, e muy sabia e graciosa, e muy atauiada e de mucha estimación. E porque vno de los ornamentos de las calidades e buenas partes que Madrid ha thenido han seydo las generosas e valerosas mugeres, sus naturales, para el catálogo e onrroso número dellas porné como hasta aquí lo he hecho algunas matronas e biudas e casadas, e tanbién haré expresa mención de las damas que ovo en la Casa Rreal al tiempo de la Católica rreyna doña Ysabel, e de sus hijas e nietas, las quales yo vi e

---

comparée (París, 1933), y N. Glendinning, "The Traditional Story of *La difunta pleiteada*, Cadalso's *Noches lúgubres*, and the Romantics", *BHS*, XXXVIII (1961), 206-15.

conoscí que fueron naturales de Madrid. Y desde el tiempo que yo me acuerdo hasta agora no se hallarán de ninguna población de España tantas damas en la Casa Rreal como de sola aquella villa, digo, nascidas en vna cibdad o villa. Passemos adelante, que en este caso no tiene Madrid ygual competencia, porque si la touiera yo lo ouiera visto e sabido por vista de ojos, y por tanto es vnica en esta particularidad (II, est. XXXII, folios 68r-69r).

182. *Otros linajes madrileños: Coalla, Luzón, Quintanilla.*

Qualla, Luzón, Quintanilla.

Prosigue el testo e pone otros linajes de caualleros de Madrid, mayoradgos, de los quales con breuedad diré lo que se me acordare para la satifación [*sic*] de aquella villa e de sus naturales. Porque no se pueda dezir que tuue más cuenta ni parcial más con vnos que con otros, digo, de los que allí son principales e tenidos por patricios e del braço de los nobles, e si oluidare algunos será por se aver venido a biuir a Madrid, o averse avmentado sus casas, desde el año de 1513 años que yo salí de allí para venir a estas Indias.

Los de Qualla [371] que allí yo he visto fueron el contador Gonçalo Fernández de Qualla, el qual por sus predecesores son naturales del principado de Asturias de Ouiedo, hijosdalgo notorios, cuyo solar conoscido es la Torre de Qualla en el concejo de Grado. El qual se casó con doña [espacio en blanco] de Córdoua e Bozmediano, e ouo en ella estos hijos e hijas: el licenziado Juan de Qualla, que murió mancebo, e estaua tan adelante en las letras que se le diera lugar de mano de los Reyes Cathólicos por su persona e porque su padre era criado antiguo e contador en la casa e hazienda real. Y el segundo hijo fue paje desde muchacho del Rey Cathólico, e de gentil habilidad, que se llamó FRANCISCO DE QVALLA, ALCAYDE DE COMARES, regidor de la cibdad de Málaga, que casó con doña Leonor Osorio hija del

---

[371] *Qualla:* el nombre de este linaje asturiano se escribe Coalla. La gran mayoría de las noticias que sobre los Coalla da Oviedo las confirman A. y A. García Carraffa, *Diccionario Heráldico y Genealógico de apellidos españoles y americanos*, XXVII, 23-24.

capitán don Cristóual Mosquera, en la qual ouo a Gonçalo Fernández de Qualla, que tanbién fue regidor de Málaga, e a Gabriel de Qualla, alcayde de Cedella. E salió muy ombre e buen cauallero por su lança el dicho Francisco de Qualla, e en cierto fecho de armas en quel Rrey se halló, e avn salió a más que de paso, se le cansó el cauallo, e el Francisco de Qualla le dio el suyo, de que se tuuo por muy seruido, porque fue a tiempo que le ovo bien menester; después quando se ganó Comares, se la dio el Rrey en tenencia, donde le siruió muy bien todo el tiempo que turó la guerra del rreyno de Granada, en donde fue su lança muy estimada por su esfuerço, y él meresce muy bien entrar en este número de los valientes caualleros de nuestra nasción. Tuuo Gonçalo Fernández el Viejo otro hijo, buen cauallero, llamado Suero de Qualla, alcayde de Moya, que casó tres vezes, e la primera muger se llamó doña María Delgadillo, en la qual ovo dos hijas llamadas doña Catalina e doña Ana de Qualla. La segunda muger de Suero de Qualla se llamó doña Leonor Osorio e nunca parió. E después que fue muerta se casó Suero de Qualla la 3ª vez en Cuenca con vna doncella rrica llamada doña [espacio en blanco] de Ortega, e con vn hermano suyo, dicho Juan de Ortega, casó doña Catalina de Qualla, hija del dicho Suero de Qualla, e la otra hija doña Ana de Qualla casó con otro rrico, no sé quién fue. El quarto hijo del contador Gonçalo Fernández, fue el licenciado Rrodrigo de Qualla, en quien quedó esta casa e mayoradgo. El quinto hijo del contador Gonçalo Fernández fue Hernando de Qualla, arcipreste de Madrid. Tuuo dos hijas el dicho Gonçalo Fernández el Viejo, la vna se llamó doña Teresa de Qualla, que casó con Briones en Córdoua que thenía la tenencia de Castro del Rrío, criado e acepto al rrey don Enrrique 4º; e la segunda hija de don Gonçalo Fernández de Qualla fue doña Catalina de Qualla, que casó con Juan del Lago, cauallero de Toledo, e biuía en El Viso. El qual ovo en la dicha doña Catalina de Qualla a doña María del Lago, que casó con Francisco de Vargas, rregidor de Madrid e alcayde del alcáçar. E tuuo el dicho Juan del Lago en la dicha doña Catalina su muger, vn hijo que se llamó Gonçalo Fernández del Lago, [372] e vino a éstas nuestras Indias por capitán

---

[372] *Gonçalo Fernández del Lago:* le recuerda Oviedo en la *Historia general,* IX, xii ("deudo mío … que al presente vive"), XXIX, i y XXIX, vi.

de ciertos nouicios, e lo que hizo fue gastar e comerse lo que truxo, e tornarse a España acompañado e casado con vna criada suya. Al padre déste, llamado Juan del Lago, le mató Pedro de Losada, acemilero mayor del Rrey que fue rregidor de Madrid. El licenziado Rodrigo de Qualla, en quien esta casa quedó, fue vno de los del Consejo Real de Castilla, e casó en Medina del Campo con doña Ysabel de Quintanilla, hija de Alonso de Quintanilla el Viejo e de doña Aldara de Ludeña, asturianos, e la principal casa de rrenta que hay en Medina, cuyo mayoradgo fue el comendador Luys de Quintanilla, [373] que casó dos vezes, la primera con la muy hermosa dama doña Catalina de Valencia, dama de la rreyna Cathalina doña Ysabel [*sic:* desliz de la pluma de Oviedo que repitió el nombre Catalina. La reina era doña Isabel], en quien ovo a su hijo mayoradgo, Alonso de Quintanilla, que fue vno de los diestros caualleros que en su tiempo ovo en España en toda manera de armas, y escriuió muy bien en ello; e ouo a Cristóbal de Quintanilla, criado de la Magestad del Rrey de los Rromanos, que murió como cauallero en la batalla de Pauía, donde fue preso el rey Francisco de Francia. E ouo el dicho comendador Luys de Quintanilla, en la dicha su primera muger, a Johan de Quintanilla que fue clérigo, e le quedó de comer por la Yglesia; e ovo más a doña [espacio en blanco] de Quintanilla, que fue muger del comendador Diego de Rribera. E casó segunda vez el comendador Luys de Quintanilla en Madrid con vna gentil dama de la rreyna doña María de Portugal, llamada DOÑA CATALINA DE FIGUEROA, hija de Lope Çapata, comendador que fue de Medina de las Torres, e casa de mayorado [*sic* por *mayorazgo*] en Madrid, e ovo en ella el dicho Quintanilla dos o tres hijas con las quales se vino a biuir a Madrid entre sus parientes, después que enbiudó. Casó el licenziado Rrodrigo de Qualla, en quien esta casa de Qualla quedó, con doña Ysabel de Quintanilla, hija menor del dicho Alonso de Quintanilla el Viejo e de doña Aldara de Ludeña, e rrenunció la Contaduría Mayor de Cuentas

---

Es evidente que en las *Quinquagenas* Oviedo no le recuerda con mucho afecto.

[373] *Comendador Luys de Quintanilla:* tuvo problemas cuando las Comunidades que no menciona Oviedo, v. Danvila, *Comunidades, MHE*, XXXV, 471, 523 y XXXIX, 650-51.

de Castilla en el dicho licenziado Rrodrigo de Qualla, su yerno. E ovo vn hijo en la dicha doña Ysabel que se llamó Gonçalo Fernández de Qualla, como su abuelo, el qual salió de muy gentil dispusición e de grandes partes e habilidades de caualleros, al qual le dió el Rey Cathólico el hábito de Sanctiago, e estuuo muy en gracia del Emperador nuestro señor después e fue su Contador Mayor de Cuentas, como el padre, e casó en el Espinar de Segouia con vna donzella muy rrica e hijodalgo llamada doña Elvira de Mucharaz, en la qual ovo vn hijo llamo [*sic* por *llamado*] Augustín de Qualla, que fue paje del serenísimo príncipe Felipe nuestro señor, e seyendo muy muchacho le lleuó Dios el padre y el abuelo, que no biuió el licenziado sino pocos días muerto su hijo Gonçalo Fernández, e vacó la Contaduría Mayor de Cuentas de la Hazienda Rreal, que es vn oficio de los principales e más preheminentes que ay en la Casa Rreal de Castilla, e el Emperador hizo merced dél a don Juan Manrique, hermano del Duque de Nájara [*sic*]. E ýuase el Emperador en esa sazón de España, e doña Ysabel de Quintanilla fue tras el Emperador hasta Barcelona, la qual le dixo que aquel oficio su padre Alonso de Quintanilla se le dio al licenziado su marido en casamiento con ella e que su padre, e su marido, e su hijo lo avían seruido muy bien más de 70 años, porque su padre Alonso de Quintanilla tuuo aquel oficio desde en tiempo del rrey don Enrrique 4º, e que su Magestad no deuía quitar el oficio a su nieto, que era hijo e nieto e visnieto de criados antiguos e leales a su Rreal Casa e seruicio. E deste thenor a su propósito dixo e habló tan bien que, junto con la buena voluntad que la Emperatriz tenía a DOÑA YSABEL DE QVINTANILLA, le fueron dados tantos millares de ducados de oro que ella quedó satisfecha e el don Juan Manrrique quedó con el oficio. E desde a poco tiempo que pasó esto, murió el Augustín de Qualla, e quedó esta señora e su casa tempestando por falta de erederos e sucesores como ella los quisiera. Pero como buena e generosa matrona christiana, e grata a su marido, quiso que su dote e lo multiplicado entrella e su marido quedase junto en la casa e mayoradgo de Qualla e Quintanilla en Madrid. E tractáuase entre ella e su cuñada, la susodicha doña Catalina de Figueroa, muger segunda que fue de su hermano el comendador Luys de Quintanilla, que casase vno de los hijos de Gabriel de Qualla, alcayde de Cedella, a quien venía la hazienda de su tío el Lizenciado Rodrigo de Qualla, con vna de las hijas de la dicha doña Catalina de Figueroa e del comendador Luys de Quintanilla, hermano de la dicha doña Ysabel. No sé si ovo efetto este buen propósito que ella en voluntad estaua de lo hazer, e ella lo comunicó comigo en aquella villa el año de 1548 años. Tuue entendido que fue doña Ysabel de Quintanilla vna de las mugeres más entendidas de quantas yo he visto, e de mucha prudencia e diligencia, e por sus gentiles habilidades, avnque sorda, estaua la Emperatriz muy bien con ella, e en las lauores de aguja e ejercicio de las manos de mugeres, era de mucho primor e tenía en su casa donzellas e criadas labrando continamente rropa blanca para su Magestad, a causa de lo qual tenía mucha entrada e cabida.

Quanto al linaje de LVZÓN: caualleros principales ha avido dellos en aquella villa de Madrid, de los quales fue Pedro de Luzón, alcayde del alcáçar, cuyos hijos fueron Francisco de Luzón, que yo conoscí, buen cauallero, e rregidor de Madrid, e sucesor en su casa, e tanbién fue hija del dicho alcayde doña María de Luzón, muger que he dicho que fue de Johan de Luxán el Bueno. Fueron hijos de Francisco de Luzón, Antonio de Luzón, su mayoradgo e rregidor de Madrid, e Sancho de Luzón, e Juan de Luzón e el licenziado Luzón, alcayde de la Chancillería Real que rreside en Granada, todos ellos buenos caualleros, e doña María de Luzón, muger del licenziado Alarcón, del Consejo de las Órdenes, e doña Ana de Luzón, muger de Juan Martínez de Vitoria, cuyo fue el eredamiento de Silillos. E al dicho Antonio de Luzón sucedió su hijo Francisco de Luzón, que al presente es rregidor asimismo de Madrid. E de la doña Ana de Luzón fue hija doña Luysa e vnica eredera del dicho Johan Martínez, la qual casó en Cuenca con Johan Hurtado de Mendoça, hijo de Luys Hurtado de Mendoça, caçador mayor que fue del serenísimo Príncipe don Juan de gloriosa memoria. Esto es lo que yo me acuerdo de los Luzones de Madrid (II, est. XXXII, folios 69r-70r).

183. *El Artillero y la Latina y otros linajes.*

Ramírez y de Solís,
los de Gueuara venís
con Ludeñas y Cisneros,

a la postre, no postreros,
ni de poca hidalguía.

Ramírez y de Solís etc. Aquí haze el testo memoria de cinco linajes de caualleros de aquella villa de Madrid, de los quales yo diré los que dellos conoscí e vi. Los Ramírez ouieron principio en el secretario Francisco Ramírez de Orena, el qual e su muger segunda, Beatriz Galindo, [374] fundaron dos casas de mayoradgos en dos hijos suyos. E porque así el secretario como esta señora fueron notables e famosas perssonas, e onrrosos, no solamente para su patria mas para España, no tengays, lettor, pesadumbre en oyr la verdad de lo que agora oyrés, porque sin dubda, así al vno como al otro ay causas para creer que los lleuó Dios al cielo según sus loables vidas e fin que hizieron. Por la mayor parte le llamauan el secretario Francisco Ramírez de Madrid [al margen: FRANCISCO RAMÍREZ DE MADRID], porque su madre era de Madrid, e allí se casó su padre, que era vn hidalgo montañés de Sanct Vicente de la Varquera de los de ORENA, ques vn linaje de hidalgos notorios, e a su madre yo la alcancé e conoscí, que era vna dueña muy vieja e honesta. El fue de grande habilidad e muy bastante e principal oficial secretario, e del Consejo, e pagador de la Casa Rreal de la rreyna Cathólica doña Ysabel y de la casa del serenísimo Príncipe don Johan, mi señor, e fue valiente cauallero e muy esforçado y experto capitán del artillería e de cient ginetes. El qual ganó por combate e a escala vista las torres e puente de la cibdad de Málaga por fuerça de armas, al tiempo que los Rreyes Cathólicos tenían cercada aquella cibdad año de 1487 años. E hizo otras cosas señaladas en la conquista del reyno de Granada, e ganó las villas e castillos de Motril e Salobreña, que son señaladas fuerças [375] de aquel rreyno. Fue casado dos vezes, la primera allí en Madrid con doña Ysabel de Ouiedo, hija de vn hidalgo llamado Johan de Ouiedo, en la qual ovo tres hijos e dos hijas, de los quales el mayor se llamó Johan Rramírez, e porque se casó mal e como moço contra la voluntad de su padre, el secretario lo deseredó. El segundo se llamó [espacio en blanco]

---

[374] *Beatriz Galindo:* lo más reciente que conozco sobre la Latina y su familia se puede ver en A. de la Torre, "Unas noticias de Beatriz Galindo, la Latina", *Hispania*, XVII (1957), 255-61.

[375] *Fuerças:* aquí y en varios otros lugares, *fortalezas*.

Rramírez, e fue paje del Príncipe e viniendo a Madrid se ahogó
en el rrío a par de la puente Toledana. El tercero se llamó Frey
[sic] Antonio, de la orden de Sancto Domingo. La hija mayor se
llamó doña María de Ouiedo, e casó con vn cauallero de Toledo
que biuía en Burujón, llamado Johan Gaytán, que fue trinchante
del serenísimo Príncipe don Johan. La hija menor se llamó doña
Catalina de Ouiedo, e casó en Écija con vn cauallero llamado
Tello de Aguilar. Casó segunda vez el secretario Francisco Ramírez con la muy notable e valerosa señora Beatriz Galindo, natural
de Salamanca, la qual por otro nombre era llamada la Latina
[al margen: BEATRIZ GALINDO, ALIAS LA LATINA], e así lo
fue e muy grande gramática, e honesta e virtuosa donzella hija-
dalgo. E la Cathólica Rreyna, informada desto, e deseando aprender la lengua latina, embió por ella e enseñó a la Rreyna latín, e
fue ella tal perssona que ninguna muger le fue tan acepta de
quantas su Alteza tuuo a par de sí. E casóla con el secretario
Francisco Rramírez, que estaua biudo e muy adelante e rrico e en
gracia del Rrey e de la Rreyna, e siempre estuuo en palacio e por
su contemplación la rreyna hizo su principal secretario a su hermano de la Latina, Gaspar de Grizio. [376] Ovo en esta señora el
secretario Francisco Rramírez dos hijos varones que fueron gentiles caualleros. El mayor fue el comendador Hernán Rramírez Galindo e el segundo se llamó Nuflo Rramírez, e seyendo muy
muchachos sucedió la rebelión de los moros de la Sierra Bermeja [377] e Lanjarón en el reyno de Granada, los quales mataron al
secretario Francisco Rramírez e su muerte fue bien bengada e castigados los infieles por los Rreyes Cathólicos, e murieron muchos
dellos, etc. E quedó Beatriz Galindo biuda, e siempre estuuo
cerca de la Rreyna hasta que Dios la lleuó a su Alteza en Medina
del Campo, año de 1504. E fue con su rreal cadáuer hasta la dexar
sepultada en Granada, e desde allí se rretruxo a su casa a Madrid,
e dio orden en acabar el ospital e monesterio de monjas de la

---

[376] *Gaspar de Grizio:* Oviedo le dedicó *Batalla I, Quinquagena III,*
diálogo 4. Ante él otorgó la Reina Católica su testamento.

[377] *Sierra Bermeja:* en 1501; el muerto más famoso en este desastre fue
don Alonço de Aguilar, hermano del Gran Capitán. Quizá por esta tragedia
la Reina Católica le hizo regalos a Beatriz Galindo en 1502 por valor de
116.700 mrs. v. A. de la Torre y E. A. de la Torre, *Cuentas de Gonzalo
de Baeza, tesorero de Isabel la Católica,* II (Madrid, 1956), 528.

orden de Santa Clara, que está fuera de los muros de aquella villa a la puerta que sale al camino que va a Toledo. E quisiera mucho que fuera de monjas encerradas como lo son, e con el mismo nombre e título de la Concebción de nuestra Señora, pero del hábito e orden de Sanct Jerónimo. Pero fuéronle a la mano los frayles de sanct Francisco, y en especial vn guardián que en aquel monesterio de Sanct Francisco extramuros de Madrid está fundado. El qual era conuersso e porfiado, e formóse vn letigio alegando que era perjuyzio de la orden de Sanct Francisco, que no está el monasterio lexos de allí, e dezían que aquella se avía principiado en tiempo del secretario, e a nombre de la orden de los Menores, de la qual era deuoto el secretario, e en Sant Francisco tiene su capilla donde está enterrada su primera muger doña Ysabel de Ouiedo e el hijo ques dicho que se ahogó. E alegauan otras rrazones, e fue el pleito a Rroma, pero al cabo los frayles franciscanos salieron con su intención, a causa de lo qual Beatriz Galindo, acabando e labrando ese monesterio, fundó otro a cient pasos, poco más o menos, del primero, e hízole de rreligiosas jerónimas, [378] en la misma casa que fue del secretario su marido, con el mismo título de la Concebción, e dotólos muy bien a ambos monesterios de rrenta. Pero desos litigios, y no sin causa, quedó en determinación que en el segundo de las jerónimas no se rreciba monja conversa, sino hijasdalgo e de limpia sangre, o por lo menos christianas viejas. E dio al vn mayoradgo de sus hijos el vn monesterio e principal para su enterramiento. E al otro hijo el otro monesterio para lo mismo. E hizo su principal mayoradgo en Madrid al dicho comendador Hernán Ramírez Galindo, e porque le tomó la casa principal del secretario para el monesterio de las jerónimas, compróle otra muy mejor a [sic] campo que dizen del Rrey, en frente del alcázar, e hizo el segundo mayoradgo en su hijo Nuflo Ramírez Galindo, e diole sus eredamientos e rrentas que esta señora tenía en la cibdad de Écija, e casólos muy bien en Madrid con sendas gentiles damas de linajes illustres e generosos. Casó Hernán Rramírez Galindo con doña Teresa de Haro, hija de don Pero Laso de Castilla e Mendoça e de doña Aldonza

---

[378] *Rreligiosas jerónimas:* todas estas afirmaciones de Oviedo reciben apoyo documental de Fr. José de Sigüenza, *Tercera parte de la historia de la Orden de San Gerónimo* (Madrid, 1605), I, xx.

de Haro. E Nuflo Ramírez casó con doña Mencía de Cárdenas, biznieta de don Johan Çapata el Ayo e de doña Costança de Cárdenas, la qual doña Mencía fue hija de Garci López de Cárdenas, comendador de Monrreal, e de doña Juana de Castilla, hermana del dicho don Pero Laso. De los quales hijos vido nietos la dicha Beatriz Galindo, e de ambos ay oy vna hermosa sucesión de caualleros. E biuió esta señora en aquella villa en sus dos monesterios, ayudándolos en quanto pudo e haziendo otras muchas limosnas. Acabó sanctamente en el vn monesterio déstos el año de 1547 años como sancta e rreligiosa e sierua de Dios. E porquel hijo del secretario que dixe que se casó mal e su padre con mucha razón le deseredó, esta señora le dio vna muy buena hazienda en Antequera, e por su intercesión la Rreyna Cathólica le hizo merced de vn rregimiento de aquella villa. Así que esta señora biuió e murió como tengo dicho, e el secretario su marido como mártir e defensor de la fe, e le mataron los enemigos della el año de 150 [379] [espacio en blanco] años, pero algunos años antes que su madre murió Nuflo Rramírez, e después déste, a poco, su hermano el Comendador, en vida desta señora que los parió. No dexaré de dezir vn caso notable que acaesció a su nieto, hijo mayor de Nuflo Rramírez e de doña Mencía, e fue desta manera: Quísose aquel mancebo confesar e comulgar en la yglesia de Santiuste, que está aý cerca de la casa de Nuflo Rramírez, e como estuuo hincado de rrodillas a los pies del sacerdote, que era el cura o beneficiado de la misma yglesia, e thenía el sanctísimo sacramento e hostia consagrada en las manos, miró el mancebo en la cara al sacerdote (el qual estaua o avía estado enfermo de tal enfermedad que tenía la cara llena de manchas e muy feo), e paró e quitóse de allí herido de muerte, e *incontinenti* se le tornó la cara de la misma manera que aquel sacerdote la tenía. E fuese a su casa, y como le viera su madre, doña Mencía le dixo: "Hijo, ¿cómo vienes así?" E él rrespondió: "Señora, yo me muero. Llámenme vn confesor." E truxéronsele, e confesó e comulgó como cathólico christiano, e aquel día o el siguiente murió. Lo qual dio mucho espanto en aquella villa. E sucedió en aquella

---

[379] *Año de 150...*: como dije, fue el año de 1501, el 18 de marzo, Esteban de Garibay, *Compendio historial*, XIX, x.

casa e mayoradgo su hermano don Garci Rramírez Galindo, que casó con doña Ana de Mendoça, hija del conde de Coruña don Alonso de Biuar e Mendoça, e hija de la condesa doña Johana de Cisneros, hermana de don Benito de Cisneros, sobrina del Cardenal Arçobispo de Toledo Frey [sic] Francisco Ximénez de Cisneros. Este don Garci Rramírez [380] pasó a estas partes, e estuuo en la Nueua España e en la tierra septentrional que se descubrió en el tiempo de Hernando Cortés e es gentil cauallero, e tiene otro hermano que se llama Johan Çapata, al qual el año de 1548 dexé yo en Salamanca, que era rretor del Colegio de Cuenca, gentil letrado e buen cauallero. E fui a ver aquella mi patria de Madrid, adonde hallé muertos los viejos e pocos de los de mi tiempo, e los muchachos e niños fechos ombres, e otros que después nascieron, de tal manera que yo me hallaua quasi tan estraño como en los otros pueblos donde pocos me conocían, e yo mucho menos a ellos.

Quanto al linaje de SOLÍS E LVDEÑA, digo que yo conoscí dos caualleros ancianos e de mucha auctoridad, comendadores de Sanctiago. El vno llamado el Comendador Solís [381] y el otro el Comendador Ludeña, e fueron hermanos, e del número de los Trezes de la Orden cada vno dellos, e eran de los más antiguos del hábito, e touieron cargos de corregimientos. E conoscí hijos suyos, onrrados caualleros, los quales por sus matrimonios están emparentados con esos nobles patricios e caualleros de Madrid, avmentando aquella rrepública de nobles. Estos son por sus predecesores del principado de Asturias de Ouiedo, de casas nobles e solariegas. Vn hijo del comendador Solís, e sucessor de su casa, llamado asimismo el Comendador Solís, fue corregidor en Plazencia, e por cierto desgrado [sic] que dél tuuo vn cauallero de

---

380 *Don Garci Rramírez:* no le recuerda, sin embargo, Oviedo en la *Historia general,* aunque allí sí menciona (VII, xiv) el hecho de que "el maíz... yo lo he visto en mi tierra, en Madrid, muy bueno en un heredamiento del comendador Hernán Ramírez Galindo".

381 *Comendador Solís:* fue destacado capitán de infantería del Gran Capitán en la conquista de Cefalonia; se llamaba Gómez de Solís y fue Comendador de Santiago, v. Torres Naharro, *Propalladia,* ed. J. E. Gillet, III (Bryn Mawr, 1951), 433-34; durante las Comunidades actuó en Sevilla, v. Danvila, *Comunidades, MHE,* XXXVI, 197. *Comendador Ludeña:* también de la Orden de Santiago y capitán, se mantuvo leal durante las Comunidades, v. Danvila, *Comunidades, MHE,* XXXVIII, 448.

allí, del linaje de Caruajal, le mató después que dexó la vara, e el Emperador nuestro señor, como justo príncipe de Castilla, le hizo degollar públicamente.

Los de GVEVARA se satisfazen e el testo dize que es principal linaje aquéste, lo qual no tiene dubda, cuya cabeça es el Conde de Oñate. Yo conoscí allí vn cauallero mancebo llamado don Johan de Gueuara, e se casó en aquella villa, y era hermano de don Pero Vélez de Gueuara, señor de Salinillas, [382] que fue corregidor en Madrid, y era hijo del Conde de Oñate. Después, el año de 1546 años, yo fui por procurador desta nuestra cibdad de Sancto Domingo e ysla Española a la Corte de sus Magestades, e hallé en Madrid al serenísimo príncipe don Phelipe, nuestro señor, que gouernaua por ausencia del Emperador, nuestro señor, sus rreynos e hallé otro cauallero nueuamente allí avezindado deste noble linaje, llamado don Phelipe de Gueuara, bien eredado e hijo natural de don Diego de Gueuara, Clauero que fue de la orden militar e cauallería de Calatraua, e mayordomo del serenísimo rrey don Phelipe de gloriosa memoria, e antiguo criado suyo e del Emperador Maximiliano, e la dicha Clauería se la dió el Emperador don Carlos nuestro señor. Casó este don Felipe de Gueuara en Madrid con doña Beatriz Galindo, nieta del secretario Francisco Rramírez e de Beatriz Galindo e hija del comendador Hernán Rramírez e de doña Teresa de Haro. E yo le comuniqué algunas vezes, e me paresció gentil cauallero y de gentiles habilidades e dispuesto de persona e de linda conuersación de cauallero e muy bien leýdo.

Del linaje de CISNEROS. [383] Es rrazón que satisfagamos al testo, e aqueste fue antiguo linaje de rricos ombres en Castilla, que así llamauan a los que agora dezimos Grandes. Ya de suso se dixo que doña María de Cisneros, sobrina del Cardenal don

---

[382] *Señor de Salinillas:* tuvo destacada actuación en las Comunidades en el bando imperial, v. Danvila, *Comunidades, MHE,* XL, Indice, s.n., aunque no hay que confundirle con su padre y homónimo, el segundo Conde de Oñate, v. Danvila, *Comunidades, MHE,* XL, 164; además, v. *infra,* texto 307. *Don Diego de Gueuara:* acerca de su predicamento con el joven Carlos I, v. Danvila, *Comunidades,* en esp. *MHE,* XXXV, 189-90.

[383] *Cisneros:* comparar estos intricados pero exactos datos genealógicos de Oviedo con Luis Pérez Rubín, "El linaje de los Cisneros", *Boletín de la Sociedad Castellana de Excursiones,* III (1907), 157-59, 211-15, IV (1908), 83-85; v. además, *infra* texto 251.

Frey Francisco Ximénez de Cisneros, arçobispo de Toledo, que como está dicho casó con su primo, hijos de hermanos, Johan Çapata, porque su padre de Johan Çapata el Dentudo e su madre della, doña Leonor Çapata (o de Luxán), fueron hermanos, y hermanos de Pero Çapata el Tuerto. La qual doña Leonor fue muger de Juan Ximénez de Cisneros, vezino de Tordelaguna, hermano del dicho cardenal. Y en este Johan Çapata, marido de doña María de Cisneros, sucedió el mayoradgo de Pero Çapata el Tuerto, señor de Baraxas y el Alameda. Del qual matrimonio ha procedido vna habundante e noble parentela, y ésta es la casa principal de Çapatas en Madrid al presente. Esta señora es hermana de don Benito de Cisneros, ques el principal mayoradgo e casa de Cisneros que dexó el Cardenal ya dicho, su tío, en éste su sobrino. El qual casó en Madrid con la illustre señora doña Petronila de Mendoça, hija de don Johan de Mendoça, señor de Beleña, hermano del segundo duque del Infantadgo, don Yñigo de Mendoça, y de su muger doña Beatriz Destúñiga e su hermano de la dicha doña Petronila es don Bernardino de Mendoça, [384] señor de las villas de Cubas y Griñón, como lo tengo dicho de suso. E desta señora es asimismo hermana doña Catalina de Mendoça, segunda muger que fue de don Johan de Castilla. El qual don Benito de Cisneros ha avido asaz hijos e hijas para su subcesión de Cisneros, e es casa de más de dos quentos de rrenta en cada vn año, e su hijo mayor es don Francisco de Cisneros, que se casó por amores con vna señora dama de la Emperatriz de gloriosa memoria, llamada doña María de [había un espacio en blanco, rellenado en otra mano con el nombre *Castro*], natural de Portugal, contra la voluntad de sus padres, pero quando yo allí estuue el año de 1547, todos estauan ya en paz. Vamos adelante porque demos fin a lo que propuse dezir de Madrid. Si mi pluma a tanto bastare (II, est. XXXI, folios 70r-71r).

184. *Pero Núñez de Toledo y otros linajes. Curiosidades*
      madrileñas.

Pero Núñez me podría
culpar si yo le callare.

---

[384] *Don Bernardino de Mendoça:* v. *supra,* nota 359.

¡O quán bien paresce complir los ombres de verdad su palabra! Demos agora a estos dos versos postreros desta estança la satisfación competente a Pero Núñez, señor de Cubas e Griñón e Villafranca e Casas Buenas, e otros eredamientos que después se dividieron en dos mayoradgos, porque no me culpen si yo callase esa diuisión e los méritos de PERO NVÑEZ DE TOLEDO, [385] SEÑOR DE CVBAS E GRIÑÓN E VILLAFRANCA DE GVADARRAMA, vn cauallero tan calificado e valeroso por su persona e gentiles partes. Al qual yo vi e hablé muchas vezes, quasi al fin de su vida, después que yo vine de Ytalia, e seyendo ya él decrépito anciano pero muy estimado por su auctoridad e perssona e linda conuersación, y fue mucha parte en aquella villa. El qual fue casado dos vezes: la primera con doña Ysabel Destúñiga, hija del mariscal Ýñigo Destúñiga, en la que ouo a doña Beatriz Destúñiga, que casó con don Juan de Mendoça, señor de Beleña, el qual don Johan ovo en ella vn hijo e dos hijas, que fueron don Bernaldino de Mendoça e doña Petronila e doña Catalina de Mendoça. Casó con doña María, hija de Alonso Gutiérrez, tesorero del Emperador nuestro señor, e doña Petronila con don Benito de Cisneros, e doña Catalina con don Johan de Castilla, como lo tengo dicho. Después, así Pero Núñez como don Johan, su yerno, se allegaron a sendas amigas no les faltando a ellos años, e ouieron más erederos. Pero Núñez en vna criada de su muger llamada doña Leonor Arias en que ovo hijos e hijas, biuiendo su primera e legítima muger, e desque aquélla murió se casó con la doña Leonor, e ovo en ella a Luys Núñez e a Gracia Áluarez e a doña Francisca, e éstos quedaron por legítimos, o a lo menos por coerederos. Don Johan dexó a su muger doña Beatriz, e en Guadalajara tuuo por amiga a vna criada de la Duquesa del Infantado, llamada doña Ana de Villagra, en la qual ovo hijas. E como murió doña Beatriz su muger, casóse con su manceba e parióle más hijas. Pero desde que murió Pero Núñez se trabó vn rrecio pleyto e de muchos años, e se litigó en Rroma entre los erederos ligítimos, hijos de don Juan e de doña Beatriz, los hijos de doña Leonor Arias e de Pero Núñez, e las hijas de don Juan

---

[385] *PERO NVÑEZ DE TOLEDO:* acerca de este famoso linaje de conversos, v. *supra,* texto 179 y nota 359.

e de Villagra, e turó mucho tiempo. E al cabo, interuiniendo
buenos terceros, e el dicho thesorero Alonso Gutiérrez, se con-
certaron las partes e se diuidió el mayoradgo de Pero Núñez, e
quedaron las villas de Cubas e Griñón con don Bernaldino de
Mendoça e casó con la hija del thesorero, que dio dineros en dote
para ella, que fue muy al propósito de la paz de las partes. E
quedó a Luys Núñez la casa principal del dicho Pero Núñez,
su padre, de Madrid, e la fortaleza de Villafranca e otros eredamientos. E porque la villa de Beleña e su tierra eran bienes
partibles de don Juan de Mendoça, se vendió al Conde de Coruña
viejo, e pagó por ella ciertos quentos de marauedís de que le
cupo su parte a don Bernaldino e a doña Petronila, muger de don
Benito de Cisneros, e a doña Catalina, muger de don Juan de
Castilla. E tanbién les cupo parte a las hijas de Villagra, que
quedaron por legítimas de las que don Juan de Mendoça avía
avido en ella después que se casó seyendo muerta doña Beatriz
su muger. De manera que las partes quedaron contentas y en
paz, e el thesorero Alonso Gutiérrez las concertó, e puso en esta
averiguación más que palabras, e casó muy bien su hija. El Luys
Núñez, antes de todo ese concierto, avía casado con doña María
de Luxán, hija de Pedro de Luxán el Coxo, alcayde de Gaeta. En
la qual ovo Luys Núñez a su hijo mayor Pero Núñez, que casó
con doña Leonor de Mendoça, hija de don Johan Hurtado de
Mendoça, [386] señor de Frexno de Torote, e de doña María Con-
dulmario, e otros hijos de que no tengo memoria. Pero tornando
a Pero Núñez el Viejo: él fue muy gentil cauallero, de dos bandos
de Madrid era él vno, e que siempre tuuo la boz con la lança en
la mano en seruicio del Rrey e Rreyna Cathólicos contra todos los
del bando contrario, que tenían la opinión e boz del Rrey de Portugal, e peleó muchas vezes e quedó onrrado e en mucha estimación en todo el tiempo que biuió. El qual fue hijo e sucesor en
la casa e mayoradgo de Alonso Áluarez de Toledo, Contador
Mayor de Castilla, cúya fue la casa de Toledo en que los Rreyes
Cathólicos fundaron el monasterio de Sanct Johan de los Rreyes,
donde demás de aquel sumptuoso e rreal edeficio bordaron las
paredes desde la parte esterior de inumerables grillos e cadenas

---

[386] *Don Johan Hurtado de Mendoça:* el padre del poeta, v. Dámaso
Alonso (*supra,* nota 358), pág. 25.

de que libraron gran moltitud de captiuos christianos que rredimieron del rreyno de Granada. E le dieron a Pero Núñez los cient mill maravedís de juro de eredad perpetuos por la casa, con tantas e tales facultades que ningún preuilegio de juro ay tal en Castilla.

No penseys, lector, que en los que os tengo dicho se incluyen todos los mayoradgos de Madrid, que otros muchos ay, de otros caualleros, debdos e no debdos de los que tengo dichos, así como el de Pero Çapata el Galán, comendador de Mirabel. El mayoradgo que hizo el thesorero Alonso Gutiérrez en su hijo mayor Diego Gutiérrez, [387] que acá le mataron los indios en la prouincia de Veragua, seyendo gouernador de cierta parte de Tierra Firme. Otro mayoradgo hizo el dicho thesorero en otro hijo suyo llamado Gonçalo de Paz. Es casa asimismo de mayoradgo en Madrid la del secretario Johan de Bozmediano. Es mayorazgo la casa del contador su hermano, Alonso de Bozmediano. Es casa de mayoradgo la de Pedro de Losada, azemilero mayor que fue del Rrey Cathólico, e rregidor de Madrid. Es casa de mayoradgo la de Johan de Mármol, hijo del secretario Alonso de Mármol. Es casa de mayoradgo la del licenciado Hernán Gómez de Herrera, alcalde que fue de la casa e Corte rreal del Rrey Cathólico e del Emperador. Es casa de mayoradgo la de Pedro de Luxán, que biue a par de la yglesia de Sanct Johan. Es casa de mayoradgo la de Lope Çapata, comendador de Medina de las Torres. Es casa de mayoradgo la de Pero Çapata de Cárdenas, ques la misma de Johan Çapata el Ayo, su bisabuelo. Es casa de mayoradgo la de Gonçalo de Villafuerte, comendador de Oreja. Éste no alcancé yo, sino a su muger la comendadora doña Juana, hija de Juan Çapata el Ayo, e a sus hijos el comendador don Francisco de Cárdenas, e Juan Çapata, e Gómez de Villafuerte, e Alonso de Cárdenas, en quien quedó esta casa. Buen cauallero, e se halló en el

---

[387] *Diego Gutiérrez:* le recuerda muy por menudo Oviedo, *Historia general,* XXX, Proemio, caps. i-ii, en particular este último, cuyo epígrafe lee; "Del subceso del gobernador Diego Gutiérrez, e de su cobdicia e mal evento; e cómo le mataron los indios a él e a cuantos españoles consigo tenía, excepto siete hombres". Gutiérrez fue gobernador de Cartago en Tierra Firme, y su muerte ocurrió en julio de 1545. De su padre, el tesorero Alonso Gutiérrez, dice Oviedo, *ibidem:* "Hombre reposado y sabio e allegó mucha hacienda por otra manera de ejercicio, lejos de la milicia".

rreal de sobre Fuenterrabía, e de allí salió muy doliente e vino
a morir en Burgos año de 1524, e estonces la Emperatriz rrescibió
por dama a DOÑA ANA DE CÁRDENAS, hija del dicho Alonso
de Cárdenas e de doña María Palomeque, hija de Johan de Luxán
el Bueno. Esta doña Ana de Cárdenas casó con don Sancho de
Castilla el Coxo, señor de Herrera de Valdecañas, nieto de don
Sancho, el ayo segundo que tuuo el Príncipe don Juan, e hijo
de su hijo don Diego de Castilla, cauallerizo mayor del mismo
Príncipe mi señor e de doña Beatriz de Mendoça. Allende de los
mayoradgos ya dichos ay otros de que no tengo memoria, e muchas casas de ombres hijosdalgo e de cibdadanos muy onrrados
e rricos e bien eredados. Biuen e tienen casas principales en
Madrid don Pedro Fernández de Bouadilla, segundo Conde de
Chinchón. Biue e tiene casa Johan Arias de Áuila, primero Conde
de Puñoenrrostro, o su eredero e sucesor [388] en el dicho condado.
Otra casa moderna hallé en Madrid el año de 1546 que se fun-
daua, ques del secretario Francisco de Eraso, [389] perssona muy
acepta al Emperador nuestro señor e de grandes méritos, e su
secretario e de su Consejo, natural de aquella villa e hijodalgo
notorio. Así que muy noble e leal e illustre rrepública es la de
Madrid, e cada día se va avmentando, e la Cesárea Magestad del
Emperador nuestro señor la ha franqueado e fecho muchas mercedes, e ha rreedificado e acrescentado en tal manera los alcáçares, e son tales sus edeficios que ninguna casa rreal ay de tales
aposentos en toda España. Ay tantas e tan grandes y excelentes
particularidades que rrelatar en loor de Madrid que sería necesario mucho tiempo para dezirlo todo, pero en suma digo que está
asentada quasi en medio de toda España, XLI grados e minutos
de la línia equinocial, a la parte de nuestro polo ártico. Por la
parte del oriente, a seys leguas, tiene la villa de Alcalá de Henares e su estudio general, e quatro más adelante la cibdad de
Guadalajara, e más oriental a cinquenta leguas, la insignie [sic]
cibdad de Çaragoça de Aragón. A la parte occidental, siete leguas,

---

[388] *Eredero e sucesor:* lo fue don Juan Arias Portocarrero, II Conde de
Puñonrostro.

[389] *Francisco de Eraso:* fue secretario de Carlos V y de Felipe II; en-
fermó al caer en el disfavor de Felipe II, murió en 1571, v. don Luis Zapata,
Miscelánea, MHE, XI, 467.

tiene la villa de Casarvbios [*sic*] del Monte, e a XXII leguas la villa de Talauera. E más al poniente [espacio en blanco] leguas, la famosa cibdad de Lisbona, cabeça del rreyno de Portugal, en la costa del mar Océano. A la parte septentrional, a XIIII leguas de Madrid, está la cibdad de Segouia, e a XLI la cibdad de Burgos, cabeça de Castilla, e más al norte, XXX leguas de Burgos, la cibdad de Bilbao e la mar e costa cantábrica. A la parte austral o del mediodía tiene Madrid a seys leguas la villa de Yllescas, e otras seys adelante la muy real cibdad de Toledo. E más al austro, o mediodía, ha [*sic*] XXX leguas de Madrid, Cibdad Rreal. E más adelante la Sierra Morena, e a sesenta leguas la noble e antigua cibdad de Córdoua. E a LXXX la gran cibdad de Granada a la parte de mediodía. Por los lados destas quatro partes declaradas ay otras muchas cibdades e villas e buenos pueblos, que por euitar prolixidad se dexan de dezir, porque para dezir su asiento de Madrid, basta lo dicho. La qual es muy sana rregión e muy tenplada, e de buenos ayres e limpios cielos e orizontes. Las aguas muy buenas, el pan y el vino muy singulares de su propria cosecha e en especial lo tinto es muy famoso e otros vinos blancos e tintos muy buenos. E muchas e muy buenas carnes de todas suertes e mucha seluagina [390] e caça e montería de puercos e cieruos e gamos e corços, e muchos e muy buenos conejos e liebres e perdizes e diferentes aues. E toros los más brauos de España, de la rribera del rrío Xarama, a dos leguas de Madrid. E muchos cauallos e mulas e todas las otras animalias e bestias que son menester para el seruicio de casa e de la agricoltura. E demás del pan que se dixo de su cosecha se trae de la comarca muy hermoso e blanco candeal, e en grande habundancia muchas legumbres de todas suertes, mucha e muy buena ortaliza de todas maneras, diuersas fructas e secas, de inuierno e verano, según los tiempos. El queso de Madrid e de su tierra es muy excelente, e del mismo pasto que de la villa de Pinto, ques el mejor queso de España, e tal que no se puede dezir mejor el qué [*sic* por *queso*] parmesano de Ytalia, ni el de Mallorca, ni los cascauallos de Secilia, e a todos haze ventaja porque no es menos bueno si le hazes asadero que comido de otra manera. Finalmente, todo lo

---

[390] *Seluagina:* salvajina.

ques menester para alimentar la vida humana lo tiene aquella villa, ecepto pescado fresco de la mar porque como es el más apartado pueblo della en España (entre los principales), no alcança pescado fresco que della venga, ecepto besvgos en inuierno, por la diligencia de las rrecuas que los traen quando es el tiempo dellos, pocos días antes y después de Pascua de Nauidad. E es vno de los mejores pescados e más sabrosos del mundo, puesto que tura pocos días. Tanbién llegan congrios frescos, e de los otros salados vienen muchos y muy buenos, así congrios, atunes, pulpos e pescados frescos, e sardinas, e de otros. E vienen muchas truchas e salmones, e muchas anguillas, e lampreyos [391] e barbos, e otros pescados de rríos. E del Andaluzía le traen muchos escaueches de lenguados e azedias e hostias [392] e sáualos salados.

Quando yo fuy mancebo deseé saber e inquerir las antigüedades del fundamento de Madrid, e como no hallé por su mucha antigüedad en *scritis,* boluíme a conjeturar e mirar si en sus edificios toparía algún vestigio. E topé memorias de piedras esculpidas de letreros que dan noticia del tiempo de los romanos, que poseyeron a España. E a la puerta que llaman de Moros, estaua enterrada vna piedra tosca rrolliza, de forma de colupna, más alta que vn estado de vn onbre en que se lehía, de letras majúscules [sic] latinas, el nombre de Sertorio, el qual fue capitán muy principal en España por los rromanos, y aderente a la parte de Mario, e después contrario a Pompeo Magno. Esto fue en tiempo del primero de los Césares, antes que Christo nuestro Rredemptor encarnase en el vientre virginal. Los rregidores, o el mayordomo de la villa, o qualquiera que fue, hizieron tomar aquella piedra e atrauesáronla en medio de la puerta que digo de Moros, e entrando e saliendo carretas, e los que por allí passauan, le deshizieron las letras de manera que desde a pocos años ninguna cosa se podía leer dellas, porque la natura de aquella piedra es frágil e no pudo comportar tanta injuria, ni deuieran ponerla donde la hollasen. Ay otra piedra en vna esquina de la yglesia de Santa María del Almudena, a la parte del poniente, con vnas letras en que se lee el nombre de Domicio. Al sexto emperador

---

[391] *Lampreyos:* lampreas.
[392] *Azedias e hostias:* acedias, platijas; ostias, ostras.

de rromanos e primero perseguidor de christianos, llamaron Nero Domicio, e así se llamó su padre, que era del linaje de los Domicios. Esta piedra está puesta al reués porque los que fundaron aquella yglesia deuían ser moros e la hizieron mezquita. Avía otra piedra sobre la puerta que dezían de Guadalajara, con vnas letras semejantes: P.M.NLO.XXIIII.S.T.T.L. las quales se interpetran [sic] Pompeo magno o máximo, lo qual ni aprueuo ni contradigo, porque por aquella P se puede tanbién entender Publio, o Paulo, o Papirio, pero por las vltimas letras S.T.T.L. se interpreta que fue sepultura, e acostumbran dezir estos rromanos *sit tibi terra leuis,* que quiere dezir "séate a ti ligera la tierra". Así que sepultura de algún rromano antiguo sería donde estuuo aquella piedra puesta, antes que se edificase aquella puerta de Guadalajara. La qual después se deshizo (digo la torre e puerta) e agora está de otra forma aquella calle, e la piedra no sé adónde se puso. Pero no avés de entender que esa piedra e memoria fue del gran Pompeo, contendor de César, porque ése no murió en España, sino por mandado del traydor o aleue Tolomeo, rrey de Egipto, en aquella difinición de guerra ciuil de entre Pompeo e César. Pero las manos de los que vieron esa piedra que digo, dezían que aquel rromano, cuya sepultura fue deuía ser ombre militar principal e de la XXIIII legión de los rromanos.

Al pie de la torre de la casa de don Pero Laso, a par de Sanct Andrés está otra piedra con letras latinas antiguas del tiempo de rromanos, que también da testimonio de la antigüedad de Madrid. Vi muchas vezes en el monesterio de Sant Francisco extramuros, a par del altar mayor a la parte del Euangelio vn mauseolo [sic] real de muy lindo edeficio de marmol o cándido alabastro con el bulto de la serenísima rreyna doña Juana, muger segunda que fue del rrey don Enrrique 4. E fuera de la capilla principal en el cuerpo de la yglesia e cerca de la rrexa de la capilla ya dicha está otro gentil bulto de alabastro en que fue enterrado aquel noble cauallero el Clauijo [393] de quien se ha fecho memoria de suso que fue por embaxador al Gran Taborlán, como lo dize vn letrero que tiene en la circunferencia de su mauseolo. Pero no dexaré de dezir lo que acaesció en aquella villa el año de 1518 años porque toca al Clauijo y su memoria.

---

[393] *El Clauijo:* v. *supra,* nota 351.

Hallóse un testamento signado de escriuano que quienquiera que fue lo lleuó a casa de vn especiero para que hecho pedaços desde allí con blancas de açafrán o pimienta andouiese acordando a los vezinos el rrecabdo que deuen tener en sus haziendas e cómo proueer sus mandas pías e legatos [sic]. Pero proueyólo Dios de manera que no faltó quien auisase a los frayles de aquella escriptura e ante [sic] quel especiero començase a la rromper sacáronsela de las manos entera e sin le faltar letra. Él holgó de se la dar e después que los frayles la touieron tanpoco faltó quien por industria se la sacase a ellos e agora questamos cerca del fin del año de 1555 años está en mi poder originalmente en esta fortaleza de la cibdad e puerto de Sancto Domingo de la ysla Española del mar Océano.

Este testamento es de Pedro Clauijo, hijo del dicho Rruy Gonçález Clauijo, por el qual paresce que dió su poder al Fray Francisco Perdigón, guardián del dicho monesterio, e a Juan Núñez, arcipreste de Madrid, para que hiziesen su testamento por él, Pedro Clauijo, e fuesen sus albaceas, los quales testamentarios compulsos por el serenísimo rrey don Johan 2º de tal nombre e por el Arçobispo de Toledo ordenaron e prestaron e mandaron cinco mill maravedís de juro de diez mill quel dicho Pedro Clauijo tenía situados en Madrid al dicho monesterio e conuento con toda la parte que tenía el defunto en los molinos de Muñoça del río de Xarama, con tanto que perpetuamente en el dicho monesterio se dixese cada día vna misa por las ánimas del dicho Ruy Gonçález Clauijo e Mayor Arias, su muger, padres del dicho Pedro Clauijo e por su ánima e de vna su hermana e que se dixesen ciertos responsos e aniuersarios, e que demás desso se dixessen tres misas cada semana, lunes, miércoles y viernes, con vigilia e letanías por las dichas ánimas, con tal aditamento que los frayles no pudiesen vender ni enajenar el dicho juro ni molino. E mandaron so la misma cláusula inalienable vna yunta de tierras a la dicha yglesia de Sant Andrés porque cada semana, lunes, miércoles e viernes los clérigos della en esos tres días dixesen tres misas por el ánima de Rruy Gonçález Clauijo que allí está enterrado, el qual es de creer que fue abuelo de los susodichos. Otras mandas pías largas contiene el testamento como de persona principal, etc. Así que si me avés, lettor, entendido, 37 años ha que yo tengo este testamento. Pero quiero acordar al que quisiere saber en qué tiempo fue este cauallero Rruy Gonçález Clauijo, que el rrey don Enrrique 3º, cuyo camarero fue, reynó de [añadido arriba] onze años en el año de la natiuidad de Christo de 1390, e rreynó XVI, del qual dize Mossén Diego de Valera en su *Historia de España* [394] que fue tan deseoso príncipe de saber cosas estrañas que embió caualleros de su casa no solamente a los rreynos de christianos y al Preste Juan de las Indias mas al gran Soldán de Babilonia y al Tamurbeque y al Morato y a otros grandes señores moros por aver información de sus tierras y estados e costumbres, en lo cual hizo grandes expensas y gastos. Aués de entender que el que ese historiador llama Tamurbeque es el que tengo dicho de suso Gran Tamborlán. Y este rrey don Enrique 3º murió en Toledo, viernes día de Nauidad de 1407 años, por manera que en este 1555 en que aquesto escriuo ha que murió aquel buen rrey 143 años. Pues no quiero [395] que ouiese entonces Rruy Rronçález [*sic*] Clauijo sino 45 e son hasta agora 193 años pues ya avés oýdo que su padre e abuelos fueron enterrados en la yglesia de Sant Andrés de Madrid, de que se colige que Rruy Gonçalez el Viejo e sus predecesores por lo menos ha dozientos e cinquenta años que eran caualleros e vezinos de Madrid, no dándoles más de 51 sobre el Rruy Gonçález el embaxador, e en aquella villa ningún linaje de los nombrados de suso, agora dozientos años avíe memoria dellos, ecepto el linaje de Vargas, porque yo que estoy en edad de 77 años, conoscí a Juan de Vargas el Viejo padre de Juan de Vargas y abuelo del mártyr Martín de Vargas, que era de ciento y más años antes que yo ouiese diez. Y era solariego e sus padres e abuelos principales en aquella villa, e de vno dellos fue criado, si lo he sabido entender, aquel bienaventurado Esidre, [396] cuyo cuerpo santo está en la

[394] *Historia de España:* o sea, la *Chrónica de España,* cuya ed. príncipe es de Sevilla, 1482, pero tuvo muchas más desde esa época hasta mediados del siglo XVI, cuando escribe Oviedo. Más adelante (*infra,* nota 443) la llama *Valeriana.*

[395] *Pues no quiero:* desmañada redacción, resultado de escribir a vuelapluma. Oviedo quere decir que no cree que Ruy González Clavijo tuviese a la muerte de Enrique III sino cuarenta y cinco años.

[396] *Bienauenturado Esidre:* es la leyenda hagiográfica de San Isidro. *Don Johan Hurtado de Mendoça:* escribió una *Vida de San Isidro,* todavía citada

yglesia ya dicha de Sant Andrés quel vulgo le llama Sanct Esidre, e ha hecho miraglos. Parésceme quel señor don Johan Hurtado de Mendoça, señor de Frexno de Torote y vezino de Madrid, excelente poeta, que oy biue, me dixo en aquella villa el año de 1547 años que escriuía en loor de Madrid y deste bienaventurado Esidre. A él me rremito, que yo estoy cierto que lo sabrá muy bien hazer. Yo le quisiera comunicar estas mis *Quinquagenas* con él antes que otros las juzguen, pero en qualquier tiempo que las vea le supplico las corrija e enmiende. Pasemos a otras particularidades (II, est. XXXII, folios 71r-72v).

185.   *Damas de Madrid en la Casa Real.*

Dicho tengo que haría memoria particular de las damas que yo he visto y conoscido de la Casa Real en mi tiempo, hijas de caualleros principales de Madrid. E póngolas aquí juntamente avnque en otras partes desta estança las he memorado a las más dellas donde convino. E a todas hablé e vi en palacio ecepto la que porné primero, porque quando yo fuí a la corte de edad de doze años ya ella era biuda. Y póngolo por tan onrroso que en mi tiempo ninguna cibdad ni villa de España dio tantas damas a la Casa Real. Y es la primera:

DOÑA MARÍA ÇAPATA VIZCONDESA DE VALDVERNA [todo lo que va en mayúsculas está encerrado en un círculo en el original]. Doña María Çapata, hija de Ruy Sánchez Zapata, señor de las villas de Baraxas y el Alameda, tía de Pero Çapata el Tuerto, hermana de su padre Juan Çapata, que casó con Don [en blanco] de Baçán, [397] Vizconde de Valdverna, que fue padre e ovo en esta señora a D. Pedro de Bazán, vizconde de Valduerna. La qual vizcondesa Da. María Çapata fue dama de la Católica reyna Da. Ysabel.

DOÑA COSTANÇA DE AYALA. Doña Costança de Ayala, hija del muy noble cauallero Pedro de Ayala el Viejo, Comendador de Paracuellos [al margen, de distinta letra: y de Da.

---

por Nicolás Antonio, *Bibliotheca Hispana Nova*, s.n., pero perdida en la actualidad, v. Dámaso Alonso (v. *supra*, nota 358), págs. 25-26.

[397] *Baçán:* se llamaba Don Pedro de Bazán y Pimentel, y fue el primer Vizconde de Palacios de la Valduerna, creado por Enrique IV en 1456, v. Julio de Atienza, *Nobiliario español* (Madrid, 1959), pág. 926.

Costanza Çapata], la qual casó con D. Íñigo de Mendoça, [398] Señor de Valconete e fue buen cauallero, hermano de D. Johan de Mendoça, Señor de Frexno de Torote la qual fue muy agraciada dama y muy estimada porque fue vna de las damas de su tiempo más bien entendida.

DOÑA IOHANA DE AYALA. Doña Johana de Ayala, hija del dicho Pedro de Ayala, Comendador de Paracuellos, e hermana de la susodicha Doña Costança, la qual casó con el valiente e esforçado cauallero Jorge Rruyz de Alarcón, Señor de Valverde, la qual fue dama asimismo de la Católica rreyna doña Ysabel. Este cauallero fue vno de los capitanes que bien siruieron al Emperador nuestro señor en el tiempo de las Comunidades del rreyno de Valencia, e era de muy fea boca a causa que tenía los dientes muy salidos, e en el combate de la villa de Xátiua, sobiendo por vn escala le dieron vn esquinazo desde lo alto e se los derribaron e quedó muy gentil ombre e sin fealdad sin ellos. E por su esfuerço e lo que aquel día peleó fue mucha causa de se tomar aquella villa e rreduzirse al seruicio del Emperador nuestro señor.

DOÑA FRANCISCA DE AYALA. Doña Francisca de Ayala, hija del mismo Pedro de Ayala, Comendador de Paracuellos, e hermana de las susodichas doña Constança y doña Johana de Ayala, fue a Flandes [falta algo como: de dama] de la serenísima Archiduquesa, ques la rreyna Da. Johana nuestra señora, e boluió con S.M. a España, e casó con Pero Çapata el Galán, Comendador de Mirabel de la Orden de Sanctiago, la qual fue muy gentil dama.

DOÑA JOHANA ÇAPATA. Doña Johana Çapata, hija de Johan Çapata, Señor de Baraxas y Alameda, hermana del capitán Pero Çapata el Tuerto, fue dama de la Católica rreyna doña Ysabel, e muy bien dispuesta e de muchas gracias e casó en Toledo con el mariscal don Francisco de Rrivadeneyra, Señor de Caudilla.

DOÑA MARÍA DE CÁRDENAS. Doña María de Cárdenas, hija de Pero Çapata, Comendador de Montemolín, e hermana del

---

[398] D. Íñigo de Mendoça: tío del poeta, hermano de su padre y homónimo, aunque no le cita Dámaso Alonso (v. supra, nota 358), págs. 24-37.

dicho Pero Çapata el Galán, Comendador de Mirabel, fue dama
de la Rreyna Cathólica e después de su hija la serenísima Rreyna
doña [falta *María*] muger del rrey D. Manuel de Portugal, e fue
gentil dama y muy agraciada, la qual casó con don Johan de
Castilla, como en esta estança está dicho, e su desuenturada muerte también, la qual fue enterada [*sic*] biua [399] creyendo que estaua muerta de algún desmayo que le tomó estando enferma e
don Johan su marido avsente, e por tanto no ay para qué rrepe-
tirlo sino estar sobre aviso con los dolientes.

DOÑA MARÍA DE CASTILLA. Doña María de Castilla, hija
de don Johan de Castilla e de la dicha doña María de Cárdenas,
fue dama de la Emperatriz nuestra señora de gloriosa memoria.
Fue muy bien dispuesta e hermosa dama e casó con don Diego
de la Cueua, hermano del tercero Duque de Alburquerque, D.
Beltrán de la Cueua. E estuuo muy seruida e estimada dama por
sus méritos e. buena gracia e cierto era linda muger.

DOÑA CATALINA DE FIGVEROA. Doña Catalina de Figueroa, hija de Lope Çapata, comendador de Medina de las
Torres, fue dama de la serenísima rreyna de Portugal, Da. María,
muger del rrey don Manuel de Portugal. La qual Da. Catalina
casó en Medina del Campo con el comendador Luys de Quintanilla, Señor de Lagasca. Fue gentil dama y después que murió
su marido se vino a biuir a Madrid entre sus debdos, e truxo
consigo dos o tres hijas que ovo durante su matrimonio.

DOÑA ANA DE CÁRDENAS. Doña Ana de Cárdenas, hija
de Alonso de Cárdenas, el qual estando en seruicio del Emperador, al tiempo que estaua cercada Fuenterrabía e en poder de
franceses, e vínose a curar [400] a Burgos donde murió de la misma
dolencia, e la Emperatriz nuestra señora tomó por su dama a
esta señora, hija del dicho Alonso de Cárdenas e doña [en blanco]
Palomeque, hija de Johan de Luxán el Bueno. Con la qual doña
Ana se casó don Sancho de Castilla el Coxo, Señor de Herrera
de Valdecañas, hijo de don Diego de Castilla, cauallerizo mayor

---

399 *Enterada* [*sic*] *biua:* v. *supra,* nota 370.
400 *A curar:* verdaderamente a vuelapluma escribía Oviedo, el pendolista
profesional, porque aquí se ha olvidado de indicar qué dolencia padecía
Alonso de Cárdenas que fue a curarse a Burgos, pero que, así y todo, le
causó la muerte.

que fue del Príncipe Don Juan de gloriosa memoria, e fue nieto
este don Sancho el Coxo de D. Sancho de Castilla, ayo que fue
del mismo Príncipe.

DOÑA MARÍA DE CISNEROS Y MENDOÇA. Da. María de
Cisneros y Mendoça, hija de D. Benito de Cisneros e de Da. Petronila de Mendoça, dama de los sereníssimos Infantes Da. María,
Reyna de Bohemia, muger del serenísimo Maximiliano, su primo,
Rrey de Vngría e Bohemia, e la Infante Da. Johana, princesa de
Portugal, hijas del Emperador nuestro señor, la qual Da. María
de Cisneros hasta el presente ha seydo muy estimada e seruida
dama por las gentiles partes e gran ser de su perssona e hermosa
dispusición (II, est. XXXII, folios 72v-73r.).

186. *Tribunales eclesiásticos de Madrid.*

De más de juzgado e justicia seglar ay otros dos juzgados o
tribunales eclesiásticos. El vno es del Arcediano de Madrid en
que asiste vn vicario su theniente, y ésta es dignidad de la sancta
yglesia de Toledo. El otro es el Arcipreste de Madrid, ante los
quales penden los letigios eclesiásticos e de la villa e su jurisdición
e desos juezes apelan para la corte arçobispal de Toledo, o para
el vicario que rreside en Alcalá de Henares, que es corte arçobispal (II, est. XXXII, folio 73r.).

187. *Parroquias de Madrid.*

Ay diez yglesias perrochiales [*sic*] dentro de los muros de
Madrid, y tres en el arraual, que son aquéstas: Sancta María del
Almudena, Sanct Johan, Sanctiago, Sant Gil, *alias* Sant Miguel
de Sagra, (y ésta es vna pequeña yglesia, y está dentro de la
puente e caua del alcáçar, que también la llaman Sant Miguel
de Sagra), ay otra que se dize Sant Miguel de los Ottores [*sic*],
Sant Nicolás, Sant Saluador, Sanctiyuste, Sanct Pedro e Sanct
Andrés, al qual algunos llaman Sant Isidro por vn cuerpo sancto
que allí dizen que está e que ha fecho muchos miraglos puesto que
no está canonizado. Las yglesias del arraual son Sancta Cruz,
Sant Ginés e Sant Martín (II, est. XXXII, folio 73r.).

188. *Monasterios de Madrid.*

Los monasterios de religiosas en Madrid son quatro: el principal es Sancto Domingo el Real, donde está el cuerpo o huesos del rey don Pedro el Cruel, e tiene muy buena rrenta e ay en él muchas rreligiosas generosas, y está fuera de los muros cerca de la puerta que llaman de Valuanera, e porque allí acaesció vn caso notable diré lo que pasó, ques conforme a lo que escriue Plinio en su *Natural historia*, [401] de vna muger que se tornó ombre. En este monesterio metió vn mercader vna hija monja de poca edad, e quando llegó a doze o más años allóse ser muger, e de aquella parte por donde suelen las mugeres concebir salióle aquel miembro con que el ombre suele engendrar, de manera que de hembra se conuertió en macho e como las monjas ovieron conoscimiento desa transformación echáronla del monasterio e embiáronla a casa de sus padres, y como ya sabía leer y escreuir hiziéronle aprender gramática e fue después clérigo, en el qual hábito yo le vi después muchas vezes, e su padre era vn mercader de paños e sedas que se llamó Rrodrigo del Monte, al qual e su muger, que parió esta monja que después fue clérigo, yo les vi e conoscí e esto es público en Madrid.

El segundo monesterio de aquella villa de religiosas es Sancta Clara, que está junto a la yglesia de Sanctiago, el qual fundaron e dotaron Alonso Áluarez de Toledo [402] e Da. Catalina Núñez, su muger, que fue Contador Mayor de Castilla del rey D. Enrrique 4º, donde ay muchas rreligiosas generosas e de grande exemplo en seruicio de Dios nuestro señor.

Otros dos monesterios de monjas ay en el arraual de la villa, que fundó la memorable señora Beatriz Galindo, debaxo del título de la Concebción, vno de la orden de Sant Jerónimo e otro de la de Santa Clara.

Ay otros quatro monesterios de rreligiosos extramuros de aquella villa que son: Sant Francisco, donde está aquel real mauseolo

---

[401] *Natural historia:* VII, ii, donde escribe de los Andróginos, que tenían los dos sexos en la misma persona, y podían alternar el uso de cada uno de ellos.

[402] *Alonso Aluarez de Toledo:* v. *supra,* notas 359 y 385.

[*sic*] de la serenísima rreyna Da. Juana, segunda muger que fue del rrey D. Enrrique 4º de tal nombre, e también está enterrado en aquel monesterio el Clauijo. Otro monesterio se fundó al principio del año de 1547 años de frayles augustinos en el arraual. Otro monesterio ay que se llama Sant Jerónimo el Rreal, que primero se fundó en tiempo del rrey Enrique 4º, vna milla o quarto de legua de la villa el rrío arriba e después de mi tiempo se despobló e los frayles hizieron otro muy mejor e pasaron a él el nombre e la rrenta donde agora está, más cerca de la villa al camino que va de Madrid a Alcalá de Henares, en muy hermoso asiento de huertas e viñas e oliuares e fuentes de mucha e buena agua. Ay otro monesterio de frayles de la orden de los Predicadores a vna milla de la villa o menos, que asimismo se fundó en mi tiempo, junto al camino que va de Madrid al lugar de Vallecas, juridicción e aldea de Madrid, a vna legua della e hízose en vna ermita e abbadía llamada Sancta María de Atocha, e son frayles obseruantes (II, est. XXXII folio 73v.).

189. *Hospitales de Madrid.*

Ay quatro hospitales que son: Sancta Catalina, en que están doze ombres pobres ancianos que llaman los donados, que fueron ombres onrrados e enpobrescieron e están debaxo de la tutela e administración de los frayles ya dichos de Sant Jerónimo el Rreal, que los proueen de lo nescesario para su vestido e lo demás que a sus personas conviene, la qual memoria dexó e dotó vn cathólico vezino que fue de Madrid, llamado Pedro Fernández de Lorca, cúyas fueron aquellas suntuosas casas quél fundó e agora las posee el Conde de Chinchón. Ay otro hospital que llaman de la Merced, junto al Campo del Rrey, que está delante del alcáçar. Ay otro hospital que llaman de Sant Ginés, e delante de la misma yglesia. Ay otro ospital de que ya se ha fecho memoria que fundaron el secretario Francisco Rramírez[403] e la deuota Latina su muger, en los quales todos se sirue mucho a Dios nuestro señor e son acogidos e rreparados los pobres mendicantes (II, est. XXXII, folio 73v.).

---

403 *Francisco Rramírez:* v. *supra,* texto 183.

190.   *Otras particularidades de Madrid.*

Otras particularidades muchas e muy notables tiene la villa de Madrid de que hago testigos a toda España e en especial a los cortesanos y son que es Madrid adonde la Corte Rreal mejor aposentada está, e los negociantes mejor se hallan e con menos fatiga e costa despachan sus negocios mejor que en pueblo de España, así por sus buenas calidades ya dichas e por estar Madrid en la mitad Despaña e a proporción para todas las partes e por su gran fertilidad e abundancia e en gran comarca e del mejor aposento e más rrecogido que ay en lugar de España, de muchas casas buenas e cerca vnas de otras de que rresulta tener lugar los librantes de poder con menos fatiga solicitar sus negocios e pleytos e causas e hallar más a mano los oydores e juezes e oficiales de que han de ser despachados. Y porque entendays, letor, que esto es así, notad en las casas de Luys Núñez, [404] Señor de Villafranca, posaron algunas vezes los rreyes D. Juan 2º e D. Enrique 4º, e lo mismo en las casas que fueron de Pedro Hernández de Lorca. E en las casas que fueron de D. Pedro Laso de Castilla yo vi posar en ella al Rrey e Rreyna Cathólicos muchas vezes, e al serenísimo Archiduque e Archiduquesa, seyendo Príncipes. Y en la casa del secretario Johan de Bozmediano [405] vi posar al Emperador e Emperatriz, e desde aquella casa en año de 1535 años se partió su Magestad para África quando tomó Goleta e el puerto de la antigua Cartago e ganó la cibdad de Túnis por fuerza de armas a los infieles moros. E ydo su Magestad, la Emperatriz nuestra señora, con el serenísimo Príncipe don Felipe nuestro señor, e con sus damas e casa se pasaron a las casas del thesorero Alonso Gutiérrez, [406] así que veys aquí cinco casas adonde suelen posar e han posado los reyes fuera de los alcáçares de aquella villa, que como he dicho son el mejor aposento rreal de España. De más desas casas ay otras en quel Emperador puede aposentarse muy

---

[404] *Luys Núñez:* hijo de Pero Núñez de Toledo, nieto de Alonso Álvarez de Toledo, v. *supra*, texto 184. *Archiduque e Archiduquesa:* título que llevaban Felipe el Hermoso y Juana la Loca en vida de la Reina Católica.

[405] *Johan de Bozmediano:* su hija Nufla de Vozmediano casó con el poeta don Juan Hurtado de Mendoza, v. *supra*, nota 358.

[406] *Alonso Gutiérrez:* v. *supra*, nota 387.

bien, que en número son más de veynte en que pueden aposentarse el Arçobispo de Toledo e el Condestable de Castilla e otros veynte señores grandes, los mayores de España. E ay otras cinquenta casas e más de tales aposentos que pueden posar en ellas otros señores del Consejo e prelados e ombres de título. Concluyo que en España no sé ni hay cibdad ni villa de tantas ni tan buenas calidades como tengo dicho que tiene Madrid. Su jurisdición e tierra es muy buena e de muchas aldeas e buenos lugares e rricos vezinos en cantidad de cinco mill vezinos, pocos más o menos, de manera que en villa y tierra la hazen de diez mill fuegos de vezinos, e cada día se avmenta y cresce la población de sus arrauales, e Dios la prospere siempre e conserue en su sancto seruicio, e la tenga en buena gracia e amor de sus rreyes e príncipes naturales presentes e por venir fucturos. Amén. Amén. Amén. Ydem (II, est. XXXII, f. 73v.).

191. *Señores de título residentes en Madrid.*

Cúlpenme si oluidare
los condes muy eredados
en Madrid avezindados
y de casas principales.

Prosiguiendo la materia de la estança precedente en loor de Madrid se dirá en la presente, concluyendo, lo que agora oyrés, e dize el testo: "Cúlpenme si oluidare los condes muy eredados, etc." Estos son Johan Arias Dáuila, [407] conde primero de Puñoenrostro e sus sucesores. La qual casa ouo principio en tiempo del rrey don Johan 2º de tal nombre, con muchas mercedes que hizo a Diegarias su Contador Mayor, cuyo hijo fue Pedrarias, padre del dicho Johan Arias que yo conoscí. Es casa de quinze mill ducados de rrenta cada vn año, poco más o menos, con muy buenos vasallos e fortalezas e mucho pan de rrenta e eredamientos e juros, y esta casa estouiera muy rrica si no fuera por sus pleytos entre los mismos erederos. Tiene casas principales en Madrid y en Segouia. El

---

[407] *Johan Arias Dáuila:* fue creado I Conde de Puñonrostro en 1523. El contador Diego Arias, tronco de la familia, era converso y fue muy atacado en vida, v. Márquez Villanueva (*supra,* nota 359), págs. 19-21 *et passim.*

otro conde es don Pero Fernández de Bobadilla, [408] hijo del primero conde de Chinchón, don Fernando de Bouadilla, hijo del primero Marqués y Marquesa de Moya, D. Andrés de Cabrera e doña Beatriz Fernández de Bouadilla, los quales diuidieron su casa e vasallos en dos mayoradgos: al mayor hijo, llamado don Johan de Cabrera, dexaron el Marquesado e fue segundo Marqués de Moya, e al segundo hijo, don Fernando de Bouadilla le dexaron a Chinchón e Odón con sus villas e fortalezas e otros vasallos y eredamientos e la tenencia del alcáçar de Segouia y sus puertas. E este don Fernando fue el primero Conde de Chinchón, e casó con doña Teresa de la Cueua, hermana del 3º Duque de Alburquerque don Beltrán de la Cueua en la qual ovo al Conde sigundo de Chinchón, don Pedro Fernández de Bouadilla, ques muy gentil cauallero e vezino de nuestra Madrid. Casa es de doze o treze mill ducados de rrenta, poco más o menos, según me informa nuestro procurador. En esto destas tasaciones de rrentas e hazienda ajenas me rremito a quien las tiene e las gasta, que lo sabrán mejor que los que desde fuera lo myran. Lo que yo puedo dezir e afirmar [es] que estas dos casas tienen su tierra e vasallos en el rreyno de Toledo, e ques de las buenas primicias de toda España e con mucho pan e vino e azeyte e fértil de todo lo demás etc. (II, est. XXXIII, f. 74r.).

192. *Escuderos y plebeyos de Madrid.*

Escuderos ay leales
y tan bien exercitados
quen otro lugar contados
serían por caualleros.

Hay escuderos hidalgos leales y muy onrrados en Madrid, y tan bien eredados que en otras partes serían contados e rreputados por caualleros bien acostumbrados, e así biuen como ombres de auctoridad, e bien traýdos e estimadas sus perssonas e en sus casas todo el seruicio e complimiento que deue aver en la casa de vn

---

[408] *Don Pero Fernández de Bobadilla:* II Conde de Chinchón a partir de 1521, fecha de la muerte de su padre Don Fernando de Bobadilla y Cabrera, el I Conde. Sobre los abuelos, v. *supra*, nota 315, e *infra*, texto 261.

ombre sin nescesidad e bien exercitado en la paz e en la guerra, e prontos con sus cauallos e armas e aparejados al tiempo e sus sucesos, como ombres preuenidos e amigos de su onrra.

> Cibdadanos e erederos
> entre la gente plebea
> ay tales quel que los vea
> pensará que son patricios.

En la rrepública rromana ovo tres géneros o calidades de gente en que se yncluían e entrauan todos los vezinos della. Los más principales eran los que llamauan patricios, y éstos eran la gente más noble. Los más baxos e comunes eran los que llamauan plebeos, e los medianos, entre los que es dicho, eran los que dezían equestres, que eran gente de cauallo. Dize, pues, el testo que los plebeos de Madrid tienen tanto valor y lustre que en otras partes penssarían que son patricios o los admitirían por tales (II, est. XXXIII, f. 74r.).

193. *Diversos aspectos loables de Madrid.*

> ¡O villa felix sin vicios,
> llena de buenos exemplos!

Tiene aquí el testo manera de exclamación e encarescimiento en la prosecución de su estilo e segunda rrima, e continuando en loor de Madrid llámala bienaventurada e dize: ¡O felice villa, e sin vicios, llena de buenos exemplos o costumbres! E cabe muy bien este loor en aquella rrepública e en su manera de biuir que allí tienen los vezinos della, así para su buena substentación e orden como para enseñamiento de otros pueblos. Y es bien que noteys, letor, que así como se dixo que salen de Madrid más damas para la Casa Rreal, así podés tener por cierto que salen más corregidores para gouernar e administrar justicia en las otras cibdades e villas de los rreynos de Castilla que de otra parte alguna. E de mucha prudencia e habilidad que paresce que naturalmente nasce con los caualleros e gente noble de aquella villa.

> ¡Qué alcáçares e templos!
> ¡Qué moradas sumptuosas!

Aquí no es menester comento porque quanto a los alcáçares e templos e casas de rreligiosas e monesterios e ospitales, e en los que toco a los edeficios de Madrid en general y particularmente, basta lo que se dixo en la estança precedente, y avn en parte para declaración de los versos siguientes está lo más de todo ello dicho e declarado si avés tenido en ello la memoria, pero no es inconveniente quel verso vaya rreyterando la memoria, porque más se rretiene lo que metrificando se dize que lo que la oratoria o prosa propone, pero en la vna y en la otra manera es bien que se diga.

¡Qué comarcas abundosas!
¡Qué largos mantenimientos!

Referido e discantado queda de suso en la estança antes désta lo que estos dos versos rrepiten donde se habló en las comarcas e circunferencias del asiento que tiene Madrid, quasi puesta en la mitad de España, o a lo menos, de los pueblos principales de toda ella, ninguno está tan en la mitad como aquella noble villa, e ocurrid, letor, a lo que aveys leýdo.

¡Qué cielos y elementos
ay contino en tu syno!

Vna cosa tiene Madrid por excelencia y de ventaja a todos los pueblos principales de España y es que como está quasi en la mitad de los rreynos e tan desuiada de la mar no le alcançan aquellos vapores e nublados marítimos, e así su cielo está más claro e limpio e desocupado, e esas ofuscaciones ni turbación naturalmente en toda la mayor parte del año sin contraste ni debates de mudanças que suelen aver en otras rregiones.

¡Qué fructas! ¡Qué pan e vino!
¡Qué montes, llanos y caças!

Muy satisfecho está lo que aquí dize el testo en la estança precedente a ésta, e no ay para qué cansar al letor en se lo tornar a rrepetir pues por mi parte el comento ha complido con la verdad, e todas estas cosas son notorias a los naturales e avn a los estranjeros cortesanos que han visto aquella villa e rresidido en ella, porque no se puede ynorar ni dexar de entender cosa alguna déstas porque demás su notoriedad son muy nescesarias al seruicio de los ombres.

¡Qué verduras y qué raças
de cauallos y ganado!

Lo mismo digo en esto, porque todo está comprouado y dicho en la estança passada ante de aquésta, y porque son cosas éstas y cada vna dellas que luego se saben y entienden e los ombres que tienen buen juyzio natural las notan y estiman, porque lo que désas se sigue es muy nescesario para los humanos, e los ganados fueron vn tiempo la mayor parte de la riqueza humana entre los antiguos desde Abrahan e antes y después. Preguntadle a Job e a su bendita hystoria e hallarés en ella que tuuo siete mill ovejas e tres mill camellos e quinientos pares de bueyes e quinientos asnos, etc.

Mas vn defeto notado
le padecen tus vezinos
a causa de tus molinos
de tu pequeña rribera.

Al defecto de los molinos satisfaziendo, digo quel rrío de Madrid es de poca agua hordinariamente, hasta que con la calor del sol se derriten las nieues de las sierras de Segouia, o en el tiempo que ay grandes lluuias. Mas para esso es la prudencia e yndustria de los ombres para se proueer de harina en el tiempo quel rrío trae agua bastante para la molienda, antes que venga la falta della y esto es tan ordinario allí que muy rraras vezes les toma esta nescesidad desproueýdos porque cada qual tiene especial cuydado de su casa e de lo que ha menester para el proueymiento della.

Si el rey don Johan te viera
con Xarama se escusara
y esa falta se sanara
avnque no es tan bastante
que no seas habundante
de todo lo nescesario.

Vna rribera o rrío que se dize Xarama (de donde son aquellos toros tan famosos de brauos) pasa a tres e a dos leguas e menos de Madrid. E el rey don Johan 2º de tal nombre quería traerle a aquella villa y era muy posible, porque niuelado supo que se podía hazer, sino que su buen deseo del rrey no se efectuó, e por eso dize el testo "si el rrey Don Juan te biera" etc. E fue notorio que aquel buen príncipe estaua muy puesto en traer aquella rribera o rrío desde la puente que llaman de Biueros por donde pasa, que es en la mitad del camino que ay desde Madrid a Alcalá de Henares, e avía de venir guiada aquella agua a dar al pie de la torre de la Yglesia de Sant Pedro de Madrid, e de allí a los pilares para salir por entre las huertas del Pezacho, que dizen, a dar en el rrío de Madrid encima de la puente que llaman Segouiana, lo qual, para los que saben e han visto la tierra paresce cosa muy posible.

> Eres como reliquario
> de toda la gentileza
> y así creces en grandeza
> en tus efettos rreales
> con fauores imperiales
> que te colman con arreo.

Dize el testo ques Madrid como reliquario o custodia e recebtáculo de toda gentileza, e que así cresce en grandeza, etc. Es verdad que en el tiempo en que yo salí de aquella villa para venir a las Indias, que fue en el año de 1513, por mandado del Cathólico rrey don Fernando, 5 de tal nombre en Castilla, e como su veedor de las fundiciones del oro en Tierra Firme, era la vezindad de Madrid tres mill vezinos e otros tantos los de su jurisdición e tierra, e quando el año que pasó de 1546 años boluí a aquella villa por procurador desta cibdad de Sancto Domingo e desta ysla Española, donde hallé al serenísimo Príncipe don Phelipe nuestro señor, en sola aquella villa e sus arrauales avía doblado o quasi la mitad más de vezinos e serían seys mill, pocos más o menos, a causa de las libertades e franquezas e fauores imperiales que el Emperador rey don Carlos nuestro señor le ha fecho. Por lo qual es notorio lo que el testo dize.

> Y a muchos das desseo
> de biuir en ti de asiento
> y morir en tu conuento
> por buenas propriedades.

A muchos da desseo Madrid de biuir e morir en aquella villa por sus buenas calidades, por muchas rrazones que son notorias y que en parte se han dicho en ésta y en la estança precedente y por lo que más se puede dezir de su conuento. *Conuenire dicuntur qui ex diuersis animi locis in unum locum conueniunt* y así hallareis que en muchas partes dize Plinio [409] en su *Natural y general historia,* e llama conuentos a los pueblos principales que son cabeça de particular jurisdición, así como en España el conuento Luceso, a par del rrío Nauia que es en Galizia. Y antes deso dize el mismo Plinio que Bética es así llamada por el rrío Betis que por medio la diuide, e vence todas las prouincias de cultura e espléndida fertilidad, e tiene quatro conuentos e concilios donde se administra justicia que son Cáliz, Córdoua, Hastesi e Hispala, que es Seuilla. Quiere dezir que por conuento se entiende aquí congregación o ayuntamiento de muchos vezinos debaxo de vna particular jurisdición y justicia.

Tú conseruas las edades
por preuilegio diuino.

Bendicta región se puede llamar la que naturalmente la ha doctado Dios de buenos ayres e sano asiento, lo qual puede muy bien dezir Madrid e dar gracias a nuestro Señor por la merced que en esto le ha hecho, e por tanto dize el testo que conserua las edades aquella rrepública por preuilegio diuino, por los limpios y sanos ayres, que es don otorgado de Dios a aquella villa para conseruación de las vidas y edades humanas de los que en Madrid biuen. E sólo Dios se los concedió, que es el que da la vida e no otro por lo qual dize el Euangelista: [410] "Yo soy la vid e la verdad e la vida". E el mismo apóstol Euangelista en su *Rreuelación del Apocalipsi* dize: "Yo tengo las llaues del infierno e la muerte."

---

[409] *Plinio:* la cita está en *Natural historia,* III, iv, título que Oviedo trastrueca con el de su propia *Natural y general historia de las Indias. Hastesi:* Astigi, dice el texto latino; es la moderna Écija. La cita viene de *Natural historia,* III, iii.

[410] *Euangelista:* en esta cita Oviedo confunde dos versículos distintos de dos capítulos contiguos del *Evangelio según San Juan:* XIV, 6 ("Ego sum via et veritas et vita") y el XV, 1 ("Ego sum vitis vera"). Está bien traducido XIV, 6, al final del texto 128.

La Casa Real contino
habitan tus naturales,
como perpetuos leales
dinamente conseruados.

Insistiendo e concluyendo con Madrid dize el testo: "La Casa
Real contino habitan tus naturales, etc." Dicho está quán anexos
son los naturales de Madrid a ser oficiales y criados de la Casa
Rreal de Castilla, y ella quán natural y dispuesta e antiguamente
aparejada a los conseruar en su cotediano e perpetuo seruicio por
su lealtad e grandes e gentiles habilidades, así de varones como
de mugeres, e quán acostumbrado es en aquella villa dar al rrey
y rreyna criados, e quán antigua costumbre a los mismos rreyes
darle vezinos de su misma e Rreal Casa, e así hallarés muchos
cortesanos allí casados, e todos o los más linajes nobles que tengo
dicho, e otros muchos que se podrían dezir, la Casa Rreal los plan-
tó y eredó e avezindó en su corte en Madrid, e desa manera
dexaron sus patrias e dieron así a sus hijos e suscesores la de Madrid, donde agora son naturales (II, est. XXXIII, folios 74r-75r).

194. *Caída del rey don Fadrique de Nápoles.*

Los tiempos ves mudados
con diuersos toruellinos;
los malos tener por dinos,
a los buenos despreciar,
lisonjeros aluergar,
los honestos despedir,
las açadas conuertir
en cuchillos amolados,
a batallas inclinados
puesto que injustos sean.

Los tiempos ves mudados con diuersos toruellinos, etc. Lo que
el comento puede dezir el testo lo dize bien claro. Quanto a lo
que dize de se conuertir las açadas en cuchillos amolados e in-
clinarse los ombres a batallas injustas, juzgadlo vos, lettor, y acor-
daos de lo que avés visto, y mirad bien lo que veys, que yo no lo
inoro de todo punto ni me paresce bien ni se puede negar esta
verdad. Qué mayor mudança de tiempo puede ser que ver y oyr
llamar Christianísimo al Rrey de Francia, y verse confederado con

el infidelísimo [411] Gran Turco, cabeça principal de la condepnada y diabólica setta de Mahoma, que tanta parte del mundo lleuó e lleua al infierno. Parésceos que son toruellinos abominables ver juntas las tres flores de lis con la luna de Hizmaelitas. No es de penssar que aquel ángel que dizen los franceses que truxo las tres flores de lis del cielo a ponerlas en la vandera de Francia en lugar de los tres sapos que antes desso los rreyes galos trahían en sus vanderas, tal dispensaría ni daríe [sic] licencia a se juntar y vnir tan diuersos confalones contra christianos. Pues ves como los malos perseueran, pero sed cierto que Dios tiene cuydado de gratificar a los vnos y los otros a proporción de sus méritos y condenados propósitos, porque Dios siempre fue y es y será justo en sus rre-muneraciones.

De otra manera lo hizo el infelice rey de Nápoles D. Fede-rique, [412] de buena memoria, que juntándose los reyes de España e Francia contra él quando se partieron aquel rreyno el año de 1501, el Gran Turco se le ofresció de le poner en el rreyno cient mill ombres de pie y de cauallo para su defensa. E platicado este tractado e comunicado con los de su consejo, el Rrey les pidió su parescer, e los más fueron de voto quel Rrey se deuía de ayudar del Turco, e que a lo menos cinco mill de cauallo e otros de pie turcos los rrescibiese. E el Turco dixo e rreplicó que tan pocos ombres no los daría, porque sería posible azer sus amistades el rey Federique con España e Francia, e juntos los christianos que-darían a peligro los turcos en Italia, pero que le daría los cient mill ombres que avía dicho e más los quel Rrey quisiese, e que para su seguiridad le diese al illustrísimo señor D. Fernando de Aragón, Duque de Calabria, hijo mayor del Rrey e que esperaua sucederle, e le entregase a Brindis e Otranto en costa del mar Adriático. Yo oý altercar esto al Rrey e los de su Consejo, e los más eran de parescer quel Rrey tomase el mejor partido que le paresciese e que muriese defendiendo su rreyno. E vno de los del Consejo llamado Frey Luis Garapha, [413] cauallero de la Orden de

---

[411] *Infidelísimo:* sobre este juego de palabras, al que era afecto Oviedo, v. *supra,* notas 62 y 63.

[412] *D. Federique:* sobre este último Rey de Nápoles, v. *supra,* notas 17, 74, textos 56, 141, 144, 151 y 276.

[413] *Garapha:* Caraffa, ilustre linaje oriundo de Cerdeña, pero identificado con Nápoles.

Sant Juan de Rrodas, le dixo: "Señor, yo no consejaré a vuestra Magestad que deys causa ni puerta en vuestro rreyno al Turco, que seríedes tizón para perderse toda la christiandad, e vos e vuestro rreyno sería [sic] lo que primero se avía de perder e arder, e vuestra ánima e otras muchas lleuaríades al infierno. Mirad, señor, que soys christiano e viejo e enfermo, e aquesta vida es corta e acabaríades con mal nombre. Por amor de Dios, señor, mirad bien en esto, que no ay aquí ninguno que tenga de dexar de morir, pero el que fuere christiano querrá morir como christiano." El Rrey dixo: "Fray [sic] Luys, vos avés dicho la verdad como buen cauallero, e Dios es poderoso e con Su misericordia nos socorrerá." Y con esto dejó el Consejo e luego començaron a yrse los vnos a buscar al Gran Capitán e se passaron a la parte de España, e los otros a la parte de Francia, cuyo general era Mosior de Obeñí 414 e el Rrey embió al Duque de Calabria su hijo a Taranto, e él se fue a Yscla, e pararon las cosas en que perdió el rreyno, y él y la Rreyna, su muger, e sus hijos tres, e dos hijas, todos murieron por casas ajenas pero como christianos. Bien creo que pocos cronistas han hecho memoria desta cathólica e sancta determinación del rrey Federique, ni os marauilleys, letor, que tan puntualmente yo os la haya contado que hasta agora no la he escripto, e trúxola a mi memoria la liga del Rrey de Francia del Turco. Y sabed que yo seruía en esa sazón al rrey Federique de ayudante de cámara, e vno era yo de los que guardáuamos la puerta más próxima de su rreal persona e oý muy bien lo que en aquel Consejo se trató e os tengo dicho.

Boluamos a nuestra materia. Si se desprecian los buenos e se oyen e acojen los viciosos y lisonjeros, oficio es deste mundo e visto está e tan vsado e tan ordinaria anda esa mala costumbre que tiene ocupada a la mayor parte.o número de los que biuen, y es causa de la mala gouernación de los mortales por la industria de nuestro común aduerssario, estoruador de la saluación de los christianos, e que christianos se llaman e se apartan de los cathólicos, honestos e rreligiosos adherentes a la Yglesia. Si se conuirtiesen las açadas en cuchillos o no, mirad los exércitos del

---

414 *Mosior de Obeñí:* Monsieur d'Aubigny, cuyo nombre era Robert Stewart; más noticias suyas en *Crónicas del Gran Capitán,* NBAE, X, Índice de Personas. *Yscla:* Ischia.

tiempo presente y vereys los torpes villanos e otros mezclados de
rruyn casta hechos soldados, e apartados los vnos de la reja e los
otros de los mecánicos e viles oficios que primero vsaron, y después de mezclados en la militar disciplina, quando por malos de
pecados alguna vittoria consiguen contra sus próximos, ésos son
los crueles omecidas, ésos son los adúlteros, ésos son los rrobadores, e insaciables ladrones, e tan crueles que no perdonan sexo
feminil, ni edad de infancia ni decrépita, ni ay término ni razón
ni misericordia en sus delitos, e désta su mala costumbre son
inclinados a contenciones injustas e batallas sangrientas, e a sacos
e incendios de pueblos e mal biuir, el qual error no cabe ni le
aman los que son de buena casta e se piensan saluar, antes les
pesa de ver a sus príncipes en guerra injusta [415] ocupados, e que
los llamen o constringan a hallarse en tales exércitos, ya que por
su hábito e lealtad e oficio no puedan dexar de obedescer por no
incurrir en desobidiencia a su rrey e señor natural cuyo vasallo
es, e que nasció obligado a le seguir e seruir ayrado o pagado
ques la común obligación de los súbditos, e doblada si lleua sueldo
e es de los del número de sus mílites de pie o de cauallo, etc.
(II, est. XXXIV, folio 75v.).

195. *Idea imperial de Oviedo.*

> No vale contra Dios malla
> ni arnés ni ay vandera
> enhiesta doquiera Quél quiera
> que se esecute Su ira.

"No vale contra Dios malla, etc." Todas las fuerças humanas
de los armados e soberuios e sus arneses y potencias no son parte
para ofender ni defender a nadie contra lo que Dios ordena. Y no
pensés que avnquel pueblo y grita de Mahoma es grande (y puesto que más lo sea) juntado con el francés podrá enpescer ni enpe-
cerá al águila imperial, defenssora de la rrepública e vniuersal
boz christiana, porque como dize el testo muy bien [*sic*] (II, est.
XXXIV, folio 76r.).

---

[415] *Guerra injusta:* v. *supra,* nota 85.

196.   *Negros esclavos alzados en Santo Domingo.*

> Leuántase en nueua guerra
> de los esclauos captiuos,
> por pecados de los biuos
> y ... de los muertos.

Dize el testo que se leuanta nueua guerra de los esclauos captiuos, etc. Aquí paresce que se dexa la materia de que se ha
tractado hasta este punto, y no del todo pues que es del juez de
nuestros pecados y enderésçanse los versos a vna guerrilla casera
de ciertos negros esclauos que en esta nuestra ysla Española se
han alçado del seruicio de sus señores, e avn han muerto ya hasta
los veinte días de este mes de nouiembre de 1553 [*sic*] años en
que aquesto escriuo algunos christianos incautos, e quemado eredades y rrobado todo lo que han podido debaxo de la capitanía
de vn mal negro llamado Johan Vaquero, porque en tal exercicio
se crió este esclauo, el qual era de D. Christóual Colón, [416] nieto
del primero Almirante destas Indias, vezino desta nuestra cibdad
de Santo Domingo. E como este negro era ombre diestro a cauallo
halló oportunidad para alçarse, a causa que en esta ysla ay muchos
negros por esta granjería del açúcar, e no han faltado otros tan
malos como él, deseando su libertad, allegados a su propósito. Pero
como esta gente negra son de poco saber e no de mucha industria
en las armas e de diuersas y malas inclinaciones e diferentes lenguas no hazen la guerra como ombres que parezca que por zelo
de libertad siguen su intento, sino desatinados y peruersos ladrones salteadores de poca calidad, e contra los descuydados y flacos.
Non obstante la maldad desos esclauos esta cibdad e rregimiento,
y el Audiencia rreal que aquí rreside, no se han descuydado de
embiar gente de pie e de cauallo para el castigo destos negros, y
algunos de los malhechores están ya presos, e con ayuda de Dios
y nuestro señor presto se hará justicia dellos y de los que más se
pudieron haver dellos para queste cáncer se ataje (II, est. XXXVI,
folio 78v).

---

[416] *D. Christóual Colón:* su hermano mayor, Don Luis, fue III Almirante
y I Duque de Veragua; acerca de los demás hermanos, v. Oviedo, *Historia
general,* IV, vii, e *infra,* texto 215.

197. *Pecados de los blancos; inferioridad de los negros.*

> No dexamos de ser ciertos
> que los malos tractamientos
> de los amos auarientos
> causan esta rrebellión,
> y la mala condición
> de la negra gente fiera.

A todos los desta ysla nos es manifiesto que destos trabajos en parte son causa algunos de los amos destos esclauos, juntamente con la mala condición natural de los mismos negros, por no los tractar bien ni proueer de lo nescesario para su vistuario [sic] e alimentos, e haziéndolos trabajar excesiuamente sus señores. Y tanbien avés de saber, letor, que esta generación bronzada o de color prieto es en la condición tan diferente de los blancos que no se puede entender ni creer sin tractarlos, y más negras y peores son sus obras que la color caruonesca de que natura los doctó, porque son viciosos, vinosos, ingratos, incorregibles e de malas inclinaciones. Dicho es muchas vezes questa gente negra se deverá evitar o limitar e no rrescebirla en aquesta tierra en tanta moltitud por ser peligrosa e sin fe ni vergüença ni rrazón, sino saluaje e desleal, etc. (II, est. XXXVI, folio 78v.).

198. *Vanidad nobiliaria en Indias.*

> El que por ruýn se tuuiere
> con ello se salirá
> y ese tal presumirá
> que desciende de los godos
> y ques mejor quatro codos
> que Manrriques ni de Haro.

"Al que por ruýn se tuuiera, con ello se salirá, etc." Y el mismo testo le rresponde e dize que ese tal presumirá que desciende de los godos y que quatro cobdos mejor [es] que el linaje de los Manrriques ni de los de Haro. Averiguada vanidad y de gente baxa es esa jatancia de los linajes, e no han los que eso dizen oýdo

al apóstol Sanct Pablo [417] que dize: "Si alguno se estima que es
algo o alguna cosa siendo nada, engáñase a sí mismo en la mente.
Cada uno aprueue la obra suya y estimar sólo en sí mismo avrá
de qué gloriarse e no en otro, porque cada vno lleuará su propria
carga." En otra de sus Epístolas dize: "Dexa yr las locas quistiones y las genealogías." Y porque de suso se apunte en los godos
y en los Manrriques y los de Haro, que son linajes de señores y
casas illustres en nuestra España, digo que es tanta la vanidad de
algunos en estas nuestras Indias [418] que sin vergüença osan dezir
que son debdos de señores de casas principales e antiguas en
estado, y cuéntenmelo a mí que sé muy cierto lo contrario. Y avn
no se contentando con eso no dexan de pintar y esculpir escudos,
que dizen que les pertenescen, mezclando en ellos las armas de
varones illustres que a estotros no les competen ni tienen con ellos
más debdo del que tenía aquel rromero (o chocarrero) que pidió
al rey don Alonso de Aragón, que ganó a Nápoles, que le ayudase
con alguna limosna porque era su pariente, penssando que como
aquel era vn príncipe liberal que todavía le sacaría vn rrepelón
con su desuergüença. El Rrey, como prudente, apartóse con él, e
díxole en poridad: "Dezidme qué debdo tenés comigo." Y el
mendicante le dixo: "Señor, por la vía de Adam soy pariente de
Vuestra Magestad" Y el Rrey le rreplicó e dixo: "Vos dezís muy
gran verdad". E llamó a su thesorero que estaua algo desuiado
e díxole el Rey delante de aquel pobre: "Thesorero, hazedle dar a
este my pariento vn caualucho," ques es vna moneda de cobre
que en Nápoles vale vna blanca. Y al mendicante le dixo el Rrey:
"Mirad, pariente, cobrad otro tanto de cada vno de nuestros parientes y debdos, que non obstante que son muertos infinitos, en
los que ay biuos que os den sendos caualuchos: ternés mucho más
que yo." Y desta manera aquel buen príncipe se ovo con aquel
su pariente, o mejor diziendo, temerario sinvergüença. Estos que
descienden destas casas illustres no nos lo avían de contar a los
que nacimos en España, como ellos, e que podemos saber lo cier-

---

[417] *Sanct Pablo:* la primera cita es *Ad Galatas*, VI; la segunda de *Ad
Tito*, XIII.
[418] *Nuestras Indias:* comparar con lo dicho sobre los Cepeda, *supra*,
texto 112.

to, o lo sabemos y conoscemos los de allá y los de acá (II, est. XXXVII, folio 80v.).

199. *Abusos del título de* don *en Indias.*

> Ningún don les cuesta caro
> a su paladar y gusto
> y a los más viene tan justo
> como vnos çarahuelles.

Tantos son los *dones* en estas Indias [419] quel que no le quiere no le tiene, y por eso dize el testo: "ningún don les cuesta caro a su paladar y gusto", etc. y viéneles tan justo como vnos çarahuelles, [420] ques vn hábito marinesco e morisco, que si no son anchos no valen nada. Y porque los *dones* acá en los más de los que los tienen son anchíssimos y escusados, valen menos. Es la comparación muy al proprio, y tan justos son los *dones* en los más de los

---

[419] *Dones en estas Indias:* en el Siglo de Oro se abusa del *don* a ambos lados del Atlántico, pero para ilustrar este texto de Oviedo no deja de venir a propósito la siguiente cita de Santa Teresa de Jesús, cuyos problemas de familia quedan aludidos *supra*, nota 230. En 1575 volvieron a España dos hermanos de la Santa, gastando un *don* que la familia nunca había usado; con este motivo, y con fecha de Sevilla, 29 de abril de 1576, escribe la Santa a la M. María Bautista, en Valladolid: "Vengamos a sus consejos. Cuando a lo primero de *dones*, todos los que tienen vasallos de Indias se lo llaman allá. Mas en viniendo rogué yo a su padre [o sea, uno de sus propios hermanos Lorenzo de Cepeda] no se lo llamasen y le di razones. Ansí se hizo, que ya estavan quietados y llanos, cuando Juan de Ovalle y mi hermana, que no me bastó razón (no sé si era por soldar el [*don*] de su hijo), y como mi hermano no estava aquí ni estuvo tantos días ni yo con ellos, cuando vino dijéronle tanto que no aprovechó nada. Y es verdad que ya en Ávila no hay otra cosa, que es vergüenza. Y cierto a mí me dan en los ojos por lo que a ellos toca, que de mí nunca creo se me acordó ni de eso se le dé nada, que para otras cosas que dicen de mí, no lo es. Yo lo tornaré a decir a su padre [Lorenzo de Cepeda], por amor de ella; mas creo no ha de haver remedio con sus tíos, y como ya están tan hechos a ello, harto me mortifico cada vez que se lo oyo", *Obras completas,* ed. Efrén de la Madre de Dios y Otger Steggink (Madrid, 1972), pág. 733b. No sutilicemos demasiado: algunos de la familia de la Santa, linaje perseguido en época por el Santo Oficio, vinieron a Indias, donde, entre otras cosas, se apropiaron un *don.* Pero al volver a España usando ese título, y en lugares donde se conocía la *raza* del linaje, a Santa Teresa le *daban en los ojos* las malévolas hablillas suscitadas por la hueca vanidad de sus hermanos.

[420] *Çarahuelles:* zaragüelles.

ombres y mugeres destas partes como anchísimos çarahuelles. E sin duda ninguna cosa ay en las Indias más barata questos *dones* escusados, porque demás de no ser del Spíritu Sancto a ninguna cosa aprouechan, e sin esperar licencia del rey ni del Papa el que quiere *don* con él se queda, y con él se queda que no ay quien se le impida ni se le aya embidia si es ombre de rrazón el que mira esta desorden (II, est. XXXVII, folio 81r.).

200. *La* Historia general *de Oviedo.*

> Mejor sería penssar
> lo poco quel tal meresce
> y quel triste se envejesce
> sin saber adónde está,
> pues que sin dubda se va
> a parar en el abismo.

Estaríale mejor al pecador penssar en lo poco que meresce y en lo mucho que a Dios deue, y mirar que se enuegesce en su descuydo y pecados y con sus culpas, sin se entender adónde está. Si en sí torna verá que va a parar en el abismo infernal, porque como Sancto Anselmo dize en sus *Meditaciones* no es pequeño principio para la bienaventurança el conoscimiento que el onbre deue tener de su propria infelicidad e miseria. Vamos agora a la estança del número quarenta, porque deseo mucho ver el fin de la tercera *Quinquagena* o parte a causa de mis enfermedades, y avn demás déssas es forçado ocurrir a la *General historia* destas nuestras Indias que por mandado del César escriuo, en que se ofrescen cosas que no se pueden ni deuen callar ni disimular, ni deuen algunas quedar sin castigo (II, est. XXXIX, folio 84r.).

201. *El príncipe ideal: Don Alonso de Aragón, conquistador de Nápoles.*

> Oýd al rey don Alonso
> Cómo sintió la justicia
> y nota bien la malicia
> del maluado Frey Antonio,
> hypócrita del demonio,
> pero de Dios castigado.

La presente estança muda aquí la precedente materia, y no de todo punto fuera de propósito, pues que es expresar virtudes y no todas las que cupieron en la perssona del serenísimo rey don Alfonso de Aragón, [421] que ganó a Nápoles, hijo mayor del Infante don Fernando de Castilla, que ganó a los moros la villa de Antequera por fuerça de armas, en el rreyno de Granada [al margen en un recuadro: REY DON FERNANDO DE ARAGÓN, INFANTE DE CASTILLA QVE GANÓ A ANTEQVERA] seyendo tutor e capitán general del rey don Johan 2º de tal nombre, su sobrino, e después fue Rrey de Aragón. Así que este e su hijo el rey don Alfonso fueron ... pares semejantes (antes y después dellos) y fueron tan bastantes que colman la illustración deste cathálogo. Y porque de cada vno destos illustres príncipes [al margen en un recuadro: REY DON ALFONSO DE ARAGÓN QUE GANÓ NÁPOLES] ay historiadores fidedignos que sus vidas escriuieron a ellos me rremito, a lo menos en lo del rrey don Fernando que digo; e diré algo avnque poco e de lo que compete a su hijo el rrey don Alonso, que seyendo Rrey de Aragón ganó Nápoles. Este príncipe nació en Carrioncillo que es vna casa del Rrey que está en el bosque de la naua de Medina del Campo, e Medina era en esa sazón del dicho Infante don Fernando, su padre, hermano del rrey don Enrique 3 de tal nombre en Castilla. Pero dexemos lo que toca a su genealogía rreal de Castilla y satisfagamos el testo que dize: "Oýd al rey don Alonso, cómo sintió la justicia, y notad bien la malicia del maluado Fray Antonio, hypócrita, etc." Sentía tanto este buen Rrey de las cosas de justicia que dezía él que los príncipes que se presciauan de guardar justicia le parescían semejantes a los que tienen gota coral porque como Lactancio Firmiano [422] dize, e la verdad lo confirma, es cierto que sola la justicia es la sustancia que conforma la vida del alma, pues si al ánima le quitan lo que la conserua y da su ser y el manjar que la sustenta, de nescesidad caerá como el que tiene gota coral, sin sentido alguno.

---

[421] *Alfonso de Aragón:* es decir, Alfonso V el Magnánimo, rey de Aragón de 1416 a 1458, y tronco de la familia real napolitana, por la que tanta simpatía expresó Oviedo en estas *Quinquagenas* y otras obras.

[422] *Lactancio Firmiano: De divinis institutionibus* no se tradujo al español hasta mucho después, pero en la Biblioteca Colombina hay tres incunables venecianos. *Gota coral:* epilepsia.

De más de eso tenía por costumbre asentarse todos los viernes públicamente por tribunal a oyr las causas de los pobres, porque viendo los rricos quán fácil les era a los pobres poderse quexar al Rrey personalmente, se guardasen de hazerles injuria, e cada qual fuese señor de lo suyo. El autor deste tractado es Antonio Panormitano, [423] el qual dize que este buen rrey mandó avisar a todos los juezes e gouernadores de su rreyno (y él de palabra se lo amonestaua) que ninguna cosa del mundo que él hubiese a mandar la obedesciesen si no era justa e honesta. Lo que toca el testo del hypócrita maluado de Fray Antonio es vn caso estraño, y dezirlo he con menos palabras que lo dize el autor alegado, donde el letor lo podrá ver. El qual cuenta que este buen príncipe supo que aquel frayle dicho comúnmente Fray Antonio Picente de la orden de los eremitas era muerto de muerte muy penada. El qual era vn estraño, solenísimo y muy señalado hipócrita, e murió diziendo muchas blasfemias contra Christo nuestro Rredemptor y su sacratísima Madre; del qual era pública fama que ayunaua quarenta días y quarenta noches continuas sin comer cosa alguna, e avíase fecho gran expiriencia contra él por saber si era verdad, e no se pudo saber, ni se crehía sino que los ángeles le alimentauan. La verdad del secreto era quél tenía vnas candelas gruesas, hechas de dentro huecas e por encima cubiertas con vaños de cera, y estas candelas estauan llenas en lo hueco de vna masa muy cordial compuesta de pechugas de faisanes, capones, y otras aves, açúcar, harina e otras mezclas tales que poca cantidad daua mucha substancia. Trahía asimismo vn cinto hueco con tal ingenio que sin ser visto podía aver alguna cantidad de hipocrás y otros vinos presciosos de que secretamente beuía. Este fue vn ombre tenido en la mayor opinión de sancto de quantos se hallaron ni supieron en su tiempo. Quando el Rrey supo que era muerto de vna miserable muerte, e quasi comido de gusanos e descubierto el secreto de su maldad, dixo el Rrey: "Verdaderamente yo creo que Dios castiga con tanta aspereza a los hypócritas porque

---

[423] *Antonio Panormitano:* o sea, Antonio Beccadelli, *Il Panormita* o Panormitano, por ser de Palermo, *Antonii Panormite in Alfonsi Regis dicta aut facta memoratu digna* (Pisa, 1485), trad. *Libro de los dichos y hechos del Rey Don Alonso* (Valencia, 1527).

los engaños y maldades fengidas que hazen quieren tomar a
Dios por escudo y compañero para engañar los hombres."

El Rey que tengo nombrado
es tan dino de memoria
que onrra qualquier historia
do se nombra su perssona.

"El Rey que tengo nombrado es tan dino de memoria, etc."
Gentil loor es aqueste y bien tocado porque así como la historia
es la que onrra a los famosos, quiere dezir el testo queste príncipe
onrra a la historia donde dél se haze memoria, e da lustre y onor
al verso y a la prosa que en él habla. E así ay muchos y dinos
autores de su tiempo que escriuieron muchas e particulares exce-
lencias de que Dios le doctó, y en todas y en cada vna dellas le
hizo muy complido y bastante príncipe y estremado en sus virtudes. Demás de acabar aquella su gloriosa empresa e triumpho de
adquerir aquel rreyno de Nápoles por su prudencia y esfuerço, y
en mucho tiempo y en continua guerra y exércitos de mar y de
tierra dando con sus armas y auctoridad y belicosa industria grandíssimo rresplendor al arte militar, sin negar su perssona a trabajo
que se ofreciesse para la conclusión de sus victorias en que ni los
passados le hizieron ventaja ni a los que después dél vinieron
les falta de qué tenerle imbidia virtuosa porque juntamente con
su experiencia tenía tanta vigilancia en las cosas militares que no
avíe nescesidad de acordarle cosa que deuiese proueer ni hazer
para lo que ocurría en su exército o prosecución de la guerra.

Ninguno tuuo corona
en su tiempo tan preciado
cathólico, esforçado,
liberal, agradescido,
piadoso, comedido,
y enteramente justo.
¡Qué gracioso y qué gusto
en su prudente hablar!
¡Qué humano en ayudar
al que víe nescesitado.

Su fama y obras le hizieron en su tiempo el más presciado de
quantos rreyes tenían corona, porque él era muy cathólico y
zeloso del seruicio de Dios, y por su perssona de muy complido

esfuerço y bastante ánimo donde conuenía mostrarlo con la obra; liberalíssimo y agradescido, muy piadoso y de gran comedimiento, y enteramente justo e afábil e caritatiuo con todos y especialmente con los nescesitados. Gran virtud y muy rresplandeciente es la de la justicia en el príncipe que es amador della, porque es su proprio officio, porque como dize Cipriano en vna su epístola: "La justicia del rrey es paz de los pueblos, es seguridad de la tierra, es guarnescimiento y esfuerço de la nación, es salud de las enfermedades, es gozo de los ombres, es sosiego de la mar, es serenidad del ayre, es preñez y fertilidad de la tierra, es solaz de los pobres es eredad de los hijos, e en conclusión, la justicia es para el que la tiene esperança de la fuctura y perdurable felicidad." Todo lo susodicho es de Cipriano. [424]

> Fue muy docto confiado,
> onrrado de la milicia,
> libre de mala cobdicia,
> amigo de honestidad.

Io estó muy bien con lo que escriue Antonio Panormitano de aqueste buen Rrey, el qual le loa de muy cuydoso [sic] de onrrar los doctos y fauorescerlos. Y junto con esso dize este auctor que acostumbraua rreyrse de Scipión, porque Scipión vsó rrecrear y desenojarsse bailando y danzando, e dezía este Rrey que entre el loco y el que bayla o dança no ay otra diferencia sino que el vno es loco tanto como biue, y el otro tanto como bayla. E por esto dezía que los franceses entre todos los del mundo eran los más vanos locos, que quanto son más viejos tanto más se deleytan en baylar y dançar, que es en ser locos. Fue onrrador de la milicia mucho, e hizo muchas mercedes a muchos hombres de guerra, según sus calidades. Fue honestísimo Rrey e contentáuase mucho de los ombres honestos e bien criados.

> ¡Qué grato, qué caridad,
> y que vero continente!
> Animoso, diligente,
> con el aleuoso Rricio.

---

[424] *Cipriano:* sus obras no se tradujeron en vida de Oviedo, pero en la Biblioteca Colombina hay cuatro ejemplares de diversas ediciones latinas, todas hechas en vida de nuestro cronista, y dos de ellas compradas por el mismo D. Fernando Colón.

Agradesçido fue siempre este Príncipe con los que le siruieron, e muy caritativo comúnmente con todos todas las vezes que se ofrescía. Pero tanbién quando conuenía mostrar su rretitud no se descuydaua desso, ni avn conuiene al que ha de rreynar que no sea temida su justicia ni sea parcial en ella. Ofrescióse que vn capitán de infantería suyo llamado micer Rricio en Rríjoles [425] se le avía leuantado e passádose a los enemigos, e fue el Rrey tan presto sobre él que no se pudo escusar de ser desbaratado el desleal e presos los rrebeldes. Mas por su clemencia liberalmente los mandó soltar sin daño ni castigo, e cobró el Rrey la cibdad rrebelada. Bien se deue presumir que la liberalidad o piedad quel Rrey vsó en este caso no sería sin seguridad bastante para su estado, porque de otra manera su diligencia e trabajo fuera en fauor de los enemigos. Y esto es lo que se deue mirar mucho, según el tiempo y sazón y la dispusición de los negocios, para que la misericordia tenga rresplandor e la auctoridad del que la vsa no se conuierta en menosprecio en el tiempo fucturo.

> No thenía por seruicio
> dezirle lagotería;
> y qué humilldad thenía
> al Rey su padre Fernando.

Para este sereníssimo Rey era gran pesadumbre y enojo dezir lagoterías, antes le pesaua de oyr cosas fitas [426] ni de otra manera, avnque fuesen ciertas si en alabança suya eran dichas. Y fue tan obediente al rrey don Fernando, su padre, que de su voluntad dio e rrenunció a su hermano el Infante don Johan los vasallos y eredamiento que tenía en Castilla, que eran el marquesado de Villena y el ducado de Peñafiel y Medina del Campo, e otras villas y castillos. El qual Infante don Juan fue despúes Rey de Nauarra y de Aragón, cuyo hijo fue el Cathólico rey don Fernando, quinto de tal nombre, Rey de Castilla, que ganó a Granada e Nápoles.

---

[425] *Rríjoles:* Reggio di Calabria; v. *infra,* nota 478.
[426] *Cosas fitas:* cosas fingidas, v. *supra,* textos 90 y 144. Este latinismo evidentemente le había caído en gracia a Oviedo.

Cómo biuió desechando
aleues ofrescimientos.
¡Qué memoria y qué cuentos
se cuentan de su largueza!
¡Qué ingenio, qué biueza
tan gentil con el esclaua!
¡Qué altamente hablaua
diziendo las calidades
y virtudes y bondades
de los reyes bien regidos!

Acaesció que vna esclaua se empreñó e parió vn hijo de su señor, e vino a pedir justicia al Rey, diziendo que era libre por aver avido aquel hijo en ella su señor, e el amo negaua la verdad, penssando quedarse con la esclaua e con el hijo. Pero avnque la prouança era difícil la prudencia del Rey buscó la verdad, y para hallarla mandó quel niño se pusiese en pública almoneda, y que se rrematase el muchacho en el que más diese por él. E finalmente por concierto fengido mandaron rrematar el muchacho en el mayor ponedor. Entonces el padre, con lágrimas paternales, tomó el muchacho confesando la verdad, e el Rrey, viendo eso, mandó quel padre leuase su hijo e que la esclaua ouiese su libertad. Dize más el testo, que hablaua este príncipe altamente en las calidades que los rreyes avían de tener, que quadrasen con su officio, pero desto se tractará de yuso, porque estas pausas e trechos que se deuiden en las materias son ýtiles a la memoria del letor, e así dizen:

Los quales, si son queridos
van seguros a doquiera,
y dezíe quel rey tal era
como yerua tornasol
comparado al pharol.
Si tal rey querés loar
bien lo podés comenzar,
mas ver el fin no contece.

Tened memoria en que dizía el rey don Alonso que le parescía cosa muy grave ser rrey por muchas cosas, y principalmente porque la vida de vn rrey no es sino vn dechado de donde sacan los pueblos sus modos de biuir. Y es desauentura que siempre se hallan más aparejados para seguir los vicios que no las virtudes que ven. De manera que tienen los rreyes grandíssima nescesidad

de biuir bien e a derechas, no tanto por sí mismos quanto porque
con su mal exemplo no hagan a muchos ser perdidos y malos.
Dezía este Rrey que así van los pueblos mudándose al talle de
las costumbres que ven en su rrey, como la yerua llamada tornasol va siguiendo el sol do quier que camina. Y es asimismo el rey
comparado a la luz del pharol, a la qual siguen todas las naos
de la flota. E por tanto, vos, letor, entended queste sereníssimo
príncipe bien puede vn ingenio flaco o docto (si es mortal) començar a loarle, mas ver el fin condicente no contesce en estos
tiempos tales. Mucho se pudiera dezir, pero para vuestra curiosidad, amigo letor, ved al auctor alegado, micer Antonio Panormitano y serés mejor informado de los méritos y grandes partes
deste buen Rrey. Pero para concluyr digo quel autor Panormitano
dize que aqueste príncipe dezía que la justicia le hazía ser
bienquisto con los buenos, e con la clemencia lo era tanbién con
los malos. Érale a este Rrey muy familiar aquella sentencia de
Antístenes en que dixo que si el ombre de nescesidad avía de venir
en poder de cueruos o de lisonjeros, que muy mejor era venir en
poder de cueruos, porque los cueruos no comen sino muertos y
los lisonjeros cómense los biuos (II, est. XLIV, folios 89v-90v.).

202. *Frailes renegados y clérigos cortesanos.*

>   El conuertido se mida
>   porque sus pecados borre,
>   Quien con lo que ha socorre
>   a los veros rreligiosos
>   galardones más presciosos
>   lestarán aparejados.

"El conuertido se mida, etc." Quien socorre con lo que tiene
a los verdaderos rreligiosos, que son los christianos pobres y
nescesitados, galardones más presciosos que lo que el tal puede
darles hallará aparejados. Pero estos versos se diuiden en dos
puntos: el primero es consejo de Sanct Pedro a los judíos, y les
dize: "Reconocéos, pues, y conuertíos a fin que vuestros pecados
sean cancelados." Quiero yo sinificar quel conuertido a Dios,
y el que ha venido en conoscimiento de la verdad, se mida y
perseuere porque sus pecados sean testados o borrados como el
príncipe de los Apóstoles lo dize. El segundo punto dize: "Quien

con lo que ha socorre a los verdaderos rreligiosos, etc." Obra de caridad es y limosna socorrer a los verdaderos rreligiosos. En fin del quarto capítulo de los *Attos de los Apóstoles* dize que José, el qual es nombrado Barnabá de los apóstoles, que se interpreta "hijo de la consolación", leuita y de Chipre natural por nasción, vendió vn campo que tenía e lleuó el prescio e púsole a los pies de los apóstoles. Así que sanctamente lo hizo e lo dio a verdaderos rreligiosos. E los que tales limosnas hazen hallarán aparejados de Dios más presciosos galardones, fructos que cojerán de la divina mano. Quanto a los conuertidos ay mucho que dezir: yo llamo conuertido al que nueuamente viene de moro o judío o gentil a la fe christiana, pero sin esos ay otra manera de conuertidos en nuestras Indias, y son vnos frayles que se conuierten en clérigos, e disimulados o trocado el hábito se vienen a estas Indias e así andan desta manera de sacerdotes. Algunos los llaman frayles rrenegados: digo éstos que de España se vienen acá huyendo de sus monasterios. Ay otros que de los monesterios de acá se van a España y de España a Rroma y bueluen acá en hábitos de clérigos, y tan desenbueltos y cortesanos y polidos que se puede sospechar que a sus ánimas les fuera mejor escusar tal rromería. Non obstante lo qual, con todos se ha de vsar de caridad, e la Yglesia no los desecha. Pero bien saben esos demudados que dize el Euangelio: "Vuestros cabellos de la cabeça, todos son numerados." E el glorioso Sanct Johan, en perssona del mismo Dios dize en su Euangelio: "Pongo mi ánima por las ouejas, e tengo otras ovejas que no son desta mandra (o cauaña o ribil [*sic*] o rreceptáculo) e aquéllas es necessario que tanbién las guíe y oygan mi boz e se hagan vna grege (*id est* vn ato de mucha moltitud) e vn pastor." Pasemos adelante que Dios sabe de los que se sirue, e mira muy bien, cathólico letor, quán manifiestamente la Yglesia sagrada nos amonesta y enseña todo lo que hazer deuemos para nuestra saluación (II, est. XLVI, folios 92v-93r.).

203. *Devociones propias e impropias.*

Esos que tienden las manos
a la hostia consagrada
cosa es desacatada

y no dina de sofrir
que se ose presumir
tocar tan alto misterio,
enconado vituperio
es, y no poco delito.

Justo es que las buenas costumbres se continúen e fauorezcan
e las malas se escusen e dexen. Dize el testo: "Esos que tienden
las manos, etc". Cada día se vee que algunos, en especial ombres
e mugeres de poca calidad e pobre juyzio, que no saben ni entienden qué torpe e desacatada deuoción es la que tienen estendiendo las manos hazia la hostia del sanctísimo sacramento quando el sacerdote le leuanta, e bésanse los dedos como el ministro
le muestra al pueblo, cosa a mi ver enconada, temeraria e de mal
exenplo e osadía, porque las manos en que la hostia está (en esa
sazón) son consagradas, y el sacerdote es dedicado para administrar el oficio divino, e las manos dese otro nescio atreuido e deuoto sacrilegias [*sic*] o a lo menos no limpias, ni bastantes, ni
dinas para tocar la hostia, e si se acordase dónde las tuuo el
mismo día no se atreuería siendo christiano a pensar tal atreuimiento. Y este error de vulgares me paresce a mí se devría
proybir e desacostumbrar, pues el coraçón basta que con vmill-
dad piense en aquel mismo Dios que allí ve, e que a Él se ofrezca
de buena voluntad y de todo su coraçón e entrañas como lo deue
y es obligado a su mismo Dios (II, est. XLVI, folio 93r.).

204. *Modas masculinas y femeninas.*

Astucias son y malinas,
del común engañador,
porque no es rresplandor
lo que penssais que rreluze.

"Astucias son, etc." Vista cosa es quel diablo nunca cesa de
engañar con sus malas astucias a todos quantos puede, y llámanle
vn engañador porque lo es. Pues deue el pecador mirar que dize
Sanct Grisóstomo: "Diote Dios término de vida para curar de tu
ánima. E tú gástaslo en vanidades." Pues mira por ti ombre vano
e muger loca, que dize el Apóstol: "Bien conoscido tiene Dios
los que son suyos." Pues vestíos a la marquesota y a la tudesca,

o como quisiéredes; cayrelá los çapatos y ponéos calças de aguja, y acortá los sayos y alargá las espadas e henchíos de botones e iunenciones a la soldadesca, y vosotras a la saboyana, y apretaos mucho la cintura y ensanchá las caderas y cresced en los corchos y menguad en el seso, que imposible será dexar de conoscer la yra de Dios si no bolueys al camino de la verdad emendando las vidas y dexando estas superfluydades, haziendo penitencia de lo passado e obrando de manera que os salueys, lo qual no podrá ser por el camino que lleuays o que hasta aquí aveys caminado (II, est. XLVIII, folio 95r.).

ÍNDICE DEL VOLUMEN I